법대로
사랑하라

법대로
사랑하라 vol. 2

초판 1쇄 인쇄일 2022년 09월 13일
초판 1쇄 발행일 2022년 09월 26일

지은이 | 노승아
펴낸이 | 김기선

편집부 | 박신혜, 신현정, 김수린, 한혜정, 강연정, 이아림, 강지원, 김수정
표지디자인 | 우물
내지디자인 | 한주희

펴낸곳 | 주식회사 와이엠북스(YMBOOKS)
출판등록 | 2021년 5월 27일 (제2021-000014호)
주소 | 서울특별시 중랑구 신내역로3길 40-36 B동 710호 (신내동)
전화 | 02)906-7768 / 팩스 | 02)906-7769
E-mail | ymbooks@nate.com

ISBN 979-11-322-6730-0(04810)
ISBN 979-11-322-6728-7(set)

© 노승아 2022 Printed in Korea

값 14,000원

법대로
사랑하라

vol. 2

노승아 장편소설

ym
BOOKS

차 례

11. 무조건 내 편

인기 개그맨이 MC로 나선 커플 게임이 시작되었다. 오글거리는 분위기의 저녁 식사는 그렇다 쳐도, 이 유치찬란한 게임은 절대 못 하겠노라 했던 유리가 지금 전의를 불태우고 있었다.

말릴 수 없었다. 화장실 안에서 그녀들을 말로 쥐락펴락한 것으로는 모자란 모양이었다. 게임을 하지 말고 원래 계획대로 그냥 집에 가자는 정호의 말이 먹힐 리 없었다.

더 이상 말릴 명분이 없기도 했다. 저기 네 빌어먹을 첫 남친이 있으니 그냥 가자고 할 수도 없었다. 그냥 있다가 눈에 띄나, 말해서 눈에 띄나 매한가지인 결론.

명품 브랜드의 크리스털 샴페인 잔 세트가 걸린 여성 참여 게임에 유리가 어금니를 꽉 깨물고 일어섰다.

"진짜 나가려고?"

"응. 내가 저거 타서 새연이 갖다줄 거야."

목적이 그건 아닌 듯했다. 일어서서 걸어 나오는 공주 개미와 유리 사이에 날 선 눈빛이 팽팽히 맞부딪쳤다. 이왕 하겠다는 거 어쩌겠나. 정호는 한숨을 쉬며 이마를 짚었다.

"기왕이면 꼭 1등 해라."

"당연하지."

승부욕에 활활 불타오르는 유리가 싱긋 웃어 보이고 앞으로 나섰다. 그래, 무슨 일이야 생기겠어. 이제 세월도 많이 지났고, 예전과는 관계도 달라졌으니.

게다가 유리의 곁에는 자신이 있지 않은가. 어떤 일이든 할 수 있다. 연인이 되었으니 두려울 것도 없었다. 유리가 김성준을 보더라도 상처만 안 받는다면 좋겠다고 생각했다.

그때, 유리가 풀장 옆길을 따라 무대 쪽으로 향하는데.

"어!"

앉아서 바라보고 있던 정호가 벌떡 일어섰다. 물론 사람들의 시선도 모두 그쪽으로 향해 있었다. 옆에 와서 걷던 공주 개미가 넘어지는 척하며 유리의 몸을 밀친 것이다. 중심을 잃은 유리가 풀장 끝에 서서 허공에 팔을 저어 대고 있었다. 열심히 버둥거려 보지만 이미 때는 늦었다.

"꺄아악!"

텀벙!

촤아아!

무방비 상태에서 유리가 불빛이 가득 비치는 풀장의 푸른 물속으로 그대로 빠져 버렸다. 엄청난 물보라가 사방으로 튀었다.

풀장 가장자리에 선 공주 개미의 입가에는 조소가 번졌다. 이를 본 정호의 눈이 매섭게 끓어올랐다.

기어이 일을 내고야 만 것이다. 사람들은 실수로 일어난 일이라 생각했겠지만 정호의 눈에는 명백한 고의였다. 공주 개미가 넘어지는 척하면서 일부러 유리를 물속으로 밀어 빠뜨린 것이다.

함께 온 남자들이 계속 유리를 쳐다보자 질투가 났는지 화장실에까지 따라 들어갔던 여자였다. 특히 김성준의 곁에 있던 그녀는 자존심이 톡톡히 상한 모양이었다.

고깝게 보던 유리에게 한 방 먹이려고 했으나 도리어 당하고 나와서는, 내내 벼르고 있었나 보다. 놀란 사람들이 웅성거리며 풀장 앞으로 모여들었다.

"어떡해!"

"사람이 빠졌어, 누가 좀!"

정호가 화를 억누르며 재빨리 풀장 쪽으로 뛰어갔다. 개미고 뭐고 우선 유리부터 건져 내야 했다.

막 달려가 물속으로 뛰어들려던 바로 그때, 기다렸다는 듯 유리가 먼저 물 밖으로 모습을 드러냈다.

촤아아악!

파도가 부서지듯 투명한 물빛이 공기 중에 산산이 흩날렸다. 정호의 움직임이 뚝 멎었다. 그건 모두가 마찬가지였다. 풀장에 물을 꽉 채우지 않아 수심은 그리 깊지 않았다. 수면은 그녀의 가슴께에 머물러 찰랑거렸다.

유리가 고개를 젖히자 물에 푹 젖은 머리카락이 한꺼번에 뒤로 넘어갔다. 그 모습이 흡사 광고 촬영 중인 여배우, 아니면 목욕을 마치고 나오는 선녀, 혹은 푸른 물을 다스리는 여신쯤 되어 보이는 건 착각이 아니었다.

좌중엔 고요한 침묵만이 흘렀다. 그녀의 얼굴에는 당황한 기색이라곤 찾아볼 수가 없었다. 물에 비친 불빛들 속에 유리 혼자 존재하였다. 오롯이 빛나는 그 아름다움이 비현실적으로 보일 정도였다. 대단한 존재감을 선보이며 그녀는 그렇게 물속에 서 있었다.

유리의 시선이 누군가를 찾아 천천히 배회하였다. 마침내 그 시선이 닿은 곳은 바로 공주 개미였다. 움찔, 하고 놀란 공주 개미가 한 발짝 물러섰다. 풀장 안에 홀로 선 채, 유리는 엄지로 천천히 제 목을 긋는 시늉을 했다.

유, 다이.

서슬 퍼런 경고. 하지만 공주 개미는 애써 입술을 앙다물고 턱을 추켜세워 보였다. 곧 죽어도 지는 건 싫은 모양이었다. 저 얼굴을 보아하니, 유리가 따지려고 들면 '어머, 미안.' 하고 사과 같지도 않은 사과를 해 버리고 말 셈일 거다.

유리의 입가에 조소가 맴돌았다. 그래, 너, 지금 나랑 한번 놀아 보자는 거지. 그럼 까짓것 뭐, 놀아 드리지. 어려운 것도 아니고. 이렇게 열성적으로 걸어오는 시비를 무시하자니 그것도 예의가 아니라는 생각이 들었다. 자기가 데려온 남자의 시선을 빼앗았다고 저러는 거면, 더 해 주면 된다.

작정한 듯 유리는 물을 가르며 풀장 가장자리 쪽으로 유유히 걸어갔다. 철제 사다리를 잡고 몸을 쭉 올리자 물이 아래로 촤악 떨어졌다. 그 순간, 눈앞에 커다란 손 하나가 내려왔다.

"잡아."

고개를 들어 보니 정호였다. 그가 허리를 숙여 손을 내밀고 있었다. 검은 눈동자 가득 복잡한 빛이 실려 있었다. 물에 빠진 게 뭐, 대수라고 저렇게 안타까워할까.

유리는 별생각 없이 그 손을 잡았다. 약이 오른 건 자신인데, 잔뜩 화가 난 표정을 짓고 있는 정호를 보니 연애도 꽤 할 만하다는 생각이 들었다. 단순한 친구로서 제 편을 들어 줄 때보다 훨씬 더 든든한 마음이 들었다.

"걱정하지 마. 나 괜찮아."

당장 그의 넓은 품에 안겨서 놀란 가슴을 진정시키고 싶지만, 달콤한 위안은 잠시 후로 미루었다. 곱게 갈아 둔 칼을 휘둘러야 할 시간이었다. 정호의 손을 놓은 유리가 물에 젖어 미끄러워진 하이힐부터 벗었다. 양쪽 다 벗더니 정호에게 툭 안겨 주었다.

"다녀오겠다."

전투에 나가는 장수처럼 비장한 인사를 건넨 유리가 돌아섰다.

휘이이이.

숨죽이고 있던 좌중 속 어디선가 휘파람 소리가 들려왔다. 다리를 아름답게 보이도록 해 주는 힐에서 내려와 맨발이 되었건만, 전혀 흐트러짐 없는 각선미였다. 스커트에서는 물이 뚝뚝 떨어졌고, 블라우스 역시 푹 젖어 버렸다.

"야, 너……."

정호가 말을 채 잇기도 전에 유리가 멀어졌다. 아까의 단정한 오피스 룩은 온데간데없이 사라지고 말았다. 마치 원래 시스루로 제작한 옷을 입고 나오기라도 한 듯 당당하기만 했다. 야하다기보다는 여신처럼 기품이 넘치는 모습이었다. 묘하게 섹시한 그 자태에 모두가 넋이 나간 것은 물론이었다.

까만 하늘 아래, 반짝이는 조명들 사이에 오직 그녀만 살아 숨 쉬는 것 같았다. 그녀가 사람들을 지나쳐 작은 무대에 올라 마련된 의자 중 하나에 앉을 때까지, 시선들은 하나가 되어 유리를 좇았다.

"아! 깜짝 놀랐네요. 괜찮으세요?"

MC를 맡은 개그맨이 묻자 유리는 웃으며 고개를 끄덕여 주었다.

"여기, 물에 빠지셨음에도 불구하고 1등으로 올라와 주신 분이 계십니다! 자, 네 분만 더 올라오시면 됩니다!"

당사자인 유리가 의연하게 반응하니, 물에 빠진 일은 잠깐의 소동으로 마무리되고 말았다. 어느새 공주 개미를 포함한 다른 여성들이 무대 위로 올라오고 게임이 시작되려고 하였다.

정호는 스태프에게 부탁한 큰 타월을 넘겨받자마자 손에 든 채 무대 위로 뛰어 올라갔다. 그리고 타월을 착 펼쳐 유리의 몸을 둘러 주었다.

"어?"

"잔말 말고 싸매고 있어라."

놀란 유리의 앞에 허리를 숙이며 귓속말을 하듯 정호가 낮게 말했다.

"감기 걸려."

저녁 공기가 제법 쌀쌀하니 그녀를 이 상태로 내버려 둘 수는 없었다. 마음 같아서는 무대에서 끌고 내려오고 싶지만 유리의 고집을 꺾을 순 없기에 이게 최선이었다.

"그리고 이런 건……."

"……."

"나한테만 보여 주는 거야."

적나라하게 젖은 모습은 누구도 볼 수 없도록 커다란 타월로 꽁꽁 싸 앞을 잘 여며 주었다. 그러고는 유리의 손으로 단단히 잡게 했다.

"이거 풀지 마. 나 그냥 돌아 버린다."

속삭이듯 쏟아 내는 정호의 말들에 유리가 어안이 벙벙한 얼굴로 올려다보았다. 귓가에 스치는 숨결이 가슴을 설레게 했다. 할 말을 다 끝낸 정호가 몸을 일으키고 싱긋 웃었다.

"그럼 브라더. 부디 1등 해라, 전사여."

자연스레 주먹을 부딪치고, 친구일 때와 다름없는 호칭으로 응원을 해 주고 내려왔다. 섹시하던 유리의 S라인 자태는 타월에 폭 파묻혔으니 정호는 비로소 안심했다. 그 모습을 보고 있던 공주 개미가 입을 열었다.

"젯. 무식이 동동 튀는 얼굴이랑 몸 들이대서 남자 꼬셨구만. 천박하게."

기가 죽었나 싶었는데, 어느덧 부활하여 투덜거리고 있었다. 뭐가 그렇게 억울한지. 다만, 이번에는 들을 수 없도록 작게 말했을 뿐이다. 문제는 귀 밝은 유리가 다 들어 버렸다는 것이지만.

"무식이라……."

천천히 말을 내뱉으며 유리는 꼬았던 다리를 풀어 반대로 다시 꼬았다. 육감적인 몸매는 타월 속에 감추어졌지만, 특유의 여유 넘치는 행동에는 함부로 대하기 어려운 위압감이 서려 있었다.

"자, 미모의 여성 참가자 다섯 분을 모시고 할 게임은!"

본격적으로 시작되는 게임에 모두가 기대감 어린 얼굴로 무대를 지켜보았다. 상품만 걸리고 게임 종목도 밝히지 않은 채 다섯 명의 여자들이 나오게 한 순서였다.

"네! 상식 퀴즈입니다!"

MC가 신명 나는 목소리로 대결의 종목을 밝혔다. 어떤 게임에도 자신 있는 듯 유리를 이겨 먹으려 들던 공주 개미의 얼굴이 살짝 하얗게 질렸다. 자신 없는 분야인 모양이었다. 유리가 웃었다. 다시 한번 그녀의 말을 되짚어주었다.

"무, 식, 이, 라."

그게 누굴 말하는 건지는 두고 봐야 알 일이었다.

정호는 어이가 없어 팔짱을 낀 채 무대를 바라보았다. 유리가 싫다고 한 이유가 있었구나. 이 로맨틱한 분위기에, 다들 멀쩡히 차려입은 여자들 앞혀 놓고, 한다는 게 기껏해야 장학 퀴즈 급의 문제 풀기 순서라니.

호텔에서 열리는 파티 중에 서바이벌 물감총 쏘기, 풍선 터뜨리기, 음료 빨리 마시기 같은 유치한 게임들도 종종 한다는 건 들은 바 있었다.

하지만 직접 눈으로 보니 더욱 웃음이 났다. 사람들 모여 노는 곳은 어디나 마찬가지구나, 어쩔 수 없구나 하고. 물론 세기의 대결처럼 어느새 분위기는 진지하게 무르익고 말았지만.

"자, 사회 현상 중 하나로 '복지는 좋지만 내 지갑에서 돈이 나가는 것은 싫다'라는 심리를 지칭하는 말……."

"1번."

MC의 말이 끝나기도 전에 제 번호를 외치며 가볍게 손을 든 이는 유리였다.

"네! 1번 여성분?"

"눔프 현상."

"맞습니다! 아아! 객관식인데 보기가 필요 없네요! 벌써 1번 여성분이 세 문제를 맞히셨습니다."

김유리의 독주가 이어지고 있었다.

"자, 다음 문제. 국산 창작 뮤지컬 의무 공연 비율을 뜻하는 말인데요, 외국 라이선스 뮤지컬이 범람하면서 창작 뮤지컬의 생존 자체가 위협받고 있기 때문에 주장되는 방안입니다. 대형 창작……."

"3번! 3번!"

"네, 3번 여성분!"

유리에게 또 빼앗길세라 공주 개미가 당당히 제 번호를 외쳤다. 이번에는 아는 문제인 모양이었다.

"정답은?"

"어…… 스크린 쿼터요, 스크린 쿼터!"

"아, 비슷한데요……."

MC가 안타까워하며 참가자들을 바라보았다. 그러나 다들 괜히 나왔다는 표정으로 입술에 꿀을 바른 채 앉아 있었다.

"1번."

"아, 네! 1번 여성분! 정답은?"

"스테이지 쿼터(Stage Quota)."

유리의 대답에 MC의 표정이 확 밝아졌다.

"그렇죠! 스크린 쿼터는 한국 영화 의무 상영 비율을 말하는 거고, 정답은 스테이지 쿼터였습니다!"

모든 문제는 사실 객관식으로 되어 있었다. 죽자고 덤비게끔 만든 퀴즈는 아니었다. 정답이 스테이지 쿼터일 때, 보기는 스테이크 쿼터, 스태미나 쿼터 등으로 구성해 쉽게 맞히게끔 하는 식이었다. 하지만 정답을 가볍게 맞혀 버리는 유리로 인해, 준비한 보기를 말해 줄 시간조차 없었다.

물에 흠뻑 젖어 무대 위로 올라간 여자가 여유로운 표정을 지으며 연속으로 정답을 맞히자, 모두 흥미로운 눈길로 바라보았다. 그중에는 공주 개미의 파트너이자 유리의 첫 번째 남자 친구였던 김성준도 있었다.

"자, 다음은 한 국가가 영공 방위를 위해 임의로 선포하는 지역으로, 영공(領空)과는 별개로……."

"1번. 방공 식별 구역."

"네! 저, 정답입니다."

이쯤 되면 MC와 1번 참가자 김유리 간의 스피드 퀴즈라 해도 될 정도였다. 좌중의 관심이 유리에게 집중되었고, 다른 참가자 여성들조차 문제 풀기는 뒷전이요, 감탄 어린 얼굴로 그녀를 바라보기만 할 뿐이었다.

"동일 산업 부문에서의 자본의 결합을 축(軸)으로 한 독점적 기업 결합으로……."

"1번. 트러스트(trust)."

"정답! 한 국가의 경제 규모나 경제 활동 인구에 대비해 지점과 ATM을 포함하는 점포 수가 과도해 은행의 수익성에 악영향을 미치는 상황으로……."

"1번. 오버 뱅킹(over-banking)."

"정답! 특정 정당이나 특정인에 유리하도록 선거구를 정하는 것으로……."

"1번. 게리맨더링(Gerrymandering)."

1번 참가자 김유리가 시원스레 대답할 때마다 탄성이 터져 나왔다. 그녀에게 무식이 통통 튀는 얼굴과 몸으로 남자를 꼬신 것이라 조롱했던 공주 개미만은 표정이 점점 썩어 들어갔다. 설마 복수를 시사 상식으로 당할 줄 누가 알았을까.

김유리, 그녀는 당한 만큼 남을 깔아뭉개는 스타일은 아니었다. 자신의 가치를 높이는 쪽을 택했다. 그로 인해 이 순간 그녀는 무대 위에 단 하나의 별처럼 홀로 빛나고 있었다. 손에 오물을 묻히지 않고도 승리하는 그녀만의 방법이었다.

"지성과 미모를 겸비한 1번 참가자분께 선물을 드리겠습니다!"

공주 개미가 탐이 난다고 했던 명품 크리스털 샴페인 잔이 유리의 손에 들어왔다. 분한지 콧김을 뿜어내며 무대를 내려가는 공주 개미에게 유리가 말했다.

"헤이, 언니 기대만큼 내가 무식이 통통 튀질 못했네. 미안해서 어쩌지."

제 할 말을 마친 유리는 수건을 두른 채 맨발로 날듯이 걸어갔다. 그녀의 등을 보며 공주 개미가 부글부글 끓어오르는 화를 삭였다.

"자, 여기 상품. 잘 챙겨. 새연이 가져다줄 거니까."

"잘했어. 그런데 김유리 성질 좀 죽여라."

정호는 아직 젖어 있는 그녀의 머리카락에 수건을 대고 툭툭 두드려 주었다.

"나 성질 안 부렸는데?"

"아니, 다른 사람들 기회도 좀 주고, 문제도 끝까지 듣고 좀 그래야지, 중간에 다 맞혀 버리면 어쩌냐."

"내가 뭘. 얌전히 문제 풀고 온 것밖에 더 있어? 힘으로 승부하는 건 줄 알고 나갔는데 문제를 주는 걸 어떻게 해."

"하긴, 힘으로 하는 거였으면, 저 여자 아주 죽어났겠다. 그나마 다행인 걸 알아야 할 텐데."

"그래. 나는 죄 없어."

유리는 블라우스 아랫자락을 잡고 펄럭였다. 이제 물기는 떨어지지 않지만 이렇게 하면 조금이나마 마를까 해서였다. 갈아입을 옷이 없기에 젖은 상태로 계속 있는 것이 영 마음에 내키지 않았다.

"이제 집에 가자."

"가긴 어딜 가. 해 보니까 재미있는데 이거. 좀 이따 커플 게임 같이 나가 보자."

"그것보다 너, 정말 감기 들겠다. 게임이고 뭐고 우리 일단 체크인부터 할까?"

정호가 능청스레 객실 건물을 또 가리켰다.

"이 자식이 진짜 뱃속에 늑대가 들어앉았나."

"잘 생각해 봐. 너도 별로 싫지는 않을…… 흐아, 야아, 나 때리려고?"

유리가 정호의 어깨를 잡고 등짝에 강스매싱을 선사하려고 하는 그때.

"김유리?"

이름을 부르는 소리에 그녀가 고개를 돌렸다. 그리고 움직임이 멎었다.

"어어. 진짜 맞구나. 설마 했는데."

"오빠, 뭐야. 이 여자, 아는 여자였어?"

쌍개 특집인가. 옆구리에 개미까지 끼고 나타난 개쓰레기였다. 십 년 만에 맞닥뜨린 성준을 보고 유리는 굳어진 채 말이 없었다. 갑작스러운 재회였다.

뜻하지 않은 순간이었다는 건 그녀의 표정만 봐도 알 수 있었다. 그다지 보고 싶은 사람도 아니었고. 정호는 다시금 차오르는 복잡한 감정들을 억누르며 두 사람 사이에 끼어들었다.

"인사해서 별로 좋은 관계는 아닐 것 같은데. 이쯤하고 가시죠."

무대에서는 한창 다른 게임이 진행되고 있어서 대부분 그쪽을 보느라 여념이 없었다. 네 사람만이 좌중과 따로 떨어져 있는 가운데, 이들 사이에 날카로운 불꽃이 튀었다.

성준은 이미 멀리서 지켜본 바로 정호의 존재를 알고 있었기 때문에 크게 동요하지 않았다. 그래서 정호를 가볍게 무시하고는 유리를 보며 다시 말했다.

"유리 너 꼭 한 번 다시 보고 싶었는데, 이렇게 다 만나네. 정말 반갑다. 잘 지냈지?"

그때, 대답 없이 물끄러미 성준을 바라보고만 있던 유리가 정호에게 팔짱을 끼었다. 그리고 찰싹, 가깝게 밀착했다. 젖은 옷이 달라붙은 몸을 정호에게 꼭 붙인 채 얼굴을 들어 성준을 쳐다보았다. 보란 듯이 정호와 연인임을 과시하는 행동이었다.

엄청난 일을 저질러 놓고 아무런 해명도, 변명도, 사과도 없이 아버지에게 쫓겨 외국으로 가 버린 첫 남친. 달갑지 않은 그의 등장에 유리의 피가 싸늘하게 식었다. 그런데도 저렇게 뻔뻔하게 웃는 얼굴이라니. 면상을 확 긁어 버리고 싶은 심정이었다. 하지만 그보다 더 효과적인 방법을 알았다.

"자기야."

살랑살랑 봄바람처럼 따스하게 표정을 바꾼 유리가 정호에게 더욱 찰싹 달라붙어 콧소리를 내었다. 다정한 두 사람의 모습에 성준의 얼굴이 조금씩 굳어 갔다. 그렇지만 누구보다 더 놀란 건 정호였다.

"히익."

"아잉, 자기야아앙."

이 순간, 특급 애교가 펼쳐졌다. 어울리지 않을뿐더러, 지금까지 부려 본 적도 없는 애교가 유리의 온몸에서 흘러넘쳤다. 방금까지만 해도 정호의 어깨를 탁 잡고 등짝을 두드려 패려던 그녀가 아니었던가.

"되게 좋다, 그거."

커플 게임을 위해 무대 위에 올라온 정호가 속삭였다. 그의 얼굴 가득 웃음이 넘쳤다.

"뭐가 좋아?"

"방금 '자기야.'라고 한 거. 또 해 봐."

"시끄러워."

언제 애교를 부렸냐는 듯 유리는 시크하게 입을 다물었다. 쌍개 커플 앞에서만 일부러 부린 애교였다. 썩은 표정으로 돌아선 그들은 이제 멀리 떨어져 있기에 더 이상 억지 애교를 부릴 필요는 없었다. 그녀는 스스로 생각해도 소름이 돋는 듯 제 팔을 벅벅 문질렀다.

"왜, 난 좋았는데……."

아쉬운 건 정호였다. 아까 제 팔에 착 달라붙어 애교를 부리던 유리를 다시 떠올렸다. 가슴속이 간질간질해지는 게 정말 좋았다. 견딜 수 없이 행복해졌다. 이런 것 하나에도 기분이 좋아지다니.

가끔 유리와 함께 있는 순간이 믿기지 않을 때가 있는데, 바로 지금 그랬다. 혼자 마음 끓였던 것이 언제였나 싶다. 제 앞에서 웃어 주는 유리를 보면 꿈을 꾸는 것만 같았다. 신기루처럼. 물거품처럼. 어느 순간 모든 것이 사라져 버릴 것만 같은 불안감이 공존하기도 했다.

정호는 입술을 굳게 다물었다. 행복할 때마다 밀려드는 이 아슬아슬한 기운을 애써 모른 척했다. 이제 서로의 마음을 확인했으니, 서서히 드러내어도 좋을 것이다. 유리라면 다 알게 되어도 기꺼이 받아 줄 것이다. 어떻게 얽힌 인연이든지 상관하지 않을 것이다.

그럴 것이다. 분명, 그럴 것이다. 그녀로 인해 달렸고, 그녀로 인해 멈춰야 했던 순간들. 제 삶의 모든 조각이 김유리가 아니면 설명할 수 없는데. 돌고 돌아 결국 올 수밖에 없었던 건, 사랑이니까. 주저앉은 순간조차도, 사랑이었으니까.

그 사랑이 아닌 다른 건 이제 생각하고 싶지도 않았다. 끔찍한 합리화일 뿐이라 해도 어쩔 수 없다. 유리는…… 자신을 향해 끝까지 웃어 줄 것이라고 믿었다.

"……야."

마음만 굳건하다면, 그 무엇도 문제가 되지는 않을 것이다. 이렇게 마주 볼 수만 있다면, 이제는 그 어떤 일이든 할 수 있다. 행여 모든 걸 다 버려야 한다고 해도. 그는 그럴 수 있다고 생각했다.

"……호."

그녀만 외면하지 않아 준다면. 그리하여 그녀 하나만 얻을 수 있다면. 또 한 번 다 버릴 수 있다.

"김정호."

"……."

"김정호!"

현실에서 멀어져 깊어지는 생각을 어쩌지 못했다. 유리가 부르는지도 모르고 홀로 상념에 빠져 있던 정호가 고개를 들었다.

20

"삐이이익. 이 커플은 기권이신가요?"

MC가 다가오자 유리가 절레절레 고개를 저으며 정호의 목을 확 끌어안았다.

"아니에요!"

갑작스러운 스킨십에 정호의 얼굴이 붉어졌다.

"뭐 해, 빨리 안아!"

"응?"

"애 또 정줄 놨네, 놨어. 저기 봐 봐. 나 안아서 들어 올려야지. 저렇게."

정호가 고개를 돌렸다. 무대에 올라온 커플들의 모습이 눈에 들어왔다. 남자가 여자를 공주님 안기로 들어 올린 모습들이었다.

상황을 파악한 정호가 얼른 몸을 굽혀 유리의 몸을 안아 들었다. 공중에 몸이 붕 뜬 그녀의 눈이 커졌다. 생각보다 훨씬 든든한 팔이었다.

"자! 여자분 안고 오래 버티기에 미션이 없으면 안 되겠죠? 남자분들은 제자리에서 여자분을 안은 채 앉았다 일어나기를 10회 시작하겠습니다!"

끄응, 하는 소리가 여기저기서 터져 나왔다. 사실 체중이 아무리 가볍다 한들 성인 여자를 들어 올린 채 가만히 서 있는 것도 힘든데, 앉았다 일어나라니.

"김정호! 할 수 있지?"

목을 더 바짝 끌어안은 채 유리가 정호를 보며 말했다. 숨이 섞일 만큼 가까웠다. 정호가 그녀의 등허리를 단단히 받쳐 감싸고, 무릎 아래로 더 깊숙이 팔을 넣어 확 끌어안으면서 웃었다.

자신 있는 미소였다. 물론, 말은 다르게 나왔지만.

"이 여자 뻔뻔한 것 좀 보게. 너는 양심이 좀 있어 봐라. 할 수 있지 소리가 지금 당당하게 나오냐? 네가 얼마나 무겁……."

"닥칩시다."

"네."

장난이 섞인 말을 주고받고 있을 때 휘이익, 호루라기 소리가 울렸다. 그러자 구경하는 사람들이 손뼉을 치며 휘파람을 불었고, 남자들은 자신의 연인을 안은 채 무릎을 굽혀 앉기 시작했다.

"완전히! 완전히 앉았다가 일어나셔야 합니다! 어어! 더 푹 앉으셔야죠!"

처음부터 제법 난도(難度)가 있었기에 여기저기서 앓는 소리가 튀어나오더니, 하나둘 횟수가 늘어 가자 포기하는 커플이 나오기 시작했다.

유리는 마른 몸이 아니었다. 오히려 여자치고는 큰 키인 데다 오랜 운동의 결과로 은근히 근육이 있는 건강한 몸매라서, 보기보다 체중이 많이 나가는 편이었다. 그러니 유리는 속으로 내심 걱정을 하고 있었다.

그녀 스스로 승부욕에 불타올라 보란 듯이 참여한 게임이지만, 이건 자신이 할 수 있는 부분이 전혀 없질 않은가. 그저 남자의 목을 안고 매달려 안기는 게 전부라니 답답하기도 했다.

이런 그지 같은 게임을 하다니. 정호가 정말 무겁다며 자신을 내팽개치기라도 하면 어쩌나, 하는 생각도 들었다.

그런데…… 뭐지, 이 편안함은.

"1번 커플! 굉장히 안정적인 모습 보여 주고 계시는데요!"

마치 초등학생 아이라도 안은 듯 가뿐하게 앉았다가 일어나기를 반복하는 사람은 바로 정호였다. 살짝 가빠진 호흡 말고는 전혀 흐트러짐이 없었다.

아예 유리를 더 바짝 들어 올려 그에게 푹 안기게 했다. 유리는 정호의 어깨까지 끌어안고 목덜미에 얼굴을 묻게 되었다.

떨렸다. 심장이 아까보다 훨씬 빠르게 뛰기 시작했다.

몸이 내려가고, 다시 올라가고. 온전히 정호에게만 의지한 몸이 그렇게 저와는 상관없이 움직였다.

"전혀 힘들어 보이는 기색도 없는 1번 커플! 대단합니다. 남자분 체력이, 그냥, 뭐! 하체 힘이! 어후!"

과장된 어조로 중계를 하는 MC의 목소리도 점점 멀어지는 기분이었다. 유리의 귓가에 정호의 숨소리만이 가득했다.

앞만 보며 달려왔던 삶이었다. 무엇도 돌아보지 않고 그저 힘껏 뛰기만 했었다. 유리는 누군가의 도움 없이 척박한 땅을 개간하듯 그렇게 살아왔었다.

짜증 나고 힘이 들 때, 잠깐 만나 웃으며 얘기하고 스트레스를 풀 수 있는 친구. 정호는 그저 제겐 그런 존재였는데⋯⋯. 지금 정호에게 안겨 제 의지와 상관없이 움직여지는 몸을 느끼자, 유리의 가슴속 무언가가 울컥 치솟는 기분이었다.

좋구나. 안긴다는 거, 정말 좋은 거였어. 내 발이 땅에 닿지 않아도, 너 하나 그냥 믿어 버리면 되는 거였구나. 네 품에 안겨서, 너란 사람에게 이렇게 나를 맡기는 것도, 정말 좋구나. 정호야, 이런 거 ⋯⋯참 좋은 거였구나.

힘겹게 달려오던 마라톤 경기 중간에 물을 마시는 듯한 기분이었다. 시원하고 달았다. 가슴이 벅차 견딜 수가 없었다.

친구에서 남자가 된 김정호. 그 존재의 유일함이 어느덧 제 안에 짙게 새겨지고 있었다.

"자, 이제 네 커플이 남았습니다!"

탈락한 커플들을 제외하고, 성공적으로 미션을 마친 네 커플은 MC의 다음 진행을 기다리며 호흡을 가다듬었다. 아직 남자들은 자신의 여자 친구를 안아 올린 상태였다.

게임은 아직 끝난 게 아니었다. 여자를 내려놓지 않고 마지막까지 버티는 한 팀이 최후의 승리자였다. 탈락자를 신속히 배출하기 위해서인지 다음 미션의 강도가 점점 더 세졌다.

"남자분들은 여자분들을 안은 채로 제자리에서 열 바퀴를 돌아 주시고, 여기 있는 테이블까지 오셔서 과자를 입으로 나눠 드시면 됩니다. 여자분을 떨어뜨리거나 힘들어서 내려놓으시면 바로 탈락인 거 아시죠? 자! 회전 시작!"

혼자의 몸으로 제자리 회전을 한 후 걸으려고 해도 넘어지기 일쑤인데, 여자를 안은 채 이런 걸 하라니. 한쪽에선 하기도 전에 곡소리가 새어 나왔다. 정말이지 가혹한 게임이었다.

"더 꽉 안아."

정호의 말에 유리는 강인한 목과 어깨를 힘껏 끌어안았다.

"간다."

유리는 이제 아무것도 보이지 않았다. 얼굴을 묻고 그에게 모든 것을 내맡겼다.

자신을 안은 몸이 돌아가기 시작했다. 사람들이 하나, 둘, 셋 숫자를 외쳐 주었다. 끝이 없는 세계에서 하염없이 돌아가는 몸처럼 느껴졌다.

비로소 열 바퀴 모두 돌았을 때, 안겨 있는 유리마저도 어지러움이 느껴졌다. 하물며 자신을 안고 있는 정호는 어떨까 싶었다.

몸이 다시 붕, 가볍게 떴다. 더 바짝 안기게 되었다. 자신을 안전하게 추켜올린 정호가 잠시 숨을 골랐다.

"어지럽지?"

"괜찮아."

낮은 웃음이 섞인 정호의 목소리에, 유리는 이상하게 안심이 되었다. 허구한 날 제 손바닥에 등을 맞고 오징어 춤을 추던 놈이었는데, 지금 이렇게 는는하게 느껴질 줄이야. 친구로 지냈던 그 오랜 시간 동안 왜 몰랐는지 모르겠다.

요즘 들어 알게 되는 정호가 한없이 남자답고 근사하기만 했다. 그렇다고 사람이 크게 달라진 것은 없는데. 그 진가를 이제야 조금씩 알게 되는 게 미안할 뿐이었다.

비틀. 비틀.

제아무리 체력이 좋다 한들 열 바퀴나 제자리 회전을 하고도 똑바로 걷기는 무리였다. 어지러움을 느낀 정호의 다리 역시 휘청거렸고, 유리는 불안한 마음에 더욱 힘껏 안겼다. 그나마 정호는 양호했다. 비틀거렸어도 넘어지지는 않았으니 말이다.

혼자 몸으로도 중심 잡기 힘든 상태에서 품에 가득 여자를 안은 채 테이블까지 가야 하는 남자들이 이내 흔들리기 시작했다. 시간제한이 있는 것은 아니고, 넘어지지 않기만 하면 되니 도중에 멈추었다가 움직이기를 반복했다.

"김유리, 과자 좀 집어 봐."

어느새 테이블까지 다 온 모양이었다. 정호의 말에 유리는 고개를 들고 한 손을 뻗어 크래커를 집어 들었다. 끌어안은 목에서 잠시 한 손을 뗐어도 안정감이 느껴졌다. 정호가 안고 있는 힘이 여간 든든한 게 아니었다.

작은 크래커 반쪽을 입에 물었다. 정호의 얼굴이 바짝 다가왔다. 게임이고 뭐고, 유리는 그저 가슴이 떨리기만 했다.

쿵. 쿵.

이렇게 안긴 자세에서, 이렇게 가까운 접촉이라니. 그때, 유리의 눈이 동그랗게 벌어졌다. 정호가 크래커 반대쪽을 베어 물었다. 유리의 입술까지 먹어 버릴 듯 몹시 크게.

분명히 고의였다. 입술 위로 벼락이 떨어진 것만 같았다. 느껴진 그 강렬한 촉촉함에 놀라서 입이 벌어졌고 크래커를 놓쳤다. 물론, 그건 정호의 입 속으로 무사히 들어갔다. 아작아작 맛있게 씹으며 정호가 싱긋 웃었다.

"맛있다."

게임 중에 알차게 뽀뽀까지 챙겨 먹다니. 그녀가 뭐라 항의할 새도 없이 정호가 제 어깨로 유리의 얼굴을 넘기듯 다시 추켜 안았다.

"꽉 잡아라. 떨어진다."

완전 김정호의 페이스다. 모두의 앞에서 딥키스를 했더라도 유리는 한 마디도 못 했을 것이다. 어쩌면 이런 부분에서는 이제 김정호를 당해 낼 수 없을지도 모르겠다.

그때 테이블 쪽으로 휘청거리며 다가오던 한 커플이 쓰러지면서 옆에 있던 커플을 덮쳤다. 정호는 얼른 유리를 안은 채 옆으로 몸을 피했다.

"으아아앗!"

"끼야악!"

부딪힌 두 커플이 비명을 지르며 장렬히 전사하였다.

"아아아! 안타깝게도! 3번, 5번 커플이 동시에 탈락했습니다!"

그리하여 남은 참가자는 정호와 유리, 그리고 쌍개 커플 단 두 팀이었다.

"이제 두 커플이 남았습니다! 처음부터 대단한 체력을 보여 준 1번 커플과 쓰러질 듯 말 듯 아슬아슬한 상태로 끝까지 살아남은 7번 커플!"

MC의 말에 간이 무대 아래의 사람들이 손뼉을 치며 환호했다. 이제 게임이 막바지에 이르고 있었다.

"김정호, 너 괜찮아?"

이 정도면 힘이 많이 빠졌을 텐데. 유리는 걱정스러운 마음으로 물었다.

"너 안고 지구 한 바퀴도 돌 수 있어."

"허세 대박."

"물론 내 허리는 아작 나겠지. 그런 의미에서 무리하지 말고 룸에 올라가서 좀 쉴 겸, 지금이라도 체크인할까?"

"인생에서 체크아웃 당하고 싶냐?"

정호는 유리를 안은 채 큭큭 웃었다. 시종일관 장난스럽게 말하는 정호에게서는 의외로 여유가 흘러넘쳤다. 덜 힘든 모양이다. 게다가 14년 내내 해

댔던 헛소리의 영역이 이젠 은밀한 분야로까지 확대되었으니, 남자는 다 늑대라는 말이 괜히 있는 게 아니었다.

"두 커플 중 한 커플이 떨어질 때까지! 자! 남자분들은 다리 하나를 올려주세요!"

이제 길게 끌지 않고 끝내겠다는 얘기였다. 한쪽 발로만 서라니. 아마 오래 버틸 순 없을 것이다. 균형 감각은 물론이거니와 체력까지 한계가 올 만한 시점이었다.

잠깐의 차이로 1등이 결정될 미션이었다. 유리가 고개를 들고 힐끗 상대 커플을 바라보았다. 공주 개미를 안고 있는 개쓰레기는 확실히 힘에 부친 기색이 역력했다.

내가 이걸 왜 하고 있나, 하는 표정을 짓는 개쓰레기를 보고 유리는 정호에게 말했다.

"할 수 있어. 1등 하자."

"물론."

기우뚱.

몸이 살짝 기울어졌다. 이제 정호가 한 발을 들어 올린 모양이었다. 묵직하고 든든한 속내를 가진 그에게 완벽하게 의지하고 있었다. 유리는 이대로 넘어진다고 해도 아쉽지 않다고 생각했다. 그 이상의 감정을 새롭게 깨달은 기분이었다.

얄미운 개미, 그리고 다시는 마주치고 싶지 않았던 개쓰레기에게 혹시나 진다고 해도 분하지 않을 정도였다. 다른 이에게 가진 미움은 약해질 수밖에 없었다. 그만큼 유리의 마음속은 김정호 하나로 가득 차 있었다.

"어어어!"

위태로운 소리가 터져 나온 건 저쪽이었다.

"7번! 7번 커플 지금 위험……. 아아!"

말을 채 마치지 못한 MC가 형식적인 아쉬움을 토해 냈다. 쌍개 커플이 처참하게 쓰러진 후에야 허공에 떠 있던 정호의 한쪽 발이 사뿐히 바닥에 안착했다.

굳건하게 끌어안은 품속에서 그제야 유리는 편안히 한숨을 내쉬었다. 그렇게 커플 게임 우승의 영광은 김정호와 김유리 커플에게 돌아갔다.

"진짜 예쁘다."

약지에 낀 심플한 반지를 바라보며 유리가 웃었다. 정호도 손을 들어 올려 반지를 보았다. 그의 손에도 같은 모양의 반지가 끼워져 있었다.

커플링을 상품으로 받아 자리로 돌아오자마자 바로 착용한 참이었다. 혹시 마음 바뀔까 봐 얼른 끼워 주겠다고 했더니 유리는 순순히 손을 내밀었다. 반지는 제법 이름 있는 브랜드 제품으로, 백화점 매장에 방문하면 사이즈 변경도 가능하다고 했지만 두 사람 손가락에 맞춘 듯 꼭 들어맞았다.

이렇게 김유리와 커플링을 다 껴 보네. 정호도 뿌듯함이 밴 입술로 웃었다. 허리가 좀 아프고 팔이 좀 떨리면 어떤가. 결과는 이렇게나 흡족하였다.

"그만 가자."

반지를 낀 두 사람의 손이 포개어졌다. 게임 하던 커플들이 자리를 비운 무대 위에는 재즈밴드의 연주가 흐르기 시작했다. 한쪽에는 무제한으로 마실 수 있도록 칵테일이 세팅되었다. 이를 두고 나가는 것이 아쉽기는 했지만 아직 젖은 옷을 입고 있는 유리를 더 오래 두어서는 안 되겠다고 생각했다.

성준은 게임이 끝난 후 바로 사라졌다. 1등을 놓친 공주 개미가 툴툴거리자 성준은 대꾸할 가치도 없다는 듯 등을 돌리고 무대에서 내려가 버렸다. 공주 개미가 바로 쫓아갔지만, 두 사람이 계속 다투는지 혹은 화해를 하는지 알 수 없었다. 물론 관심도 없었다.

유리에게 김성준이라는 존재는 이제 더 이상 트라우마가 아니었다. 오히려 이렇게 맞닥뜨린 것이 더 잘되었다고 생각될 만큼. 스무 살에 받았던 상처가 이제는 아무렇지도 않게 느껴졌다.

주차장으로 향하며 유리는 정호의 손을 더 꽉 잡았다. 가짜 연애로 제 곁에 있어 주었던 정호가, 지금은 진짜 연인이 되어 자신을 든든히 지켜 주고 있었으니까. 그때도, 지금도. 김정호라는 사람은 제게 완벽한 위안이 되어 주고 있었다.

"새연이네 집으로 바로 가자."

"너 옷은?"

"가서 아무거나 빌려 입지, 뭐. 우리, 이거 자랑해야지."

유리가 반지 낀 손을 들어 보이며 웃었다.

자랑. 그래, 자랑이었다. 왜 감추고 싶었을까. 무슨 미래가 그렇게나 불안하다고. 이제는 아니었다. 동네방네 떠들고 자랑하고 싶었다. 이 남자가 내 남자고, 우리가 이렇게 좋아한다고. 혹시 헤어지면 어쩌나, 하는 걱정 따윈 이제 하지 않았다.

헤어지지 않으면 될 일이 아닌가. 사람 앞일은 모르는 거라고 하지만 이대로 쭉 함께하고 싶은 욕심만이 가득했다. 마미가 옳았다. 사랑하는 데 무슨 두려움이 따를까 싶었다. 왜 헤어짐을 따졌나 싶었다.

이런 마음이 사랑이구나. 그랬구나, 나도 이 사람을 정말 사랑하게 되었구나. 불현듯 찾아온 깨달음에 가슴이 뭉클해졌다.

새연의 집에 가야겠다고 생각한 유리가 문득 정호의 손이 비어 있는 것을 발견했다.

"그런데 상품 받은 거! 샴페인 잔! 그거 어디 있어?"

"어! 두고 왔나 보다."

"하여튼. 머리 좋으면 뭘 해. 나사가 빠져서 손발이 고생하는데."

아까 유리가 잘 챙기라고 건네준 것을 정호가 받아서 테이블 아래 내려놓았다. 그러고는 그대로 두고 나온 것이다.

"갔다 올게. 너 먼저 차에 가 있어."

정호가 웃으며 차 키를 손에 쥐여 주었다.

"같이 갈까?"

"아니야. 너 이 상태로 밖에서 너무 오래 있었어. 감기 걸린다. 그냥 차에 들어가 있어."

"알았어. 빨리 와."

정호가 다시 풀장 쪽으로 달려갔고, 유리는 그 뒷모습을 바라보다가 몸을 돌렸다. 풀장에서 야외 주차장으로 향하는 길은 건물 뒤로 돌아가게끔 되어 있어 인적이 드물었다.

좀 더 오래 걸려도 사람들이 많은 쪽, 로비를 통해 갈 걸 그랬나 하며 걷고 있는데.

"김유리."

뒤에서 누군가 자신을 불렀다. 유리의 팔에 소름이 돋았다. 돌아보니 공주 개미는 어디에다 버리고 왔는지, 성준 혼자 서 있었다.

"오랜만에 봤는데 인사도 없이 헤어질 순 없잖아. 아쉬웠는데 여기서 또 보게 되고, 잘됐다."

유리는 이렇게 그와 마주 서 있는 것조차 불쾌하기만 했다. 성준의 외모

하나만큼은 여전히 멀끔하고 선해 보이기까지 했으니, 사람 겉만 보고는 정말 모를 일이었다.

"인사하고 말 사이도 아닌데, 신경 끄고 가던 길이나 가시지."

"이야, 누가 보면 내가 너 잡아먹는 줄 알겠다. 너 이렇게 나오는 것 보니까 혹시 나한테 미련 남았어?"

"뭐?"

어이가 없어 유리가 되물었다. 성준은 여전히 웃으면서 말했다.

"우리가 못 본 게 십 년이나 되는데. 사귄 것도 보름은 넘었나? 미움도 미련이라고, 설마 아직도 나 못 잊고 있던 거야? 이야, 영광인데."

"뭐라는 거야, 진짜."

"나 작년에 한국 아예 들어왔거든. 이왕 이렇게 보게 된 거, 우리 옛정도 있으니 어때, 종종 만나 보는 거. 아까 그 멀대 같은 새끼보단 여러모로 내가 나을걸."

"미친 새끼. 쓰레기 같은 소리 하지 말고 꺼지라니까."

유리가 내뱉은 욕설에 순간 성준의 입가에서도 미소가 사라졌다.

"야, 너 지금 뭐라고 했냐."

"미친 새끼라고 했다. 아직도 널 못 잊어? 오뉴월에 개나리 씻나락 까먹고 있네. 넌 나한테 선배도 아니고 전 남친도, 뭣도 아니고, 그냥 쓰레기야. 수거해 가기도 아까운 이 개쓰레기야."

"김유리……. 나 누군지 몰라? 오랜만에 봐서 잊었나 본데 나, 김성준이야. 선배라고. 그것도 3년이나 선배."

"그래, 이 선배 새끼야. 학교 망신 작작 시키고 다녀. 나이가 몇인데 아직도 그러고 돌아다니는 건데? 여자한테 짝퉁 가방이나 주고 환심 사서 데리고 놀면 좋아? 죽을 때까지 쓰레기 짓이나 하고 살아라, 이 개차반 같은 자식아!"

"이게 진짜 미쳤네."

성준이 더 다가와 유리에게로 손을 치켜들던 순간이었다. 누군가가 굉장히 빠른 속도로 뛰어와 두 사람 사이로 들어왔다. 갑자기 끼어든 사람으로 인해 놀란 성준이 손을 든 채 멈칫했다.

정호였다. 얼마나 빨리 달려왔는지 호흡이 매우 거칠었다.

유리를 등진 채 팔을 뒤로 뻗어 막아 주면서 가쁜 숨을 몰아쉴 뿐, 아무 말도 없이 그저 그렇게 서 있기만 했다.

아마 평소대로 농담해 댔다면, 유리를 구해 주는 것이 아니라 그녀에게 맞아 죽을 상대방을 구하러 달려온 것이라고 하겠지. 그게 정호의 본래 스타일이었다.

그런데 지금은 분위기가 달랐다. 하긴, 성준이 손을 들어 올렸으니 조금만 늦었어도 유리가 먼저 맞았을 것이다. 아무리 유리가 피한다 한들 상대가 마음먹고 때리고자 한다면 그걸 어찌 막을 수 있었을까. 이런 상황에서까지 정호가 실실 웃으며 농담이나 할 리 만무했다.

그렇다면, 제 여자 친구가 맞을 뻔한 상황에서 죽도록 달려와서 막아 놓고는 왜 아무 말도, 아무 행동도 하지 않는 것인지…….

아주 잠시간의 침묵 끝에.

"이 새낀 또 뭐야!"

분기충천한 성준이 더는 참지 못하고 정호의 얼굴을 향해 먼저 주먹을 날렸다. 퍽, 소리와 함께 정호의 고개가 돌아갔다.

"꺄악!"

저도 모르게 유리가 소리를 지르며 정호를 붙들었다. 가만히 서 있다가 먼저 맞기나 하는 그의 행동에 어이가 없어 나서려고 하는데, 정호가 다시 유리를 막아서더니 천천히, 아주 천천히 엄지로 제 입술 옆에 찢어진 부분을 스윽 쓸었다.

그리고 입을 열었다.

"자, 이건 확실히 하자."

"……."

"선빵은 그쪽이 날린 거다."

성준이 미간을 찌푸렸다. 이런 상황에서 저렇게 차분한 어조로, 대체 무슨 소리를 하는 건지.

대답을 강요하듯 정호가 집요한 눈빛으로 다시 말했다. 목소리는 지극히 낮고 차갑기까지 했다.

"사실 관계 확실히 하자고. 먼저 주먹 휘둘러서 내 입가 이렇게 찢어 놓은 거, 그쪽이 한 짓 맞잖아."

남자들의 정상적인 싸움 패턴에서 한참 벗어나 있는 정호의 반응에 당황한 성준이 말을 더듬었다.

"이, 이거, 또, 또라이네……."

"나 또라인 거 어떻게 알았지? 오랜만에 정체성 확인시켜 줘서 고맙네."

정호가 고개를 옆으로 탁 기울이며 목을 풀었다. 동시에 손을 주무르더니 주먹을 쥐었다. 음산한 기운에 하얗게 질린 성준이 한 발 뒤로 물러섰다.

"그럼, 개쓰 양반. 지금부터 내가 하는 건 정당방위라는 거야. 알지? 정당방위. 다시 한번 말하지만, 선빵은 너였다."

그리고, 꾹꾹 눌러 담고 있던 분노가 단번에 폭발하였다.

퍼억!

힘껏 치고 들어간 주먹에 성준의 얼굴이 제대로 맞아 다리를 휘청거렸다. 놀란 유리는 뒤로 물러섰다. 저러려고 기다렸다가 일부러 먼저 맞은 거였구나, 무서운 놈! 괴물! 또라이! 저러려고 끝까지 참은 거였어.

"야! 이 새끼가! 너 내가 누군지 알기나 해?"

얼얼한 턱을 손으로 잡고 성준이 씩씩거렸다. 반면 정호는 여유가 넘치는 모습으로 다가섰다.

"알지. 설마 내가 널 모를까."

정호는 그의 멱살을 탁 잡았다.

"으윽."

"십 년 전 내 여친의 뒤통수를 쳤던 인간. 여자들 후리고 다니는 데 도가 튼 인간. 자기가 잘못한 게 뭔지 모르는 뻔뻔한 인간."

"야! 너 내가 전화 한 통이면 바로……."

가까이 그를 당긴 채 정호가 낮은 목소리로 말했다.

"전화 어디에다 할 건데? 아아, 김성준, 동운산업 장남이셨지. 한국대학교 경영학과 중퇴. 미국 트래쉬대학 비즈니스 스쿨 수료. 할아버지는 동운산업 창업주 김대웅. 아버지는 동운산업 현 사장 김태근. 집안에 돈 좀 있는 거 하나 믿고 날뛰고 있지만, 김성준 본인이 동운산업에 곧 입사하여 시원하게 말아드 실 예정. 망나니 아들 김성준이 회사에 들어간다는 소식에 주식 정리하겠다는 사람들이 많다던데. 이 정도면 너한테 관심 꽤 많은 편이지, 내가?"

경악에 찬 표정으로 성준은 그를 바라보았다. 정호가 제 프로필을 외운 듯 줄줄 읊어 대고 있었다.

하지만 그것이 끝은 아니었다.

"왜 그렇게 무섭게 쳐다봐. 섭섭하게. 난 그냥 너 누군지 아느냐고 물어봐 서, 안다고 대답해 준 것뿐인데. 알아. 안다니까, 개쓰레기 선배님."

"너 날……."

"아아, 오해는 하지 마. 일부러 스토킹한 건 아니니까."

정호가 잡고 있던 멱살을 탁 놓았다. 성준이 숨을 돌릴 틈을 주지 않고 바 로 다시 주먹을 날렸다. 퍽! 이번에는 성준이 아예 바닥에 넘어지고 말았다. 정호는 그의 몸을 올라탔다. 봐줄 생각은 전혀 없는 듯했다.

"나도 이렇게까지는 안 하려고 했는데."

"흐윽."

"빚진 것도 있고 해서."

다시 치켜든 주먹을 보며 성준이 겁에 질려 말을 더듬었다. 그의 기세가 완전히 꺾여 있었다.

"그, 그만해. 김유리한테 아, 안 나타나면 되, 되잖아."

"그건 당연한 거고. 이 개새끼야."

자신을 두려워하는 눈빛의 성준을 내려다보며 다시 한번 퍽, 주먹을 날렸다. 쌓아 왔던 모든 것이 지금의 주먹에 담겨 완전히 폭발하고 있었다. 이내 차가운 음성으로 정호가 천천히 읊었다.

"김성준. 성폭력 범죄의 처벌 등에 관한 특례법 위반. 지난해 20XX년 3월, 20대 여성 강간. 8월, 미성년자 강제 추행. 두 번 다 기소 전 구속 적부 심사 청구해서 돈 처발라 보석으로 빠져나갔지. 합의는 또 귀신같이 잘해서 모두 고소 취하시켰고."

통증을 느끼며 찡그리고 있던 성준이 놀란 눈으로 정호를 올려다보았다.

"그전에도 한국 들어올 때마다 아주 알토란같이 해 먹었잖아, 너. 이 빌어먹을 개새끼야."

김성준은 한 번도 실형을 선고받은 적이 없었다. 돈만 있으면 안 될 것 없다는 듯 피해자와 법을 조롱하며 매번 유유히 빠져나갔던 성준이었다.

"성범죄 관련 친고죄 폐지된 다음에 너, 한 번 더 고소당했지. 합의 유무와 상관없이 무조건 처벌 때릴 수 있게 된 상황에서 기소되어 넘어온 네 사건이 나한테 배당됐었어."

"너……."

"내가 일 관두고 나온 거, 한 번도 후회한 적 없고, 아쉽다고 생각한 적도 없었는데 말이야. 딱 하나."

"……."

"네 사건 배당받자마자 내가 그만두고 나오는 바람에, 피의자 신문(被疑者訊問) 한번 제대로 못 해 보고 나온 거. 그래서 네 입에 내가 직접 콩밥 못 처넣은 건 두고두고 아쉽네. 내가 원래 못 하는 게 없긴 하지만 또 신문 하나는 기가 막히게 잘하는데. 아주 탈탈 털어 줄 기회를 놓쳐서, 그게 참 아쉽다."

당시 한꺼번에 배당받은 수십 건 중 비교적 가벼운 사건 하나일 뿐이었지만, 정호에게는 다른 의미였다. 유리에게 상처를 준 놈이라는 사감(私感)이 작용하기는 했으나, 이후에도 정신 차리지 못하고 많은 여자에게 더한 상처를 주고 다니는 쓰레기를 도저히 용서할 수가 없었다.

할 수 있는 모든 노력을 총동원해 가장 무거운 형량을 구형하고자 했었다. 초범으로 기소되었다고는 하지만 운이 좋아 빠져나갔을 뿐 전적이 화려한 놈이었다.

제 손으로 끝까지 마무리하지 못한 일 가운데, 김성준 사건만큼 가슴 치게 분하고 아까운 것이 없었다.

정호가 검찰청에서 나온 후 사건을 인계받은 다른 검사는, 그사이 합의가 이루어진 점을 참작해 형식적인 재판에 가볍게 임하였다. 고소 취하에 피해자의 합의 후 탄원서까지, 돈이 밑바탕이 되어 모든 것이 김성준에게 유리하게 작용하였다. 그래서 결국 집행 유예로 그쳤다고 들었다.

이미 지난 일 다 집어치우고, 유리와 다시 엮이는 일만은 절대 없으면 좋겠다고 생각했다. 그러나 유리를 때리기 위해 손을 치켜든 놈을 본 순간, 정호의 피가 거꾸로 솟는 것만 같았다. 지금까지 참아 온 게 신기할 정도였다.

"너 같은 개새끼들은…… 전자 발찌도 아까워. 그냥 시궁창에 거꾸로 처박아야지. 영원히 숨도 못 쉬게."

"뭐라고? 이 새끼가……."

성준이 힘껏 정호를 밀어내었다. 그리고 벌떡 일어서더니 그를 향해 주먹을 휘두르고자 했다. 가볍게 피한 정호가, 그나마 지금까지는 봐준 것이었다는 듯 더욱 강한 힘을 실어 바로 주먹을 날렸다.

"퍼억!

덤비려던 성준이 또 한 번 나가떨어졌다. 이번에는 유리도 눈을 질끈 감을 정도로 센 펀치였다.

"너 이 자식, 내가 폭행죄로 고소할 거야."

성준이 터진 코와 찢어진 입가에서 잔뜩 피가 배어 나오는 걸 소매로 훔쳐 내며 씩씩거렸다. 유리 앞에 나타나지 않겠다고 스스로 다짐했는데도 불구하고 더 얻어맞았더니 이제 오기가 생기는 모양이었다. 고개를 갸웃거리며 정호가 다가서며 말했다.

"고소? 못 할 텐데."

"왜, 왜 못 해! 이 또라이 같은 새끼. 콩밥? 내가 너한테 처먹일 거다!"

"그럼 해 보시든가."

"기, 기다리고 있어! 감방에 처넣을 거야!"

실컷 얻어맞아 얼굴이 엉망이 되어 버린 성준이 뒷걸음질 쳤다. 이내 몸을 돌려 달아나는 것을 보고 유리가 한숨을 쉬며 다가왔다.

그녀는 인상을 찡그리며 정호의 볼에 손을 댔다. 처음에 한 대 맞아 조금 찢어진 입가가 마음에 걸렸다.

"괜찮은 거야?"

"물주먹이야. 괜찮아."

"저 인간, 아니 개쓰레기인 건 알았지만 여태 그러고 사는지는 몰랐네."

"넌 알 필요도 없어."

평생 모르게 하고 싶었다. 이렇게 코앞에 나타나 치근덕거리지만 않았어도, 유리에게 이런 모습을 보여 주지 않을 수 있었을 텐데. 정호는 자신의 터진 입가보다, 여전히 젖은 옷을 입고 있던 유리가 더 걱정이었다.

"빨리 가기나 하자. 차에 히터를 틀어야 하나……."

중얼거리며 유리의 손을 잡고 주차장으로 향했다. 그에게 손이 잡혀 이끌려 가면서, 유리는 정호의 어깨를 바라보았다.

유난히 넓고 듬직해 보였다. 마치 산 같다. 정호가 아닌 다른 이에게는 이런 느낌을 받아 본 적 없었다. 어떤 일이 닥쳐도, 무조건 제 편이 되어 몸과 마음을 다해 자신을 지켜 줄 사람.

세상천지에 그런 사람은 없었다. 아빠가 살아 계셨으면 이렇게 든든했을까? 세상에 맞서 등 뒤에 나를 숨겨 주셨을까? 이토록 소중한 사람으로 대접받는다는 기분을 느끼게 해 주셨을까?

정호의 어깨를 보는 것이 좋아서 주차장으로 가는 동안 일부러 옆에 다가서지 않았다. 이끌리듯 뒤로 한 발짝 물러서서 걸어갔다. 그가 돌아보았다. 어두운 밤을 밝힌 불빛이 정호의 얼굴 위에 가만히 내려앉았다.

"왜 이렇게 못 걷냐. 힘들어?"

힘들어서는 아닌데. 그저 등이 보고 싶었을 뿐인데. 한없이 너르고 든든한 그의 등.

"업어 줘?"

그 언젠가 술에 취해 넘어진 자신을 업어 주던 정호였다. 코끝이 찡해진 유리는 선뜻 고개를 끄덕거렸다.

"응. 업어 줘."

주차장이 바로 앞이었다. 몇 발짝만 걸어가면 되는데 굳이 업어 줄 필요는 없었다. 발이 아픈 것도, 걷기 힘든 것도 아니니 업힐 필요 역시 전혀 없었다. 그럼에도 불구하고 정호가 한쪽 무릎을 꿇고 앉았다. 제게만 보여 주는 등. 유리는 웃으며 그 등에 봄을 맡겼다.

"오늘 안기고, 업히고, 좋네."

몸이 붕 떠올랐다. 성호의 등에만 업히면 아무것도 모르는 아이가 된 것만 같았다. 그저 이 포근한 기분을 느끼며 웃으면 그뿐인 것처럼 보호받는 느낌이 들었다. 금방 차 앞에 도착했다. 정호가 물었다.

"한 바퀴 더 돌까?"

"응."

"콜."

한 번 유리의 몸을 추켜올린 정호가 가볍게 차를 등지고 걸음을 옮겼다. 타박타박 걷는 소리가 듣기 좋았다.

"근데 너 그게 무슨 정당방위냐? 쌍방 폭행이지."

유리의 말에 정호가 픽 웃어 버렸다. 원래 한 대 먼저 맞고 딱 한 대만 세게 때리려고 했었다. 하지만 한 대만 맞아서는 안 될 놈이었다.

"그래, 정당방위 아니다."

"그 자식이 먼저 때린 것 말고는 전혀 성립 안 되는 범위로 네가 훨씬 더 많이 때렸어."

"알아. 가해자보다 더 심한 폭력 안 돼, 상대가 때리는 것을 그친 뒤 폭력은 안 돼, 상대의 피해 정도가 본인보다 심하면 안 돼, 전치 3주 이상 상해를 입히면 안 돼. 정당방위 인정 안 되는 거, 네, 압니다."

"아는 놈이 그랬어?"

"응."

유리는 걱정 어린 어조로 말했다.

"그 자식이 진짜 고소하면 어떻게 해?"

"못 할 거라니까."

"왜 못 해?"

"뭐……."

잠시 멈추었던 정호가 다시 말을 이었다.

"자기가 잘한 게 뭐 있다고 고소를 하겠어."

"그 미친놈이 진짜 고소해서 골치 아파질까 걱정이다."

"넌 걱정하지 마."

"그럼 다행인데…….'

유리가 정호의 목을 보드랍게 끌어안았다. 가만가만 걷는 움직임이 그저 좋았다. 낮은 숨소리가 퍼졌다. 그때.

"헉. 야, 어딜 만져. 손 안 떼?"

"미끄러져서."

업혀 있던 유리의 몸이 조금 내려왔고, 이를 올리는 손의 움직임은 그저 짓궂었다.

"이럴 거면 내려 줘."

"어어. 이건 내 의지가 아니고, 네가 떨어져서 다칠까 봐, 할 수 없이 받쳐 주는 거야."

정호가 장난스럽게 웃는 소리가 퍼져 나갔다. 달빛은 밝았고, 밤공기는 시원했다.

이런 시간만 계속되었으면 좋겠다. 인생의 굴곡 따위 이제 제겐 없었으면 좋겠다는 바람을 가졌다. 소소하게 티격태격하며 웃을 수 있는 지금이, 진심으로 행복하였다.

오늘의 카페 마감 당번은 나비였다. 마미보다 1시간 일찍 퇴근하는 은킹과 준은 앞치마를 벗고 나갈 준비를 했다.

"형님이랑 누나는 지금쯤 엄청 재미있으시겠지? 연애도 하고. 아아, 부럽다!"

“너도 해.”

은강이 건성으로 대답하는 소리에 준이 한숨을 쉬었다.

“그게 하고 싶다고 마음대로 되나, 뭐. 내가 마음에 들면 이미 남자 친구가 있고, 아님 아예 내 스타일이 아닌데.”

“다 그렇지, 뭐.”

“형은 왜 연애 안 해? 여자가 싫다고 했었나? 왜?”

은강은 준을 돌아보며 대답했다.

“좀 덴 적이 있어서.”

“데어? 왜, 어떻게?”

처음 듣는 얘기에 놀란 준이 은강을 붙잡고 물었다. 좀처럼 자신의 이야기를 하지 않던 은강이었기에 준도 사실 별 기대가 없기는 했다. 하지만 의외로 그는 한숨을 짧게 쉬더니 순순히 말하는 것이 아닌가.

“내 또래나 어린 여자는 내키지 않았어. 그래서 사귀게 된 여자가 나보다 네 살이 많았지. 처음에는 성숙한 느낌이 좋았는데 점점 나를 애 대하듯 한다고 해야 하나.”

“그럴 수 있지.”

“그런 느낌이 싫어서 내가 일부러 더 듬직해 보이려고 애썼던 것 같아.”

“그런데?”

“그사이 내가 호구 된 거지, 뭐. 돈 빌려 가고, 궂은일에 불러내고, 부려 먹고, 연애 기간 내내 그러더니 결국에는 더 능력 있고 조건 좋은 남자와 선봐서 시집갔어. 헤어지기도 전에 청첩장부터 받았었다.”

“허얼. 청첩장을 줬다고? 헤어지기도 전에?”

“‘너는 나 이해하지?’ 하면서.”

은강이 담담히 말하는 사연에 준이 입을 떡 벌렸다.

“오래 만났어? 그 사람이랑?”

"5년."

"대박, 헐. 5년이나 만났는데 그래?"

그게 재작년의 일이었다. 스무 살에 만나 5년여의 세월 동안 연애했지만 남겨진 것은 상처뿐이었다.

"빌려준 돈은 다 받았어?"

"받으려고 생각해 빌려준 것 아니야. 일단은, 좋아해서 만난 거니까."

"아무리 그래도, 너무하네. 그래서 형이 이 여자고 저 여자고 다 싫다고 그런 거구나. 특히 연상녀."

이렇게 간단하게나마 얘기한 것도 처음이었다. 그녀에게 맞추려고 노력하고, 해 주었던 모든 것을 아깝지 않게 생각했던 건 그래도 많이 좋아했던 사람이니까. 그래서 헤어진 후의 충격에 오래도록 괴로워했었다.

사랑했던 여자에게 농락당한 느낌을 지울 수 없었다. 연애 중에 몰래 선을 보았고, 양다리를 걸치다가 결혼한다는 사실을 알리며 헤어지자고 한 여자였다. 마지막까지 자신을 두고 저울질했던 그녀에게 배신감보다 더한 좌절감이 은강의 가슴 깊이 새겨졌다.

"그래도 형이 나한테 이런 얘기들까지 다 해 주고, 왠지 고마워지네."

은강 역시 스스로 놀라고 있었다. 절대 꺼내기 싫다고 생각했던 이야기를 술술 하는 자신이 당황스럽기까지 했다. 더욱 신기한 건, 이렇게 말을 하고 있는데도 아무렇지 않다는 점이었다. 잊기 충분한 시간이 흐른 것일까. 아니면 다른 이유일까.

"그러고 보니 오늘은 웬일로 이슬이가 안 왔네. 엄마가 일찍 퇴근하는 날이었나……."

준이 무심코 중얼거렸다. 하루 내내 그 사실을 인식하고 있던 은강의 앞에 송화의 얼굴이 떠올랐다. 지나간 사랑의 상처 위에 덧입혀진 미묘한 감정. 알수 없는 그 감정들은 차치하고라도, 채송화가 궁금해지는 건 어쩔 수 없었다.

그녀의 일과가, 그녀의 생활이, 그리고 그녀의 마음이. 그 모든 것들이 궁금하고 알고 싶어졌다. 이렇게 타인에 대한 깊은 관심이 생긴 것도 참으로 오랜만이었다.

"호랑이도 제 말 하면 온다더니, 이슬이 엄마도 양반온 못……."

준이 창밖을 향해 웃으면서 말하다가 멈칫했다. 카페를 향해 정신없이 뛰어온 송화가 막 문을 열고 들어서는데 그녀의 표정이 썩 좋지 못했다.

"혹시! 이슬이 여기 왔나요?"

흔들리는 동공, 떨리는 목소리, 가쁜 호흡. 무언가 잘못되었다는 것을 직감했다. 문가 쪽에서 의자를 정리하던 마미가 송화에게 얼른 다가갔다.

"이슬이, 오늘 안 왔는데."

휘청거리며 송화가 옆에 있던 테이블을 붙잡았다.

"친구들 집에도, 이 동네 친한 집에도, 아무 데도 없어요. 이슬이가…… 없어졌어요."

하얗게 질려 버린 송화의 얼굴을 보는 순간, 은강의 심장이 무너졌다. 이상하게도 저 여자가 아픈 게 싫었다. 검게 물든 밤, 하늘 아래 사라진 어린 딸을 두고 가슴을 치는 어미가 부디 저 여자는 아니었으면. 저 여자는 제발 울지 않았으면…….

"아니, 세상에! 대체 이슬이가 어디 간 거야. 송화 씨, 너무 걱정하지 마요. 일단 같이 경찰서에 가고, 우리도 한번 찾아볼 테니까."

마미가 송화의 어깨를 잡고 다독였다. 아이가 사라졌을 때 드는 생각들은 한없이 절망적인 것뿐이리라. 어찌 말로 다 할 수 있을까. 마미는 구구절절 풀지 않아도 지금 송화가 어떤 심정인지 충분히 이해하였다.

다리가 심하게 떨려도 주저앉지 않는 송화였다. 붉게 핏발이 선 눈을 부릅뜨고 딸을 찾아야겠다고 생각할 뿐이다. 구석구석 뒤져 이슬이를 찾아내고야 말겠다는 의지가 가득했다. 그럼에도 불구하고 유독 지쳐 보이는 송화의 모습에 은강의 가슴이 갑갑해졌다.

"어서 신고하러 먼저 가세요. 일단 저희가 찾아보고 있을게요. 갈 만한 곳은 다 연락해 보셨을 테니까, 저흰 놀이터나 학교 같은 곳으로 한번 가 볼게요."

준의 말에 마미가 끄덕이며 송화를 붙잡았다.

"그래, 우리 우선⋯⋯."

그때, 은강이 가방을 내던지듯 놓으며 걸음을 옮겼다. 송화의 앞으로 다가가 그녀의 두 어깨를 잡았다. 그리곤 세상의 모든 절망이 새겨진 듯 아파 보이는 그녀의 눈을 들여다보며 분명한 어조로 말했다.

"이슬이, 걱정하지 마세요."

"⋯⋯."

"꼭 찾아올게요."

마음을 어루만져 주는 목소리. 힘이 가득 실린 그 든든한 음성이 송화의 지친 마음 위로 내려앉았다. 이내 은강이 카페에서 뛰어나갔다.

"형!"

준이 따라 나갔지만 이미 그는 골목을 돌아 사라진 후였다.

"어디 짐작 가는 곳이 있는 건가?"

고개를 갸웃거리며 준이 중얼거렸다. 송화와 이슬의 일에 눈이 뒤집혀 나가는 은강을 보니, 짐작해 왔듯 역시 가벼운 마음은 아닌 듯했다.

큰 도로에서 택시가 잡히지 않아 은강은 그대로 달리고 또 달렸다. 동네에서 한 정거장 반쯤 떨어진 곳에 이슬이 다니는 초등학교가 있었다.

'우리 동네에는 친구들이 하나도 안 살아요. 친구들은 거의 다 학교 옆에 있는 아파트 단지에 살 거든요. 우리 집만 멀어요. 그런데 엄마가 내년에 우리도 거기 아파트로 이사 가자고 했어요. 저 진짜 좋겠죠?'

생글거리며 웃는 이슬의 얼굴이 떠올랐다. 조그만 여자아이가 이 길을 혼자서 외롭게 등하교했다고 생각하니, 학교로 뛰어가는 은강의 발이 무겁게만 느껴졌다.

'책 읽는 게 제일 좋아요. 학교 끝나면 수영이나 바이올린 배우는 친구들도 있는데, 뭐, 저는 그런 거 다 귀찮아요. 그런데 어떤 애가 자꾸 저한테 엄마가 안 시켜 주냐고 물어보는 거예요. 나는 그냥 내가 별로라서 안 배우는 건데.'

무심히 입을 다물고 대답 한 번 제대로 해 주지 않았지만, 그간 이슬이 했던 모든 이야기를 한 번도 흘려들은 적이 없었다.

'글쎄. 아빠가 없어서 그런 건 아니냐고 물어보는 애도 있는 거예요. 아빠 없는 게 무슨 상관이지? 저는 엄마가 밥도 해 주고 돈도 벌어 오고. 다른 애들 엄마 아빠가 하는 거 다 해 주시는데. 아무튼 걔하고는 싸워서 이제 말도 안 해요.'

철이 들기에 조금은 이른 나이였다. 아니, 지나치게 어린 나이였다. 안쓰러울 만큼 자존심도 강했다. 일찍 혼자된 몸으로 자신을 낳아 키운 엄마를, 이슬은 가까이에서 보며 자랐다.

엄마를 아프지 않게 하기 위해, 그리고 스스로 아프지 않기 위해, 그 조그만 아이가 세상을 향해 자기방어의 벽을 세우고 있었다.

'사실 저는 아빠 필요 없거든요. 엄마랑 둘이 살아도 충분한데요. 뭐. 보니까 엄마랑 아빠가 맨날 싸운다고 싫어하는 친구들도 많더라고요. 저는 그런 걸로 골치 아프지도 않으니까 좋아요.'

어린아이가 좋은 걸 좋다, 싫은 걸 싫다, 곧이곧대로 말하지 못하고 합리화하는 모습이 오히려 가슴 아팠다. 학원에 가는 친구들과 놀지 못하고 카페에 와 있는 동안 책을 읽거나 이렇게 이야기를 하는 이슬을 은강은 늘 눈에 담고 마음에 담았다. 송화의 딸을 보고 있으면, 송화의 삶이 그려지니, 그 웃음마저 아프고 먹먹하게 느껴졌었다.

은강은 헉, 헉, 숨을 몰아쉬었다. 새까맣게 물든 하늘 아래 넓은 운동장. 이슬이 다니는 학교에 도착한 은강은 호흡을 가다듬었다.

'웃긴 거 하나 알려 줄까요?'

'뭔데.'

'친구들이랑 한번은 학교 운동장에서 술래잡기 놀이를 했어요. 원래 애들이 끝나면 학원 간다고 막 일찍 가는데. 가끔 시간이 남아서 운동장에서 같이 놀다 갈 때가 있거든요. 근데 미끄럼틀 아래나 벤치 밑이나 이런 데 숨은 애들은 다 금방 걸리는 거예요. 저는 끝까지 안 걸렸어요. 어디 숨었게요?'

'……어디?'

'운동장 맨 구석에 화단이 있는데요. 거기 옆에 나무가 하나 있거든요! 그 뒤에 숨으면 제가 안 보이는 거예요. 애들 한 명씩 걸리는 거 다 봤는데 저는 끝까지 못 찾더라고요. 담장이랑 나무 사이라서 못 봤나 봐요. 이슬이는 도저히 못 찾겠다. 하고 술래가 포기해서 애들이 가는데 뒤에 달려가서 짜잔! 했더니 엄청 깜짝 놀라는 거예요. 어디 숨어 있었냐고 물어봐서 안 가르쳐 줬어요. 다음에도 또 거기 숨어야지!'

자랑스럽게 말하며 웃는 이슬의 얼굴은 영락없는 어린아이다웠다.

'애들이 하도 못 찾으니까 기다리느라 심심해 죽는 줄 알았어요. 하마터면 잠들 뻔했네.'

은강은 운동장을 가로질러 반대쪽 담장으로 향했다. 어두운 학교 운동장 끝에 놀이 시설들이 있고, 조금 떨어진 곳에 커다란 나무들이 있었다. 나무들 앞으로 잘 조경된 화단이 이어져 있어 그 너머 모습은 한눈에 들어오지 않았다.

휴대폰을 꺼내 플래시 어플을 작동시켰다. 화단 뒤로 돌아 담장을 끼고 걸음을 옮기며 은강은 조심스레 빛을 비추었다. 가라앉은 어둠 위로 내려앉은 빛에 사위(四圍)가 밝아졌다.

나무 아래 웅크리고 누운 여자아이의 조그만 몸에 빛이 닿았다. 잠든 아이를 보며 은강이 이마에 흐르던 땀을 대충 닦아 냈다. 참았던 한숨이 길게 새어 나왔다.

다행이고, 또 다행인 순간. 일어나지 않은 모든 일에 대한 걱정은 모두 접었다. 그저 눈앞에 있어 주니 감사하고 다행일 뿐. 그것이 전부였다.

"이슬아."

처음으로 부르는 이름, 늘 입 안에서만 간질간질 맴돌던 이름이었다. 잠이 깊게 든 모양인지 입술을 오물거리는 이슬을 바라보던 은강은 조심스럽게 어깨를 흔들었다.

"이슬아. 가자."

끄응, 소리 내며 눈을 뜨지 못하는 이슬을 보다가, 은강은 조그만 아이의 몸을 천천히 일으켜 품에 안았다. 이슬이 잠결에 낑낑거리며 은강의 목을 끌어안았다. 찰싹 달라붙은 아이의 몸을 안고 일어선 은강은 가슴이 묵직하게 저리는 것을 느꼈다.

낯선 어른에게 심하게 경계를 하던 모습, 면식범이 더 무서운 법이라고 말하던 모습이 떠올랐다. 엄마에게 배운 것이라면서. 어린 딸을 혼자 키우며 송화가 얼마나 노심초사했을지. 지금도 얼마나 많이 걱정하고 있을지. 얼굴이 새하얗게 질려 있던 그녀의 얼굴이 생생했다.

지금 자신이 누군지도 모르는 상태에서 잠결에 폭 안겨 있는 이슬을 안고 은강은 학교에서 빠져나왔다. 세상은 위험하기만 하니, 아무리 교육을 받아 야무지게 처신한다고 해도 소용없는 순간이 있을 것이다. 지금 이슬을 발견해 안고 나오는 사람이 자신이 아닌 다른 이였다면…… 생각만 해도 끔찍했다.

"……흐음. 카페 오빠다."

"나인지 어떻게 알았어?"

웅얼거리는 이슬의 목소리에 은강이 놀라 되물었다. 품에 폭 안긴 이슬은 저를 보지 못한 상태였다.

"……좋은 냄새가 나요. 커피 냄새."

잠결에 중얼거린 이슬은 편안한 품에 의지하여 다시 잠이 들었다. 은강은 이슬을 안은 팔에 힘을 주며 택시를 잡았다.

잠시 후, 이슬을 찾았다는 은강의 전화를 받고 마미는 초조한 마음으로 카페 문밖에서 서성거렸다. 바싹 마른 입술을 축이라고 준이 물을 가져왔지만, 송화는 그조차도 넘길 수 없는지 입에 대지 못했다.

갑자기 뛰어나갔던 은강을 하염없이 기다릴 뿐이다. 다리에 힘이 없어 의자에 앉아 있는 송화를 두고 준도 밖으로 나왔다.

"아직이죠?"

"응. 금방 오겠지. 택시 탔다고 했으니까."

"하아. 이게 무슨 일이야. 진짜 큰일 날 뻔했네요. 찾아서 다행이다."

"그러니까 말이야. 그런데 은강이는 이슬이가 어디 있는 줄 알고 그렇게 뛰어나가서 바로 찾았다는 거지?"

마미의 말에 준도 고개를 갸웃거렸다.

"저도 신기해요. 둘이 텔레파시가 통하나."

택시가 오게 될 방향 쪽으로 목을 길게 빼고 기다리던 준이 다시 입을 열었다.

"은강 형이 이슬이네 엄마 좋아하는 것 같죠?"

"어머, 그러니?"

"아무래도 제가 보기에는 그런 것 같은데. 자꾸 자기는 아니래요. 백퍼 확실하구만."

"너 뭐, 그렇게 눈치도 빠른 애가 왜 정호랑 유리 사귀는 건 몰랐니?"

"하하, 두 분이야 워낙! 혈전을 벌이시는 사이니까, 설마하니 진짜 애인이 되실 줄이야. 어, 택시다!"

다가오는 택시를 향해 준이 반가운 목소리로 외쳤다. 곧 카페 앞에서 멈추어 선 택시에서 이슬을 안은 은강이 내렸다.

"택시비 좀 내라. 이따 줄게."

급하게 뛰어나가느라 주머니에 휴대폰뿐이었던 은강이 준에게 말했다. 그사이 문을 열고 송화가 달려 나왔다.

"채이슬!"

눈물범벅이 된 얼굴로 외치는 송화의 목소리에 이슬이 잠에서 깼다. 지금까지 이슬이 깰세라 택시에서부터 내내 조심하고 있던 은강은 천천히 바닥에 내려 주었다.

"너, 채이슬……. 너어……."

원피스를 입은 송화가 제 무릎이 상하는 줄도 모르고 이슬의 앞에 꿇어앉았다. 어리둥절한 얼굴로 이슬이 송화를 보았다.

"이 시간까지 어디서 뭘 했어! 엄마가 너! 학교 끝나면 꼭……."

화를 내던 송화가 갑자기 말을 멈추었다. 잔뜩 일그러진 눈에선 눈물만 쏟아졌다. 가슴이 먹먹해 말을 이을 수가 없었다. 마음을 졸였던 순간 끝에, 아무 일도 없이 무사한 딸의 모습을 보자 복잡한 감정이 해일처럼 밀려들었다.

그리고 아이를 되찾은 엄마의 안도감 이상의 것이 송화의 가슴 위로 쏟아졌다. 이슬이 소리 내어 울기 시작하는 송화를 바라보았다.

"엄마, 왜 그래. 울지 마. 내가 잘못했어……. 응? 내가 잘못했어."

제 작은 몸을 끌어안고 꺽꺽대며 우는 엄마의 어깨를, 이슬이 손으로 잡았다. 아이의 작은 손이 심하게 떨리고 있었다. 많이 놀란 눈치였다.

카페 앞 작은 인도에서 세상이 무너질 듯 울고 있는 어린 모녀를 보던 마미는 고개를 돌렸다. 차마 보고 있기 힘들 정도였다. 아이를 잃어버렸다가 찾게 된, 단순한 해프닝의 결말은 아니었다.

그동안 이 험한 세상에 두 발로 버티고 서 있기 얼마나 힘들었을까. 헤아리고는 있었지만 그 이상의 설움이 송화에게서 터져 나오고 있었다. 남매를 홀로 키우며 보냈던 힘겨운 시간이 겹겹이 쌓인 마미 역시 맺힌 눈물을 몰래 닦아 내었다.

다음 날, 하교 후 카페에 들른 이슬의 얼굴은 더없이 밝기만 했다.

"어제는 정말 정말 죄송했습니다. 걱정해 주셔서 감사해요."

방긋 웃으며 꾸벅 인사하는 이슬을 보고 마미가 웃음을 터뜨렸다.

"엄마가 그렇게 인사하라고 가르쳐 주셨어?"

"네."

"너희 엄마가 딸 교육은 똑소리 나게 시키는구나. 아유, 이뻐라."

마미의 눈엔 딸 같은 송화와 이슬 모녀가 그저 흐뭇하기만 했다.

"그래, 엄마는 좀 괜찮으시니? 어제 너 찾고 걱정하느라 얼마나 마음고생을 했는데."

"엄마요? 네, 괜찮으세요."

헤헤, 웃으며 이슬은 자리에 앉았다. 그때 은강이 다가왔다. 말없이 내민 것은 작은 상자였다.

"이게 뭐예요?"

입을 꾹 다물고 선 은강을 바라보던 이슬이 상자를 열었다. 옆에 있던 마미가 들여다보더니 감탄 어린 목소리로 말했다.

"어머, 이거 키즈폰 아니야?"

목에 걸거나 팔에 찰 수 있도록 만들어진 작은 기기였다. 빨간색의 앙증맞은 기기를 꺼낸 이슬이 고개를 갸웃거렸다.

"너 가지고 다녀."

퉁명스럽게 내뱉던 은강이 잠시 말을 멈추었다가 이내 다시 이었다.

"개통은 엄마하고 같이 가서 해. 가족이 아니면 안 돼서, 기계만 가져온 거야."

"저 주려고 사신 거예요?"

"조카 건데, 안 쓰는 거야."

"형, 조카가 있었어? 외아들 아니야?"

옆에서 준이 끼어들었다. 은강이 미간을 찌푸리며 돌아보았다. 준이 배시시 웃으며 이슬의 손에 들린 기기를 구경했다.

"이거 엄마한테 애가 어디 있는지 위치 전송해 주고 그러는 거잖아. 전화도 걸 수 있고. 이슬아, 너 주려고 은강 형이 일부러 사 왔나 보다. 잘 가지고 다녀. 엄마 걱정시키지 말고."

은강이 자신에게 주기 위해 일부러 키즈폰을 사 왔다는 것은 이슬도 짐작할 수 있었다. 무뚝뚝한 태도 안에 늘 관심 어린 시선으로 자신의 이야기를 들어 주고 잘 대해 준 은강이었다. 그러니 단번에 자신이 있는 곳을 찾아왔던 것이고. 은강에게 고마운 마음에 이슬은 고개를 숙여 꾸벅 인사했다.

"감사합니다."

엄마는 분명 다른 사람에게 쉽게 선물을 받아서는 안 된다고 하셨지만…… 이번만은 엄마도 예외로 봐주실 것 같았다. 이슬은 은강을 보며 활짝 웃었고, 그는 헛기침하며 자신의 자리로 돌아갔다.

"어후, 다행이다! 이슬이 엄마 진짜 놀랐겠다."

마미가 누워 있는 이불 속으로 쏙 들어오며 유리가 안도 어린 목소리로 말했다. 어제 호텔 데이트를 마치고 바로 새연의 집에 들렀다가 그곳에서 이런저런 이야기를 나누며 잠이 드는 바람에, 이제야 이슬이 소식을 듣게 되었다.

준원, 새연에게 정호와 연애한다는 사실을 처음 털어놓게 된 밤이었다. 새로운 커플의 탄생을 마음껏 축하하고, 그동안 서로 마음고생했던 이야기들을 풀어놓아 속이 다 시원했다. 저마다 쌓인 이야기를 하느라고 시간이 어떻게 지나는지 몰랐다.

그러다가 고등학교 때 추억들까지 더듬어 가며 술잔을 기울였다. 모이면 항상 하는 얘기들인데도 똑같은 대목에서 매번 똑같이 웃고, 똑같이 분노했다.

늘 같은 대화, 같은 삼성의 흐름인데도 얘기할 때마다 새롭고 재미있으니, 이래서 오랜 친구가 편하고 좋구나 했다. 그런 그들이 이제 서로 연애를 하고 있다니. 왠지 가슴이 벅차오르는 밤이었다.

충만한 행복감을 잠시 접어 두고 유리는 마미의 팔을 꼭 껴안았다. 송화와 이슬을 보면서 감정 이입을 하곤 하는 엄마가 아무래도 이 사건으로 인해 마음이 울컥했던 모양이었다. 오늘 밤, 같은 방에서 함께 자자고 먼저 말한 사람은 엄마였다.

"그래도 이슬이 금방 찾았다니, 정말 다행이다."

"송화 씨가 엄청 울더라고."

"이슬이 찾았으니 당연히 울겠지."

"아니, 울어도 너무 심하게 울더라니까. 아까 보니까 오후까지도 눈이 다 퉁퉁 부어 있더라고."

마미의 말에 유리는 의아한 얼굴로 물었다.

"왜, 무슨 일이 더 있는 거래?"

"뭔가 있는 것 같아. 요즘 혹시 힘든 일이 있는가 해서 걱정이 되네. 좀 진정되고 나면, 따로 얘기 좀 해 볼까 하고."

"휴우. 힘들겠지. 어린 나이에 딸 키우는 것도 대단하고. 작년에 친정엄마도 돌아가시고 가깝게 지내는 친척도 없는 것 같던데. 혼자 일하면서 애 키우는 거 보통이 아닐 텐데. 우리 엄마만 대단한 줄 알았더니, 송화 씨도 장난 아니네."

"준이가 그러는데, 은강이가 이슬이 엄마 좋아하는 것 같다더라."

그 말에 놀란 유리가 물었다.

"이슬이 엄마를?"

이슬이 없어졌다는 소리에 은강이 얼마나 사색이 되었는지, 얼마나 빠르게 움직였는지, 그리고 울고 있는 송화와 이슬을 보는 눈빛이 어떠했는지. 마미는 조곤조곤 이야기했다.

"어머. 두 사람 언뜻 외모는 잘 어울리는데 ……은강이 의외다. 연상녀 관심 없다더니. 연상에…… 애 엄마이기까지 한 송화 씨를."

"원래 사랑이 그런 거야. 어디 그게 따진다고 될 일이니. 사람 마음 가는

데에는 아무 조건 필요 없는 법이지."

유리가 궁금한 듯 이어 물었다.

"그런데 송화 씨 회사는 어디 다녀? 엄마한테 말한 적 있어?"

"무슨 병원에서 비서 일 한다고 했는데."

"병원에서 비서? 이사장 비서직인가?"

"그런가 보지. 그래도 자주 휴가도 내주고, 애 아프면 조퇴도 잘 시켜 주고, 편의는 많이 봐주는가 보더라."

"그나마 다행이네. 그래도 병원은 싫다."

병원에서 일한다는 소리에 유리가 치를 떨었다.

"얘는 뭐, 병원이라면 무조건 싫대. 세상 모든 병원이 태경병원 같은 건 아닐 거 아냐."

"그래도 싫어. 무조건 싫어. 아예 더 공부해서 의료 사고 전문으로 방향 틀까 고민도 하고 있어. 그래서 아주, 환자 등쳐 먹고 뒤통수치는 병원들 깡그리 밟아 주고, 특히 태경병원 내가 아주……."

"헛소리하지 말고 지금 하는 거나 열심히 해. 카페 한 지 얼마나 됐다고."

"그냥 생각만 하는 거야."

마미의 일갈에 유리가 싱긋 웃으며 괜히 품에 파고들었다.

"김유리, 떨어져, 다 큰 딸년이 어디 징그럽게."

"다 컸어도 딸은 딸이지. 나도 이슬이처럼 귀여울 때 있었을 거 아냐."

유리는 마미를 더욱 꽉 끌어안았다. 오랜만에 엄마를 안으니 코끝이 찡해졌다.

"엄마, 나 정말 정호랑 결혼할까?"

"해."

마미의 시크한 대답에 웃음이 났다.

"아, 뭐야. 반대도 좀 하고, 그래야 갈등도 있고, 굴곡도 있고, 사랑이 단단해지고 하는 거지. 진짜 긴장감 없게, 왜 등 떠밀고 그래."

웃음기 어린 목소리로 유리가 괜히 툴툴거렸다.

"굴곡은 개뿔. 복에 겨운 소리 하고 있네. 엄마는 정호 정말 좋아. 요즘 그런 남자 보기 드물어. 생각 있으면 빨리 결혼해."

"정호에 대해 얼마나 안다고."

"어른 눈엔 다 보이는 법이야. 애가 얼마나 속이 깊고 듬직한지."

마미의 웃음소리가 기분 좋게 퍼져 나갔다. 자신의 품을 파고든 딸을 꼭 끌어안았다. 따뜻한 공기가 가득 차오른 밤이었다.

-뭐? 정말?

되묻는 목소리에는 놀라움과 반가움이 뒤섞여 있었다. 정호는 수화기를 통해 들려오는 어머니의 목소리를 들으며 숨을 삼켰다. 용기를 내기에 더 많은 시간이 걸릴 것 같아 마음먹고 전화를 드린 참이었다.

깊은 밤, 이미 잠이 드셨을 거로 생각해 망설이기도 했다. 하지만 어머니는 신호가 두 번도 가기도 전에 바로 전화를 받으셨다. 가슴이 따끔거렸다.

-정말…… 오려고? 모레? 모레라고 했지?

"네, 모레 갈게요."

부모님이 처음 시골로 내려가셨을 때 가서 손님처럼 한 시간 정도 앉아 있다가 온 게 전부였다. 그 후로 몇 년이나 가 본 적이 없는 시골집이었다.

-내일 장을 봐야겠다. 뭘 해 줄까? 뭐가 먹고 싶니?

어머니의 들뜬 목소리에 정호의 눈시울이 뜨거워졌다. 이제 겨우 시작이다. 마음만 먹는다고 될 일이 아니겠지만, 흔들리지 않도록 자신을 잡아야 했다. 부모님을 뵙고 먼저 사실대로 다 말씀드릴 생각이었다. 그녀와의 인연을, 아픔을, 상처를, 그리고 미래를.

전화를 끊고 난 후, 정호는 마당으로 나가 건물 아래를 내려다보았다. 유리와 마주 서게 되었지만 어딘가 마음 한구석이 늘 아려 왔던 그였다.

문득 난간을 짚은 제 왼손이 눈에 들어왔다. 반지를 끼고는 그렇게 뿌듯해하더니, 준원과 새연의 앞에 가서도 바로 손가락을 내보이며 웃던 유리의 모습이 선연하게 떠올랐다. 앞으로의 모든 날을 유리와 함께 보내고 싶었다. 정호는 그날을 위해 이제 더 이상 웅크리고 있어서는 안 된다고 생각했다.

정호는 뻐근해지는 가슴 위로 손을 얹었다. 한 발짝, 또 한 발짝. 너에게 가는 길. 죄책감은 나의 몫이 아니다. 용서도 너의 몫이 아니다. 우리는 그저, 아픈 인연에 서로 얽혀 들었을 뿐.

나는 너를 사랑하고 또 사랑하고, 계속 사랑하는 것밖에 할 수 있는 게 이젠 없어. 내게는 너를 빼면 남는 게 없으니까. 그러니 겁내지 않을게. 한 발짝 더 다가갈게. 그러니 넌 거기 있어. 내가 더 많이 갈게. 우리 이제 함께하자, 유리야.

12. 돈이 아닌, 사람을 위한 법

"뭐? 안 내려왔다고?"

유리가 법원에서 돌아왔을 때 사무실에 있어야 할 정호가 보이지 않았다.

"네. 아까 슈퍼에서 커피 우유 드시면서 나와서 다시 옥탑 올라가시는 것까진 봤는데, 그 이후로 못 봤어요."

"아오. 이 자식이, 일도 안 하고 겁도 없이 땡땡이를 치네."

유리가 눈을 부릅뜨자 준이 천장 쪽으로 시선을 회피했다. 어째 옥상을 향해 명복을 비는 눈치다.

"어휴, 형님도 참. 명패랑 책상 다 갖다 놓고 근무 땡땡이라니. 다시 게을러지시는 거 아니에요?"

"배준, 너 말 함부로 하지 마라."

아차, 싶어 준은 입을 다물었다. 두 사람이 아무리 예전과 다름없는 사이처럼 보인다고 하지만 엄연히 연인 관계였다. 정호를 구박할 수 있는 자격은 오직 유리에게만 있을 것이다.

"다시 게을러지다니. 형한테 그러는 거 아니야."

"아, 네, 죄송……."

"다시 게을러지는 게 아니고, '꾸준히' 게을렀어, 그 자식은. 아주 일관성이 넘치지."

우두둑, 손가락을 꺾으며 살벌한 목소리로 말했다. 그런 유리를 보며 준은 뒷걸음질 쳤다. 아아. 사귀는 사이인데, 좀 달콤하면 안 될까. 왜 '꾸준히' 살기가 넘치는 건지. 이 사람들 대체 알 수가 없다.

겁에 질린 준을 뒤로하고 유리는 고개를 기울여 뼈를 뚝뚝 꺾더니 카페에서 나갔다. 준은 다시금 위로의 시선으로 옥상 쪽을 올려다보았다.

"야, 이 뺀질아. 누구 마음대로 재택근무야?"

문을 벌컥 열었을 때, 침대에 비스듬히 누워 만화책을 보고 있는 정호의 모습이 눈에 들어왔다.

좀 성실해지나 싶었더니 준의 말대로 '다시' 게을러지는 모양이었다. 이런 자식을 믿고 내가 결혼할 생각까지 하다니.

"너 이러고 있으면 어쩌냐고. 너 때문에 추가로 수임한 재판……."

"왔어?"

킥킥대며 만화책을 보던 정호가 시선을 떼며 고개를 들었다. 여상하게 대꾸하는 모습을 보니 더 화가 났다. 유리는 구두를 벗어 던지고 맹렬한 기세로 다가갔다.

"아니, 차라리 일한다고 하질 말든가! 너 한다고 해서 일 늘려 받았는데, 제때 안 해서 밀리면 어쩔 거야. 지금 네가 만화책 볼 때냐고!"

잔소리해서라도 끌고 내려가야겠다 싶었다. 내 이놈의 등짝을!

유리가 손바닥을 쫙 펼쳐서 내리치려는 순간, 재빨리 몸을 일으킨 정호에게 손목이 잡혔다.

"어억!"

몸이 기울어지더니 풀썩, 침대 위로 떨어졌다. 푹신한 시트에 등이 닿았다.

넘어지듯 눕혀진 유리가 눈을 깜빡거리며 올려다보는데 정호가 싱긋 웃었다. 손목은 여전히 잡혀 있었다. 약간의 거리를 두고 몸을 겹친 정호는 그저 느긋한 미소만 짓고 있었다.

"야…… 비, 비켜."

"싫은데?"

힘으로는 당연히 정호를 밀쳐 낼 수 없다는 걸 유리도 알고 있었다.

"아니, 대낮에. 이, 일해야지. 사람이 막, 쓸데없이 다른 짓 하고 그러면 안……."

"쓸데없는 짓 뭐?"

"일단 비, 비키고 얘기를……."

아랑곳하지 않고 정호의 얼굴이 가까이 내려왔다. 유리가 눈을 질끈 감았다. 느껴지는 이 야릇한 분위기를 도저히 감당할 수가 없었다.

입술이 가볍게 와서 닿았다. 그 달콤하고 촉촉한 감촉에 멍해진 유리가 천천히 눈을 떴다.

여전히 웃는 얼굴로 가깝게 다가와 있던 정호가 말했다.

"서미정 씨 배당 이의 건에 관한 준비 서면이라면 이미 오전에 작성이 끝났습니다. 확정 일자가 포함된 전세 계약서와 권리 신고 겸 배당 요구서, 명도 확인서, 내부 구조도, 주민 등록 등본, 통지서, 인감 증명서, 인증서, 첨부하게 될 이 입증 서류들도 모두 확인이 끝났고, 우리의 의뢰인 서미정 씨는 경매 대금을 우선 변제받을 권리가 있는데도 불구하고 원고가 배당 이의 소(配當異義 訴)를 제기하였으니, 제가 작성한 준비 서면대로라면 이유 없음으로 기각될 것이 예견됩니다만."

정중한 말투였지만 지나치게 유들거렸다. 그건 내내 웃고 있는 저 미소 때문이리라.

"너 종일 여기 있었다며. 자료가 다, 사무실에 있는데. 컴퓨터도……."

"원격 조정 프로그램을 이용하면 여기서 사무실 컴퓨터에 있는 자료 보는 거야 일도 아니고. 출력해 놓은 서류야 뭐, 이미 본 적이 있으니까."

"……이 괴물 새키."

"칭찬이 과하십니다. 아, 제가 해야 할 일이 이것뿐만이 아니었죠, 변호사님."

"……."

불퉁한 표정으로 유리는 그저 정호가 입을 놀리는 모습을 올려다볼 뿐이었다.

"인터넷 상담이라면 이미 답변 작성이 끝났고, 오늘 오후 5시에 예약된 변호사님 상담에 앞서 관련 자료들도 정리해 놓았습니다. 변호사님 오후에 하셔야 하는 일까지, 상담을 제외하고는 제가 다 마쳐 두었습니다. 그러니까……."

"……."

"지금부터 두 시간만 나랑 놀아 주라, 김유리."

눈웃음을 짓는다. 이 남자가. 자신을 들었다 놓으며 살살. 하아, 모르겠다. 유리는 눈을 감았다. 이 자식이 사람을 녹이는 마술을 부리는 중이라면, 기꺼이 낭할 수밖에 없겠다.

따뜻하고 감미로웠다. 마음이 오롯이 전해졌다. 이 남자가 얼마나 자신을 좋아하고 사랑하는지, 빠짐없이 온전하게. 전부.

유리는 팔을 뻗어 그의 목을 감쌌다.

충만감, 그녀가 느끼는 사랑의 전부였다.

"그만 좀 하시지."

정색하고 하는 말에도 정호는 전혀 위기감을 느끼지 못하는 모양이었다. 2시간만 놀자고 하더니, 내내 뽀뽀하자고 달려드는 통에 유리는 강아지 떼어 내듯 정호를 밀어내고 있었다.

커피를 타기 위해 일어나 물을 끓이고 있는데, 뒤에 와서 안고는 놓아주지를 않았다. 간신히 쳐 내고 커피를 마신 후 컵을 씻는데 또 와서 안고. 껌딱지가 따로 없었다.

일하는 거 힘들어 보이니 2시간만 편하게 쉬었다가 내려가자고 해 놓고, 힘들게 괴롭히는 쪽은 오히려 정호였다. 놀아 달라더니 노는 방법은 대체 왜 이것뿐인가.

"너 보던 만화책이나 봐. 나 쉬게 해 준다며. 그래, 딱 상담 전까지만 쉬었다가 갈 테니까 좀 편하게 있자."

침대에 등을 기대고 바닥에 앉아 유리는 TV를 켰다. 당장 해야 할 일이 없으니 마음도 편했다. 잠깐이라도 이런 휴식을 할 수 있게 해 준 정호가 고마웠다.

예능 프로그램이 막 시작되었는데, 침대 위에 있던 정호가 기어서 끝으로 왔다. 그리곤 러그 위에 앉아 막 모로 누우려고 하던 유리의 어깨를 잡았다.

"딱 한 번만 더."

잠시라도 떨어지기 싫은 듯했다. 유리의 고개를 뒤로 젖혀 침대에 기대게 하고, 위에서 정호가 입술을 내렸다. 얼굴이 방향이 서로 반대인 상태에서.

오후의 햇살이 창문으로 스며들었다. 서로의 코에 서로의 턱이 닿고, 포개진 입술에는 나른하게 퍼지는 숨소리가 닿았다. 밀려든 햇살이 주홍빛으로 내려앉았다.

"안 되겠다. 빨리 결혼해야지."

그가 웃으며 말했다.

"……그래. 빨리 결혼하자."

그녀가 넙죽 대답했다. 평소와는 다르게 단번에 떨어진 대답에 오히려 놀란 정호가 얼른 침대에서 내려왔다.

"정말?"

"응."

정호가 팔을 뻗어 그녀를 끌어안았다. 둥둥 뛰는 심장의 떨림이 고스란히 느껴졌기에, 유리 역시 벅찬 마음으로 그를 마주 안았다. 비록 농담처럼, 습관처럼 건넨 말이었지만 예고 없이 떨어진 허락을 놓칠 수 없는 듯, 정호가 얼른 프러포즈를 예고했다. 내내 유들거리던 모습과는 다르게 다소 당황한 기색이 역력했다.

"아, 너무 갑자기라, 주, 주말에 준원이한테 레스토랑 빌리고, 아. 또 뭘 해야 하나. 초랑. 꽃이랑, 다 준비할게. 다시 정식으로 할게. 오늘 이거 프러포즈 아니야, 진짜 아니다. 나도 제대로……."

그런 건 이준원이나 할 수 있는 짓이라며, 제게 강요하지 말라는 듯 살살 내빼던 정호였다. 하지만 정작 청혼을 한다고 생각하니 뭐든 해야겠다는 마음이 드는 모양이있다. 마음은 갸륵하고 기특하나, 유리는 원하지 않았다.

"아니, 그러지 마."

"……김유리."

"일부러 꾸미지 마. 나는 그냥 이대로가 좋아."

부유하는 공기마저 따스함에 취한 오후.

"아무것도 하지 마. 결혼하자, 한마디면 충분해."

완벽하지 않지만 완전한 청혼. 모자람도 넘침도 없었다. 서로가 있으니
너 바랄 것이 없었다. 그저 담백하고 따뜻하였다. 결혼하자, 그 한마디면 충
분하다고 하는 그녀와 끌어안고 나누는 숨결이 더없이 달콤하였다. 청혼의
입맞춤에 햇살이 내려앉았다.

"알아봤는데요."

"왜, 뭐, 문제 있어?"

퍼팅 연습을 하던 성준은 쥐고 있던 골프채에서 시선을 떼었다. 그리곤
수족처럼 부리는 이 실장을 천천히 바라보았다.

"아, 저."

"……왜, 뭐야. 빨리 말해."

"소장을 접수하기에는 좀 무리가 있겠습니다."

말로만 끝낸 것이 아니라, 성준은 정말 정호를 고소하기 위해 이 실장에
게 지시를 내려 둔 상태였다.

"검사여서? 지금은 아니라며. 그리고 그게 무슨 상관이야?"

아직도 아물지 않은 상처를 스윽 매만지며 성준이 눈빛을 번뜩였다.

"김정호 씨의 외가가."

"외가 뭐?"

"태한그룹이랍니다."

"……뭐?"

놀라는 성준을 보며 이 실장이 그럴 줄 알았다는 듯 덧붙였다.

"태한그룹 회장 막내딸 이연주라는 분이 김정호 씨의 모친입니다. 몇 년 전, 떠들썩했던 사건 있지 않습니까. 김승운 전 검사장의 친인척, 측근 비리 파문. 이때 그 대상이 바로 태한그룹이었습니다. 김승운 전 검사장의 처가죠. 한창 청렴한 이미지로 신망이 두터웠는데 알고 보니 재벌가를 처가로 등에 업고 온갖 비리는 다 무마해 주고 있었다고……. 거참, 세상에 진짜 깨끗한 사람은 없지 말입니다."

"그런 집안에서 자란 새끼가 혼자 고고한 척은. 그래서 결론은?"

"네, 결론은……."

"요는 김정호가 태한그룹 쪽이다, 이거네."

이 실장이 고개를 끄덕였다.

"그렇습니다. 그러니…… 고소는 안 하시는 것이 좋겠습니다."

성준이 골프채를 바닥으로 탁 내던졌다.

'너 이 자식, 내가 폭행죄로 고소할 거야.'

'고소? 못 할 텐데.'

'왜, 왜 못 해! 또라이 같은 새끼. 콩밥? 내가 너한테 처먹일 거다!'

'그럼 해 보시든가.'

비아냥거리듯 가볍게 말하던 정호의 얼굴이 떠올랐다. 그래서 그랬구나. 고소 못 할 걸 이미 알고 있었구나. 성준은 그에게 손도 한번 대지 못한 채 물러서야 하는 상황에서 지독한 열패감에 휩싸였다.

아무리 아버지 배경을 믿고 날뛰는 성준이라지만, 태한그룹에 맞설 용기까지는 없었다. 우리나라 대부분의 중견 기업이 그러하듯이 태한그룹의 눈치를 보는 건 이쪽도 마찬가지였다. 성질을 죽이지 못하고 덤볐다가는, 아버지로부터 당장 내쳐질 것이 분명했다. 그만큼 대단한 집안이었다.

성준이 할 수 있는 일이란 끓어오르는 화를 참는 것 외에는 아무것도 없었다. 차라리 그쪽으로 얼씬도 하지 않는 편이 나았다. 다 잊고 지난번에 클럽에서 만난 여자나 불러 질펀하게 놀아야겠다. 그 생각에 화가 조금 가라앉는 것도 같았다.

자신을 쓰레기라 일컫는 김정호도 그 배경이며 환경이 사실은 저와 다를 바 없지 않나. 조소가 새어 나왔다.

다음 날. 야트막한 산 아래 단층으로 지은 집. 부모님이 살고 계신 곳이지만, 내비게이션의 안내를 받아야 찾아올 수 있을 만큼 낯선 곳이기도 했다.

"정호야!"

바깥에 나와 계시던 어머니 이연주 여사가 반갑게 손을 흔들었다. 차를 주차하고 내린 정호가 다가갔다.

"왜 나와 계세요?"

"좋아서 엉덩이를 붙이고 앉아 있을 수가 있어야지!"

"그래도 뭐하러 밖에 나와 계세요. 안에서 짱구 춤이라도 추시지."

"안 그래도 백 번 추다가 지겨워서 나온 거야. 엄마가 또 댄스 머신이잖아?"

되지도 않는 개그를 받아치며 이 여사가 생긋 웃었다. 우아한 얼굴에 그런 썰렁한 개그는 절대 어울리지 않는다고 아무리 말씀드려도 아직 고치지 못하신 모양이었다.

이 여사의 얼굴에는 오랜만에 편한 마음으로 아들을 대하는 기쁨이 가득 찼다. 정호의 눈치를 보느라 의기소침해 있던 어머니의 모습만 보다가, 다시 이렇게 밝아진 표정을 보니 가슴이 시큰거렸다. 이렇게 마음을 바꾸어 찾아오길, 하나뿐인 아들의 방문을 얼마나 기다리셨을까.

알면서도 쉽지 않았었다. 차라리 외면하고 말았었다. 어쩌면 끝까지 마음을 열지 않을 수도 있었다. 부모님의 사랑을 의심하지 않았듯, 부모님의 양심도 의심한 적이 없었기에. 그가 받은 실망감은 부모님을 등진 채 돌아서고 싶을 만큼 지독했었다.

"아버지가 어제부터 얼마나 기다리셨는지 몰라. 너 온다고 해서."

정호의 팔짱을 끼고, 집으로 향하는 이 여사의 얼굴에는 웃음이 떠날 줄 몰랐다. 현관문을 열고 들어가자 거실에 앉아 있는 아버지의 모습이 보였다. 이쪽을 뚫어지게 보고 있던 시선이 민망함을 품고 내려갔다.

"왔구나."

아래쪽으로 시선을 내린 아버지가 흠, 헛기침하였다.

"밥 먹자. 금방 상 차릴게. 잠깐만 앉아 있어."

서초동 본가보다 규모가 훨씬 작은 집이지만 무척 깔끔했다. 물론 마당은 넓었다. 한쪽에는 제법 크게 텃밭을 만들어 두고 채소도 키우시는 모양이었다.

원래도 그리 사치를 하지 않는 어머니였지만, 여기서 보는 모습은 더욱 검소해 보였다. 읍내 시장에서 산 듯한 옷을 걸친 이 여사는 화장기 없는 얼굴로 활짝 웃으며 주방에 들어갔다.

아버지 역시 단정하지만 소탈한 옷차림으로 꼿꼿하게 허리를 편 채 앉아 있었다. 읽고 계시던 책이 옆에 놓여 있었다. 삼시 시선을 눈 정호가 고개를 들어 입을 열었다.

"지난번 신 자리는…… 죄송합니다."

"아니다. 네가 싫다는 일은 나도 시키기 싫구나."

그리고 또 침묵이 이어졌다. 부자 사이에 파인 골은 깊었지만 어떻게 채워 나가야 할지 알 수 없었다.

"여보, 상 좀 들어 줘요."

주방에서 이 여사이 목소리가 들리자 아버지는 얼른 일어섰다. 아들과 마주한 자리가 불편하긴 한 모양이었다. 잠시 후, 아버지가 내온 상에는 생선찜과 주물럭, 해물탕, 잡채 등 여러 가지 음식들이 가득 차 있었다. 정호가 얼른 일어나 무거운 상을 같이 받았다.

"뭘 이렇게 많이 하셨어요."

"우리 아들이 뭘 좋아할지 몰라 육해공을 다 준비해 봤어!"

"……어머니, 인터넷 끊으세요."

"내가 뭘."

"그거 옛날 유행어잖아요."

"어머, 너도 아는구나!"

"요즘 유리 어머니도 인터넷 하시면서, 젊은 아기 엄마들 커뮤니티에 가입하셔서 물이 드셔서는 스스로 '마미'라고 하시고……."

아버지와는 서로 묵언 수행을 하는 정호지만, 그래도 어머니와는 편하게 이야기를 나누었다. 코드도 맞고, 마음도 잘 맞았다.

"아, 유리. 그래, 유리, 잘 지내지? 아직도 예쁘니?"

"예쁘죠."

"공부 잘해, 예뻐, 착해. 어머니가 참 뿌듯하시겠어. 아, 마미라고 하신댔지? 난 뭐야? 그럼 나는 정호 맘? 정호 마미?"

"……제발 하지 마세요."

오랜만에 이 여사가 직접 한 음식을 먹으니 가슴이 먹먹했다. 사실 늘 그리웠던 건 어머니가 한 밥이었다. 세 식구가 둘러앉아 밥을 먹은 것이 얼마나 오랜만의 일인지, 기억도 나지 않았다.

"맛있지? 많이 먹어. 얘, 이거 채소는 내가 다 텃밭에서 키운 거다? 마트에서 사는 거랑은 달라, 맛있어."

"이거 더 있어요?"

상추 겉절이를 맛있게 먹은 정호가 묻자, 이 여사가 어색하게 웃었다.

"어쩌니? 상추는 그게 다인데."

"이게 다였다고요?"

정호가 당황스러운 얼굴로 되물었다. 양이 정말 적었는데.

"반찬 많잖아, 다른 거 먹어."

"아니, 그게 아니고. 저 텃밭 되게 넓은데. 아니, 진짜 넓은데. ……상추 키우는 면적이 작아서 그런 거죠?"

"……사실 다 상추밭이야. 고추랑 방울토마토는 조금."

그럴 줄 알았다.

"그럼 수확한 거 다 먹고 이거 남은 거겠죠?"

"호호. 뭘 집요하게 물어보고 그러니. 여기 고기 먹어, 고기."

"저 넓은 상추밭에서 나온 상추가 이게 다라고요? 아니라고 해 주세요!"

그때 근엄하게 앉아 있던 아버지가 풉, 웃어 버렸다. 그러자 정호와 이 여사가 돌아보았다. 아버지는 다시 얼굴을 굳히며 입을 열었다.

"너희 엄마 마이너스의 손이 어디 가겠냐."

"여보! 내가 뭘요!"

"당신 여기 와서 망친 화초만 해도……."

"여보!"

점잖게 티격태격하는 부모님의 모습을 바라보며 정호는 밥을 입에 넣었다.

오늘은 말씀을 드리고 가야 했다. 그러기 위해 온 자리였다. 마음을 조금은 가볍게 비우고, 정호는 애써 복잡한 감정들을 전부 밀어내었다. 놀라시겠지만, 어차피 헤쳐 나가야 할 시간이었다.

검사로 임관한 첫해의 봄과 여름 사이, 그 어디쯤, 더운 공기를 품은 바람이 서서히 불기 시작하던 때였다.

정호는 입이 텁텁해질 만큼 달기만 한 자판기 커피를 다 마시고도 벤치에서 일어나지 않았다. 귀에는 이어폰을 꽂고 손에는 빈 종이컵을 쥐었다. 목소리만 떠올려도 눈앞에 그려지는 모습에 웃음이 새어 나왔다.

'야, 바빠 죽겠는데 왜 오라 가라야. 네가 와, 이 자식아!'

조금 전, 전화기에 대고 버럭 소리를 지르던 유리의 목소리가 아직 생생했다.

"하여튼 성질은."

저녁을 사 줄 테니 퇴근하면 검찰청 쪽으로 오겠냐고 했더니 그렇게 내뱉던 유리였다.

'내가 밥을 못 먹고 다녀서, 너한테 얻어먹으려고 거기까지 가냐? 나 오늘 야근하니까 정 사 주고 싶으면 회사 앞으로 네가 오든가.'

유리의 말을 떠올리며 정호는 다시 한번 피식 웃었다. 그러네, 내가 잘못했네. 내가 가야지, 왜 너를 오라고 했을까. 늘 아쉬운 건 내 쪽인데.

보고 싶어서 무심코 했던 말이었다. 혼자 가겠다고 하면 너무 티가 날까 봐, 태연한 척 이쪽으로 오겠냐고 물었던 것뿐이었다. 올해 안에는 어떻게든 고백을 하겠다는 마음을 먹고 있었으니, 이제는 슬슬 티를 내도 되지 않을까 생각했다.

세상만사 모든 것을 다 귀찮아하던 자신이 여기까지 어떤 마음으로 달려왔는지. 전부 다 유리 때문이고, 유리 덕분이라는 것을, 이제 모두 알려 줄 참이었다.

재학 시절, 1차와 2차 시험을 한 해에 바로 합격했을 때 그 누구보다 놀란 사람은 유리였다. 같은 공부를 해 온 유리였기에 더욱 잘 알았다. 얼마나 힘든 일을 해낸 것인지.

'와아! 나 진짜 법대 들어온 후에 내 머리가 돌이란 걸 새삼 깨닫긴 했지만. 이 미친 머리들 중에 단연 네가 제일 미친 머리다.'

3학년까지만 마친 후 바로 사법 연수원에 입소했던 정호는 사실 한 해 더 그녀와 학교에 다닌 후 졸업을 할 것인가를 고민했었다. 결론은, 군대 문제를 생각했을 때 조금 더 빨리 움직여야 한다, 였지만.

'의외다. 김정호. 누가 쫓아오는 것도 아닌데. 네 성격에 뭘 이렇게 미친 듯이 하냐, 사람 적응 안 되게. 아우. 나도 열심히 해야지. 나도 곧 시험 패스할 테니 딱 기다리고 있어!'

정호의 목표는 무조건 김유리보다 먼저 법조계에서 자리를 잡는 것. 그것뿐이었다. 변호사가 되기 위한 공부를 하겠다며 눈을 시뻘겋게 뜨고 있는 유리에게, 아무런 준비 없이 고백할 수 없었다.

다른 누구도 아닌 김유리였다. 그런 그녀를 잘 알고 있는 정호였고. 그렇기에 자신답지 않게 인생의 계획을 치밀하게 세운 것이다. 유리가 아니었다면, 아마 적당한 성적을 유지하다가 적당한 학교에 진학하고 적당한 회사에 취직했을지도 모르겠다.

하지만 유리 때문에 움직였고, 유리 덕분에 앞으로 나아갈 수 있었다. 제대로 성적을 내야겠다고, 사법고시에 빨리 패스를 해야겠다고, 얼른 군 복무를 마쳐야겠다고, 웬만하면 최고의 자리에 올라야겠다고.

검사의 사명감이고, 법조인의 자존심이고 애당초 성호에게 그런 건 없었다. 부끄럽지만 신념은 억지로 만든다고 생겨나는 것이 아니었다. 정호는 그저 바보처럼 한 여자만을 원했을 뿐. 그게 전부였다.

투철한 사명감이야 그녀에게 있으니, 살면서 배우겠다고 다짐했다. 옆에서 그녀를 지켜 주고, 그녀를 존경하고, 그녀를 사랑하면서, 그렇게 함께할 수 있다면 좋겠다고, 그에겐 그런 생각뿐이었다. 그런 바람. 그래, 그게 전부였다.

군 법무관으로 복무를 마치고 검사로 임관한 그해, 유리 역시 연수를 마치고 로펌에 입사를 하였다. 서로의 일에 어느 정도 적응을 하고 나면 이제 고백을 해야지, 오랜 짝사랑을 끝내야지, 부푼 기대감에 하루하루를 보내다 보니 어느덧 3개월의 시간이 지나 있었다.

고백은 언제가 좋을까. 크리스마스 때 할까? 올해의 마지막 날 할까? 아니면 새해 첫날? 마음 같아서는 지금 당장에라도 하고 싶지만, 먼 길을 달려온 만큼 숨을 고르는 시간도 필요했다.

유리가 제게 친구 이상의 감정이 없다고 거절한다면, 앞으로 남자로 보게 해 주면 될 일이었다. 정호는 자신 있었다. 11년의 우정, 언제가 시작인지 모르는 사랑, 그보다 더한 진심은 없으니 마음은 분명히 통할 거라고, 수없이 되뇌었다.

그리고 그건 정호의 지나친 욕심이었음을 곧 알게 되었다. 믿을 수 없는 순간들이 머지않아 찾아왔다.

"무슨 소리예요. 아버지가, 왜……."

당시 검사장이었던 김승운은 내부 자정 노력을 통한 검찰의 자체 개혁을 추진하던 중이었다. 검찰이 공권력의 최일선인 경찰을 지휘하는 최강 권력 기관으로서 경외의 대상이 되고, 그 권력이 주는 도취감에 취한 일부 인사들에게 각종 비리와 추문이 끊이지 않는 것을 늘 지탄하던 인물이 바로 김승운이었다.

그리하여 개혁을 이끌고자 한 김승운은 세간의 존경을 한 몸에 받았고, 검찰 내부에서도 추종자들이 잇따랐다. 굴욕을 당하더라도 더러운 오명을 벗고 싶다는 검찰 내부의 욕구가 분출하기 시작했고, 이번에야말로 검찰의 '셀프 개혁'이 이루어질 것이라는 기대감이 팽배하였다.

'물론 검사도 비리를 저지를 수는 있다. 문제는 이런 비리를 저질렀을 때, 적절하게 수사하고 기소할 수 있어야 하는데 현재 그게 제대로 이루어지는 것처럼 보이느냐.'

'글쎄요.'

정호가 시험에 합격한 이후, 아버지는 종종 식사 자리에서조차 검찰 개혁을 화제에 올리실 정도였다. 물론 정호는 별생각 없이, 별 감흥 없이 대충 대답을 하고는 했지만.

'검사가 아니면 누구도 검사의 비리를 수사하고 기소할 수 없는 특권적 지위에 놓여 있는 것이 가장 큰 문제다.'

'네, 그렇죠. 엄마, 국 좀 더 주십셔어.'

'경찰에 의해 이미 범죄 사실이 다 드러나다시피 해도, 그걸 경찰이 계속 수사하게 내버려 두지 않고 중단시키고는, 검사가 직접 수사하겠다. 이게 무엇이겠냐.'

'자기 식구 자기가 챙긴다. 이거겠죠, 뭐.'

'그래, 결국 다 한통속이지. 그게 다 지나치게 막강한 권력을 가지고 있기 때문이니 말이다. 검찰이 갖는 형사상 권한들에는 어떤 것들이 있더냐.'

'수사권, 수사지휘권, 기소독점권, 기소재량권, 구형권, 공소취소권, 내사종결권, 형집행정지 권한…… 엄마, 국 좋았네요. 이거 되게 짜요.'

'어머, 그러네. 정호야, 이리 줘. 뜨거운 물 좀 섞어 줄게. 근데 여보, 밥상 앞에서 그런 얘기 좀 그만하면 안 돼요?'

'과거사 청산할 때도 법조인들이 드는 가장 중요한 방어 논리가. 우리는 법대로 했을 뿐이다, 이건데, 법 뒤에 숨어서 원칙을 들먹이며 법……'

'아아, 여보, 그만. 나 체할 것 같아요.'

아직 햇병아리 신입 검사인 정호에게는 하늘처럼, 태산처럼 높기만 한 아버지였다. 품으신 뜻이 얼마나 큰지 가늠이 되지 않았기에 오히려 더 멀게 느껴지기만 했었던 아버지.

김승운의 아들이라는 사실만으로도 확실히 정호는 주목을 받고 있었다. 그리고 정호는 생각만 해도 온몸에 두드러기가 날 정도로 부담스럽기는 했다.

원대한 포부도, 깊은 신념도, 권력에 대한 자성(自省)도, 정호에겐 없는 것이었다. 그렇기에 아버지의 말씀은 늘 하품이 날 정도로 따분했다.

그럼에도 불구하고 아버지가 하시는 일에 의구심을 품은 적은 단 한 번도 없었다. 걱정도 없었다. 잘 해내시겠지. 워낙 신중하고 담대하신 분이니까. 그러나 차분히 진행되던 개혁에 대한 준비와 움직임은 한순간에 멎고 말았다.

"비리······ 라니요? 누가요, 아버지께서요?"

개혁을 추진하던 인물, 당사자의 비리. 파장은 엄청났다.

[김승운 중앙지검장, 재벌가 측근 비리, 검찰 신뢰 추락]

['법과 원칙을 바로 세우자'던 김승운 지검장의 이중 잣대]

[김승운 지검장, 수사 무마 청탁 등 각종 비리 의혹]

[김승운, 처가인 태한그룹의 권력 앞잡이였나]

날이 밝자마자 터져 나온 기사와 뉴스들로 정신을 차릴 수가 없었다. 하루아침에 세상은 뒤집혔다. 오해가 있을 것이라고 해명이 이어지겠거니 했었다. 반박하시리라, 별일 아닐 거라 말씀하시리라 생각했었다. 그렇게 믿었었다.

하지만 아버지는 가라앉은 눈빛으로 어디론가 나가셨고, 어머니 역시 입을 다물고 취재진을 따돌리며 본가로 들어가셨다. 하늘 위에 구름이 두둥실 노닐듯 늘 아무 생각이 없던 정호는 집안에 들이닥친 폭풍이 실감 나지 않았다. 다른 세상에 뚝 떨어진 듯 황망하기만 했다.

그리고 불과 한나절 만에, 김승운 지검장은 자신에 대한 모든 의혹을 인정하는 발언을 하기에 이르렀다. 세간의 관심은 식을 줄을 몰랐다. 의혹이 불거진 뒤 이 모든 것을 바로 인정한 김승운에 대한 억측이 난무하였다.

결혼을 목적으로 재벌가 막내딸에게 의도적으로 접근했던 가난한 고학생, 재벌가 집안의 재력과 권력 유지를 위해 평생을 바쳐야 했던 비리 검사. 세상이 보는 김승운의 모습이었다.

그러나 그 더러운 이미지를 벗기 위한 노력 따위, 절대 하지 않으셨다. 김승운이 순순히 인정하고 법무부 감찰 위원회에서 조사를 받는 동안, 정호 역시 사표를 제출했다. 엘리트 코스를 밟으며 20대 후반의 이른 나이에 검사로 임관한 외아들 김정호에 대해서도 시선이 곱지는 않았기 때문이었다.

김승운이 아들에 관해서도 뭔가 비리를 저지른 것이 아닐까 하는 추측성 루머가 나돌았다. 스스로 개혁을 추진했던 인물이었던 만큼 역효과는 상당하였으니, 먼지 한 톨까지 탈탈 털려 입방아에 오르내렸다. 숨을 쉬는 것 자체도 비난의 화살이 되어 돌아왔다.

견디기 힘든 시간이었다. 친구들의 쏟아지는 연락을 모두 차단한 채, 정호는 세상으로 향한 문을 잠가 버렸다. 그러나 더한 지옥은 그 후에 찾아왔다. 결국 조사 결과 태한그룹의 크고 작은 비리는 김승운 검사장의 묵인 아래 행해진 것으로 드러났다.

김승운 검사장은 책임을 지고 퇴임하는 것으로, 그리고 수사 무마 청탁의 대가로 금품을 받은 검사들과 태한그룹 이연태 부사장 이하 실무진들이 구속되는 것으로 사건이 마무리되었다.

김승운 검사장이 직접 청탁을 받고 비리 수사를 지휘한 것은 아니었지만, 사실을 알고도 묵인했음에 결국 이 모든 것을 방조(幇助)한 부조리한 인물로 낙인이 찍혀 버렸다.

"이제 검찰이 콩으로 메주를 쑨다고 해도 아무도 안 믿을 테지."

"대체 저러고 돈 받아 처먹으면 속이 편한가!"

"썩었어, 세상 참 썩어 문드러졌어!"

정호가 한 달 만에 집 밖으로 나와 준원과 혁준을 만났던 날이었다. 사내 셋이 말없이 소주잔을 기울이는데, 허름한 고깃집 TV에서는 주말 시사 프로그램이 방영되고 있었다.

하필이면 태한그룹-김승운 전 검사장 간의 검은 커넥션에 대한 내용이었다. 여기저기서 이 사건을 안주로 씹어 대는 사람들의 목소리가 터져 나오고 있었다.

"젠장맞을 세상! 있는 놈들은 지들끼리 해 처먹으면서 서로 봐주기나 하고, 우리같이 없는 놈들한테는 죽으라 죽으라 하는 세상이지!"

"저렇게 돈 많은 양반들, 높은 자리에 있는 양반들 속이 썩었으니 나라가 이 모양이야."

"더러운 새끼들. 법이고 돈이고, 지겹다, 지겨워!"

참다못한 혁준이 소주잔을 내려놓으며 일어서려는데, 정호가 손을 뻗었다. 강한 힘에 손목이 잡힌 혁준이 돌아보자, 정호가 피식 웃었다.

"다 맞는 말인데, 왜."

"정호야."

"그러니 나설 필요 없어. 여기서 뭘 어쩌겠다고."

정호는 앞에 있던 잔을 들어 소주를 입 안에 털어 넣었다. 그 모습이 하염없이 허탈해 보였다. 준원은 말없이 그 잔을 다시 채워 주었고, 혁준도 다시 털썩 자리에 앉았다.

"유리가 예전에 뭐라고 했었는지 알아?"

이제껏 괜찮냐, 괜찮다, 묻고 답하지 않았었다. 괜찮지 않다는 것이 뻔했으므로. 그저 묵묵히 얼굴을 보이고 술을 나누는 것으로 위로를 대신했었다. 차라리 아무 말도 하지 않는 것이 더 나았다. 그런데 정호가 먼저 말을 꺼냈다.

"김유리가 이런 말을 했었어. '돈 많은 사람에게만 유리한 법이라면, 그거 정말 엿 같잖아.'라고."

"……."

"아, 김유리, 진짜 멋있지 않냐?"

푸훗, 웃었다.

"나는 이제 쪽팔려서 걔 얼굴을 어떻게 보냐?"

정호의 눈에서 눈물이 후두두 떨어지고, 웃는 입이 일그러졌다. 소주잔을 다시 꺾어 입에 털어 넣었다. 그런 정호를 보며 혁준이 입을 열었다.

"인마, 그런 걱정을 왜 해. 하지 마, 자식아."

"……."

"친구잖아."

정호의 어깨에 손을 올려 두드려 주었다.

"유리랑 새연이도 지금 네 걱정 엄청 하고 있어. 그러니까 쪽팔린다, 창피하다, 그런 웃기는 소리 집어치우고 네 몸이나 잘 챙겨. 너 전보다…… 말랐다."

혁준의 말이 끝나자, 준원도 입을 열었다.

"그래, 너 어디 숨기만 해 봐. 숨으면 찾아내 죽여 버린다."

"……와, 살벌하네, 이준원."

정호는 피식 웃었다. 어떻게 알았을까, 지금 숨어 버리고 싶은 거.

정호는 창피한 마음에 엄지로 눈물을 쓱 닦아 냈다. 가만히 바라보던 준원이 말을 이었다.

"그러니까 울어도, 이렇게 우리 앞에서 울어."

"……."

"백 번이고, 천 번이고 다 받아 줄 테니까."

친구니까. 최혁준 너도, 이준원 너도 친구니까. 한새연도 친구니까. 그리고 김유리도…… 친구니까. 부끄러워 숨을 필요가 없다. 친구면 모든 것을 다 이해해 주니까. 이 순간, 친구라는 이름이 면죄부가 되어 주었다.

정호는 얼마 전, 우연히 새로 알게 된 사실을 다시금 떠올렸다. 수면 위로 드러난 문제는 전부가 아니었다. 면죄부가 절실히 필요할 만큼, 정호로서는 감당하기 어려운 죄책감이었다.

봄져누운 어머니를 만나기 위해 외가에 갔을 때였다. 불거진 비리 파문으로 인해 차갑게 가라앉은 집안 분위기에 숨이 막혔다. 안 그래도 적응 안 되는 외가인데, 머리가 다 깨질 것만 같았다. 정호가 잠시 물이라도 가지러 주방으로 가려는데, 복도 한쪽에서 고용인들이 나누는 소리가 들려왔다.

'태경병원에서 잘못한 것도 다 감싸 줬다면서요. 거기 이사장이 회장님 혼외자라는 소문이 있더니, 그 말이 맞나 봐요.'

'나도 그 얘기는 들었어요. 우리 왕사모님 집안이 엄청나잖아요. 자존심이 그렇게 센데, 따로 낳은 지식을 받아들여 줬을 리가 없지. 그래서 그렇게 밖으로만 돌게 했나 보더라고요.'

'생모 죽고 자꾸 삐뚤게 나가니까 불쌍하다고 병원 재단 주고 맡겼다던데요.'

'이번에 터지면 회장님 혼외자까지 싹 다 드러나니까 태경병원 일만 쏙 빼고 발표한 모양이네요.'

'아유. 그만합시다. 그만해요. 우리 이런 얘기 하다가 왕사모님한테 걸리면 아주 다 모가지야.'

태경병원이라……. 정호는 제 귀를 의심했다. 외할아버지께 혼외자식이 있다는 이야기도 처음 듣는 것이었다. 정호는 서둘러 어머니 방으로 돌아가 떨리는 목소리로 사정을 여쭈었다. 천천히 몸을 일으킨 어머니 이 여사가 말했다.

'그래, 너도 언제까지 모르고 지낼 수 있겠니. 반쪽이래도 핏줄은 핏줄인데.'

우아하면서도 늘 밝은 모습이던 이 여사는 아들인 정호마저 낯설게 느껴질 만큼 담담하고 조용했다. 과연 이 숨 막히는 집안에서 자란 여인다웠다.

막내딸인 이 여사 아래로 이복동생이 있다고 하였다. 세간에 알려지지 않은 숨겨진 아들이었다. 이 회장에 못지않게 대단한 집안의 딸로 자존심이 매우 강한 본처, 즉 정호의 외할머니가 사생아를 집안으로 들일 수 없다고 못 박았기에 그는 생모와 함께 살았다.

생모가 죽은 후, 점점 삐뚤게 나가며 사고를 치는 그를 달래기 위해 이 회장은 병원 재단을 주고 맡겼다.

'알잖니, 네 할머니 성격. 당신 눈 뜨고 있는 동안에는 절대 이 집에 발 못 붙이게 한다 하셨는데. 드러나지만 않게 하면 병원 주는 것까지는 참겠다고 하셨어. 그 병원이 태경병원이란다.'

태경병원 이사장 이편웅. 그가 이 회장의 숨겨진 아들이자, 이 여사의 배다른 동생이었다. 그룹에서는 철저히 분리하였기에 누구도 그가 태한가(家)와 연관이 있다는 사실을 알지 못했다.

'생모가 여배우였고, 아이가 태어난 후에 그 생모라는 여자의 애인이 충격을 받아 자살했다고 하더구나. 그 애는 ……내 아버지의 아들이 확실했으니까.'

새로 알게 된 모든 것은 검은 수면 아래 깊이 잠들어 있는 상태였다. 건드리지 말아야 할 상처투성이의 과거였다. 말하기 좋아하는 사람들에게는 더없이 훌륭한 먹잇감이었다.

태경병원이 사람들 입에 오르내리는 것은 이쪽에서도 원치 않았을 것이다. 무슨 문제가 생길 때마다 태한그룹에서도 수단과 방법을 가리지 않고 무마시키고 감추었겠지. 만일 이번 일로 인해 태한그룹과 태경병원 간의 관계까지 낱낱이 밝혀진다면 아마 파장이 대단할 것이다.

그런 이유로 다른 건 몰라도, 이것만은 드러나지 않도록 손써 막은 모양이었다. 굳이 태경병원까지 짚어 내지 않더라도, 김승운에게는 숱한 다른 의혹들이 있으니 이쯤에서 절충했을 것이다.

'병원을 주기 전까지는 네 외삼촌들과 몇 번이나 큰 다툼도 있었다고 하더구나. 그래도 지금은 조용히 살고 있으니 참 다행이다 했는데…….'

'그래서. 아버지가 그 병원의 일들까지 뒤를 다 봐주셨다는 게 사실이에요? 다 묵인하신 것 맞아요? 어, 엄마도 알고 계셨어요?'

밝혀진 일들로 미루어 보건대, 아버지가 태경병원의 일들까지 아랫선에서 처리하도록 묵인을 해 주셨다면……. 의료 소송에 휘말렸을 때 병원에 유리하도록 재판이 진행되도록 한 깃이 대부분이리라.

'네 아버지 하시는 일에 대해서는, 엄마도 참…… 모르는 부분이 너무 많았다는 걸 이제야 알게 되었어. 아닐 거라고 믿고 있어. 엄만 그러고 싶어.'

'믿어요? 뭘 믿어요? 아버지가 하셨다고 스스로 인정하신 일들을. 우린 그냥 앉아서 믿고 있으면 되는 거예요? 지금까지 우리에게도 그 어떤 해명도 하신 적 없어요. 아니라고 단 한 마디도 하신 적 없다구요.'

정호의 눈에 파드득, 붉은 핏줄이 올라섰다. 그야말로 아닐 거라 믿고 싶었다. 다른 건 몰라도, 이것만은…… 제발 이것만은 사실이 아니었으면 했다. 태경병원이라니. 하필 태경병원이라니.

'세상 사람들이 다 아버지를 욕해도, 우리는 그러면 안 돼.'

'왜요. 가족이라서요? 핏줄이라서요?'

'……'

'내 사람이 중요하니까?'

울분을 참는 입술이 바르르 떨렸다.

'사회 정의를 위해 무엇이든 다 하실 것처럼 말씀하시던 아버지가, 이렇게 추악한 가면을 쓰고 계신 줄 몰랐어요.'

'……정호야.'

'저는 아버지 이해 못 해요. 안 해요. 그러니까 이제 저한테 그런 거, 강요하지 마세요.'

여린 어머니 가슴에 상처가 되는 말이라는 것을 알면서도 정호는 그렇게 내뱉고 확 돌아섰다. 그리고 순간 방문 앞에 서 계시던 아버지와 눈이 마주쳤다. 핏발이 선 정호의 눈에서 눈물이 투둑 떨어졌다. 아버지는 미동조차 하지 않고 건조한 음성으로 내뱉듯 말하였다.

'무턱대고 울기는. 약해 빠진 놈.'

여전히 꼿꼿하고, 여전히 위압적인 아버지였다. 정호의 입술이 바르르 떨렸다. 아니라고 한마디만 해 주시면 믿으려고 했다. 하지만 끝내 아버지는 입을 다무셨다. 정호는 가슴을 찢어 헤치고 들어온 실망감에 무너지고 말았다.

예감은 맞다. 태경병원의 소송 판결 기록 중 유리의 아버지 사건을 뒤져 찾아냈다. 형사 사건으로 기소되었지만 병원 쪽엔 무혐의 처분이 내려졌고, 다시 제기한 민사 소송에서 역시 피고 측의 패소로 끝났다.

기록만 보아도 지루할 정도로 뻔한 싸움이었다. 형사 소송 때의 검사는 이번 청탁 비리로 구속된 검사였고, 민사 때 태경병원 측 변호인단으로 나선 곳은 아버지의 절친한 후배가 대표 변호사로 있는 로펌이었다.

'가끔은 엄마가 그렇게 소송에 매달리지 않았으면 어땠을까, 하는 생각을 해. 아빠 보험금까지 다 재판에 쏟아붓고. 그것도 모자라 빚까지 지고. 안 그랬으면 우리도 그렇게까지 어렵게 살진 않았을 텐데. 엄마가 그렇게…… 고생하지 않으셔도 됐을 텐데. 돈 날리고, 시간 날리고. 보상도 못 받고.'

그녀와 그녀의 가족을 무참히 깨뜨린, 굳건한 바위 같은 상대. 유리에게 있어 치를 떨 만큼 혐오스러운 상대의 뒤에는 바로, 제 아버지가 있었다.

'지금도 생각만 하면 정말 가슴속이 너무 끓어. 그렇게 가 버린 아빠도 불쌍하고. 인정하지 못하고 몇 년이나 재판에 모든 걸 쏟아부은 엄마도 불쌍하고. 내 다리 붙들고 밥 차려 달라고 칭얼거리던 유찬이도 불쌍하고. 어린 나이에 너무 많은 걸 알아 버린 나도…… 참 불쌍하고.'

유리의 목소리.

'나 잘 때 그 병원 쪽으로는 발도 안 뻗잖아.'

그녀는 복수를 꿈꾸는 대신, 자신을 성장시켰다.

'태경병원. 생각만 해도 속이 끓어. 그래서 나 진짜 성공할 거야.'

여전히 미움의 대상이지만, 그 미움 속에 머물러 있지 않았다. 억울한 사람들을 돕고 싶어 했고, 모두에게 법의 이로움을 알려 주고 싶어 했다. 세상으로 나와 자신을 드높이는 것만으로도 충분히 지난 시간을 보상받을 수 있다고 생각했다. 그리고 성호는 그런 유리를 사랑했다.

상념에서 벗어난 정호는 준원이 따라 주는 술을 다시 한번 삼켰다. 내내 칩거해 있던 정호의 기분이 어떨지 몰라 남자들끼리만 찾아와 만든 자리였다. 정호가 내뱉듯 말했다.

"야, 너희 진짜 내 친구 맞지."

"그래, 맞지."

그 이름 아래 숨어 버리기로 했다.

"나 뻔뻔하게, 그냥 너희랑 계속 친구 해도 되는 거지?"

"무슨 소리야. 그게 왜 뻔뻔한 거야."

"아니야. 나 뻔뻔해."

정호가 중얼거렸다.

단순히 부모님의 일로 큰 충격과 상처를 받았을 것으로 생각하여 준원과 혁준은 나름의 최선을 다해 정호를 위로했다. 그리고 말하지 못한 그 이상의 괴로움은 오롯이 정호의 몫이었다.

친구라는 이름의 면죄부라도 있어 다행이었다. 그 안에서는 자유로울 수 있었다. 여자로 곁에 두는 것을 욕심내지 않는다면, 양심만 죽인다면, 평생 그녀의 얼굴을 보며 살아갈 수는 있을 것이다.

미안함, 부끄러움…… 그 모든 아픈 감정들이 뒤섞여 정호의 가슴 안쪽을 세게 두드려 댔다. 시발, 하고 욕을 중얼거리다가 고맙다, 내 친구들, 하고 웃다가 김유리 보기 쪽팔린다, 하며 울었다.

한없이 약해진 정호의 모습은 그날이 마지막이었다. 이후 정호는 다시 아무렇지 않게 웃었고, 아무렇지 않게 농담을 했다. 속도 없고 뇌도 없는 것처럼.

그랬다. 그렇게 살았다. 놓을 수 없는 끈 하나를 쥐고서. 그렇게 살았다. 밀어내고 싶어도 밀어내지지 않는 유리를 가슴에 품고서. 친구라도 될 수 있어 다행이라고 생각하면서.

그러나 얼굴만 봐도 좋다고 했던 욕심에 점점 괴로움이 덧입혀졌다. 아무리 발버둥 쳐도 결국엔 다시 유리였다. 그리하여 정호가 기어이 그들의 첫 키스 추억이 있는 벚꽃 거리 건물로 온 순간, 뒤이어 그녀가 들이닥쳤다.

아무것도 모르면서, 이런 상황은 하나도 모르면서 유리는 그저 자신을 세차게 뒤흔들어 댔다. 그리고 마치 꿈처럼, 이젠 서로를 바라보게 되었다. 친구라는 면죄부 따위는 필요 없어졌다. 마주 보는 눈빛에 사랑이 잔뜩 어려, 정호는 무엇이든 이겨 낼 용기가 생겼다. 그래서 이렇게 말도 꺼낼 수 있었다.

"사실은 어머니, 아버지."

식사를 마치고 상을 치운 후, 이 여사가 커피를 내려놓자마자 기다렸다는 듯 정호가 말했다.

"저 결혼하려고 합니다."

"결혼? 누구랑?"

뜻밖의 선물을 받은 듯한 눈빛으로 이 여사가 되물었다.

"유리와 결혼하려구요."

"어머! 유리! 너희들 사귀는구나! 친구로 평생 갈 것 같더니! 어머!"

"……잘되었구나."

옆에 있던 아버지의 얼굴에도 아주 엷은 미소가 퍼졌다. 아버지 역시 고등학교 시절 인터뷰를 하겠다며 찾아왔던 유리가 좋은 인상으로 기억되었다.

"그런데, 미리 말씀드리고 싶은 것이 있어요."

"그래, 뭔네? 얘기해 봐."

"유리가 조금…… 힘들게 살았어요."

"그런 게 무슨 상관이니. 우리는 괜찮아."

이 여사가 그저 좋아 웃으며 말했다. 오랜만에 아들이 내려와, 예전처럼 같이 식사도 하고, 또 즐겁게 이야기를 주고받은 것도 좋았는데, 유리와의 결혼 소식까지 가져왔으니 기쁘지 않을 수가 없었다.

이 여사는 예전에 만났던 유리의 어머니를 떠올렸다. 조금 어렵게 사는 모습이지만, 그 어머니 역시 밝고 씩씩하여 이 여사의 마음에도 아직 좋은 이미지로 남아 있었다.

"인정하고 싶지 않지만, 그게 제 숨겨진 삼촌 때문이었어요."

"......응?"

"의료 사고로 유리 아버지가 돌아가셨고, 몇 년간의 소송, 그리고 패소로 인해 그 어머니가 유리 남매를 홀로 키우시면서 힘들게 살았습니다. 그 병원이, 바로 태경병원이에요."

툭 터지듯 나온 정호의 말에 부모님이 동시에 굳어졌다. 쉽게 말을 잇지 못하는 부모님을 바라보는 정호의 눈빛은 의연하기만 하였다. 이미 생각이 끝났기 때문이었다.

너무 먼 길을 돌아왔다. 그녀의 마음을 얻은 것이 기적이라면, 앞으로는 제 노력으로 모든 것을 이루리라. 그러니 두려울 것도 없었다.

"유리에게도 얘기할 생각이에요."

"아니, 저, 정호야."

이 여사가 손을 뻗어 정호의 팔을 잡았다. 어쩐지 한숨이 입술을 비집고 새어 나왔다.

"후우. 정호야. 잠깐만 생각을 좀 해 보자."

"혹시 어머니, 어차피 가족으로 드러낸 삼촌이 아니니까 유리에게 밝히지 말자는 말씀은 하지 마세요. 언젠가는 다 알게 될 사실이에요."

"아니, 꼭 밝히지 말자는 건 아닌데. 유리한테 그게 너무 큰 상처라면....... 아아, 이걸 어떻게 해야 하니."

아들을 보는 이 여사의 마음은 참담하기 그지없었다. 숨길 수도, 밝힐 수도 없는 사실을 두고 가슴이 꽉 메어 왔다. 다른 사실 모두 차치하고 정호만 생각했을 때, 사랑하는 여자를 눈앞에 두고 얼마나 힘이 들었을지 차마 헤아리기도 겁이 났다.

이복동생인 이편웅이 꽤 오랜 시간 동안 아무런 사고를 내지 않고 병원을 잘 운영하는 것이 기특하기만 했었다. 태경병원의 평판이 좋은 것 또한 다행스러웠다.

태한가(家)에 가족으로 인정받지 못한 억울함이 늘 그의 내면에 자리해 있는 것을 알기에, 이 여사의 여린 마음속에는 그를 향한 동정심이 있었다.

그녀가 알기로도 태경병원의 대부분 의료 사고 소송은 병원 측 승소로 이어졌다. 이는 언제나 문제가 커지기를 원치 않는 태한가의 압력이 어느 정도 작용했기 때문이었다. 이유야 어찌 됐든 현재 이편웅을 둘러싼 공기는 잠잠하여 그저 다행이었다. 그게 전부였다.

그러나 그로 인해 아들이 사랑하는 여자의 삶이 힘겨웠다면. 그래서 내 아들이 그 사실 때문에 괴로웠다면. 손톱을 날카롭게 세운 죄책감이 이 여사의 가슴속을 무참히 할퀴어 대기 시작했다. 그리고 그보다 더한 감정을 느끼던 또 한 남자, 김승운이 조용히 입을 열었다.

"사과하마."

단단한 음성이 낮게 가라앉았다.

"내가 유리를 찾아가서 이야기하고, 사과하는 것 이외에 또 할 수 있는 일이 있다면 알려 주렴. 다 할 테니까."

"여보, 당신……."

"당신은 가만히 있어."

"여보."

"내가 잘못한 일이니. 사과를 받아 주지 않으면 무릎이라도 꿇을 테니까. 정호, 너는…… 곧 자리를 마련하거라."

정호는 고개를 숙여 바닥을 바라보았다. 시선을 맞출 자신이 없었다. 그동안 아무런 변명조차 하지 않고 입을 꾹 다문 아버지를 보면서, 묵언으로 잘못을 인정하는 것조차 마음이 쓰리기만 했었다. 하지만 이렇게 소리 내어 잘못했다고 희시는 말씀에 무너지는 건 정호의 심장이었다.

사실이었구나. 정말로 내 아버지가 그런 사람이었구나. 자신을 위해 유리의 앞에 무릎이라도 꿇겠다는 말에서 정호가 느낀 건 아비의 사랑이 아니었다. 더욱 가슴 아프게만 느껴지는 현실이었다.

"네, 사과해 주세요. 유리 앞에 부디…… 사과를 해 주세요."

고개를 들지 않고 정호가 말했다. 손끝이 파르르 떨렸다. 눈앞이 흐릿했다. 그래도 확실한 건, 한 번쯤은 짚고 넘어가야 할 일이라는 사실이다. 진심을 안다면 유리도 받아 줄 것이라 기대하며 지금의 무거운 마음은 곧 내려놓을 수 있기를 바랐다.

"……미안하구나."

묵묵한 아버지의 음성에 가슴이 아려 왔다. 아버지가 처음으로 자신에게 미안하다고 말씀하신 날이었다.

"누나, 드릴 말씀이 있는데……."

"어, 뭔데? 들어와."

유리는 사무실 안으로 은강을 들이고 소파에 앉았다. 왠지 심각해 보이는 은강의 모습이 조금 걱정스러웠다.

"왜 그래. 무슨 일 있어?"

"부탁드릴 일이 있어요."

은강이 숨을 짧게 내쉬더니 이어 말했다.

"송화 씨가 아무래도 힘든 일이 있는 것 같은데. ……누나가 좀 물어봐 주셨으면 해서요."

"이슬이 엄마?"

"네."

은강의 표정이 사뭇 진지했다.

"너…… 진짜로 송화 씨 좋아하는구나. 의외네."

"제가 혼자 좋아하는 거예요."

"아, 서은강이 짝사랑이라니. 그런데 누구 좋아하는 남자치고 너 얼굴이 너무 담백한 거 아니야?"

"제 얼굴이 뭐가 어때서요."

유리가 재미있다는 듯 은강을 보다가 다시 정신을 차렸다. 서은강의 짝사랑도 놀랍지만, 그보다 걱정되는 건 송화였다. 이렇게 은강이 알아채고 자신에게 부탁할 정도로 뭔가 어려운 상황에 부닥친 걸까.

"송화 씨는…… 무슨 일이려나."

"저한테는 말 안 해요. 더 깊이 물어볼 수도 없었고. 그런데, 금방이라도 울 것 같은 표정을 자주 지어서……."

"아, 그랬어?"

송화가 힘들겠다고 생각해 본 적은 있지만 그렇게까지 예민하게 파악하지는 못했었다. 유리는 무슨 일이 있는지 이따 물어봐야지, 생각하며 은강에게 웃어 보였다.

"걱정하지 말고 있어. 내가 한번 얘기해 볼게."

"네, 감사합니다."

그때 전화벨이 울렸다. 은강이 사무실에서 나가고, 유리는 액정에 뜬 정호의 이름을 보곤 미소 띤 얼굴로 전화를 받았다.

"여보……."

-그만.

"어?"

-어우. 아직 결혼도 안 했는데, '여보' 소리가 그렇게 바로 나오냐. 김유리 너무 진취적이라 내가 당해 낼 수가 없다니까.

제 말을 가로막았던 정호가 내뱉는 말에 유리가 발끈했다.

"이 자식 뭐래. '여보세요' 하려는데, 네가 '여보'까지만 할 때 그만이라고 해서……."

-뭐? 그래서 처음에 뭐라고 하려 그랬다고?

"여보ㅅ……."

-아아아아아.

또 일부러 말을 끊고 아아 소리를 끝도 없이 내는 정호의 목소리에 결국 유리도 웃고 말았다. '여보' 소리가 그렇게 좋은가. 간지럽게.

"부모님은 잘 계시지?"

-응.

"내 안부도 전해 드려."

-안 그래도 말씀드렸어. 너랑 결혼한다고.

"뭐? 진짜?"

바로 결혼을 추진하려고 하는 정호의 움직임에 유리는 놀란 목소리로 되물었다.

-나랑 결혼한다며. 왜 놀라고 그래. 그새 마음 바뀐 거 아니지?

"아, 아니. 그건 아닌데."

안 그래도 정호가 부모님을 뵈러 내려가겠다고 해서 부모님께 마음을 여는 모습이 다행이라고 생각했었다. 이제 움직임이 시작되었나 보다 했는데,

나아가 자신과의 결혼 이야기까지 했다는 소리를 듣자 유리는 저도 모르게 긴장되었다. 화해는 제대로 한 후에 얘기한 건가.

-이거 이제 장난이 아니다 싶어서 너 지금 쪼그라들었지?

"내가 그럴 사람이야?"

-아니지.

"알면서 뭘 물어."

유리가 애써 태연한 척 담담하게 말했다. 하지만 정호의 말대로 심장이 쪼그라들기는 했다. 진짜 결혼이란 걸 정호와 하게 되려나. 결혼은커녕 연애도 하지 않겠다고 부르짖던 때가 바로 엊그제인데.

그러나 분명한 건, 장난기 가득한 목소리여도 이렇게 듣고만 있으니 얼굴이 보고 싶어진다는 사실이었다.

"김정호, 언제 올 거야? 내일?"

-왜, 보고 싶어?

떨어지기 싫고, 자꾸만 생각나고, 보고 싶고.

"그래."

유리는 휴대폰에 대고 가만히 말했다.

"정말 보고 싶어."

-…….

"야아, 보고 싶다고."

기껏 얘기했더니, 저편에서는 말이 없었다.

"뭐야. 보고 싶다니까. 왜 대답이 없어?"

-……닭살 돋아도 그냥 참고 들어.

이어진 말에 유리가 입을 다물었다.

-보고 싶어서 난 숨이 끊어질 지경이야. 지금 딱 죽을 것 같다.

들려오는 음성이 귓가에 스며들었다. 순간 유리는 심장이 쿡 쑤시는 기분이 들었다. 갑자기 스치고 지나간, 의미 모를 통증. 좋아서, 정말 좋아서 그럴 것이다. 심하게 좋다 보면 이렇게 가슴이 아프기도 하구나. 서툰 제 마음이 점점 사랑을 알아 가는 듯했다.

"무슨 남자가 보고 싶다는 이유로 죽을 것 같데. 치명적인 사랑 흉내 그만 내고, 일찍 잠이나 자. 그리고 내일 빨리 올라와. 일해야지, 일."

-일뿐이냐. 뽀뽀도 하고, 키스도 하고. 할 게 많지. 빨리 갈게.

"능글거리지 좀 마."

-보고 싶다고 한 번만 더 얘기해 주면.

"싫어. 끊어, 이제."

구박을 끝으로 전화를 끊었다. 휴대폰을 손에 쥔 채 유리는 살며시 웃었다. 엄마에게도 결혼한다고 말하고, 정호 부모님께 인사드리고 ……결혼식은 언제가 좋을까. 곧 여름이니까, 좀 더 참았다가 가을쯤 하면 되려나. 유리는 책상에 놓여 있던 탁상 달력을 들고 뒷장을 넘겨 보았다.

"어머. 내가 왜 혼자 날짜를 잡고 있어. 미쳤나 봐."

정신을 차린 유리는 저도 모르게 놀라서 달력을 내려놓고 팔짱을 끼었다. 흠, 하고 숨을 쉬며 달력을 흘겨보았다. 이런 일에 서두르는 자신이 영 어색했다. 그래도, 어서 내일이 왔으면 좋겠다고 생각했다. 하루 못 봤다고 정호가 이렇게나 보고 싶으니, 중증은 중증이었다.

택시에서 내린 송화는 아직 불이 켜져 있는 카페 안으로 뛰어 들어갔다.

"너무 늦었죠. 정말 죄송합니다."

이슬을 찾기 전에 사과부터 했다. 죄송한 마음에 오는 길 내내 마음이 불편했었다. 이곳이 탁아소도 아니고, 이렇게까지 해서는 안 되는 건데. 아무리 이슬에게 집에 가 있으라고 해도, 늘 괜찮다며 카페에 데리고 있어 준 마미에게도 고맙고 미안한 마음이었다.

이슬이 카페에 있으면 그래도 혼자 집에 있는 것보다는 안심이 되니 저도 못 이기는 척 그럼 부탁드리겠노라 했었는데, 오늘은 스스로 생각해도 너무했다. 이미 카페 문 닫을 시간이 한참 지나고서야 도착을 했으니 말이다.

카페 마감을 끝내고도, 자신 때문에 퇴근하지 못하고 기다리고 있던 마미를 보니 죄송해서 견딜 수가 없었다. 송화는 아랫입술을 질끈 깨물며 다시한번 고개를 숙였다.

"저 때문에 너무 늦게……. 정말 죄송해요."

"괜찮아. 내가 괜찮다고 했는데, 뭐. 그러지 마, 송화 씨."

마미가 웃으며 송화의 어깨를 부드럽게 두드렸다. 송화는 카페 소파에 누워 잠이 든 이슬을 바라보았다. 포근한 담요를 덮고, 그저 맑은 얼굴로 잠에 빠진 딸을 보고 있으니 제가 겪은 일들과는 별개로 이곳은 참 평온하고 따스하게만 느껴진다.

호의를 베풀어 주시는 것은 고맙지만, 한없이 신세를 져서는 안 된다는 생각을 하고 있었다. 송화는 이제 이슬에게 집에 가 있도록 해야겠다고 결심했다. 문단속하는 법을 더 확실하게 가르치고, 밥을 챙겨 먹는 것, 혼자 숙제를 하는 것도 더 꼼꼼히 알려 줘야지 생각하면서 잠든 이슬을 안으려고 하는데, 유리가 불렀다.

"송화 씨, 잠깐 저 좀 봐요."

밖에는 아직 이슬이 잠들어 있고, 그 곁을 마미가 지켜 주고 있었다. 다른 카페 직원들은 모두 퇴근을 한 상태라 카페 안에는 이들뿐이었다. 유리는 허브차를 내주었고, 사무실 안에 단둘이 마주 앉았다.

"송화 씨."

카페에 이슬을 너무 자주 맡겼다고 따끔하게 한소리 하려는 걸까. 안 그래도 더는 폐 끼치지 않겠다고 결심한 참이었는데. 이제는 그럴 일 없을 거라고 먼저 말씀드릴까. 송화가 망설이고 있는데, 유리가 다시 입을 열었다.

"각자의 상황이 다 다르니, 제가 감히 백 퍼센트 헤아리고 있다고 하지 못하겠지만."

"……."

"송화 씨 혼자 이슬이 키우면서 많이 힘들 거라는 생각은 해요."

송화의 걱정과 달리, 유리의 목소리는 따뜻하기만 했다.

"우리 엄마, 되게 강해 보이지만 사실은 엄청 여린 사람이에요. 엄마도 정말 고생 많이 하시면서 저랑 제 동생 혼자 키우셨어요. ……송화 씨가 나보다 어려서 여동생처럼 느껴지면서도, 또 때로는……."

"……."

"우리 엄마의 모습도 보여요. 송화 씨에게서."

송화의 코끝이 찡해졌다. 유리는 천천히 자신의 지난 시간을 들려주었다. 아버지가 돌아가신 후 어떤 삶을 살아왔는지. 차분하고 담담한 목소리로 이야기해 주었다.

아무 걱정 없이 밝게만 보이던 카페 모녀에게도 힘들었던 시간이 있었다는 사실에 송화의 가슴이 점점 뜨거워졌다. 가끔은 왜 자신만 이렇게 힘든 것이냐, 하늘을 원망하기도 했었다. 세상 사람 모두가 행복해 보이는데, 자신은 아니라서 슬프기도 했었다. 이슬을 안고 한강에 뛰어내릴까 생각하기도 했었다.

의지할 피붙이도 없이 오직 자신과 이슬 둘뿐인 삶에 어둠이 깃들 때마다, 절망하고는 했었다. 이 절망의 끝이 어디쯤인지 알 수 없어 괴로웠었다.

"나는 그래서 송화 씨가 남 같지 않아요. 엄마도 그렇게 느끼고 있더라고요."

"......"

"그러니까 송화 씨, 내가 도와줄 것이 있을지는 모르겠지만, 힘든 일 있으면 나한테 의지도 하고 얘기도 하고 그래요. 말하는 것만으로도 시원해질 수도 있잖아. 송화 씨 혼자 아니에요. 걱정하는 사람들 있어. 그거 알죠?"

다정하게 손을 잡고, 유리가 엷은 미소를 띠었다. 세상을 향해 세워 둔 경계심의 벽이 허물어지고, 송화의 눈에서 눈물이 떨어졌다. 참았던 설움이 몰려왔다. 이대로 자신을 놓아 버리고 싶었다.

송화는 한참 동안 울었다. 그 울음이 잦아들 때까지 유리는 묵묵히 기다려 주었다. 그리고 시작된 그녀의 이야기에 생각보다 더 큰 충격을 받고 말았다.

"아니, 뭐, 그런 개새끼가."

송화의 힘든 상황에 대해 다 듣고 났을 때, 유리가 참을 수 없는 분노에 거친 욕을 내뱉었다. 송화가 그동안 누구에게도 말하지 못하고 혼자 속으로만 삭여야 했던 괴로움이 어떤 것인지 이제야 알 수 있었다.

"일 그만두려고 해요. ……그만둘 거예요."

"송화 씨, 이거 그만둔다고 끝날 문제가 아닌 것 같은데."

그동안 송화는 상사에게 성추행을 당하고 있었고, 최근 한 달 사이에 그 강도가 심해져서 힘들어하던 중이라 했다. 송화는 이만한 직장이 없다고 생각했었다. 다른 보호자가 없는 상태에서 이슬을 혼자 키우면서, 아이가 아플 때나 일이 있을 때 유독 편의를 봐주는 상사 덕분에 수월한 직장 생활을 하고 있었다.

하지만 어느 순간 시작된 성추행으로 인해 난감한 지경에 이르렀다. 애초에 편의를 봐준 것도 모두 이사장이 다른 마음을 품고 있었기 때문이었다.

'내가 그동안 이 정도 해 줬는데. 채 비서가 이렇게 뻣뻣하게 나오면 안 되지 않나.'

'좋은 게 좋은 거지, 뭘 그래. 적당히 반아 주면 채 비서도 좋고, 나도 좋은 건데.'

진짜 일을 그만두려는 송화의 마음을 알고, 급기야 오늘 회식 자리에서는 직원들이 노래를 부르느라 정신이 팔린 사이 이사장이 허벅지를 쓸어 만지며 말했었다.

'어딜 가든 내가 그냥 두진 않을 텐데. 하하. 채 비서 참 겁도 없네. 아, 그만두면 나야 더 좋은 건가. 이참에 아예 내 세컨드가 되는 것도 나쁘지 않으니까.'

그러니 유리의 말대로 그만둔다고 끝날 문제가 아니긴 했다. 고소할 엄두도 나지 않았다. 평소 신사답고 선행을 많이 하는 인물로 알려진 이사장이었다. 애초에 달걀로 바위를 치는 싸움이란 걸 송화도 알고 있었다.

"송화 씨, 정말 힘들었겠다……."

전적으로 제 말을 믿어 주며 온전히 자신의 편이 되어 주는 유리의 든든한 눈빛에 송화의 마음도 풀어졌다. 이해받을 수 있다는 사실만으로도 감사했다.

"직장이 병원이라고 했죠? 이사장 비서? 어느 병원?"

자기 일처럼 치를 떨던 유리가 묻는 말에 송화가 대답했다.

"태경병원이에요."

태경병원 이편웅 이사장의 기사와 자료를 찾으면 찾을수록 유리의 심기는 더욱 불편해졌다. 그는 각종 봉사 활동과 기부를 아낌없이 행하는 인물로 세간의 존경을 한 몸에 받는 사람이었다.

이편웅이 소탈해 보이는 점퍼를 입고 아내와 함께 보육원에서 김치를 담그는 모습이 담긴 기사 사진을 물끄러미 바라보던 유리는 한숨을 탁 내뱉었다.

'환우들의 밤 행사 때였어요. 소아 병동의 아이들을 안아 주며 위로해 주던 이사장님이 아무도 없는 곳에서는 욕을 하며 손 씻는 모습을 봤어요.'

송화의 말을 떠올리며, 유리는 손으로 턱을 받치고 다음 기사를 클릭했다. 진정한 환자 중심의 의료 서비스를 실천한다는 내용의 인터뷰를 보니, 이제는 웃음이 흘러나올 지경이었다. 태경병원은 병원 의료 서비스업 고객 만족도 부문에서 몇 년 연속 1위를 달리고 있었다.

"환자 중심. 고객 만족."

태경병원이 추구한다는 가치를 조용히 되뇌었다. 뇌 속에 뜨거운 기운이 퍼지는 느낌에 유리는 눈을 질끈 감았다.

'그때 저랑 눈이 마주치고도 전혀 놀라지 않더라고요. 오히려 저에게 가까이 오라고 하더니. 귀와 목, 팔을 만지면서 예쁘다고 말하고. 그때부터였어요…… 추행이 시작된 건.'

대외적인 이미지와 다르게 제 본성을 드러내며 마음껏 유린할 상대로 송화를 찍었을 것이다.

"나쁜 새끼."

유리는 말아 쥔 주먹으로 책상 위를 쿵쿵쿵 내리쳤다. 초조함이 한껏 실린 행동이었다. 송화를 보내 놓고, 홀로 사무실에서 밤을 보내면서 밀어닥친 분노에 어찌할 바를 몰랐다. 송화가 울면서 쏟아 낸 말들은 유리의 마음마저 침담하게 민들었다.

수시로 이사장실에 불러들여 어깨나 등을 지분거리던 이사장의 손길. 최근 들어 더욱 심해져 가슴이나 엉덩이까지 만지고, 치마 속으로 손을 넣기도 했단다.

물론 가만히 있지 않으면 인생을 복잡하게 만들어 주겠다는 협박까지 했다고. 일부러 바지를 입고 오는 날에는, 치마를 입고 오지 않으면 감봉하겠다는 말까지 해 대는 악마 같은 이사장 때문에 화장실에 틀어박혀 운 것도 여러 번이었다고 했다.

유리는 송화에게 왜 진작 신고를 하지 않고 참았느냐고 묻지 않았다. 우리 사회에서 그것이 얼마나 어려운 일인 줄 알고 있었기에. 용기를 내어 신고해도, 피해 여성에게 돌아오는 건 더 큰 시련이었다. 여성의 부주의함을 탓하고, 오히려 불이익을 당하기도 했다. 성폭력 피해자에 대한 배려와 인식이 부족한 사회였다.

강간이나 강간미수에 관한 사건 기록은 보통 그 피해 내용이 적나라하게 담겨 있는데, 이를 돌려 보면서 킬킬거리고 웃는 일부 몰지각한 관계자들을 본 적이 있었다. 수치스러운 경험을 떠올려 가며 몇 번이고 반복해서 진술해야 했던 피해 여성들의 마음 따위 안중에도 없다는 듯.

어디 그뿐일까. 여교사들을 상습 성추행한 교장에게 가장 낮은 수위의 경징계를, 오히려 피해 여교사들에게는 중징계를 내린 사건도 있었다.

교장에게는 성추행 수위가 약하다며 징계 가운데 가장 낮은 '견책'을 내리고, 집단 민원을 이유로 교직 사회의 신뢰를 실추하고 사회적 물의를 일으켰다며 여교사들을 포함해 학교에 대해 '기관 경고'를 내린 교육청의 처사는 공분을 사기에 충분했다.

'일을 그만둔다고 해결될 문제는 아닌 것 같지만. 나는 송화 씨가 어떤 결정을 하든지 송화 씨 편이에요.'

'변호사님. 제 말 믿으시는 거죠?'

눈물이 그렁그렁한 얼굴로 송화가 물었다. 겁이 더럭 났을 것이다. 정면 승부를 한다고 했을 때, 이쪽은 달걀이요, 그쪽은 바위니까. 게다가 평판이 좋은 이편웅이니, 아무도 제 말을 믿어 주지 않을 것이란 생각에 이미 포기를 한 상태였을 테고.

'당연히 믿어요. 내 눈을 보고 해 준 얘기잖아. 나는 송화 씨를 믿어요.'

의뢰인의 절박함을 이해하고 신뢰하는 것은 변호사의 기본이고, 최선이다. 실체적 진실에 다가설수록 거짓으로 드러나는 경우도 간혹 있지만, 우선은 믿고 또 믿었다.

'송화 씨가 혹시 고소할 마음이 있다면, 내가 도울게요.'

필요한 건 피해자의 의지였다. 쉬운 길은 아니기에 유리가 부추길 수 없는 문제였다. 유리는 스스로 가지고 있는 태경병원에 대한 사감을 제외하고, 온전히 송화의 입장만 보고 진심으로 말해 주었다.

'이거, 성폭력 범죄의 처벌에 관한 특례법 제10조, 업무상 위력에 의한 추행죄 적용이 가능해요. 고소했을 때의 단점은 송화 씨도 알 거예요. 포기하려고 했던 그 이유가 다 해당하니까. 주변에 이 일이 알려지는 것은 물론이고, 경찰서며 법원이며 지겹게 드나들어야 할 거예요. 상대가 상대이니만큼 쉬운 싸움도 아니고. 뭐, 협박도 하겠지. 그리고…… 이슬이도 알게 될 거구요.'

이슬의 이름을 듣고 송화의 눈빛이 잠시 흔들렸다.

'그런데 송화 씨, 일 그만두면 오히려 더 잘되었다고, 세컨드 하라고 했다면서요. 그 사람 마음이 바뀌지 않는 이상, 아마 송화 씨가 다른 직장에 다니는 것 자체가 힘들어질 수 있어요. 어딜 가든 따라붙을 수 있고. 혹여 더 큰 피해를 볼 수도 있고, 게다가 또 다른 피해자가 나올 수도 있겠죠.'

유리는 숨을 들이켜고 다시 말했다.

'혼자는 힘들 수 있어요. 하지만 송화 씨가 하겠다고 하면 나는 정말 최선을 다해 도울 거야. 그럴 거예요. 물론, 고소하지 않겠다고 해도, 다른 방법으로 도울 일이 있으면 얼마든지 도울게요. 송화 씨, 혼자서 앓지 마세요.'

그간 마음고생이 심했던지, 유리의 말에 몇 번이나 고맙다며 송화는 계속 울었다. 그 눈물에 유리 역시 가슴이 짠해졌다. 현재의 송화는 과거의 유리다.

송화의 상처는 유리가 결코 간과할 수 없는 부분이었다.

'고소하면, 어떻게 되는 거예요? 제가 이사장님과…… 재판하는 건가요?'

'아니. 이건 형사 사건이라 피해자인 송화 씨가 재판의 대상이 되는 게 아니에요. 고소해서 검찰로 넘어가면, 그때부터는 검찰 쪽과 그 사람과의 싸움이에요. 나는 송화 씨의 고소 대리인으로 함께할 거구요. 송화 씨가 진술하거나 해야 할 때는 내가 신뢰 관계인으로서 동석할 수가 있어요.'

'그런데 증거 같은 것도 없고……. 고소하려면 어떻게 해야 할지.'

'대부분 이런 범죄는 은밀한 곳에서 발생하곤 해서 증거를 확보하기 어려운 경우가 많죠. 그래서 적극적으로 고소하기 힘들어하는데, 이런 건 염려하지 않으셔도 돼요. 성폭력 범죄는 피해자의 일관된 진술이 증거가 되거든요. 그러니까 의지만 있으면 돼요. 그리고 증거야 이제 앞으로 더 확보하면 되는 거구요.'

'아……'

'그렇다고 해도 쉽지는 않아요. 사건 일어나고 시간이 지연될수록 피해자에게 불리하구요. 진술의 명확성과 일관성이 미흡해지거든요. 고소하겠다는 마음이 있다면 되도록 빨리하는 게 좋겠죠. 일단 송화 씨, 생각해 보고 마음 굳히면 나한테 바로 얘기해요.'

'네, 그럴게요.'

송화의 아픈 눈빛이 아직도 눈에 선했다. 그녀와 나눈 대화를 떠올리던 유리는 신경질적으로 책상을 탁 짚으며 일어섰다. 더 이상 이편웅에 관한 기사는 보기 싫었다. 하나같이 찬양 일색인 내용이 역겹기까지 했다.

창가에 가서 섰다. 홀로 보내는 깊은 밤 속에서 투지가 불타올랐다. 하필이면 태경병원이라니, 대체 그곳은 자신과 무슨 악연인 걸까. 떠올리고 생각해 봤자 괴롭기만 하니 일부러 더욱 외면한 채 살아왔는데, 송화의 입에서 '태경병원'을 듣는 순간 피가 거꾸로 솟는 기분이었다.

왜 나쁜 인간은 더 잘 사는 세상인 걸까? 돈으로 물건만 사면 됐지, 왜 권력을 사고, 왜 이득을 살까. 왜 그걸로 약한 사람에게 상처를 줄까. 왜 힘없는 사람의 인생을 쥐고 흔들까.

"태경병원……."

유리가 아버지를 잃고, 부당한 재판 결과에 울어야 했던 그때도 이편웅은 태경병원의 이사장이었다. 당시 꽤 젊은 나이로 이사장직을 맡은 셈인데, 흔한 경우는 아니었다. 배후에 누가 있는지 정도는 알아야겠다는 생각이 들었다.

그녀의 예감대로라면 송화는 고소하겠다고 마음을 굳힌 후 조만간 다시 찾아올 것이다. 그러니 고소를 진행하고 기소되는 과정에서, 이편웅 이사장이 결코 도덕적으로 떳떳한 인물이 아니라는 정보들을 확보해 두면 분명 도움이 될 것이다.

또 다른 피해자는 없었는지 찾아봐야 할 것이고, 나아가 현재도 의료 소송에 관한 비리를 저지르고 있지는 않은지까지 알아볼 일이 많았다.

어쩌면 이건 시작일지도 모른다. 응징도, 복수도 아니다. 이미 그런 건 깨끗이 잊었다. 다만, 지금 마주한 부조리한 진실 앞에는 기꺼이 맞설 생각이었다.

"어, 선배. 아직 안 자? 다행이다. 응, 부탁할 게 있는데."

유리는 휴대폰을 들고 통화를 시작했다. 한껏 날이 선 눈빛. 그녀는 처음으로 태경병원을 향해 섰다. 끔찍해 외면하려고만 했던 기억에 정면으로 맞섰다. 돈을 위한 법이 아닌, 사람을 위한 법을 꿈꾸는 유리는 이 높고 단단한 벽을 허물어야만 더 앞으로 나아갈 수 있다고 생각했다.

"헉, 누나! 설마 밤새도록 일하신 거예요?"

아침 일찍 출근한 준이 사무실에서 나오는 유리를 보고 기겁하며 물었다. 푸석한 머리, 까칠해 보이는 피부. 한창 일하다 나온 모양이었다.

"요즘 계속 무리하셨잖아요. 밤까지 새우시고, 이러다 쓰러져요."

유리는 물을 마시고 비운 컵을 피업대에 내려놓으며 가라앉은 음성으로 물었다.

"넌 오늘 왜 이렇게 일찍 나왔어?"

"아, 은강 형이 커피 좀 가르쳐 준다고 해서요. 좀 이따 형도 나올 거예요."

"뭐야? 너희 뭘 이렇게 열심히 해? 무슨 꿍꿍이야?"

"왜 열심히 해도 난리세요?"

농담하던 유리가 준의 머리를 쓰다듬으며 웃었다.

"식빵 좀 구울 건데, 너도 먹을래?"

"그냥 제가 해 드릴게요. 들어가서 잠깐이라도 누워 있으세요."

"내 몰골 좀 엉망이야?"

"말이라고 하세요? 거울 좀 보세요. 장난 아닌데."

"어쩌냐? 오늘 정호 시골에서 올라오는데."

"헐, 설마 지금 몰골 걱정하시는 거예요? 예쁘게 보이려고? 와…… 말도 안 돼. 연애하면 사람이 이렇게 말랑말랑해지는구나."

유리는 준의 귀를 잡아당겼다.

"아아아악!"

"내가 언제는 딱딱했어?"

"아뇨! 아뇨오! 누나는 언제나 솜사탕처럼 달고! 부드럽고! 젤리처럼 말랑 말랑!"

"까불지 마라."

"네! 네!"

준의 대답을 듣고 귀를 놓아줄 때쯤 은강이 카페 안으로 들어섰다. 유리가 그를 보고 반갑게 인사했다.

"굿모닝!"

"네, 안녕하세요."

준이 토스트를 만들러 바에 들어가고, 은강이 유리에게 다가가 물었다.

"송화 씨와 얘기, 해 보셨어요?"

"응."

송화와 이야기를 나눠 주길 부탁했던 은강이었다. 유리는 바에 기댄 채 잠시 그를 물끄러미 쳐다보았다. 송화를 좋아하는 남자. 스물일곱 살의 젊은 바리스타, 서은강. 그는 송화와 함께하면 아마 평범한 인생을 살지는 못할 것이다. 그녀는 결혼을 약속한 남자를 사고로 떠나보냈고, 여덟 살 난 딸까지 키우고 있으니까.

게다가 앞으로 송화가 걷게 될 길이 쉽지 않은 이상, 그녀를 좋아하는 은강 역시 순탄치 않은 길을 같이 걷게 되겠지.

"너, 송화 씨에 대한 마음 진심이야?"

"……네."

"많이 좋아하니?"

"네."

"……굳혔구나."

"아무래도요."

누가 막을 수 있을까. 마음이 흐르는 길을. 그러니 힘들 것이라는 이유로 말릴 수 없다. 자신은 그들의 사랑에 타인이니 참견할 자격은 없었다. 유리는 미소 지었다.

"너 참 좋은 남자야. 곁에 있는 사람을 행복하게 해 줄 남자. 지금까지 내가 옆에서 지켜본 바로는 그래. 까칠한 듯해도 배려를 잘해 주고 묵묵히 챙겨 주지. 생색내는 법도 없고, 은근히 친절해."

"……."

"송화 씨도 알고 있을 거야. 아마 도망간다면 네가 싫어서가 아니라, 자기 자신이 싫어서겠지."

"……."

"도망가지 않게 잘 잡아 줘. 네 마음이 그렇게 확실하다면. ……상황이 뭐가 중요해. 마음이 중요하지. 그리고 어제 내가 송화 씨와 나눈 이야기는……."

유리는 잠시 말을 멈추었다가 천천히 이었다.

"직접 듣도록 해. 송화 씨가 네게 마음을 열고 이야기를 해 줄 때까지, 기다려 주면 좋겠다."

"그럴게요."

은강의 어깨를 두드리며 유리가 웃었다. 어쩐지 오늘 더욱 든든해 보이는 모습이라, 송화의 옆에 이 남자가 나란히 서는 모습을 생각만 해도 흐뭇해졌다.

"난 이제 세수 좀 해야겠다!"

"네! 잘 생각하셨어요! 낭군님 오시는데 그 몰골은 좀 심하긴 해요!"

바 안쪽에서 달걀 프라이를 만들던 준이 소리쳤다.

"너 또 까불어!"

유리가 입술을 일그러뜨리며 위협하자 준이 킥킥 웃었다. 쨍그랑. 유리는 픽업대에 올려 두었던 투명 컵에 반지를 빼서 넣었다.

호텔 풀 파티에서 상품으로 받은 커플링이라, 당시엔 사이즈가 꼭 맞는다며 좋아했지만 계속 끼다 보니 조금 헐겁게 느껴졌다. 줄이러 가야지 하면서도 아직 못 간 터라 그냥 끼고는 있었지만, 세수나 샤워할 때는 혹시나 해서 빼 두곤 했다.

유리는 반지를 뺀 채 안쪽 화장실로 향했다. 세수하고 다시 카페로 나왔을 때, 실내를 채우기 시작한 향긋한 커피 향에 기분 좋은 미소를 지었다.

"변호사님."

"어? 송화 씨."

문을 열고 들어선 송화를 보고 놀란 유리가 다가섰다.

"일찍 나오시는 때가 많은 것 같아서 들러 봤어요. 저도 출근하는 길이거든요."

"아, 그래요? 앉아요."

"앉을 시간까지는 안 되고…… 저, 변호사님."

"얘기해요."

송화가 아랫입술을 깨물었다가 놓으며 말했다.

"저, 할게요. 도와주세요."

유리가 잠시 말을 잃고 송화를 바라보았다. 그러고는 품에 가득 그녀를 안아 주었다. 당연히 오겠지, 생각은 했는데 이렇게까지 빨리 올 줄은 몰랐다. 아마 송화도 밤새 고민하고 고민했겠지. 날이 밝자마자 출근하는 길에 여기 들러 고소하겠다는 뜻을 밝힌 그녀의 심정이 어떤 것인지…… 유리는 가슴이 아팠다.

누군가 이렇게 손잡아 주기를 얼마나 기다렸을까. 아니, 생각지도 못했겠지. 세상이 막막하고, 갑갑하고, 온통 절망으로만 가득했을 것이다. 자신이 그랬던 것처럼.

"그래요. 도와줄게요. 같이해요."

도와줄 이유는 많았다. 셀 수 없이 많았다. 누군가의 인생에 미약하나마 빛이 될 수 있다면, 힘이 될 수 있다면, 그걸로 자신이 공부했던 시간은 아깝지 않았다. 유리는 송화의 등을 토닥토닥 두드리며 울컥 올라오는 마음을 간신히 눌렀다.

"이슬이 엄마 무슨 일이지? 어제도 누나랑 밤에 얘기하고 가더니."

준이 두 사람을 궁금한 듯 바라보았고, 은강의 무표정한 얼굴에는 걱정 어린 빛이 옅게 스쳤다. 묻지 못하니 기다릴 수밖에 없었다. 송화가 이제 혼자가 아니라는 사실만큼은 다행스러웠다.

"에미야, 우유가 짜다."

카페 테이블에 둘러앉아 아침을 먹으며 유리가 장난스럽게 준에게 말했다. 준이 새침하게 눈을 흘기더니 받아쳤다.

"그럼 물 타서 드세요!"

"에미야, 물도 짜구나."

유리와 준을 보며 가만히 있던 은강까지 피식 웃었다.

"아니, 제가 아침부터 토스트에, 프라이에, 샐러드에, 우유까지 해다 바쳤는데 짜다니, 너무하시네요."

"에미야, 빵 말고 국은 없니?"

"있어요, 소금국!"

"아유, 귀여워!"

준의 볼을 늘리며 유리가 웃음을 터뜨렸다. 장난 조금 쳤다고 금세 뾰로통해진 준이 그저 귀엽기만 했다.

"누나 그러다가 고약한 시어머니 만나면 어쩌려고 그러세요."

"고약하긴. 우리 시어머니 되실 분이 얼마나 상냥하고 재미있으신데."

그 말에 준이 잠시 고개를 갸웃거렸다.

"시어머니 되실 분이요?"

"정호 형 어머님이겠지."

가만히 식빵에 잼을 바르던 은강이 대신 답했다.

"아니! 뭐야, 벌써 시어머니예요? 드디어 정호 형에게 마미를 장모님으로 허락하신 거예요? 결혼 언제 하실 건데요?"

"음, 올해?"

"와아! 올해면 이제 반년 남았는데. 대애박! 초고속이다! 혹시, 속도위반⋯⋯."

"너 맞자, 좀!"

준이 눈을 질끈 감았다. 그때 유리의 손이 딱 멈추었다. 누군가에게 손목이 잡힌 까닭이었다.

"형님!"

정호였다.

"나 없다고 외간 남자 막 구타하고 그러면 안 되지. 나만이 너한테 맞을 수 있는 유일한 남자야."

유리의 뒤에 서서 손목을 잡은 채 나지막하게 말하는 목소리는 분명 정호의 것이었다. 반가운 얼굴로 유리가 고개를 들었다.

"뭐래, 그런 소리 좀 진지하게 하지 마. 언제 왔어?"

"지금."

"점심까지 먹고 오는 줄 알았더니 잠만 자고 온 거야?"

"응. 그냥 새벽에 출발했어. 근데 너 손에 반지는 어디 갔냐?"

유리의 손을 내려다보며 정호가 물었다.

"아까 세수하느라고 빼놨는데. 저기 있다. 지금 낄게."

픽업대에 올려놓은 컵을 바라보며 유리가 일어섰다.

"내가 가져다줄게."

"넌 앉아서 커피나 마시고 있어."

유리가 싱긋 웃으며 픽업대 쪽으로 갔다. 정호가 은강의 옆에 앉아 커피를 마시는 걸 바라보며, 유리는 컵에 넣어 둔 반지에 손을 뻗었다. 그때 빵을 먹던 테이블에 올려 두었던 휴대폰 벨 소리가 들려왔다.

"어! 내 거지? 누구라고 떠?"

"서연 선배라고 뜨는데요!"

휴대폰 애정을 보고 준이 대답해 주었다.

"어어, 뭐. 내가 받을게."

기다리던 전화였다. 급히 반지를 꺼내며 움직이려는데 컵이 손에 꼈다가 바닥으로 떨어졌다.

쨍그랑! 날카로운 파열음이 귀를 찢을 듯 세게 울려 퍼졌다.

유리컵 조각들이 산산이 부서져 바닥에 흩어졌다. 그 조각들 사이에 반지가 있었다. 덜컹 내려앉는 기분에 차마 반지를 그대로 둘 수 없었다. 정호와의 약속. 처음으로 나눠 낀 반지였다. 깨진 유리 조각 사이에서 꺼내야 했다. 앞뒤 가릴 것이 없었다.

"김유리!"

이유 없이 가슴에 스치는 통증을 느끼며 그녀는 유리 조각 사이로 손을 뻗었다. 반지를 잡는 동시에, 오른쪽 검지 끝에서 피가 배어 나왔다. 반지를 붉게 물들인 피가 아래로 툭 떨어졌다.

정호가 사색이 된 얼굴로 자신을 향해 달려오는 것을 바라보았다. 일부러 테이프를 천천히 돌린 화면처럼 그 모습이 느리게 보였다. 피곤했다. 시야가 흐려졌다. 반지를 손에 꽉 쥔 채 유리는 그대로 바닥 위에 쓰러져 버렸다.

얼마나 지났을까. 눈을 떴을 때 보인 건 낯익은 천장, 정호의 옥탑방임을 바로 알 수 있었다. 유리는 천천히 고개를 돌렸다. 침대 곁에 서 있던 정호와 서원이 좀 더 다가왔다.

"괜찮아? 정신이 좀 들어?"

정호가 자신의 팔을 잡으며 물었다. 유리는 고개를 끄덕였다.

"창피하네. 겨우 하루 밤새웠다고 이럴 몸이 아닌데……. 나 엄청 튼튼한 거 알잖아."

"유리 씨, 과로예요. 요즘 계속 스트레스도 많이 받은 것 같고. 일단 수액 맞고 있어요. 오늘 쉬면 좀 나아질 거예요."

서원이 말하면서 수액 양을 체크했다.

"이거 다 들어가면 정호야, 나한테 전화해. 다시 올라올게."

"아, 고마워. 형."

옥탑방으로 급하게 유리를 업고 올라온 정호는 서원에게 도움을 청했다. 출근해서 진료 준비를 하고 있던 서원이 전화를 받고 와서 유리의 베인 손가락도 간단하게나마 처치해 준 상태였다.

"그럼 내려가 볼게요."

"선생님, 감사합니다."

"쉬어요."

몸을 조금 일으켜 서원에게 인사하는 유리의 몸을 정호가 잡아 주었다. 서원이 방에서 나가고 문이 닫혔다.

"손 다쳤잖아."

정호가 침대에 걸터앉으며 유리의 손을 들여다보았다.

"넌 어떻게 ㄱ 유리 조각들 사이로 손을 쑥 넣냐. 움직이기 전에 생각이린 건 안 해?"

"반지가 거기 있잖아."

"단순 무식하긴."

“그래, 넌 복잡 유식하다.”

“말장난하지 마.”

정호의 표정은 진지했다. 유리가 다친 것이 못내 속상한 얼굴이었다.

“미안해.”

유리는 그제야 꼬리를 내리고 정호의 손을 맞잡았다. 누운 채로 올려다보는 정호는 이 순간 더없이 든든하고 근사한 제 남자 친구였다.

“아프지 맙시다, 좀.”

“네.”

“다치지도 말고.”

“알았어.”

정호가 얼굴을 내려 가볍게 입을 맞춰 주었다.

“딥하게 키스하고 싶은데 참는 거야. 너 아프니까.”

“나 안 아파. 좀 더 해 봐.”

“까분다.”

정호는 몸을 일으키려는 유리의 이마를 검지로 눌렀다.

“일단 오늘은 좀 푹 쉬어. 급한 일 있는 건 내가 알아서 할 테니까.”

“이따 법원도 들어가 봐야 하는데.”

“내가 할게. 걱정하지 말고 그냥 쉬어.”

“부모님은…… 잘 뵙고 온 거지?”

유리의 질문에 정호가 잠시 침묵했다. 그리고 그녀의 머리를 쓸어 넘겨 주며 말했다.

“너 보고 싶어 하셔.”

“아, 정말? 결혼한다니까 뭐라셔?”

“좋다고 하시지. 시간 맞춰서 만나자고 하셨어.”

“와아. ……이거 뭔가 되게 떨린다.”

"떨리긴. 원래 너 좋아하시는데."

정호의 목소리야말로 조금 떨리는 듯했다. 이런 이야기를 나누는 것만으로도 정말 결혼이 코앞으로 다가온 느낌이라 유리는 설레는 기분이 들었다. 게다가 부모님과의 사이도 한층 좋아진 듯해서 유리의 마음도 가벼워졌다.

비록 정호의 아버지가 세상 사람들이 시끄럽게 떠들던 일의 큰 축을 차지하고 있었다지만, 자식만큼은 부모를 이해해 줘야 하지 않을까 생각했던 유리였다.

자신 역시 존경하던 분이 돌이킬 수 없는 실수를 한 것은 안타깝고 실망스럽지만, 유리는 어디까지나 그분, 김승운 전 검사장을 '정호의 아버지'로만 보려고 했다. 그래야 유리도 편한 마음으로 정호를 볼 수 있었다.

"정호야…… 너 이제 괜찮은 거야?"

비리 의혹이 불거진 후, 정호는 바로 자신의 아버지에게서 등을 돌렸다. 어쩌면 그랬기에 유리도 너그러운 마음으로 그를 대했는지도 모르겠다.

정호가 뻔뻔했더라면, 그래서 이런 일쯤 뭐, 어떠냐고 했더라면, 그렇게 부끄러워 도망치지 않았더라면…… 친구로도 지내지 못했을지 모르겠다. 확실히 자신이 추구하는 가치와 상반되는 면모가 있고, 표면적으로만 본다면 유리 스스로 가장 경멸하던 짓을 몸소 행한 집안이니까.

"아버님이랑 화해는 잘한 거지?"

"응. 그럭저럭."

그러나 더 이상 정호가 상처받는 건 싫었다. 그는 충분히 힘들어했다. 모든 부와 명예를 버리고 떠난 그의 부모님 역시 힘드셨을 것이다. 이제는 서로 웃으며 마주 볼 수 있기를 원했다.

"그런데 어제는 뭐 때문에 또 밤을 새웠어? 아주 급한 건 없었잖아?"

"아. 완전히 꽂힌 게 있어서. 난 왜 하나 알아보다 보면 끝이 없냐. 이! 아까 서연 선배한테 전화 온 거 못 받았네. 그거 먼저 다시 해 봐야겠다."

유리가 옆에 있는 휴대폰을 집었다. 옥탑으로 올라올 때 준이나 은강이 휴대폰을 챙겨 준 모양이었다. 분명 신호가 가는데 연결이 되지 않았다. 정호가 물었다.

"꽂힌 게 뭔데."

"사실 송화 씨가 다니는 회사에서 상사한테 성추행을 당했어. 어차피 고소 진행이야 너랑 같이하게 될 거니까 말하는 건데, 내가 송화 씨 도와주려고 해. 그 새끼 아주 나쁜 놈이더라고."

"아, 그래서 그 관련 자료를 밤새 봤구나."

여전히 휴대폰을 귀에 붙인 채로 유리가 고개를 끄덕였다.

"응. 근데 진짜 악연도 이런 악연이 없다고, 세상에, 송화 씨 다니는 곳이 어디인 줄 알아?"

"어딘데."

"태경병원. 이사장 비서로 근무하고 있대. 그러니까, 그 썩을 태경병원 이사장 새끼가 송화 씨 추행한 거야. 한 달 동안이나."

"……"

"서연 선배한테 태경병원 관련해서 들어왔던 사건 좀 알아봐 달라고 부탁해 뒀어. 무혐의 처분받은 것 중에서 성추행이나 또 다른 사건 같은 거 있는지도 알아볼 겸. 무혐의 사건도 혹시 그쪽에서 손을 썼을 수도 있는 거 잖아. 우리 아버지 재판 때처럼. 아아, 선배 전화 안 받네. 재판 들어갔나."

유리는 휴대폰을 내려놓았다. 말없이 일어선 정호가 창가 쪽으로 천천히 걸어갔다. 그의 등을 바라보면서 유리는 상체를 일으켜 침대 헤드에 기대어 앉았다.

"너도 좀 도와줄 거지? 아니, 도와주는 게 아니고 같이해야지. 생각보다 좀 골치 아파질 수도 있을 것 같아. 겉으로만 천사인 척 아주 속으로는 썩어 문드러진 놈이야. 송화 씨 괴롭힐 수도 있고, 교활한 짓 서슴지 않고 할 인간이거든. 하여튼 가지가지 다 해. 진짜 이번에 아주 뿌리를 뽑아 버릴 거야, 내가."

"너, 그 소송 꼭 할 거야?"

정호가 돌아보며 물었다. 창가에 몸을 기댄 채 묻는 목소리는 어쩐지 평소보다 조금 낮았고 차가웠다.

"특별한 사정이 없는 한."

유리는 웃으며 답했다. 생각 없이 문득 떠올랐다.

"아, 이 말 말이야. '특별한 사정이 없는 한'이란 표현. 나 연수원 입소해 이 말 자주 듣기 시작하면서 처음엔 되게 낯설었거든. 근데 법조인 사이에서는 되게 익숙한 전문 용어인 셈이라 그냥 별생각이 없어졌는데. 나 로펌 들어가고 난 다음에 말이야."

사건과 관련이 없는 이야기를 시작한 유리를, 정호는 말없이 바라보았다.

"기업인들이랑 얘기하면서 이 표현을 사용하면 좀 당황하는 거야."

법조인은 '매우 예외적인 상황이 벌어지지 않는 한 결론은 이러하다'라는 의미로 말하면서, 그 '특별한 사정'이 어떠한 경우를 의미하는지에 대해서는 깊이 생각하지 않는 경우가 많았다.

반면에 위험 관리에 철저한 기업인일수록 법조인이 사용하는 '특별한 사정'에 대하여 구체적인 예시를 원하였고, 그에 대한 발생 가능성을 계량적으로 제시해 주기를 기대하였다.

"그 사람들에게 '특별한 사정'은 불명확인 개념이고, 계량화할 수 없는 개념이니까, 절대 좋아할 리가 없는 거지. 아, 승소 가능성을 계량화해서 숫자로 제시해 달라고 하면 징말 처음에는 얼마나 당황스럽던지. 근데 뭐, 위험을 계량화하는 게 나쁜 건 아니지. 익숙하지 않아서 그렇지."

"……."

"그런데 아까 내가 얘기한 '특별한 사정이 없는 한'은 말 그대로야. 그러니까, 거의 무조건 하게 되겠지."

'특별한 사정'이 있을 리 없으니까. 게다가 다른 곳도 아니고, 태경병원이니까. 이제 제 곁에서 함께하기로 한 정호라면, 당연히 두 손 들어 환영해 줄 것으로 생각했다. 어떻게든 해 보자, 우리 같이 한번 해 보자. 정호는 그렇게 나올 줄 알았다. 그런데…….

"하지 마."

"뭘 하지 마?"

"고소 진행, 네가 하지 말라고."

유리는 피가 차갑게 식는 듯한 기분이 들었다. 고개를 들어 행거에 걸어 둔 투명한 수액 주머니를 올려다보았다. 비어 있었다. 유리는 꽂힌 바늘을 차분히 빼내고 물었다.

"하지 말라는 이유가 뭐야?"

"'특별한 사정'."

"뭐?"

"그런 게 있으니까, 하지 말라고."

"대체 그게 뭐냐고."

13. 닿을 수 없는 두 개의 선

정호가 제 의견에 동조하지 않아 화가 나는 것이 아니었다. 심연처럼 깊은 눈빛이 너무도 낯설어서였다. 멀리 떨어져 자신을 바라보는 그의 눈빛이 먹먹해서. 탁 내뱉는 그의 한숨이 숨통을 죄어서. 이내 돌아서는 그의 등이 한없이 저릿하게 눈에 박혀 들어서.

"정호야."

"제발, 하지 말자. ……유리야, 좀."

타들어 가는 그 목소리가 이유를 알 수 없이 애처로워서. 대체 왜. 대체 무엇 때문에. 그때, 벨소리가 울렸다. 서연 선배였다. 자신이 먼저 몇 번이나 전화했었기에, 무작정 받지 않을 수가 없어 일단 통화 연결 버튼을 눌렀다.

"어어. 선배, 미안한데, 내가 조금 이따가 다시……."

-잠깐이면 돼. 내가 오늘 너무 바빠서 지금밖에 시간이 안 된다.

"……응."

-일단 얘기할 게 있어서 먼저 전화했는데.

"뭔데?"

-너 김정호랑 아직 친하지? 왜, 너랑 잘 붙어 다녔던, 그 괴물 천재 있잖아. 네 동기.

창가에 등지고 선 정호의 뒷모습을 바라보며 유리는 아랫입술을 깨물었다.

"응······."

불안했다. 무슨 말이 나올지 궁금하기도 했고, 듣고 싶지 않기도 했다.

-김승운 검사장님 아들 맞지? 외가가 태한그룹.

"그런데."

-지금부터 내가 하는 얘기, 검찰 쪽에도 아는 사람 거의 없던데, 아침에 태경병원 자료 보다가 장 선배가 말해 주더라. 태경병원이, 태한그룹 자본으로 설립된 거라던데? 이걸 왜 숨겼는지는 모르겠는데.

"······."

-지금 있는 이사장이 30대 초반에 바로 재단 맡은 거더라. 벌써 거의 20년 됐잖아. 아는 사람들은 분명히 태한그룹과 관련된 인물일 거로 추측하던데, 이거야 뭐, 말 그대로 '카더라' 통신이고. 그보다 태경병원이 태한그룹 자본인 건 확실한 정보야. 김정호······ 말 안 하든?

반사적으로 유리의 심장이 빠르게 뛰기 시작했다. 그건 빌어먹을 '태경병원'이라는 단어만 들어도 나오는 반응이었다. 그런데 하물며, 정호의 이름이 거론되자 유리의 눈마저 빨갛게 달아올랐다.

-너 아버지 의료 사고, 그거 힘든 일 겪었던 곳이 태경병원이잖아. 그래서 전에도 그때 기록 살펴보는 데 도와 달라고 했었고. 내 기억 맞니?

"······맞아."

-말 안 한 거 보니, 김정호는 몰랐나 보다. 하긴, 자기네 외가와 관련된 병원인 거 알았으면 너랑 그렇게 친하게 못 지냈겠지. 과거 일이고, 너도 마음 다 추슬렀으니 이제 한번 터놓고 얘기해 봐. 병원 관련 자료 확보할 수 있는 것 있으면 좀 달라고 하고. 아무래도 내 쪽보다는 김정호 쪽이 더

확실할 것 같아.

눈앞에 보이는 정호의 등과, 귀에서 들려오는 선배의 목소리가 따로 놀았다. 이질적인 느낌 속에서 유리는 현기증이 일었다.

-아. 병원 잡는 일이면 도와주기 좀 그럴 수도 있겠네. 어쨌든 자기 집에서 나온 돈으로 설립한 병원인데 아예 관련이 없다고 할 수도 없을 것 아니야. 도움 주기 좀 곤란할 수도 있겠다.

"응, 선배…… 고마워, 일단."

-그래. 곧 유민이 결혼식이지? 그때 보자. 병원 관련해서는 자료 생기면 다시 연락 줄게.

"응."

전화를 끊고 유리는 침대 끝으로 몸을 움직였다. 다리에 힘이 없어 일어나지 못한 채, 그대로 앉아서 다시 정호를 불렀다.

"정호야."

"……."

"말해 줘. '특별한 사정'이 뭐야."

정호가 천천히 돌아보았다. 이상하게도 그의 얼굴을 보는데 알 수 없는 통증이 가슴속을 꿰뚫었다. 크게 숨을 들이켜고 다시 내쉰 그가 입을 열었다.

"내 외삼촌이래. 태경병원 이사장 이편웅."

생각보다 훨씬 강력한 펀치였다.

"어머니의 이복동생이야. 집안에서 쉬쉬하는. 절대 밝혀지지 않았으면 하는 그런 핏줄."

"……."

"나도 몰랐던 외삼촌."

유리는 휘몰아친 폭풍우 속에서 안간힘을 다해 넘어지지 않고자 했다.

"김정호, 너는 이번에 알았어. 그렇지? 너도 몰랐다가 이번에 알게 된 거야. 그렇잖아?"

대답을 강요하는 질문에 정호는 고개를 저었다.

"아니. 아버지 일이 터졌을 때. 그때 알았어."

"김정호 너……."

"널 기만한 게 아니야. 일부러 아닌 척, 모른 척 너한테 말하지 않고 뻔뻔하게 지냈던 것 아니야. 내가 널…… 유리야, 너를 너무 사랑해서."

"잠깐. 아니, 내가 지금은 너무 마음이…… 복잡하다. 잠깐만."

유리는 제 가슴에 손을 얹고 숨을 몰아쉬었다. 어떤 상황에서도 남의 탓을 해 본 적 없던 유리였다. 잘못된 일을 가지고 누군가에게 화를 내 본 적도 없었다. 하지만 지금은 이상하게 마음이 들끓었다. 분노는 아니었다. 그저 복잡하게 소용돌이치는 감정에 어지러울 뿐이었다.

"그러니까 정리를 해 보면, 태경병원 이사장이 네 숨겨진 외삼촌이고. 과거 내 아버지 의료 사고를 낸 병원이 그곳이라는 걸 너는 이미 알고 있었다는 거네. 알고도 나와 희희낙락 친구로 잘 지냈던 거고. 지금까지 말 한마디 없이."

"……."

"너도 알지. 그건 문제가 아니라는 거. 진짜 문제는……."

"……."

"그렇다면 너희 아버지가 무마해 준 그 수많은 태한그룹 관련 비리 중에 태경병원 건도 있다는 얘기냐고."

정호는 그녀가 분명히 화를 내리라 생각했다. 배신감을 느낄 수도 있을 거라고. 처절한 분노에 유리가 자신을 보지 않으려 할 수도 있다고 각오했었다. 한 번은 거쳐야 할 순간이니, 어떻게든 이겨 내야겠다고 마음먹었다.

그는 유리를 잡을 수만 있다면, 무슨 짓이든 할 수 있었다. 하물며 부모님이 유리 앞에 무릎도 꿇겠다고 했고, 정호는 무정하게도 그러시라고 했다. 정호의 잘못이 아니지만, 유리의 상처 입은 세월과 자신이 무관하지 않기에 심한 자괴감과 죄책감으로 괴로웠었다.

"우리 아버지, 치료받으면 회복되는 건 시간문제라고 했었어. 병원에서 무서웠지만, 그래도 견디면 나아질 거라 생각했었어. 그거 알아? 뇌경색 치료 중에 복막염 증세가 나타났어. 그런데도 병원 측에서 정밀 검사를 시행하지 않았다고. 복강경 검사! 전해질 검사! 시험적 개복술! 하나도 안 했어! 대충 엉뚱한 소리만 해 대고 환자를 잘못 봐서! 죽을 이유가 아닌데도 죽었다고, 내 아빠가!"

이렇게까지 유리가 소리 높여 말한 적이 없었다. 입술을 바르르 떨며 하는 말이 칼이 되어 정호의 가슴을 헤집어 놓기 시작했다.

분명, 그녀의 목에도 날카로운 가시가 돋친 것을 알기에. 그래서 유리 역시 얼마나 아플지, 얼마나 괴로울지 알기에 정호는 더욱 힘들었다.

"치료하면 고칠 수 있는 병으로 내 아버지가 돌아가셨어. 너 그게, 얼마나 엄청난 일인 줄 알아? 열한 살짜리 여자애가 하루아침에 아빠를 잃고, 미쳐 날뛰는 엄마와 물정 모르고 울어 대는 동생 사이에서 대체 어떤 심정이었는지 네가 아느냐고!"

"유리야."

"억울하게 아버지 돌아가신 일로 내가 독을 품은 게 아니야. 알잖아. 병원은 우리에게 사과 한마디 없었어. 기를 쓰고 항소에 상고까지 해도, 멀끔하게 차려입은 변호인단이 우르르 법정에 몰려 들어와 우리를 합의금 뜯어내려는 거지 가족으로 몰아갔어. 병원에는 잘못이 없대. 나는 무슨 말인지 하나도 모르겠는데, 그냥 자기네는 잘못한 게 없대. 왜? 왜 잘못한 게 없어? 엄마는 밤새 두꺼운 책을 붙들고 공부하고, 또 공부해도 병원이 나쁜 거라는

데. 왜 법정에서는 아니래? 왜?"

"……."

"그 뭣 같은 법 조항이며 판결문이며, 대체 왜 그렇게 어려운 말로 해 놓은 건데! 누가 그러더라. 일반인이 다 알아먹기 쉽게 써 놓으면 법조인에 대한 존경심이 사라진다고. 전문 용어는 그래서 필요한 거라고. 하! 판결문을 읽다 보면 대체 무슨 소리를 하는 건지, 한 문장을 얼마나 길게 써 놨는지, 읽어도, 읽어도 마침표가 안 나와. 머리 아픈 소리만 잔뜩 써 놓고 자기들만의 리그에 들어올 생각, 꿈도 꾸지 말라고 해. 저 위에 앉아서 그냥 비웃고만 있잖아."

"……."

"내가 이 지랄 맞은 법을 공부하면서 제일 뿌듯했던 순간이 ……우리 아빠와 같은 케이스의 판례를 찾아 완벽하게 이해했을 때야. 그런데, 이해하니까 더 슬프더라. 아, 젠장. 엄마가 맞았거든. 항소까지 갈 것도 없이 당연히 원고 측 승소인 싸움이었더라. 판례 보니 그 사람들은 보상받았더라. 알아보니 사과도 받았더라! ……왜 우리는 아니었어? 왜 아니었냐고!"

정호는 절망 어린 얼굴로 고개를 떨구었다. 유리의 가슴에 이토록 진한 피멍이 든 일은, 태한그룹에서 손을 쓴 의료 사고 소송 중 하나였을 뿐이었다.

그리고 그 뒤에는 김승운 전 검사장이 있었다. 이제는 이 사실을 유리도 알았다. 차마 그의 아버지를 더 이상 입에 올리지 못하고, 유리는 참을 수 없는 눈물을 후두두 떨어뜨렸다.

"유리야, 정말…… 미안하다."

"왜 네가 미안해! 네 잘못이 아닌데!"

소리를 내지른 유리가 바닥에 주저앉았다.

"미안해하지 마. 너 나한테 미안해하지 마."

그가 미안해하면 그를 미워하게 될까 봐 유리는 두려워졌다. 우리의 일이 아닌데, 그리고 현재의 일이 아닌데. 과거에 발목이 붙들려, 서로가 행하지 않은 일로 상처받기 싫었다.

"어떻게든 사과할게. 살면서 평생을 두고 갚을게. 널 위해 무엇이든 할게. 유리야, 제발."

정호의 간절한 목소리가 이어졌다.

"송화 씨 고소, 다른 사람에게 부탁해. 소송 자체를 하지 말라고는 안 할게. 비윤리적인 인간을 내 핏줄이라고 감쌀 생각 없어. 그래서 하는 소리가 아니야. 다만."

"……."

"네가 하지 마. 하지 마, 유리야. 제발 하지 마. 모든 게 힘들어질 수 있어. 모든 게…… 엉망이 되어 버릴 수도 있어."

흐려지는 시야에 애원하는 정호의 얼굴만이 가득했다. 주저앉은 유리가 눈물을 훔쳐 냈다.

"내가 너희 외삼촌을 고소하는 일에 적극적으로 나서면, 우리가 힘들어지는 거지?"

당연한 소리를 했다.

"그러니까 하지 말라는 거지?"

답이 정해진 소리를 했다.

"너는 나를 잃기 싫으니까?"

끝이 빤히 보이는 미래를 말했다. 그럴수록 유리의 심장은 자꾸만 저릿해졌다. 정호가 천천히 다가왔다. 미안함으로, 질망으로, 안타까움으로 일그러진 그의 얼굴을 보는 것만으로도 괴로웠다.

유리의 앞에 무릎을 꿇어앉은 정호는 손을 뻗어 그녀의 두 손을 맞잡았다. 그리고 그대로 앞으로 몸을 숙였다. 잡은 손 위에 정호의 이마가 닿았

118

다. 유리는 무릎 꿇고 엎드린 그의 등과 머리를 참담한 심정으로 내려다보았다.

정호의 너른 등이 미약하게 흔들렸다. 흐느낌이 퍼졌다. 그가 우는 모습을 보는 건 처음이었다. 잡은 손 위로 그의 눈물이 쏟아졌다. 뜨거웠다. 그시이 유리의 눈물은 멎었다. 정호를 일으켰다. 물기로 범벅이 된 그의 얼굴을 유리는 하염없이 바라보았다. 손을 들어 정호의 눈가를, 볼을, 문질렀다.

"내 앞에서 네가 울 이유 없어. ……울지 마."

입술을 꼭 깨물고 정호의 눈물을 닦아 주었다. 하지만 그의 눈물은 바늘이 되어 따끔하게 제 손을 찔렀다. 눈물이 손끝에 닿을 때마다 유리는 통증을 느껴야 했다. 이내 정호에게서 가라앉은 음성이 흘러나왔다.

"……우리 할머니, 할아버지가 밖에서 낳은 아들을 끝까지 인정하지 않으셨어. 지금도 마찬가지야. 죽어도 싫다고 하셔."

"……."

"이번에 상황이 복잡해지면, 이제껏 묻어 두고 덮어 둔 일들까지 전부 들쑤셔질 거야. 생각보다 파장이 커져. 중요한 건 사실 여부가 아니야. 사람들이 궁금한 것도 그런 게 아니고. 걷잡을 수 없는 불이 날 거야. 불구경하는 사람들로 온 나라가 들썩일 거고, 유리야, 그 불을……."

"……."

"네가 내면 안 돼."

유리는 말없이 정호의 눈을 바라보았다.

"그 중심에 네가 있어서는 안 돼."

"……."

"사람 하나 콩밥 먹이는 걸로 끝나지 않아. 가십은 물론이고, 경제적 손해까지 우리가 상상하는 그 이상이야."

"……."

"그러니까 그렇게 만들지 않을 거야. ……보고만 있지 않을 거라고. 외가에서."

"……."

"못 하게 할 거야. 네 생각대로 되게 하지 않을 거야. 현실이 그래. 차라리 하지 마. 네가 하지 마, 유리야."

"하."

짧게 숨을 내뱉은 유리는 그래도 답답증이 가시지 않아 제 가슴을 주먹으로 탁탁 쳤다.

"나 지금 뭔가 엄청난 이야기를 듣고 있다, 그렇지?"

안타까운 정호의 시선을 마주하며 유리는 실소를 머금었다.

"너, 되게 말 쉽게 한다. 현실이 그렇다고? 내 생각대로 되지 않을 거라고?"

"유리야."

"내가 불을 내 봤자, 어차피 그 불은 번지지도 않을 테니까. 해 보나 마나 한 싸움 시작하지도 말라고?"

"김유리, 단순하게 생각할 문제가 아니라고……."

"너 지금 되게 낯설고 ……무서워."

고저 없는 음성으로 중얼거리듯 내뱉은 유리가 자리에서 일어섰다.

"유리야."

"태한그룹과 태경병원 간의 인연을 감추기 위해 애써 왔는데…… 나로 인해서 태경병원 이사장의 성추행 파문이 불거지면 세상 시끄러워진다는 거지. 그래, 좋아. 얘기해 줄래? 그렇게 된다면 네 외가에서는 날 어떻게 할 것 같아? 아니, 아예 시도도 못 하게 할 거라고 했지? 내가 상상하는 이상이니? 대체 어디까지 할 수 있는 건데?"

"김유리."

"……이야. 너희 집안 정말 대단하구나."

허탈한 음성으로 내뱉은 말은 그들 주변으로 무겁게 내려앉았다.

"어차피 덤벼 봤자 지게 될 싸움에 내가 무식하게 달려드는 셈이네."

"……."

"이길 수 없는 싸움."

벽에 부딪혀 쓰러져 울었던 순간들이 눈앞에 펼쳐졌다. 그때도 그랬다. 패배가 확정된 싸움에 무작정 뛰어들었고, 결과는 처참했다. 이후 숨 쉴 틈 없이 달려왔던 시간이 유리의 가슴을 찔러 댔다. 인생 전부를 걸고 노력해서 겨우 여기까지 왔는데, 다시 높다란 벽에 부딪혔다.

"김정호, 그래, 나 무식해. 나 단순해. 내가 포기해야 할 이유, 전혀 모르겠어."

"……유리야, 제발."

"넌 가만히 있어도 비싼 차, 비싼 집, 비싼 옷이 눈앞에 뚝뚝 떨어졌겠지. 부잣집 아드님으로 살아와서, 뭐가 부족하고 뭐가 간절한지도 모르겠지만. ……게다가 뭐든 한 번만 보면 사진 찍은 것처럼 눈앞에 다 펼쳐지는 천재라, 피를 토하는 심정으로 글자를 머리에 밀어 넣고 또 밀어 넣는 게 얼마나 힘든지 모르겠지만! 김정호, 나는 말이야."

"……."

"내 전부를 걸고 악착같이 매달려 온 그 하나를 절대 놓지 못하겠어."

"……."

"신념."

기나긴 시간, 어렵게 달려온 길 속에 그녀가 붙들고 있었던 단 한 가지.

"아이를 혼자 키우면서 어렵게 사는 미혼모를 상대로, 제 권력을 이용해서 추행하는 사람. 자신이 하는 짓이 악행이라는 개념 없이, 얼마나 잔인한 상처를 주는지도 모른 채, 약자를 조롱하고 유린하면서, 죄의식 없이 살아가는 사람."

"……."

"그런 사람 때문에 힘들다는 여자가 있어."

"……."

"돈이 없으면 그 여자는 행복해질 권리도 없는 거니?"

유리는 말할 때마다 제 심장을 도려내는 기분이 들었지만, 힘겹게 다시 입술을 열었다.

"나는 그 여자를 위해 고소장을 접수하고, 탄원서를 써 줄 수 있어. 대단한 일을 하겠다는 것도 아니야. 그냥, 얼마나 힘든지, 얼마나 억울한지, 얼마나 끔찍했는지 세상에 알려 줄 수 있는 것뿐이야. 상처를 준 사람에게, 당신이 얼마나 나쁜지 정도는 이야기해 줄 수 있어. 제발 양심을 가지라고, 법도 당신이 한 짓을 용서하지 않는다고. 잘못에 대해 벌줄 거라고. 벌을! 받아야 한다고!"

"……."

"성폭력 범죄의 처벌 등에 관한 특례법, 제10조! 업무상 위력 등에 의한 추행! 업무, 고용이나 그 밖의 관계로 인하여 자기의 보호, 감독을 받는 사람에 대하여 위계 또는 위력으로 추행한 사람은 2년 이하의 징역 또는 500만 원 이하의 벌금에 처한다! 그게! 그렇게 어려워? 한 사람의 심장을 갈기갈기 찢어 놓고, 평생 지울 수 없는 끔찍한 기억을 새겨 놓고서! 겨우 이 정도의 벌을 주는 게, 그것조차, 그것마저 어려워? 그런 세상이야? 뭐, 현실이 그렇다고? 포기하라고?"

"……."

"제발 받으라고 벌! 그러려고 만든 법이잖아. 나쁜 짓 하지 말라고, 나쁜 짓 했으면 벌 받으라고 만들어 놓은 법이잖아!"

정호가 유리의 팔을 잡았지만, 흥분한 그녀는 손을 뿌리쳤다.

"우리 가족 재판을 맡았던 변호사들이, 다 우리를 외면했어. 수많은 사건 중 그냥 하나라며, 우리가 뭐 때문에 아프고 힘든지 제대로 봐 준 사람은 아무도 없었어. 정호야, 싫다, 정말. 나는 그러기 싫다. 진짜."

"……."

"사람을 위해 만든 법이잖아. 사람이 사람답게 살려고 만든 법이잖아. 사람들이 어울려 잘 살자고 만든 법이잖아! 권력을 지키기 위해서도, 돈을 불리기 위해서도 아니잖아!"

정호는 입술을 아프게 깨물었다.

"너희 집안의 권력과 돈을 위해, 내 신념을 무너뜨리지 마. ……내 인생을 짓밟지 마. 내 인생을 ……더럽히지 마."

"너."

"……."

"나랑 결혼 안 할 거야?"

그 말을 하는 정호의 얼굴은 더없이 힘겨워 보였다. 하지만 마지막 끈을 쥐고 있는 듯 절박한 음성으로 내뱉었다.

"나랑 결혼하는 게, 너한테는 신념을 무너뜨리는 거고, 인생을 짓밟히는 일이야?"

"누가……."

"그래, 네 말대로 나 부족한 것도 모르고, 열심히 한다는 게 뭔지도 몰라. 숨만 쉬어도 살아지니까 그냥 그렇게 살았어. 그래서 지금 네가 목숨처럼 여기는 그 신념이, 뭐가 그렇게 대단한지 나는 사실 잘 모르겠어."

"야, 너 지금 그런 말이……."

"그래! 이런 말이 나온다! 젠장, 나는 네 앞에서 고작 이런 말이나 하고 있어! 나는 어떻게 해야 하는 건데, 그럼!"

그 역시 참지 못하고 내뱉는 말들이 유리의 가슴을 아프게 찔러 댔다.

"네가 지금 들쑤셔 놓으려는 곳이 내 집이야. 내가 아무리 등지고 싶고, 버리고 싶어도 그게 안 되는, 내 집이라고. 김유리, 너 나랑 결혼한다며. 해 주겠다며. 되도록 빨리, 우리 결혼하자면서."

"……."

"그런 집에 너 내 손 잡고 들어가서 결혼하겠다고 말할 수 있어? 넌 앞뒤 없이 어떻게 하나만 생각해!"

서로를 향해 뻗은 손은 더 이상 따뜻하지 않았다. 날카롭게 돋아난 손톱이 심장을 긁어 대고 있었다.

"한 번 참아 주면 안 되냐? 이래 놓고 우리가 무슨 결혼을 해. 좋은 일 누가 하지 말라고 해? 해, 안 말려. 앞으로 네 마음대로 해. 뭐든지 다 해! 그냥 김유리, 그러니까 제발, 이번만은 제발, 그냥 모른 척하면 안 돼? 다른 사람에게 하라고 해. 꼭 너여야 할 필요 없잖아! 네가 받은 상처, 지난 잘못은 두고두고 갚겠다잖아, 내가!"

유리는 멍한 시선으로 그를 바라보았다. 날카로운 조각에 손이 찔려 피가 나는 줄도 모르고 꺼내려고 했던 반지는 지금 그녀의 손가락에 끼워져 있다. 그런데 지금 그 반지가 닿아 있는 부분이 저릿하기만 했다. 상처는 그날로 끝난 게 아니었다. 사랑하게 된 지금 이 순간이 잔인한 형벌처럼 느껴졌다.

"하나만 묻자. 너는 그게 나와 헤어지는 것보다 더 중요해?"

정호가 아프게 물었다. 유리는 그저 말문이 막힌 채로 멍하니 바라만 보았다. 헤어진다니. 그걸 원한 건 아니다.

"네 신념은 그렇게 고귀하고 대단한 거고, 내 사랑은 하찮은 거야?"

"누가 꼭 그렇대?"

"나한테는 김유리 네가 내 목숨이야! 바보 같아 보이겠지만 내 인생에 유의미한 건 너 하나야. 지금까지 쭉 그래 왔어. 나를 주저앉힌 것도, 나를 일으킨 것도, 다 너였다고."

"……."

"세상 전부와 바꾸라고 해도 나는 너 하나를 선택해! 그런데 너는?"

고백은 절실했고, 간절했고, 뜨거웠으며, 날카로웠다.

"정호야……."

그는 유리의 대답을 확신하지 못했다. 원치 않은 답을 품고 있을 그녀를 바라보며 여전히 절망 어린 입술을 움직였다.

"너는 아닌 것 같다."

스스로 한 말이 정답임을 알았다. 적어도 지금만큼은 그렇게 느껴졌다.

"겨우 한 달. 네가 날 봐 준 시간, 그래, 겨우 한 달이지. 이 감정이 너무 갑작스러워서 너는 뭐가 뭔지 모르겠다고 했고. 두 달만 몰래 만나자고도 했었지. 십몇 년을 사랑한 나인데, 그래, 그 정도는 얼마든지 참을 수 있었어. 결혼? 어쩌면 꿈일 거라 생각했어. ……이렇게 빨리 깰 줄은 몰랐지만."

"지금 헤어지자는 게 아니잖아."

"뭐가 다른데."

어차피 처음부터 이 이야기를 하고 있었던 거다. 어쩌면 애초에, 시작해서는 안 되는 인연이었을지도 모른다.

"김유리, 너는 내가 하지 말라고 해서 안 할 사람이 아니지."

풀리지 않는 난제 앞에 부딪혀 있던 정호가 쓸쓸한 음성으로 말했다. 답이 정해져 있다는 걸 알면서도 너무도 오래 외면했다. 힘든 인연으로 얽혔다는 것을 안 순간, 놓아 버렸어야 했는데. 친구의 탈을 쓰고 주변을 맴돌던 어리석은 짓 따위는 하지 말았어야 했는데.

"그 신념이 대체 뭔지 이해할 수 없어도, 빌어먹을 그 신념을 지닌 너니까 내가 사랑한 건데……."

"……."

"이제 와 포기하면 안 되지. 그래, ……포기하면 내가 사랑하는 김유리가 아니지."

아픈 깨달음이었다. 평행선 위에 놓인 두 그림자가 위태롭게 흔들리기 시작했다.

"아버지, 어머니께서 너 만나면 무릎 꿇고 사과하고 싶다고 하셨어."

"……."

"너를 힘들게 했던 건 맞아. 그 사실을 알고 나도 죽고 싶을 만큼 힘들었어. 태산 같던 아버지가 무너지고, 그 아버지가 하신 일 중에 내가 좋아하는 여자에게 행한 죄도 있다는데. 내가 어떻게 멀쩡했겠어."

"……정호야."

유리의 입술이 파르르 떨렸다.

"이런 말 하면 인생 쉽게 산다고 네가 싫어하겠지만. 나 목표도, 꿈도 없었어. 수석이고 뭐고, 귀찮지 않게 적당히 하고 싶었어. 그런데 너한테 고백하고 싶어서, 적어도 너한테 부끄러운 사람은 아니어야 해서. 그래서 공부했던 거야. 쉬지도 않고 달렸어. 이제야 고백할 수 있겠다고 했을 때 그 사실을 알게 되었으니, ……그때 나는 너를 좋아하는 마음조차 죄스러웠어. 자격도 없는 주제에 어떻게 사랑한다고 말할 수 있었겠어."

"……."

"그런 마음으로 하루하루를 살았어. 편하게 너랑 웃고 장난치는 시간조차 꿈같았어. 사랑한다는 것만 들키지 않으면 되겠지. 네가 나 아닌 다른 남자를 만나 평생을 살더라도, 네 얼굴을 계속 볼 수만 있다면 좋겠다고. 그러면 친구 사이도, 내겐 과분하다고."

"……."

"기적처럼 네가 내게 다가왔을 때, 어쩌면 함께 행복해질 수도 있겠다고 생각했어."

"……."

"다 과거니까, 우리 미래는 아무런 문제 없을 거라고. 네가 날 등지더라도 나는 그저 진심으로 사과하고 매달리면 될 거라고. 지난 일이니까. 몰랐으니까. 쿨한 너니까. 우리 이미 사랑하기 시작했으니까! 모든 건 다 극복할 수 있을 거라고."

정호는 눈을 질끈 감았다. 이내 겨우 마음을 가라앉힌 듯 차분하고도 고요한 음성이 흘러나왔다.

"내가 너무 과한 욕심을 부렸다."

"……."

"과거가 아니었어. 시간은 지금도 계속…… 흐르고 있는데."

"……."

"우리는 그 안에 갇혀 계속 부딪치고 있는데, 그걸 몰랐어, 내가. ……바보처럼."

사랑 하나로 얼마든지 잡을 수 있다고 생각했던 자신의 어리석음을 이제야 깨달았다. 세상의 가치가 그것 하나만이 아닌데. 왜 사랑 하나면 다 해결할 수 있다고 생각했었을까. 그녀의 가치. 자신의 가치. 무엇이 더 우선인지는 중요하지 않다. 다르다는 것만 존재할 뿐.

"끊어 내자. 우리 인연."

정호가 유리의 앞으로 다가섰다. 그리고 아프게 일그러진 얼굴을 내려 보다가, 유리의 양 볼을 두 손으로 감쌌다. 닿은 피부 모두가 타들어 가듯 뜨거웠고, 불에 탄 상처를 헤집어 놓는 것처럼 고통스러웠다.

정호는 천천히 허리를 숙였다. 그녀의 입술을 찾으며 눈을 감았다. 뜨겁고도 차가웠고, 부드럽고도 딱딱했다. 달고도 썼다. 이어진 키스는 마음을 어루만지기도, 마음을 찌르기도 했다. 입술과 입술이 닿고, 사이를 벌려 서로의 예민한 속살을 훑을 때 멎었던 눈물이 다시금 후두두 쏟아졌다.

마지막을 알리는 키스. 끝을 예감했다. 그것이 전부였다. 서로를 바꿀 수는 없었다. 욕심으로 상대를 바꾼다면, 그건 사랑이 아니기에. 사랑을 지키기 위해 사랑을 놓아 버렸다.

한 번에 돌아서기에는 너무도 복잡한 인연이라, 쉽게 뗄 수 없는 손에 힘이 들어갔다. 지금 입술을 떨어뜨리면, 지금 이 손을 놓으면, 지금 이대로 키스를 멈추면…… 닿을 수 없는 두 개의 선 위에 올라서게 된다는 것을 서로 알았다. 키스는 한없이 길고도 아릿했다.

"잠은 잘 잤어요?"

송화가 내온 설렁탕에서 뽀얀 김이 피어났다. 유리는 가만히 웃으며 송화를 올려다보았다.

"네. 그나마 요즘은 악몽을 안 꿔요."

일주일 전 송화는 결국 병원을 그만두고 나왔다. 바로 새 일자리를 구하기 힘들었고, 마냥 구직 활동만 하고 있을 수가 없어서 일단 며칠 전부터 동네 설렁탕집에서 아르바이트를 하기 시작했다.

버는 돈도 적고, 이슬을 볼 시간도 줄어든 건 사실이었다. 하지만 이사장 비서로 재직하는 동안, 하는 일에 비해 지나치게 넉넉한 봉급과 여유로운 시간을 얻었던 것도 공짜는 아니었다.

송화는 다른 비서진보다 배려를 많이 받았지만, 뱀이 온몸을 타고 넘듯 끔찍한 기분을 견디는 대가지고는 저렴하기도 했다. 그러니 지금은 다리 쭉 펴고 잠을 푹 잘 수 있다는 것만으로도 다행이었다.

"혹시 그 사람이 찾아와서 고소 취하하라고 협박하면 이떻게 하죠."

고소장을 접수한 후라 걱정이 되는 모양이었다.

"어떻게 하긴 어떻게 해요. 앞에 나타나기만 해 봐. 니킥으로 낭심을 팍!"

"네?"

유리가 생긋 웃으며 이어 말했다.

"성범죄는 친고죄(親告罪, 범죄의 피해자 기타 법률이 정한 자의 고소가 있어야 공소를 제기할 수 있는 범죄)가 아니라서, 피해자의 고소 없이도 처벌할 수 있어요. 이미 신고 들어간 후에는 고소를 취하하더라도 계속 수사를 진행하게 될 거예요. 섣불리 고소 취하를 하게 될 경우 오히려 송화 씨를 무고죄로 고소하게 만드는 빌미를 제공할 수 있으니까, 그딴 협박에 지지 마요."

"아……"

"자기가 뭐, 어쩔 거야. 좋은 평판 유지하기 위해서 그렇게 안간힘을 쓰는 사람이라면서요. 더 큰 일을 벌이지 않을 거예요. 일 더 벌여 봤자 형량만 늘어날 텐데, 뭐."

"네."

"그리고 송화 씨, 피해자 진술은 가능하면 1회로 종결될 거예요. 곧 송화 씨 진술하고, 그 사람 조사해서 내용이 상반되는 경우에 추가로 대질 신문을 진행할 수도 있겠지만, 너무 걱정하지는 마세요."

유리의 웃는 얼굴을 보며 송화도 고개를 끄덕이며 미소 지었다.

"변호사님…… 덕분에 든든해요. 정말."

"거참, 그렇게 얘기해도 언니 소리 진짜 안 나오네. 소송 잘 끝나고 나면 그땐 꼭 언니라고 불러요."

"네, 그럴게요."

"아, 은강이 어제도 여기로 퇴근했다면서요?"

"……네."

송화의 얼굴에 미소가 사라지고, 난감한 듯 표정이 가라앉았다. 송화는

24시간 설렁탕집에서 자정까지 일했다. 은강은 퇴근하면서 카페에 와 있던 이슬을 데리고 이곳에 들렀다. 그리곤 송화가 일을 마치길 기다렸다가, 두 모녀를 집에까지 데려다준 것이 벌써 사흘째였다.

"서은강 진짜 의외라니까요. 무슨 말이나 많이 하면 몰라. '어린이, 마셔.', '어린이, 조용히 앉아 있어.', '어린이, 가자.' 무뚝뚝하게 하는 말은 이게 전부면서, 말도 없이 이슬이를 얼마나 잘 챙기는지."

"네……."

사실 이편웅이나 그가 보낼 사람을 걱정하지 않게 된 건, 밤길을 함께 걸어 주는 은강 덕분이었다. 아무리 집 가까운 곳의 카페와 설렁탕집이라 단 몇 분 거리라고 해도, 밤늦은 시간 이슬과 함께 둘이서만 다니기엔 송화도 불안했었다.

'끝났어요? 가요.'

무심하게 내뱉는 그 목소리가 좋았고, 믿음직스러웠다. 은강의 마음이 어떤 것인지 알기에 미안함이 앞섰지만, 염치없게도 고마운 감정이 훨씬 컸다.

"아무튼 쉬운 싸움은 아니에요. 앞으로 마음 굳게 먹어요."

"네, 감사해요."

"아줌마! 김치 좀 더 주세요!"

뒤쪽에서 외치는 소리에 송화가 고개를 돌렸다.

"네!"

얼른 대답하고는 다시 유리에게 웃어 보였다.

"식어요. 어서 드세요."

송화는 서둘러 주방 쪽으로 갔다. 그녀의 뒷모습을 바라보다가 유리는 공깃밥을 양손으로 눌러 잡고 흔들었다. 뚜껑을 열고는 밥 한 공기 그대로 국물에 투하했다. 숟가락으로 뚝배기 안의 설렁탕을 휘휘 저었다. 국물에 말아 넣은 뜨거운 밥을 떴다. 입에 넣고 꼭꼭 씹어 삼켰다.

할 일이 많았다. 송화의 고소 진행 건 외에도, 그녀가 해야 할 상담과 소송 건은 산적(山積)해 있었다. 아무리 바빠도 밥은 꼭 끼니마다 든든히 먹었다. 밥심으로 버티는 셈이었다.

틈이 생기면 드는 잡생각을 애써 떨치며 유리는 태블릿PC를 꺼내 오늘자 신문을 클릭했다. 눈으로 화면을 훑으며 밥을 입에 넣고, 깍두기를 베어 물었다. 혼자 먹는 밥은, 아무런 맛도 느껴지지 않았다.

⁂

준원과 새연의 신혼집 거실.

"건배! 축하해!"

챙, 하고 와인 잔 부딪치는 소리가 경쾌했다. 유리는 활짝 웃으며 축하 인사를 건넸다.

준원과 새연은 같은 날 태어나 산후조리원에서 만난 인연으로 평생을 친구로 지내다가 결혼까지 한 사이였다. 5월 말의 특별한 이 날마다 고등학교 때 이후로 늘 오총사가 함께 보내곤 했다. 결혼기념일이기 전에 두 사람의 생일이었기에.

하지만 오늘은 세 사람만 자리했다. 학위를 따기 위해 미국으로 떠난 혁준의 빈자리는 이런 모임 때마다 크게 느껴졌다. 게다가 정호마저 훌쩍 여행을 가 버려, 올해는 조금 썰렁하기까지 했다.

"하여튼, 우리 중에 제일 팔자 좋은 놈은 김정호라니까."

새우 올리브 꼬치를 들고 빼 먹으며 새연이 부러운 음성으로 말했다.

"떠나고 싶다고 훌쩍 떠날 수도 있고. 좋겠다, 정말."

와인 대신 포도 주스를 한 모금 마시고는 말을 이었다.

"그나저나 정호 요즘 마음잡고 네 옆에서 착실하게 일하나 싶었더니, 아니, 갑자기 무슨 여행이래. 걔도 정말, 자유로운 영혼이야. 놀다 오라고 보내 준 너도 참 대단하고."

"자기 발로 자기가 가겠다는데 내가 무슨 수로 말려."

유리는 와인 잔을 들고 새연의 잔에 챙 하고 부딪쳐 소리를 냈다.

"너 혼자 일 다 하느라 힘들겠네. 안색도 별로인 것 같은데?"

준원은 유리가 걱정된다는 듯 물었다. 유리는 웃으며 고개를 저었다.

"아니야. 일 별로 없어. 정호도 한가해서 여행 간 거야."

"그래서, 언제 온다는 거야?"

정호는 그날 이후 바로 다음 날, 간단히 짐을 챙겨 떠났다. 어디로 갔는지, 언제 돌아오는지는 유리도 알지 못했다. 휴대폰은 계속 꺼져 있는 상태였다.

유리는 카페 식구들과 친구들에게, 정호가 머리 식히러 여행을 갔다고 말해 두었다. 그것이 사실이기도 했고. 헤어졌다는 것만 말하지 않으면 아직 복잡한 상황이 아니었다.

정호가 아니어도 신경 쓸 일이 많았다. 깊이 생각하지 않은 채 유리는 줄곧 일에만 몰두해 왔다. 지쳐서 쓰러지기 일보 직전까지 일하다 보면 잠드는 것도 문제없었다.

"올 때 되면 오겠지, 뭐."

"아이고, 이 저자 쿨한 자세 보소."

"쿨하긴."

"정호랑 연애하느라 너도 고생이 많다. 이놈 자식, 이렇게 책임감이 없어서, 나중에 제 가정은 어떻게 책임지려나 몰라."

장난스럽게 말하는 새연을 보며 유리는 가볍게 웃었다. 이들에게 시작과 끝을 알리는 일 모두, 본의 아니게 늦게 미루게 되어 미안한 마음이 들었다. 그만큼 얽히고설킨 인연인지라, 쉽지 않다는 것을 이해해 주기를 바라기도 했다.

만약 다시 사랑하게 된다면, 그때는 꼭 낯선 사람과 하리라. 만남도, 이별도, 그 무엇도 자유로운, 그런 낯선 사람.

……다시 누군가를 사랑할 일이 있을지는 모르겠지만.

"우리 결혼식 영상 보자. 새연아, DVD 어디 있어?"

준원이 웃으며 일어섰고 유리가 질색했다.

"야, 그런 건 좀 너희끼리 봐라."

무려 1주년 결혼기념일이지만 십수 년간 생일 파티를 해 왔던 날이기도 했다. 둘이서 오붓하게 보내지 않고 기어이 유리라도 부른 것은, 아주 오래 전부터 5월 26일은 함께 어울려야 하는 날로 인식하고 있기 때문이다.

상황이 달라졌으니 이제는 이런 날 만나지 않아도 되는데, 오랜 관습을 타파하는 일은 이다지도 어려웠다.

"내가 너희 결혼기념일 축하해 주러 왔냐? 생일이면 생일답게 케이크나 먹자고."

"왜 이러서? 우리 결혼에 지대한 공헌을 하신 일등 공신 김유리 님께서. 생각해 보니까 이 영상 너무 늦게 나와서 너도 아직 제대로 본 적 없잖아. 잠깐만 있어 봐."

새연이 무거운 몸을 일으켜 서재로 가더니 결혼식 DVD CD를 찾아왔다. 그리곤 준원에게 건네고 다시 뒤뚱뒤뚱 소파로 걸어왔다. 새연은 앉아서 기대 어린 얼굴로 화면을 바라보았다.

"얼른 틀어 봐. 우리 김유리 여사님이 내 부케 받다가 넘어지는 고운 자태를 다시 한번 감상해 봅시다."

"어, 야. 그거 내가 일부러 넘어져 준 거잖아. 이준원 거짓말에 장단 맞춘다고."

"일부러든 아니든, 그건 특급슬라이딩이었어! 한 백 년은 봐도, 봐도 안 질릴 영상이라고."

"왜, 아예 유튜브에 올리지 그래?"

"천잰데? 지금이라도 당장……."

"하기만 해!"

새연과 티격태격하는 사이 결혼식 영상이 시작되었다. 유독 아름답고 멋진 모습이었던 그날의 두 사람이 화면 가득 펼쳐졌다.

"으. 대체 여기 뭘 넣은 거야?"

유리는 호로록 삼키던 파스타 면발을 휴지에 그대로 뱉어 냈다. 인상을 찌푸린 유리를 보며 새연이 배시시 웃었다.

"맛이 없어?"

"당장 버려! 이건 사람이 먹을 음식이 아니야!"

화면에 신부 대기실에서 찍은 친구들의 모습이 흐르고 있는 동안, 유리는 새연의 음식을 적극적으로 타박했다. 한국 최고의 셰프를 남편으로 두고도, 절대로 음식 솜씨가 늘지 않는 새연이었다.

"진짜 넌 이 재료들 앞에서 석고대죄 해야 해. 이 들척지근하게 매우면서도 찝찝한 느낌 뭔데!"

"퓨전으로다가. 고추장을 좀 넣어 봤지."

"와아. 진짜 창의적인 푸드 테러리스트네."

유리가 고개를 설레설레 흔들었다. 그리고 준원이 만든 것이 분명한 다른 음식들로 위를 정화하며 겨우 속을 달랬다.

"푸드 테러리스트. 그거 정호가 나한테 진짜 많이 한 말인데."

새연이 말하면서 생긋 웃어 보였다. 음식이 맛없다는 타박쯤이야 워낙 익숙하게 들어 왔기에 기도 죽지 않았다. 다만 맛있는 고추장 파스타를 완성할 때까지 계속 노력할 테고, 괴로운 건 옆에 있으면서 마루타가 될 준원일 것이다.

"정호 진짜 웃기지 않아? 누가 누구보고 데리리스트래. 본인은 패션 테러리스트면서."

볶음밥을 입에 넣고 씹던 유리가 새연의 말에 잠시 멈칫했다. 다시 희미한 미소를 지으며 꿀꺽 삼킨 유리가 맞장구쳤다.

"그러게 말이야. 아니, 추리닝도 예쁜 게 얼마나 많냐? 그런데 꼭 촌스러운 추리닝만 주야장천 입어 대고. 나 처음 카페 들어갔을 때도, 걔 맨날 그러고 쓰레빠 질질 끌고 오는데 내가 다 창피하더라."

"맞아! 날이 갈수록 더 심해지긴 했지. 나는 진짜 정호 면도 시켰을 때가 제일 후련하고 좋았어. 그래도 그때 우리가 열심히 설득했더니, 너한테 고백해 보겠다고 바버숍이며 백화점이며 따라오는데 이쁘긴 이쁘더라. 물론 내내 툴툴거리긴 했지만."

"정호 사람 만든다고 고생이 많았다, 너희가."

"고생은 무슨 고생. 다 사랑의 힘 아니겠어?"

새연이 방긋방긋 웃으며 하는 말에 유리가 애써 미소 지으며 화면으로 고개를 돌렸다. 그런데 하필이면 정호가 나오고 있었다.

"저 때, 김정호, 새벽에 운전해 주려고 메이크업숍에 온 걸 억지로 다듬어 놨는데. 오죽하면 너도 못 알아봤었잖아."

지난 일을 떠올리는 새연은 그저 즐거워 보였고, 준원은 묵묵히 웃었다. 유리는, 그들 사이에서 말할 수 없는 일을 가슴에 묻은 채 통증을 감추며 계속 이야기를 나누었다.

"그거야 갑자기 부딪쳤으니까 놀라서 제대로 못 봐 그런 거지."

"하긴. 정호가 꾸미고 안 꾸미고에 따라 외모 퀄의 차이가 좀 롤러코스터

이긴 해. 그래도 저 날은, 축가까지 불러 주기로 해 놓고는 어디 감히 폐인 상태로 오려고 했는지. 어휴, 양심도 없지.”

화면 속 준원과 새연이 입장을 하고, 결혼식은 시작되었다. 영상의 배경 음악이 흐르는 가운데 이런저런 모습들이 흘러갔다. 사회를 보는 혁준의 모습이 화면에 잡히고, 잠시 후 마이크를 든 정호가 나왔다. 어느새 배경 음악은 끊기고 현장음이 들려왔다.

-제 사랑하는 친구들, 이준원과 한새연의 결혼을 진심으로 축하합니다. 축가로 준비한 곡은, 신부가 가장 듣고 싶다고 한, 김동률의 ‘감사’입니다. 두 사람, 행복해라.

오랜만에 듣는 정호의 목소리였다.

유리는 포크를 내려놓고 소파 위에 다리를 올려 끌어모았다. 모은 무릎에 턱을 괴고 물끄러미 화면을 바라보았다. 전주 후에 나지막이 이어지는 그의 음성이 들려왔다.

말하듯, 노래하듯, 마음을 건드리듯, 낮게 울리는 소리. 사랑에 빠진 남자가, 오직 사랑 하나밖에 모르는 남자가, 세상에 사랑 하나만이 전부인 남자가, 태어난 이유가 죽도록 사랑하기 위해서라고 말하는 남자가, 그 순간에도 제 앞에서 노래하고 있었다.

지금 듣는 그의 노래는 예전과 느낌이 확연히 달랐다. 절정에서 터지는 그 음성은, 분명 자신을 향하고 있었다. 그때도 정호는 자신을 사랑하고 있었다.

간주 부분에서 웃는 정호의 얼굴이 화면에 잡히자, 떠올랐다. 식장 안 여자 하객들이 넋을 잃고 정호를 보던 그때, 자신을 발견한 정호가 싱긋 웃었던 그 순간이.

‘저게 어디서 눈웃음이야.’

유리는 팔짱을 낀 채 혀를 찼다. 그의 미소에 ‘꺄아아’ 소리를 내뱉는 동창들 틈에서 유리는 미간을 찌푸렸었다.

"저 날 진짜 김정호가 여럿 홀렸지."

준원 역시 그때가 생각난다는 듯 말하며 웃었다. 그날의 기억을 떠올리며 대화를 나누고 있는 준원과 새연의 목소리는 점점 멀어졌다.

그저 정호뿐이었다. 제 귀에 들려오는 음성도, 제 눈에 들어찬 얼굴도, 오로지 정호뿐이었다. 분명 사랑을 고백하는 남자, 사랑해서 행복하다고 하는 남자인데도 왜 이렇게 가슴이 미어지는 건지. 이 시점에서 듣는 '감사'는 세상 그 어떤 노래보다도 슬프게만 들렸다.

축가가 끝나고, 이런저런 모습들 후에 유리가 부케를 받는 장면이 이어졌다. 사정상 일부러 넘어지려고 했지만, 그러다 보니 진짜 넘어지고 말았던 그때, 신랑인 준원의 옆에 있던 정호의 몸이 움찔하고 흔들리는 것도 보였다. 잡아 주고 싶었던 모양이었다.

다들 웃는 가운데 혼자 안타까움에 찡그린 그 얼굴도 보였다. 저래 놓고 끝난 후 자신을 놀리기는 또 얼마나 놀렸던지. 친구인 척 제 곁을 맴돌던 그의 모습이 영상 속에 고스란히 자리했다. 표정 하나하나가 새로웠다.

어느덧 결혼식 영상이 끝났다. 새연이 제 휴대폰을 꺼냈다.

"정호, 노래방에서 동영상 녹화해 놓은 거 있는데 볼래?"

유난히 정호가 노래 부르는 모습을 좋아하는 새연이었기에, 축가 장면을 보니 새록새록 떠오르는 모양이었다.

"헐, 너 무슨 김정호 팬클럽이냐? 정호 동영상까지 찍어 놓게?"

"응. 이거 내 태교 음악이다! 이어폰 끼고 들으면 되게 좋거든."

새연이 동영상을 재생하는 동안 준원은 과일을 가져와 깎아 주기 시작했다. 진지하게 질투하곤 했던 그도 이제 유리와 사귀는 정호에게는 별 위기감을 못 느끼는 모양이었다.

"야, 좀 멀쩡할 때 모습 없냐? 이게 뭐야, 추또잖아."

청록색 추리닝을 입고 면도를 하지 않은 정호가 화면에 잡히자, 분위기가 확 깬다는 듯 유리가 몸을 뒤로 물렀다.

"목소리만 좋으면 됐지, 뭐가 문제야. 이날 너 좋아한다는 거, 우리한테 들켰지. 취중진담 부르고 뻗은 그날일 거야. 정호 몰래 찍었어."

새연이 키득키득 웃었다. 추리닝 입은 정호를 보고 장난스럽게 타박했지만, 사실은 그런 것 따위 상관없었다. 그가 다듬어진 모습으로 나타났다고 해서 좋아하게 된 것은 아니었다.

그때 이미 마음은 움직이고 있었고, 외양과 관계없이 정호 자체를 보게 된 후였으니까. 그러니 이런 모습이든, 저런 모습이든, 정호는 정호였다.

유리의 가슴이 뜨거워졌다.

"이거 제목이 뭐지?"

전주를 듣고 묻는 준원의 말에 새연이 바로 답했다.

"'Replay'! 김동률의 'Replay'야. 아, 이 노래 진짜 좋아! 듣고 있으면 가슴이 막 미어지잖아."

유리는 겁이 났다.

"헤어지고 부르는 노래. 이거 뮤직비디오도 되게 슬프고. 난 정호가 이 노래 부르면 진짜 눈물 나더라. 가사 하나하나가 정말 예술이야."

이 노래, 듣기 싫었다.

"물론 원곡이 환상이지! 담담한 척 부르다가 클라이맥스에서 터질 때 소오오름! 살짝 울먹이는 목소리까지. 흐아아. 근데 정호가 부르는 것도 원곡 못지않아. 태교에 아주 굿이라구."

그의 노래가 시작되었다.

"저 날 정호가 좀 많이 취했거든. 그래서 대충대충 부르는데도 와, 진짜 너무 멋있어. 이날 오죽하면 내가 영상을 다 찍었겠어."

새연의 계속되는 말을 들으며 유리는 멍하니 조그만 화면을 들여다보았다. 보지 않고, 듣지 않으면, 아프지 않을 수 있을까. 그럴 수만 있다면 눈과 귀를 막아 버리고 싶었다.

유리의 시계는 일주일 전 멈춰 버렸다. 그를 품었던 심장은 그날 이후로 뛴 적이 없었다. 숨을 쉬는 것도, 잠을 자는 것도, 밥을 먹는 것도 모두 기계적이었다.

다시금 뜨겁게 제 가슴을 데우는 건 오직 그의 목소리였다. 지금, 바로 지금.

정호의 빈자리를 채우려고 노력하지 않았다. 시간을 돌리려 하지도 않았다. 후회하지도 않았다. 애써 모든 고통을 밀어내었다. 헤어짐도 아무렇지 않게 받아들이는 듯했던 그녀의 심장은, 정호의 목소리를 듣는 순간 걷잡을 수 없이 무너져 버렸다.

이제야 피할 수 없는 파도처럼 그리움이 밀려온다. 이제야 사랑했던 시간이 벼락처럼 자신을 내리친다. 이제야 뻥 뚫린 가슴속에 그를 잃은 아픔이 소나기처럼 쏟아진다.

화면에서 눈을 뗀 유리는 숨을 들이켜고 애써 웃었다. 그녀는 울지 않았다.

오히려 영상을 보던 새연이 잔잔함 끝에 몰아치는 후반부에 이르러 결국 눈물을 찍어 냈다. 준원은 그 눈물을 닦아 주더니, 깎아 놓은 멜론을 제 아내의 입에 넣어 주었다.

"새연아, 이 동영상, 나한테 좀 보내 줘."

"아, 그래. 다른 것도 보내 줄까?"

"응."

"정호, 보고 싶구나? 너희 이렇게 깨가 쏟아질 거, 그동안 어떻게 참았냐. 하여튼 신기해, 정말."

새연은 휴대폰 메신저로 정호의 동영상을 몇 개 보내 주었다. 조용히 확

인한 유리는 이내 화제를 돌렸다. 임신 중인 새연의 몸 상태에 대해, 준원이
새로 시작하는 요리 프로그램에 대해, 그리고 유리의 카페와 법률 상담에
대해, 가벼운 대화를 주고받았다.

　오총사 중 친구 둘이 빠지고 셋만 남았을 뿐, 서로의 근황을 이야기하고
농담하며 웃고 떠드는 시간은 똑같았다. 유리는 웃었다. 웃고, 또 웃었다.
가슴속을 뒤흔드는 아픔을 다시 한번 꾹 누른 채, 울 수 없어 한참을 웃었
다.

　로 카페 건물 앞.

　"어, 누나! 친구분 만나고 집으로 가신 것 아니었어요?"

　유리가 옥탑 쪽을 올려다보고 서 있는데 준의 목소리가 들렸다. 그녀는
턱을 당겨 내리며 앞을 보았다. 준이 카페 문을 닫고 나오는 중이었다.

　"어, 준이 이제 퇴근하니? 왜 이렇게 늦었어?"

　"이슬이가 잠들어서 좀 더 재우다가, 은강 형이 지금 데리고 갔어요. 이슬
이 엄마 끝나는 시간 맞춰서 나간다고요."

　어느덧 자정에 가까운 시간이었다.

　"그런데 누나는 왜 다시 오셨어요? 사무실에 뭐 두고 가셨구나?"

　유리가 말했다.

　"김유신이 화랑이었을 때, 천관(天官)이라는 기생의 집에 드나들었어. 그
러다 어머니 만명부인(萬明夫人)의 훈계를 듣고 발길을 끊었지. 그래서 다
시는 가지 않으려고 했는데."

"아, 그 얘기 알아요. 술 취한 김유신을 태우고 말이 또 그 기생의 집으로 가잖아요."

"그래. 김유신이 정신을 차리고는 애마의 목을 베어 버리지."

"그런데요?"

지금 그 이야기가 왜 나오는지 의아한 준이 고개를 갸웃거렸다.

"그래서 그 얘기가 왜요?"

재차 묻는 준의 머리를 쓰다듬으려 손을 내밀 때였다.

'어허. 우리 준이 머리를 함부로 막 쓰다듬고 그러면 안 되지.'

환청이 들려왔다. 준을 아낀다는 핑계로 둘 사이를 떨어뜨리려고 하던 정호였다. 유리가 준에게 친근하게 굴며 스스럼없이 스킨십 하는 것을 경계하고 질투하던 그만의 방법이었다.

준원과 새연의 집에서 나와 택시에 탄 유리는 분명 집으로 가려고 했었다. 자신도 모르게 목적지를 카페로 얘기했고, 정신을 차리고 보니 이 거리에 서 있었다. 그리고 눈에 닿은 건 건물 꼭대기. 그가 있던 곳이었다.

김유신이 애마의 목을 베었다면, 대체 자신은 무엇을 벌해야 하는 걸까. 그 누구도 아닌, 자신의 발로 직접 찾아온 곳이 아닌가.

"그래 놓고 요절한 천관을 위해 절을 짓고, 천관사라고 이름까지 붙여 주고. 참 각별한 사이이긴 했나 봐."

"그러네요. 누나 좀 피곤해 보여요. 정류장까지 같이 가 드릴까요?"

"아니. 정호 집에 뭐 두고 와서 올라가 보려고."

"아아, 형님은 언제 오시는 거예요? 한동안 못 봤더니 완전 보고 싶어요! 전화도 안 되고. 어디 있다 정도는 말씀해 주셔야 하는 거 아니에요? 원래 그런 성격이라지만, 좀 너무하신 것 같아요."

유리는 풋, 웃었다.

"왜 이렇게 애타게 남의 애인을 그리워하고 그래? 내가 너한테 정호를 빼앗길 순 없어. 이제 좀 포기해라."

"정호 형님 진짜 탐나는데. 두 분의 사랑이 그렇게 굳건하다면 뭐, 저도 일단은 후퇴할게요. 오래오래 예쁜 사랑 하세요."

"오오냐."

한없이 가볍고 또 가볍게. 이건 정호의 방식이었다. 가슴에 그 무거운 돌을 얹고, 시종일관 새털처럼 가벼운 언행으로 일관했던 정호의 아픔이 이토록 처절하게 다가올 줄은 몰랐다.

이렇게 아픈데. 아픔을 견디는 것이 이렇게 힘든데. 힘들다고 말도 못 하는 것이 이렇게 괴로운데. 괴로운 그 시간을 아닌 척 웃어넘기는 것이 이렇게나 어려운데. 너는 대체 어떻게 견뎠니. 너는 대체 어떻게 살았니.

"그럼 저 먼저 가 볼게요! 내일 봬요!"

"그래, 조심해서 가."

준이 손을 흔들며 큰길 쪽을 향해 내려가는 뒷모습을 본 유리가 천천히 발을 떼었다. 그리고 건물 계단을 올라 곧 옥상에 이르렀다.

그가 꾸며 놓은 옥상 마당. 낮잠을 자던 해먹, 새벽마다 함께 운동했던 기구들, 비를 피하려고 설치해 둔 대형 천막, 누워서 하늘을 바라보던 평상.

이 모든 것을 천천히 돌아본 유리는 이내 정호의 방 쪽으로 향했다. 그리곤 도어록 앞에 서서 잠시 망설이다가 비밀번호를 눌렀다.

'유리야, 오늘 비밀번호 바꿨다.'

'뭘로?'

'우리 첫 키스 했던 날.'

'뭐야. 그걸 어떻게 기억해.'

'그날이 바로 우리 제대로 사귀기 시작한 날이기도 하거든. 보니까 첫 키스 하고 헤어졌던 그때랑 같은 날짜더라.'

사귄 이후로는 옥탑방 비밀번호가 줄곧 그 날짜였다. 벚꽃잎이 나풀나풀

흩날리던 4월의 그날.

띠리링. 문이 열렸다.

"비밀번호도 바꾸고 가지 그랬어……."

유리는 자게 중얼거렸다. 철컥. 현관에 들어서자 문이 닫혔다. 한눈에 그의 방이 들어왔다. 이제는 너무도 익숙해져 버린 정호의 방.

인연을 끊어 내자고 했던 그의 모든 것이 그대로였다. 마지막을 고했던 때와 달라진 것이 하나도 없었다. 흐트러진 이불 하나까지도, 그날 그 시간에 머물러 있었다. 오직 정호만 없을 뿐.

유리는 문에 등을 기댄 채 주르르 내려앉았다. 혼자 있을 때 한 번도 흘리지 않았던 눈물이 이제야 쏟아졌다. 그가 자신을 놓아 버린 순간이 떠올라 버렸다.

그래, 두고 온 것이 있었다. 그래서 돌아왔다. 이곳에 제 모든 것을 두고 왔기에 숨을 쉬어도 쉰 것 같지 않은 시간이었다.

"정호야……."

끅끅대며 울음을 삼켰다. 지금은 참을 이유가 없는데도 속 시원히 터뜨릴 수 없었다. 정호마저 없는 곳에 들어와 마음 편히 울 수 없었다.

'자격도 없는 내가. 너를 사랑해서 미안해.'

자격이 없는 건 정호가 아니었다. 자신이었다. 사랑할 자격도, 마음껏 울 자격도, 그리워할 자격도, 그 무엇도 제게 없었다. 제발 잡아 주기를 바랐을지 모르는데. 돌아서는 순간까지도 아마 원했을지 모르는데.

자신을 떠나가도록, 자신을 놓아 버리도록, 자신에게서 돌아서도록 내버려 두었다. 잡지 않았다. 밀려드는 슬픔마저 외면하며 지냈다. 삼키는 울음 때문에 숨이 다 막혔다.

그가 자신의 손을 잡고 앞으로 고꾸라지듯 몸을 숙였던 그때처럼, 유리는 무너졌다. 동그랗게 등을 굽히고 차가운 현관에 이마를 댄 채 꺽꺽대고 울었다. 서러운 눈물이 바닥에 퍼졌다.

　눈을 감아도 선했다. 이 공간 구석구석 함께했던 기억이, 숨결이, 손길이 가득했다. 떠도는 공기 전부가 가시가 되어 제 몸 위로 박혀 들었다.

　어찌 사랑이 아니라 말할 수 있을까. 어찌 너를 위한 것이 아니라 말할 수 있을까. 아픈 운명에 어리석게 휘둘렸던 나 역시 해답을 찾지 못했을 뿐, 너를 사랑하는 마음은 진심이었는데.

　미련은 가슴을 헤집었다. 사랑을 다 쏟아 내지 못한 이유로, 슬픔도 다 쏟아 내지 못하고 다시 삼켰다. 속으로 파고든 고통에 잠식당하였다. 유리의 등이 한없이 흔들렸다.

　6월의 베네치아.

　끊임없이 작열하는 태양이 이른 여름의 시작을 알렸다. 정호의 검은 선글라스에 물빛이 어른거렸다. 그는 리알토 다리 위에 서서 관광객을 태우고 지나가는 곤돌라를 무료한 시선으로 내려다보았다. 이곳에 온 지 벌써 보름. 먼 길을 달려 여기까지 온 건 다분히 충동적이었다.

　'베네치아?'

　'그래, 베네치아.'

　'아니, 왜 베네치아 한 군데에만 있다가 와? 유럽까지 가서, 비행기표 아깝게.'

　정호가 이탈리아 베네치아로 신혼여행을 가고 싶다는 말을 했을 때였다. 유리는 이해할 수 없다는 듯 갸웃거렸다.

　'이왕 가는 거, 좋아. 이탈리아만 돌고 온다고 쳐도, 로마도 가고 피렌체도 가고 나

폴리도 가고. 갈 수 있는 도시는 싹 다 훑고 와야지. 한 일주일에서 열흘 정도 간다고 치면. 그럼 일정을⋯⋯.'

'거, 일정 참 전투적으로 짜시네. 그래도 너 나랑 결혼할 마음이 있긴 한 거지?'

'⋯⋯아, 뭐. 봐서.'

그때만 해도 바로 결혼을 승낙하지는 않았었다. 농담처럼, 우리 결혼은 언제 할까, 이야기를 꺼내면 면박을 주고 대화를 피하곤 했던 유리였다. 그러다가 점점 세뇌를 당했는지 어느덧 신혼여행지에 대해 저도 모르게 맞장구칠 정도로 발전했었는데.

'그런데 왜 베네치아에 가고 싶은 건데?'

'물의 도시. 아름답잖아.'

'아름다운 도시가 어디 베네치아뿐이야?'

'왜? 허니문으로 가고 싶은 곳 또 있어?'

'아니, 뭐. 어디든 상관없는데. 왜 하필 베네치아냐고.'

'정말 몰라?'

'무슨 소릴 하는 거야. 내가 뭘 알아?'

'⋯⋯정 궁금하면 일단 나랑 결혼해. 그래서 같이 가면 알려 준다.'

'어쭈. 이제 희한한 방법으로 영업을 하네.'

'영업 좀 당해 주면 안 되냐? 얘는 뭐 그냥 넘어오는 게 없어.'

결혼은, 애당초 유리가 이루고 싶은 인생의 목표가 아니었다. 돌아서는 자신을 그녀는 끝까지 잡지 않았다. 이제 겨우 두 달 가까이 되는 동안 그녀의 감정이 그렇게 간절해졌을 리 없다. 그 사실은 분명 절망을 안겨 주었지만, 어차피 예상했던 아픔이었다.

잘못이 있다면 제게 있다. 아직 준비가 덜 된 유리에게 너무 많은 것을 기대하고 바랐던 자신이 잘못이었다. 그녀를 놓아 버린 스스로는 이해할 수 없으면서, 자신을 잡지 않은 그녀는 그렇게 쉽게 이해해 버렸다.

이게 김정호 본인의 한계였다. 유리를 등지고 떠나온 상황에서도, 유리를 지독히 사랑하는 현실. 어떻게든 그녀에게로 흘러드는 마음은 죽어도 막지 못한다.

서로의 마음을 확인하고 잠깐이나마 행복했던 나날은 다 꿈이었던 것처럼, 그는 고백 이전보다 훨씬 더 괴로운 순간을 살아가고 있었다. 차라리 홀로 마음을 숨기고 짝사랑했을 때가 더 좋았을지도 모르겠다. 그때는 적어도 얼굴은 마음껏 볼 수 있었으니까.

베네치아에 온 후 정호는 발길이 닿는 대로 걸었다. 하하 호호 떠들며 사진을 찍는 관광객들과 다른 세상에 있는 듯, 그는 부유하는 공기처럼 그저 떠돌았다. 골목을 따라, 운하를 끼고, 다리를 건너며, 정처 없이 걸었다.

배가 고프면 아무 음식점이나 들어가 먹고, 다리가 아프면 바포레토(베네치아의 수상택시)를 탔으며, 졸리면 호텔로 돌아가 잠을 잤다.

하루 내내 산마르코 광장에 있는 카페에 앉아 있기만 한 날도 있었다. 낮에는 비둘기의 움직임을 눈으로 좇고, 밤에는 낭만이 그윽하게 깃든 연주를 들었다. 커피나 음식을 주문하고 물리면서 시간을 보냈다.

'김유리. 평소 나 한량처럼 사는 거 한심하지 않냐?'

'왜 한심해? 네가 선택한 네 인생인데. 나름의 이유가 있겠지. 나름의 고충도 있을 거고.'

헛소리할 때마다 툭하면 등짝을 때리고 타박을 하지만, 정작 중요한 부분은 절대 건드리는 법이 없던 유리였다.

'누가 누굴 가르쳐. 각자의 방식대로 최선을 다해 살아갈 텐데. 각자의 인생을 사는 법이 있는 거지.'

유리는 그렇게 말했었다. 그건 무관심이 아니었다. 유리 나름대로 상대를 존중하는, 최대한의 관심이었다. 그러니 착각했었던 것 같다. 그런 그녀라면 무엇이라도 받아 주고 이해해 줄 거라고.

하물며 그녀의 심장을 도려내고도 남을 만큼 큰 상처라고 해도, 결국에는 의연하게 웃어 줄 거라 착각했었다. 어쩌면 욕심이었는지 모른다.

탓을 하자면, 시기가 나빴다. 그저 지난 일의 매듭만 풀어내면 된다고 생각했었는데. 하필이면 외삼촌이 저질렀다는 일까지 새로이 터지는 바람에 이미 걷잡을 수 없는 소용돌이 속으로 빨려 들어갔다. 게다가 이 모든 걸 감내할 만큼 관계가 깊어진 상태는 아직 아니었고.

"어, 형!"

"오빠!"

멍하니 음악을 듣고 있을 때, 익숙한 두 얼굴이 앞에 나타나 활짝 웃었다. 이곳에서 며칠 전 만났던 한국인 커플이었다. 자신을 부르며 뻐끔거리는 입술은 놀라움으로 가득 차 있었다. 정호는 귀에서 이어폰을 빼냈다.

"너희 어떻게……."

베네치아 도착한 이튿날, 카페에 앉아 커피를 마시고 계산을 하려는데 지갑을 호텔에 두고 온 것을 알았다. 상당히 난감했었던 그때, 대신 돈을 내주고 도와준 커플이 바로 이들이었다.

"우와! 이렇게 또 만나네요!"

그날 저녁, 감사의 표시로 식사를 대접하며 이야기를 나누다 보니 한국대학교 후배인 것을 알았다. 나란히 휴학하고 여행 중이라는 그들은 싹싹하고 귀여운 커플이었다.

"뭐야. 너희 왜 다시 온 거야?"

그들은 지난주에 스위스로 이동한다고 했었기에 이곳에서 다시 만날 일은 없을 줄 알았다.

"아, 진짜 피곤하게, 애가 베네치아 가면을 못 산 게 한이 될 것 같다고 하잖아요. 그게 뭐라고. 어휴, 루트 바꿔서 겨우 돌아왔어요."

자유여행 중이라 일정이야 원하는 대로 바꿀 수 있겠지만, 한 번 거쳐 간

도시에 다시 돌아오는 건 쉽지 않은 일이었다. 베네치아의 기념품인 가면을 사기 위해 다시 왔다니, 의외의 이유였다. 작은 일처럼 보이지만, 당사자에게는 크게 느껴질 수도 있는 모양이었다. 정호가 웃으며 말을 받았다.

"살까 말까 그때도 그렇게 고민하더니, 결국 사지 않고 그냥 갔었구나."

"깨지든 말든 그냥 살 걸 그랬어요. 애가 갖고 다니기 힘들다고 하도 겁을 줘서 못 샀는데."

"그게 무슨 겁을 준 거야, 사실이니까 그렇지. 그리고 내가 못 사게 했냐? 끝까지 고민하다가 안 산다고 한 건 너였는데."

정호를 앞에 두고 두 사람은 티격태격, 가볍게 말다툼을 했다. 아마 여기까지 오는 동안에도 꽤 싸웠을 것이다. 그럼에도 불구하고 결국 여자 친구의 의견대로 베네치아에 다시 돌아오고 말았지만. 여행 중에는 그렇게 별것도 아닌 일 가지고도 격정적으로 싸우는 법이었다.

"밥은 먹었어?"

"이제 먹으려고요. 한인 민박도 겨우 자리 있어서 잡아 놓고 지금 나오는 길이에요."

"저녁 사 줄까?"

"네!"

어린 커플이 동시에 대답했다. 두 사람은 언제 싸웠냐는 듯 다정하게 손을 잡고 정호의 뒤를 따랐다.

"형은 근데 왜 안 가셨어요? 아직도 여기 계실 줄 몰랐어요."

음식을 주문하고 남학생이 먼저 물었다.

"그냥."

"베네치아에만 이렇게 오래 머무는 거 드물잖아요. 되게 신기하다."

"물귀신이 붙었나, 여기서 발이 안 떨어지네."

"그 섬은 가셨어요?"

"아직 용기가 없어 못 갔다."

"아니, 무슨 섬 구경하는 데 용기씩이나. 오빠 거기 진짜 볼 거 없어요. 무라노 섬보다는 차라리 부라노 섬이 더 아기자기하고 좋은데. 두 군데 묶어서 그냥 하루에 다 보시면 돼요."

여학생도 옆에서 헤헤, 웃으며 말했다.

"보고 싶은 거 하나 남겨 두면, 나도 너희처럼 여기에 다시 올 수 있겠지."

"한 번 온 곳을 뭣하러 다시 와요."

"너흰 왜 또 왔는데."

"그놈의 가면 때문에."

"아무리 기념품을 못 사서 다시 왔다지만, 어디 그 이유만이겠냐. 결국 너희도 여기가 아름답고 좋아서 다시 온 거겠지."

수긍하듯 두 사람이 고개를 끄덕였다.

"베네치아(Venezia)가 라틴어로 '베니 에티암(Veni Etiam)'이라는 말에서 왔대. '베니 에티암'은 '계속해서 오라'라는 의미고. 어원이야 어찌 됐든 확실한 건, 베네치아는 계속해서 오고 싶을 만큼 아름다운 곳이라는 거지."

"와! 그건 몰랐어요. 형은 어떻게 그런 걸 다 외우고 있어요? 아무리 우리 학교 선배지만 정말 대단!"

"내가 얼굴만 잘생긴 게 아니라 머리까지 좋아. 너희 겨우 이 정도로 감탄하면 안 되는…… 건데……."

정호는 천천히 말을 흐렸다. 원래 이 정도에서 등짝 스매싱이 가차 없이 들어와 줘야 하는데, 말리는 사람이 없으니 민망해졌다.

장난인지 아닌지 파악이 안 되는 두 사람이 묘한 표정으로 정호를 바라보았다. 사실인 건 알겠는데, 본인 입으로 그렇게 말하니 상당히 재수 없다는 마음일 것이다. 정호는 멋쩍게 웃었다.

"하하! 농담이야, 농담."

"아, 네에."

정상인 코스프레는 피곤하다. 모름지기 본인은 유리 앞에서 정신 줄 놓고 지내는 일상이 제일 속 편한데 말이다.

"그래서 형은 여기 베네치아에 계속 오실 거예요?"

"……계속 올 수만 있다면 좋겠다."

베네치아로 오는 비행기표를 산 건, 오로지 그녀 때문이었다. 목적지를 고를 때, 신혼여행지로 점찍어 둔 베네치아 말고는 떠오르는 게 없었으니까.

머릿속을 가득 채운 건 그때도 유리뿐이었다. 그리고 도착한 순간 바로 후회했다. 유리와 함께 오고 싶었던 곳에 혼자 서 있자, 스스로 괴로운 고통을 주고 있다는 걸 깨달았다. 이건 명백한 자해였다.

숨고 싶은 이유가 가장 컸다. 하지만 결과적으로는 제대로 숨지 못했다. 단절한 것은 오로지 전화기 하나일 뿐, 단 한 순간도 그녀에게서 자유로운 적은 없었다. 오히려 더한 외로움과 그리움이 번져 나갔다.

다만, 꼭 가려고 했던 그곳만큼은 아직 발을 딛지 못했다. 마지막 보루였다. 스스로 그저 베네치아 섬에 가두고 나아가지도, 물러서지도 못한 채 정호는 그저 머물러 있었다.

"오빠도 이서 배터리 없어서 꺼 놓으신 거예요?"

테이블 위에 올려 둔 정호의 휴대폰을 보고 여학생이 물었다. 정호는 고개를 저었다.

"아니. 배터리 풀인데."

켜 놓지도 않을 휴대폰이면서 매일 밤 충전은 완전히 해 두었다. 그리고 꼬박꼬박 가지고 다녔다.

"우왓! 여기 와이파이 잡히는데, 저희 잠깐만 검색 좀 하면 안 될까요? 얘 것도, 제 것도 지금 다 배터리가 나가서요."

"잠깐만."

정호는 잠시 망설이다가 휴대폰을 켰다. 아마 한국은 지금 새벽일 것이다. 빠르게 문자를 훑었다. 몇 개의 스팸 메시지를 제외하고는 별다른 연락 온 것이 없었다. 부모님이야 자신이 연락하기 전엔 늘 기다려 주셨고, 다른 지인들은 대부분 유리와 연관이 있는 사람들이었다.

보지 않아도 눈에 그려졌다. 아마 유리는 별일 없다는 듯 먼저 그의 행방에 대해 둘러댔을 것이다. 다른 사람들이 걱정하지 않도록, 단순히 여행을 갔을 뿐이라고 했겠지.

자신이 사라진 이유와 사실을 제대로 아는 유일한 이는 유리 한 사람이다. 걱정할 사람도 지금은 그녀 한 사람이었다. ……그러나 정작 유리의 연락은 없었다. 때때로 휴대폰을 켜 봐도 마찬가지였다.

문자는 없지만 혹시 전화라도 하진 않았을까? 받을 생각이 있는 건 아니었지만, 그래도 가끔 전원을 켰을 때 기적적으로 전화가 오면 어떨까 상상도 했었다. 전화기가 꺼져 있는 동안 부재중 통화 기록을 남겨 주는 부가서비스라도 신청할까 싶다가, 그 또한 못난 미련임을 깨닫고 포기했다. 그러니 결국 그녀가 전화했는지 안 했는지 전혀 모른다.

문자 한 통 없는 것을 보면 그녀 역시 말할 수 없이 심란한 상태일 것이다. 그녀의 성격과 절망적인 상황으로 보건대 만약 연락해 온다면 그건 진정한 '끝'이겠지. 모든 정리를 마친 후 하는 연락일 테니, 다시 친구로라도 돌아가자며 쿨하게 웃을 여자였다.

그립다는 이유만으로 연락이 기다려지면서도, 여전히 피하고 싶은 현실을 생각하면 연락이 오지 않기를 바라고 있었다. 그는 어떤 해답도 찾지 못한 채 그저 머물러 있을 뿐이었다.

베네치아 곳곳에 발을 딛고 걸어 다녀도 늘 제자리인 것처럼, 혼자인 그는 어딘가 처박혀 있는 기분이었다. 정호는 휴대폰을 건네주었다.

"자, 써. 1분에 십만 원."

"우와, 바가지다."

푸하하, 웃음을 터뜨리며 여학생이 정호의 휴대폰을 받았다.

"감사합니다!"

인사를 하고는 두 사람이 머리를 맞대고 검색을 시작했다.

"어, 오빠, 근데 이거 완충 아니고 배터리 한 칸밖에 없는데요? 금방 꺼질 것 같은데."

"그래? 충전기를 잘못 꽂았나. 암튼 뭐, 연락 올 데 없으니까 그냥 다 써. 꺼져도 괜찮아."

"네, 감사합니다!"

"나 화장실에 다녀올게."

"네!"

아직 음식이 나오려면 좀 기다려야 할 것 같았다. 정호는 자리에서 일어섰다.

서울.

한번 눈물이 터진 후로, 유리는 밤마다 울었다. 아무것이나 붙잡고 원망을 쏟아 내고 싶었다. 물론 원망의 대상은 그가 아니었다. 정호를 미워할 이유는 전혀 없었다.

그가 때때로 약한 모습을 보이는 건 자신을 사랑해서다. 자신을 사랑하는 마음은 더없이 깊고 굳건하였다. 왜 그걸 모를까? 유리는 충분히 알고 있었다.

어쩌면 그는 약한 사람이 아닌지 모른다. 그 오랜 시간 동안 변함없이, 흔들림 없이, 김유리 자신 하나만을 바라보았다는데, 세상에 그보다 더 강인한 남자가 어디 있을까?

자신이 하고 싶은 일을 하도록 놓아주고 떠난 정호에 대한 미안함, 믿기지 않는 이별 앞에 닥친 슬픔, 행복했던 순간으로 영영 돌아갈 수 없겠다는 두려움. 그리고…… 헤어지는 것만이 방법은 아닐 수도 있을 텐데 하는 미련.

그 모든 감정보다도 이 순간 그녀를 가장 뒤흔드는 것은, 그리움이었다. 시간이 갈수록 정호가 했던 말들만 귓가에 맴돌았다. 겨우 하루 못 봤을 뿐인데도, 죽을 만큼 보고 싶다고 했던 사람이었다. 이렇게 연락까지 딱 끊고 떠나 버리는 독한 남자일 줄 몰랐다.

'보고 싶어서 난 숨이 끊어질 지경이야. 지금 딱 죽을 것 같다.'

지금은 자신이 그랬다. 매일 밤 숨이 끊어지고 죽을 것처럼 그가 보고 싶었다. 이별이 이런 건가. 이렇게 허무하고 쓰린 건가. 손에 잡히지 않는 그리움이 점점 더 자신을 잠식했다. 밤새 울어 부은 눈을 가리고자 안 쓰던 안경까지 꺼내 쓰고 다니기까지 했다.

정호는 어디 있을까? 대체 무얼 할까? 잠은 잘까? 밥은 먹을까? 어느 하늘 아래 있을까? 한 번만, 딱 한 번만 목소리를 듣고 싶었다. 깊은 밤, 울다 지쳐 정호에게 전화한 것만 해도 지금 이 순간까지 합치면 열 번은 될 것이다.

지금, 유리는 그에게 전화하고 있었다. 밤이면 눈물을 쏟아 내다가 습관적으로 걸게 되는 전화였다. 그런 그녀가 갑자기 벌떡 일어나 앉았다. 평소와 다르게 전화가 꺼져 있다는 멘트 대신, 통화 연결 신호음이 들리기 시작했기 때문이었다. 심장이 쿵쾅거렸다.

막상 정호의 목소리를 들으면 뭐라 해야 할지 아직 머릿속이 정리되지 않은 상태였다.

어디냐고, 잘 있냐고. 우선 그것만이라도, 물어볼 수만 있다면 좋겠다. 언제 돌아오느냐고. 일단 얼굴을 보고 이야기 좀 하자고. 그래, 그런 말도 할 수 있으면 좋겠다.

유리는 눈을 질끈 감은 채 신호에 귀 기울였다.

아니, 아니다. 여보세요, 그 한마디라도 들었으면 좋겠다. 혹시나 차가운 목소리로 왜 전화했냐고 묻더라도, 한 마디만, 딱 한 마디만 들을 수 있다면, 그럼 정말 좋을 텐데.

그러나 신호는 야속하게 한참 동안 울리기만 할 뿐, 결국 그의 목소리를 들려주지 않았다. 마음이 초조해졌다.

신호가 그냥 가는 것을 보면 한국이겠지. 아니, 확신할 수 없다. 외국일지도 모른다. 로밍 안내 멘트를 해지해 두면, 해외인지 아닌지 통화 연결 신호만으로 쉽게 파악할 수 없다고 했다.

다시 전화를 걸었다. 이내 휴대폰을 쥔 손이 덜덜덜 떨리기 시작했다. 이어지는 신호 한 음, 한 음이 자신의 심장을 쥐어짜는 듯했다.

"제발. 정호야, 제발 좀 받아."

그리고 그때.

-여보세요. 이 전화는 성호 오…….

낯선 여자의 목소리가 들렸다. 이런 건 잔뜩 헝클어진 머릿속에도 없었다. 숨 쉴 틈도 없이, 울어서 가라앉은 목소리가 튀어나왔다. 유리는 그녀의 말을 가로막고 바로 물었다.

"김정호 지금 어디 있어요?"

-네, 정호 오빠요.

그를 '오빠'로 부를 만한 발랄한 목소리는 정호 주변에 없다. 적어도 유리가 아는 한은 그랬다.

-여기가 베……. 어! 오빠 지금 저기 오는데 바꿔 드릴…….

그때, 툭. 전화가 끊겼다. 믿기지 않는다는 듯 유리가 황당한 표정으로 휴대폰을 귀에서 뗐다. 액정을 보니 통화 종료 화면이 떠 있었다. 내가 지금 꿈을 꾸는 건가. 유리는 다시 떨리는 손으로 전화를 걸었다.

-지금은 전화기가 꺼져 있어…….

짧은 숨을 탁 내뱉었다. 눈물이 쑥 들어갔다. 이게 무슨 상황인가. 정호가 다른 여자와 만난다는 건 어차피 말도 되지 않는 일이다. 그럴 상황이 아니고, 그럴 사람도 아니니 의심을 하는 것은 아니다. 아니, 설령 사실이라고 해도 정호 입장에서는 잘못하는 일도 아니다.

헤어지는 것에 서로 동의를 했으니까, 이별의 상태에서 그는 누구와도 만날 수 있는 자유가 있다. '의심'이라는 단어 자체가 애당초 잘못된 것이다. 유리는 그저 멍하니 벽을 바라보았다. 점점 생각이 하나로 모였다. 울어야 할 이유는 없다.

대체 왜. 우리가 왜. 사랑하는데, 왜.

"내가 왜 울어. 우리가 왜 헤어져."

대답 없는 휴대폰을 향해 낮게 읊조렸다.

"헤어지긴. 누구 마음대로."

서로를 아프게 한 상황도, 마주 보고 하나씩 풀어 나가면 가능성이 있을지 모른다. 없어도, 있게 할 것이다. 해 보지도 않고 무너질 수는 없었다. 더욱이 정호의 옆자리는 누구에게도 내어 줄 생각이 없었다. 그러니 이런 숨바꼭질은 마음에 들지 않았다. 울컥 치솟는 감정을 이제 누르고 싶지도 않았다.

"이 토깽이 새끼, 대체 어디 있는 거야. 정호 이 쉬키. 잡으면 ……죽여 버릴 거야."

그때 베네치아.

"아아. 끊어졌다."

여학생이 난처한 표정을 지으며 정호에게 휴대폰을 내밀었다.

"전화가 왔었어?"

"네. 오빠 오실 때까지 안 받으려고 했는데, 계속 와서요. 한국은 지금 새벽이잖아요. 이 시간에 전화하시는 건 급한 일 아닌가 해서. 어떻게 해요? 다시 해 보셔야 하는 거 아니에요?"

"누구였는데?"

"을유리? 우리나라에 을씨도 있어요?"

휴대폰에 저장해 둔 그 이름을 여학생이 언급하는 순간 정호는 가슴이 내려앉았다.

"……뭐래?"

"'김정호 어디 있어요?'라고 물어보셨는데 대답을 제대로 못 했어요. 오빠 바꿔 드리려고 했는데, 배터리가 다 돼서 꺼졌어요."

"베네치아라고 말했어?"

"어? 아니요. 대답 다 하기도 전에 끊어져서."

다행이다. 혼자 베네치아에 온 것을 알면 유리가 어떻게 반응을 할지 감이 잡히지 않았다. 차라리 말하지 않는 게 더 나을 것이다. 그때 주문했던

156

음식이 나왔다.

"전화는 내가 나중에 다시 하면 돼. 일단 먹자."

한편, 자정이 훌쩍 넘은 시간이었다.

"이슬이 주세요, 제가 업을게요."

"그냥 좀 가죠."

은강은 잠이 든 이슬을 등에 업고, 옆을 돌아보지도 않은 채 묵묵히 걸었다. 송화는 안절부절못하며 따라 걸었다. 여름에 접어드는 날이지만 밤공기가 아직 후덥지근할 정도는 아니었다.

식당 아르바이트가 자정을 기해 끝나곤 했기에 귀가는 언제나 늦었다. 덕분에 어린 이슬마저 고생이었다. 송화는 어서 빨리 다른 일자리를 구해야할 텐데, 하고 걱정을 했다. 하지만 여의치 않았다.

"문 열어요."

집 앞에 도착했다.

"그냥 저 주세요."

"애 깨요. 문이나 열어요."

"……."

송화가 머뭇거리자 은강이 조금 부드러워진 음성으로 말했다.

"허튼짓 안 해요. 이슬이만 눕혀 주고 나올게요."

송화는 조금 망설이다가 허름한 다세대 주택의 1층에 난 쪽문을 열쇠로 열었다. 좁디좁은 집에는 방 하나에 부엌, 화장실이 전부였다. 초라한 방이지만 두 모녀가 편히 쉴 수 있는, 세상 유일한 공간이었다.

방으로 들어가 서둘러 한쪽에 이불을 펼쳤다. 은강이 이슬을 내려놓는 동안, 송화는 급히 빨래 건조대에 널어 둔 속옷 위에 수건을 얹어 가렸다. 그 모습을 모른 척하며 은강은 일어섰다.

"그럼 가 볼게요."

그저 어두운 골목길에 밤늦게 다니는 것이 걱정되었을 뿐, 뭔가를 바란 적은 없었다. 모녀가 집으로 가는 짧은 거리를 함께 걸어 주는 것 외에 자신이 해 줄 수 있는 것도 딱히 없었다.

어떤 이야기가 오갔는지, 어떤 일이 진행되고 있는지, 유리와 송화에게 직접 듣지는 못했다. 다만 아직 자신에게 전해지지 않은 이야기라면 몇 가지 추측은 할 수 있었다. 무엇을 생각해도 다 힘든 상황이기는 했다.

은강은 먼저 묻지 않았다. 앞으로도 그럴 생각이었다. 송화가 처한 상황이 무엇이든, 그는 상관없었다.

"은강 씨."

방에서 나와 신발을 신으려는데 송화가 불렀다.

"차라도 한잔…… 드릴까요?"

매우 조심스럽게 자신을 붙드는 그 목소리에 은강이 돌아보았다. 미안함이 잔뜩 서린 그녀의 얼굴. 이조차 못하게 하면 그녀의 마음은 불편할 것이다. 은강은 기다렸다는 듯 고개를 끄덕였다.

"네. 주세요."

이슬의 옆에 자리 잡고 앉자, 송화가 물을 끓이고 분주한 움직임으로 차를 찾았다.

"아아. 차가 여기 어디 있었는데……."

은강은 천천히 시선을 돌려 방을 둘러보았다. 한쪽에 있는 책장 가득 이슬이 보는 책들이 꽂혀 있었다. 그 외에 작은 옷장 말고는 별다른 살림이랄

게 없었다. 깔끔하고 단정한 방이었다.

"밤이라 커피는……좀 그렇겠죠?"

결국 차를 못 찾은 모양이었다.

"괜찮습니다. 커피 주세요."

송화가 내온 커피는 진한 믹스 커피였다. 쟁반을 내려놓으면서도 못내 민망해하는 얼굴을 보니 조금 웃음이 나왔다. 엷은 미소를 띤 은강의 얼굴을 송화가 멍하니 바라보았다. 은강은 머그잔을 들고 커피를 한 모금 마셨다.

"맛있는 커피 만드시는 분께…… 이렇게 엉망인 커피를 대접해 드려서 어쩌죠."

송화가 하는 말에 긍정도, 부정도 하지 않고 은강은 조용히 커피를 마셨다. 쌕쌕거리며 잠든 이슬의 숨소리만 방 안에 가득했다. 차를 준다는 말은 거절하기가 힘들었다. 송화의 얼굴을 잠깐이라도 더 볼 수 있다는 사실만으로도 좋았기 때문이었다.

그러나 자신이 얼른 돌아가야 이 여자가 유일한 휴식처인 제 방에서 다리를 쭉 펴고 쉴 수 있을 것이다. 은강은 조용히 후후 불어 가며 뜨거운 커피를 마셨다.

"그럼, 가 보겠습니다."

제법 빨리 컵을 내려놓고 일어섰다. 송화가 인사를 하기 위해 따라 나왔다. 문 앞에 서서 고개를 꾸벅 숙이는 그녀에게 은강이 물었다.

"송화 씨, 다음 주에 쉬는 날 언제예요?"

"네?"

"정해지면 얘기해 줘요. 저도 그날 맞출 테니, 이슬이 데리고 같이 바람 쐬러 가요."

"바람이요?"

"이슬이가 놀이공원 가고 싶다던데."

"아……."

송화는 이슬을 데리고 놀이공원에 가 본 적이 한 번도 없었다. 작년까지는 아프신 어머니로 인해 정신이 없었으니, 그녀는 줄곧 육아와 병간호로 20대 시절의 대부분을 보낸 셈이었다.

"이슬이는 제가 나중에 데려갈게요."

"저도 가고 싶은데요. 이번에 같이 데려가시죠."

"네?"

그가 딱 부러지게 하는 말에 송화는 말을 잃은 듯 입을 다물었다.

"아까 주신 커피…… 정말 맛있었습니다."

은강이 생략했던 대답을 이제야 해 주었다.

"다음에 또, 타 주세요."

"……."

"그럼 쉬세요."

송화는 문 앞에 선 채, 인사를 하고 돌아서는 은강의 뒷모습을 하염없이 쳐다보았다. 그때 은강이 뒤를 돌아보았다. 오도카니 서서 바라보던 송화는 그와 눈이 마주치고는 얼른 시선을 떨어뜨렸다.

"들어가요. 들어가는 거 보고 갈게요."

송화가 들어가 문을 닫을 때까지 움직이지 않을 모양이었다. 송화는 은강이 멈추어 선 것을 보고는 천천히 집으로 들어갔다. 차갑고 끔찍한 세상에서, 안전하고 아늑한 제 공간으로 이르는 길. 이토록 든든한 힘이 느껴진 적은 없었다. 가슴이 벅차올랐다. 하지만 그의 친절과 관심, 배려가 마냥 좋다고 할 수는 없었다.

'엄마. 나 카페 오빠 진짜. 진짜 좋아. 엄마도 좋지?'

속눈썹을 길게 드리운 이슬의 목소리를 떠올렸다. 딸아이의 잠든 얼굴을 부드럽게 쓰다듬었다.

"아니."

소리를 낮추어 대답했다.

"엄마는 안 돼."

눈물 같은 음성.

"엄마는 그 사람을 좋아하면 안 돼."

제 처지를 상기하며 송화는 끓는 마음을 애써 잠재웠다.

이탈리아 베네치아.

정호는 다음 날 오전에 그들과 다시 만났다. 두 사람이 가면을 고르는 걸 지켜보자니 웃음이 났다. 여학생은 마음 같아서는 크고 화려한 가면을 사고 싶어 했지만, 역시 그건 무리였다. 결국 남은 여행 기간 가지고 다니기 적당한 수준의 가면을 선택해서 샀다.

드디어 가면을 산 그들을 데리고 리알토 다리로 갔다. 이곳에서 두 번이나 만난 것도 인연이기에, 정호는 그들에게 선물을 주기로 했다. 배낭여행을 하는 학생 커플로서는 가격이 부담되는 곤돌라를 태워 주는 것이 그가 생각한 선물이었다.

"와아. 진짜, 대애박. 정말 저희 타도 돼요?"

정호는 사공에게 줄 팁까지 남학생의 주머니에 넣어 주며 웃었다.

"그래. 오늘 다시 떠나지?"

"네, 다시 스위스로 가요. 여행 다 마치고 한국에 가면 연락드릴게요. 형은 언제 가세요?"

"글쎄다."

정해 놓은 건 아무것도 없었다.

"정말 감사했어요."

"고마운 건 나지. 그날 너희 안 만났으면 나 거기 잡혀서 죽어라고 설거지 했을 거야."

그 시간, 같은 공간에 있었던 우연은 인연이 되어 새로운 추억을 안겨 주었다. 정호는 이들이 진심으로 고마웠다. 그리고 여기서 아쉬운 작별의 인사를 나누었다. 귀여운 학생 커플은 손을 흔들며 곤돌라에 올랐다. 그들이 탄 곤돌라가 점점 멀어지는 것을 다리 위에서 지켜보았다.

햇빛을 머금은 물이 반짝거렸다. 정호는 선글라스를 꺼내 꼈다. 그리곤 바지 주머니에 손을 찌른 채 베네치아 운하와 건물이 한눈에 보이는 다리 위에서 잠시 서 있었다.

밀려드는 관광객들 사이에 선 그의 시간만 뚝 멎은 듯했다. 오늘은 무얼할까. 태양은 여지없이 뜨거웠고, 하늘은 푸르렀다. 미친 척 전화해서, 보고 싶다고 목 놓아 울어 버릴까. 그래, 오늘은 고민이나 해야겠다. 정호는 터벅 터벅 걸음을 옮겼다.

서울.

여전히 전화기는 꺼져 있었고, 정호가 어디로 사라졌는지 아직도 알 수 없다.

"후아아. 미치겠네."

얼굴을 보고 대화를 해야 할 것 같은데, 문자를 남기려니 유리의 머릿속은 더 복잡해졌다.

[아무 걱정하지 말고 집으로 돌아오거라.]

유리는 가출 청소년에게 보낼 법한 메시지를 작성하다가 이내 글자를 지워 버렸다.

"아아. 정말 못 해 먹겠네."

어디서부터 어디까지 얘기를 해야 할지도 모르겠다. 송화의 대리인 자격으로 현재 이편웅을 성추행 혐의로 고소한 시점에서, 정호에게 보고 싶다느니, 어서 돌아오라느니, 그런 문자나 남기려고 하는 자신에게 환멸감까지 들었다.

"정호야…… 나는 어떻게 해야 하는 걸까."

후우우우.

사무실 안은 유리가 내뱉은 한숨으로 가득 찼다. 이편웅 쪽은 불안할 정도로 조용했다. 자신도 모르는 사이에 이 일은 없었던 것처럼 묻힐 수도 있다. 뒤에서 움직이는 세력이 있을 것이다.

'그렇게 만들지 않을 거야. ……보고만 있지 않을 거라고. 외가에서. ……못 하게 할 거야. 네 생각대로 되게 하지 않을 거야. 현실이 그래. 차라리 하지 마.'

정호가 무엇을 말하는지 잘 알았다. 이런 빌어먹을 세상에 정면으로 맞선 건 자신이었지만, 제대로 싸워 보지도 못하고 다시 한번 주저앉을 수도 있다. 현실이 그랬다. 모르는 것이 아니지만 그걸 인정해 버릴 수도 없다. 사랑 하나만 생각하기에 너무도 복잡한 상황이었다.

그런데 지금 이 순간, 유리의 가슴속은 사랑, 단 하나만으로 뜨겁게 끓어올랐다. 두 사람은 지금 절대 만날 수 없는 평행선에 올라서 있다. 그 선을 만나게 하려니 문제였다. 그러니 헤어질 수밖에 없었다.

유리는 제가 품은 사랑을 천천히 돌아보았다. 꼭 선이 닿지 않아도 되는 것 아닐까. 평행선의 간격만 좁힐 수 있다면, 그에게 손을 뻗을 것이다. 그의 손을 잡을 것이다. 나란히 발맞추어 걸을 것이다. 입술을 내밀면 닿을 만한 거리에서 때로는 입을 맞추며 쉬어 갈 것이다.

제 선에서 내려 상대방의 선에 올라도 되고, 때로는 업어 주고, 때로는 안아 주며, 그렇게 한 발 한 발 나아가면 된다. 서로의 선을 인정한다면, 평행선도 나쁠 이유는 없다. 반드시 자신의 방식을 서로에게 고집하고 요구할 필요는 없었다.

바꿀 수 없다고 좌절했었던가. 왜 꼭 바꿔야만 하나. 그러지 않아도 된다. 그녀의 사랑은 그랬다. 그것이 유리의 결론이었다. 이렇게 훌쩍 떠나 버린 정호도 어쩌면 결국 자신과 헤어질 수 없다는 마음으로 결론을 내리고 돌아올지 모르는 일이다. 그럼 두 사람의 진짜 시작은 그때부터겠지.

성급한 이별은 미완성이다. 차분히 기다려야지. 어떤 말이든 차분히 들어줘야지. 어떤 방법이든 차분히 같이…….

"헐! 누나! 정호 형님, 베네치아 가신 거예요?"

찾아야 할 건데…….

"뭐? 어디? 베네치아?"

열린 사무실 문틈 사이로 고개를 쏙 내민 준을 보고 유리가 벌떡 일어섰다.

"네! 이거 정호 형님 사진 같은데, 와서 좀 보세요."

손님이 뜸한 시간에 준이 바 안쪽에서 노트북을 쓰다가 달려온 모양이었다. 유리는 재빨리 그를 따라 나갔다. 마미와 은강이 준의 노트북 화면을 들여다보고 있었다.

"맞네, 정호. 얘 이렇게 멀리까지 갔었니? 무슨 바람을 이렇게 스케일 크게 쐬니, 얘는. 유리야, 어서 좀 봐 봐."

마미가 갸웃거리며 유리에게 손짓했다. 그녀는 떨리는 마음으로 노트북 앞에 가서 앉았다. 준이 클릭해 놓은 사진은 누군가의 SNS에 올라온 것이었다.

베네치아의 가면을 들고 웃고 있는 여자의 뒤편으로, 기념품을 내려다보고 있는 한 남자가 보였다. 기럭지며, 삐딱하게 선 자세며, 오뚝하니 날카로운 콧날까지, 정호의 옆모습이 확실했다.

"제 친구의 동아리 친구의 과 후배가 지금 유럽 여행 중이거든요. 애 계정에 어쩌다 흘러들어서 봤는데, 와, 진짜 깜놀. 정호 형님 왜 생뚱맞게 혼자 유럽에 가 있어요?"

가볍게 바람을 쐬러 갔다고 했었다. 그런데 베네치아라니. 아니, 무슨 베네치아가 옆 동네라도 되냔 말이다. 유리는 휴대폰을 꺼내 다시 정호에게 전화를 걸었다. 물론 전화기는 꺼져 있었다.

"아아, 이 자식이 진짜, 내 인내심 테스트하네."

그가 마음을 정리해 돌아올 때까지 차분하게 기다리겠다고 생각한 지 3분도 지나지 않았다. 유리는 흐릿하나마 정호의 모습이 담긴 사진을 본 순간 이성을 잃을 지경이었다.

마미가 팔짱을 탁 끼고 유리를 내려다보았다. 그런 줄 알았다는 듯 한쪽 입꼬리를 올리며 말했다.

"아니라고 딱 잡아떼더니, 싸운 게 맞구만. 그러게 왜 정호를 괴롭혀, 괴롭히길. 애가 얼마나 힘들면 저 멀리까지 도망을 갔냐?"

"머리 복잡한데, 엄마는 아무것도 모르면서!"

마미는 울컥 내뱉는 유리의 등짝을 손바닥으로 철썩 내려쳤다.

"엄마가 모르면 네가 알려 줘야 할 것 아니야. 이년이 비싼 밥 먹고 어디 엄마한테 짜증이야."

유리가 고개를 푹 숙이곤 두 손을 올려 얼굴을 가렸다. 얼마 지나지 않아 어깨가 가늘게 떨리기 시작했다. 그녀의 반응에 놀란 준과 은강은 얼음처럼 굳어 버렸다. 마미의 표정도 심각하게 변했다.

“엄마……..”

울음 섞인 목소리가 유리에게서 흘러나왔다.

“나 좀 실컷 때려 줘.”

짙은 회한이 담긴 그녀의 말은 모든 상황을 설명해 주고 있었다. 마미가 목소리를 가라앉히고 말했다.

“……나한테 맞을 시간 있으면 가서 정호나 찾아와. 여기서 울고 자빠져 있으면 걔가 알아나 주니?”

그리고 준을 향해 돌아보았다.

“네 친구의 동아리 친구의 과 후배라는 애 연락처 받아서 전화 좀 해 봐, 준아. 사진에 찍혔으면 혹시 알 수도 있잖아. 같은 한국인이면서, 저렇게 빼어난 미모는 기억이 안 나려야 안 날 수가 없을 테니까. 뭐 아는 거 있으면 다 얘기해 달라고, 어서 물어봐.”

“아아, 네! 그럴게요!”

“그런데 친구의 친구의 후배면 결국 모르는 사람 아니니?”

“우리는 곧 세계고, 세상은 하나죠! 위 아 더 월드!”

준이 활짝 웃으며 휴대폰을 들고 준비실로 들어갔다. 그사이 은강은 따뜻한 허브티를 가져와 유리의 앞에 조용히 내려놓았다. 유리는 눈물을 훔치며 마미를 올려다보았다.

“엄마, 내가……..”

“잔소리 말고 일단 잡아.”

“……..”

“잡고 생각해. 나른 게 뭐가 중요해? 너희 둘, 사랑한다면서.”

마미는 다시 팔짱을 탁 끼었다.

“정호 이놈 오기만 해, 내 딸 눈에서 눈물 뺀 벌은 앞으로 두고두고 받게 할 거야.”

벼르는 말투에는 한껏 애정이 깃들어 있었다.

"그러니까, 베네치아에 쭉 있었다는 거지? 이 호텔에……."

통화를 끝낸 준과 이야기를 나누며, 유리는 호텔 이름이 적힌 메모지에 연신 동그라미를 쳤다. 사진 속에 있던 준의 후배는 같은 과 남자 친구와 함께 여행하던 중에 베네치아에서 정호를 만났다고 했다. 우연히 사진 속에 찍힌 행인이 아니라, 나름 깊은 인연이 있는 사이라 더욱 다행이었다.

그녀를 통해 정호의 이야기를 자세히 들을 수 있었다. 그러니 어제 대신 전화를 받은 여자도, 바로 그 여학생인 모양이었다.

"하필 베네치아에 이렇게 오래 계시냐고 물어도, 딱히 대답은 제대로 안 해 주더래요. 여행하면서 본 사람 중에 제일 특이했다고. 본인 잘생기고 머리 좋다는 얘길 너무 스스럼없이 해서 깜짝 놀랐다는데. 아니, 정호 형님은 창피하게 아무나 붙잡고 그런 얘길 하시면 어쩝답니까."

"잘생겨서 잘생겼다고 하고, 머리 좋아서 좋다고 하는 걸, 왜, 뭐가 잘못됐어?"

유리가 태연히 대꾸하는 말에 준이 고개를 절레절레 흔들었다.

"아니, 아니요. 잘못된 거 없습니다."

"그런 얘기 말고, 언제까지 있겠다는 말은 없어? 서울에 언제 온대?"

"네. 이러다 눌러살겠다 싶을 정도로 베네치아에 푹 퍼져 계시다는데요. 일정은 모르겠대요. 얘네는 아까 베네치아에서 나왔다고 하구요."

"아, 조금만 일찍 알았으면 좋았을걸."

"그러게요. 근데 정호 형님이 밥도 사 주시고, 곤돌라 비용도 내주셨대요."

정호가 어떤 마음으로 베네치아까지 갔는지 유리는 가늠할 수 없었다. 그가 신혼여행으로 가고 싶다고 누차 말했던 도시였다. 지금 그는 그곳에서 우연히 만난 한국인 커플에게 인정이나 베풀고 있었다.

"아, 맞다. 무라노 섬? 모라노 섬? 거기에 가고 싶다고 했다는데, 걔네가 돌아왔을 때까지 정작 거긴 안 가고 있었다고 하더라고요. 보고 싶은 걸 남겨 놔야 또 오게 될 거라고 했다나."

"무라노(Murano) 섬……?"

순간 유리는 무언가 얻어맞은 기분을 느꼈다. 잊고 있었다. 베네치아는 정호가 가고 싶어 하던 곳이 아니었다. 그가 아니라, 유리가 가고 싶다고 말했던 도시였다. 무라노 섬의 특산품 역시, 그녀 자신이 갖고 싶다고 했던 것이고.

모든 것이 신기하게만 느껴졌던 여고생 때의 바람이라, 나이가 들고 살아가면서 자연스레 잊고 있던 로망이었다. 사랑을 두려워하기 전, 독신을 꿈꾸기 전, 막연히 품었던 사랑과 결혼에 대한 이상. 그건 벌써 십수 년이나 된 이야기였다.

'베네치아. 여기로 신혼여행 가면 되게 좋겠다. 곤돌라도 타고. 손잡고 종일 걸어 다니면 엄청 행복할 거야.'

'뭐야. 무슨 신혼여행이 그렇게 시시하냐? 보니까 결혼하면 허니문은 다들 럭셔리한 리조트 같은 곳으로 가던데.'

'왜? 낭만적이잖아. 나중에 결혼하면 너나 럭셔리한 리조트 가라. 나는 베네치아 갈 거니까. 그리고 여기 가는 것도 돈 많이 들거든?'

'그래. 어차피 돈 많이 들 거. 좀 더 허니문다운 곳으로 가면 좋잖아.'

'아, 맞아. 베네치아 주변에 무라노 섬이라고 있어. 거기서 유리로 만든 반지 선물받으면 그 허니문이 얼마나 의미 있고 좋겠냐.'

'김유리. 설마 네 이름이 유리라서, 유리 공예가 유명한 무라노 섬 가고 싶다는, 그런 유치한 발상은 아니겠지?'

'왜 아니야? 원래 사랑은 유치한 거랬어. 유치함을 무릅쓰고. 유리처럼 투명하고 맑고 아름다운 너를 영원히 사랑해. 이러면서 유리 반지를 딱! 끼워 주면, 크흐, 너무 멋있지 않겠냐?'

유리의 기억이 온전히 되살아났다. 이제야 모든 것이 명확해졌다. 그가 왜 그렇게 멀리까지 가 있는지, 뿌연 안개가 걷히는 기분이었다. 유리는 손으로 제 이마를 짚었다.

"아아. 김정호……. 널 어쩌니."

그가 그곳에 있다. 자신조차 잊은 말들을 가슴에 품고 그곳에 홀로 있다. 인연의 끈을 완전히 놓아 버린 줄 알았던 그가, 자신을 꽉 붙잡고 있었다.

"……가야겠다."

"네? 지금요?"

준이 어안이 벙벙한 얼굴로 유리를 보며 물었다. 마미가 아무리 일단 잡으라고 했지만, 그건 정호가 한국으로 돌아왔을 때의 이야기가 아니었을까. 아무렴 지금 당장일까.

"베네치아에 가신다는 거예요, 지금?"

카페는 어쩌고, 상담은 어쩌고, 재판은 다 어쩔 것인지.

"응. 정호 잡아서 바로 올 거야. 오늘 금요일이잖아. 일요일까지만 돌아오면 스케줄에 아무 문제 없어."

"가는 데 열 몇 시간, 오는 데 열 몇 시간. 그런데 거기까지 가서 겨우 하루 있다가 바로 오겠다고요?"

유리는 대충 대답을 하면서 여권을 가지러 집에 들르기 위해 서둘러 가방을 챙겼다. 평소의 자신이라면 꿈도 꾸지 못할 행동이었다.

"헐. 두 분 글로벌 술래잡기 진짜 대박이다. 근데 정호 형님 전화 안 받으시니까 그냥 음성 남기면 되잖아요. 이거 들으면 빨리 한국 오라고."

유리가 고개를 들었다. 확신에 찬 어조로 말했다.

"김정호, 절대로 휴대폰 안 켤 거야. 그러니까 음성을 남겨도 듣지 않을 테고. 잡으러 가는 수밖에 없어."

"네?"

"그 후배분이 전화 받았으니, 나한테 전화 온 걸 알았잖아. 그래서 정호는 더더욱 휴대폰 전원을 안 켤 거라고."

건드리면 더욱 깊이 숨어 버리는 갯벌의 피조개도 아니고. 하지만 누구보다도 정호에 대해 잘 아는 유리였다. 확신에 찬 어조로 말하면서 그녀는 자신이 직접 움직여야 한다고 판단했다.

"거기서 자기 마음 정리될 때까지 얼마나 더 숨어 있을지 장담 못 해. 지금 가서 얼굴 보고 잡아 와야 해. 솔직히, 보름 있었으면 된 거 아니야? 더 어떻게 기다려. 나는 이제 잠깐도 못 기다려."

마음이 통했다고 해서 쉽게 해결될 문제들이 아니었다. 기저에 깔린 불안감은 절대 외면할 수 없으리라. 풀어야 할 일도 많고. 그러니 말로 돌아오라, 돌아오라, 할수록 정호는 반대편으로 가 버릴 것이다.

"다녀오겠습니다!"

카페 식구들의 배웅을 받으며 유리는 급히 나갔다. 정호가 베네치아에 있다는 사실을 알게 되자마자 그녀는 그렇게 앞뒤 가리지 않고 바로 떠났다.

마미는 딸이 탄 택시가 멀어지는 모습을 바라보았다. 엄마는 아무것도 모른다며, 유리답지 않게 어깨를 떨면서 울던 장면이 생생했다. 둘 사이에 어떤 일이 있었는지 걱정이 되긴 하지만, 저렇게 한달음에 달려가는 것을 보면 별일 아니겠지. 마미는 팔짱을 끼고 미소 지었다.

"뭐, 아무렴 어때. 잡아 온다니 좋긴 좋다."

14. 돌아왔어

출국 수속을 마치고 비행기에 오른 후 유리는 다시 한번 전화를 걸었다. 꺼져 있다고 안내하는 기계음이 이제는 지겨울 정도였다.

"매정한 토깽이놈."

중얼거린 그녀는 눈을 가늘게 뜨고 휴대폰 화면을 노려보았다. 음성이나 남길까 하고 다시 전화기를 드는데, 지나가던 승무원이 웃으며 말했다.

"곧 이륙하니 휴대폰은 꺼 주시기 바랍니다."

대답하고 전원을 끄기 전, 유리는 아주 잠깐 망설이다가 빠르게 문자를 남겼다.

[기다려. 내가 지금 갈게.]

전송 버튼을 눌렀다. 동시에 심장이 더욱 세게 뛰기 시작했다. 파리를 경유해 베네치아 마르코폴로 공항에 도착하는 대로 정호가 묵는다는 호텔부터 찾아갈 예정이었다. 그렇게 잠시 후면 그와 만나게 되는 것이다. 유리는 휴대폰을 길게 눌러 전원을 끄고, 비행기 의자에 몸을 기댔다.

비행기표 아깝게 유럽까지 가서 왜 베네치아 한곳에만 있냐면서, 이왕 가는 거 여러 도시를 돌아 본전을 뽑아야 한다고도 했던 유리였다. 하지만 지금은 오로지 정호를 만날 목적만으로 비행기에 올랐다. 사실 티켓 결제를 할 때는 손이 좀 떨리긴 했지만, 정호와의 재회를 생각한다면 전혀 아깝지 않은 돈이었다.

유리는 조그만 창밖을 물끄러미 바라보았다. 비행기가 움직였다. 그의 곁으로 가기 위한 날갯짓을 시작하였다.

일식집 밀실.

이편웅의 까칠한 목소리가 실내를 채웠다.

"일단, 자리를 좀 만들어 봐."

"채송화 씨 말입니까?"

"뭘 물어. 내가 지금 채 비서 말고 골치 아픈 일이 또 어디 있다고."

태경병원 의료 재단 홍보실의 박 실장은 난감한 표정을 능숙하게 감추며 빈 술잔에 술을 따랐다.

"은혜도 모르는 년."

채 비서를 비난하는 소리에 박 실장은 조그맣게 한숨을 내쉬었다. 성추행 혐의로 고소를 당해 경찰서에 다녀온 후로 이편웅은 줄곧 저기압이었다.

"내가 어디 공짜로 그래? 박 실장도 알지 않나. 나 양심적인 거. 채 비서가 편하게 회사 생활 하도록 얼마나 배려해 줬는데. 채 비서가 좀 더 나긋나긋하게 굴기만 했어도, 뭐 하나 챙겨 줄 생각이 있었다고."

"그렇죠. 저도 놀랐습니다. 순둥이 같은 채 비서가 고소까지 할 줄이야."

박 실장도 별수 없었다. 이편웅의 기분에 맞춰 줘야 하는 수밖에는. 다만 그는 그동안 이런 식의 불미스러운 일들을 뒤에서 해결하느라 진이 빠져 있었다. 스트레스성 위염이 도져 음식도 제대로 먹지 못하는 나날들이었다.

　"갑자기 그만둔다고 할 때 월급이나 올려 주고 계속 옆에 붙여 둘 것을, 앞으로는 회사 밖에서 좀 편하게 볼까 싶어서 기껏 사표 수리해 줬더니."

　"이사장님께서 채 비서에 대한 배려가…… 깊으셨는데 말입니다."

　"뒤에서 그 꿍꿍이를 품고 있었을 줄 누가 알았겠나! 변호사까지 동원해서 감히 고소해?"

　열이 치밀어 오르는지 이편웅은 술잔을 들어 입 안으로 털어 넘겼다. 박 실장은 다시 그의 잔을 채워 주었다.

　"애 딸린 미혼모한테 자상하게 대해 주면 감사한 줄을 알아야지. 잠깐 놀려고 생각했으면 그랬겠나. 내가 어디 돈이 없어, 여자가 없어. 내 궁한 게 어디 있다고 채 비서한테 뭐, 성추행? 성추행이라니. 주제도 모르고 날뛰는 것 같으니라고."

　이편웅의 뻔뻔한 하소연을 듣자니 박 실장은 신물이 올라오는 것 같았다.

　"얌전히 있어 봐. 내가 애 유학 보내 줘, 자기 살길 마련해 줘, 누이 좋고 매부 좋은 일이 아닌가. 이렇게 일 크게 벌여 얻는 게 뭐 있다고 난리를 쳐, 난리를 치길. 아무리 내가 합의금을 준다고 한들 그 돈보다 더 받아 낼 수 있겠냐고. 그냥 내 옆에 있는 게 이득이라는 것도 모르고. 쯧."

　사실 처음 있는 일은 아니었다. 고소당한 것은 처음이었지만. 다만 박 실장이 보았을 때, 지금까지 이편웅이 이렇게 아쉬워하거나 분해하는 일은 없었다. 적당히 돈을 쥐여 주도록 제게 지시를 내리곤 했었지만, 채 비서에게만큼은 유독 다른 반응을 보였다.

　"채 비서가 이사장님 마음에…… 꽤 드셨었나 봅니다."

달리 건넬 말이 없어 대꾸했더니, 이편웅의 멀끔한 얼굴에 음흉한 미소가
번졌다.

"마음에 들다마다. 애를 낳았으면서도 처녀처럼 수줍음이 많은 게, 손목
만 잡아도 벌벌 떨고. 피부는 보들보들한 데다가, 가슴이 한 손에 가득……."

"이, 이사장님. 한 잔 더 받으시죠."

괜한 말을 꺼냈다고 생각하며 박 실장이 황급히 술을 따랐다. 말로 듣는
것만 해도 소름이 다 끼쳤다. 박 실장은 이편웅의 이런 모습은 이해가 되지
않았고, 이해하고 싶지도 않을 만큼 불쾌했다.

같은 남자로서도 이렇게 끔찍한데, 밀폐된 이사장실에서 채 비서가 느껴
야 했을 수치심과 공포는 어느 정도인지 가늠이 되지 않을 정도였다.

하지만 그런 감정들은 모두 배제한 채, 최선을 다해 이편웅의 허물을 덮
어야 했다. 그것이 박 실장, 그의 주된 업무였다. 이편웅이 경찰서에 출두
하여 조사를 받은 것 역시 언론에 공개되지 않도록 깐깐히 살피는 중이었
다.

[태경병원 이편웅 이사장, 비서 성추행 혐의로 조사받아]

이런 식의 기사라도 나는 날에는 박 실장 본인부터 끝장이다. 그는 이편
웅에 대한 보고를 올리기 위해 태한그룹 본가에 정기적으로 들르고 있었
다.

이편웅 스스로 어떻게 처신을 해야 하는지 잘 알고 있기에, 사실 그의 평
소 행실과 병원 업무를 살피는 것에 크게 힘든 점은 없었다. 가끔가다가 이
런 문제가 생기는 경우를 제외한다면 말이다.

"우선은, 아마도 경찰 조사에서는 무혐의로 나올 것 같기는 한데요, 이제
검찰 쪽으로 넘어가면 어떻게 될지 그건……."

"당연히 무혐의지! 내가 뭘 했다고! 그러니 우선 채 비서 만나서 빨리빨
리 일을 해결하자고."

단둘이 있는 곳에서 일어난 일이기에 혐의를 뒷받침해 줄 만한 증거는 따로 없었다. 지금은 오로지 송화의 증언만이 증거였다. 이건 이편웅에게 꽤 유리한 싸움이었다.

신사답고, 선행을 많이 하며, 성실한 인물로 구축해 둔 평소 이미지가 빛을 발할 때였다. 경찰서에서 이편웅은 강경하게 혐의를 부인하고 나섰다.

"채 비서 말을 누가 믿겠어, 내가 억울해 죽겠다는데. 내가 아니라고 하는데. 돈 뜯어내려고 하는 가난한 여자의 말을 누가 들어줘. 상식적으로 말이 안 되는 이야기지."

이편웅의 입가에 희미한 미소가 감돌았다.

"법 무서운 줄도 모르고 덤비다니. 무고죄로 감방 가고 싶어 환장했나."

사실을 말했음에도 불구하고 무고죄를 뒤집어쓰는 경우라니. 생각만 해도 기가 막히지만, 만일 이편웅이 최종적으로 무혐의 처분을 받게 된다면 충분히 가능한 일이었다. 실제로 그 겁박(劫迫)이 제일 잘 먹히는 미끼이기도 했고.

지금까지 다른 이들에게 사전에 시도했던 합의가 모두 성공적으로 이루어졌던 것도, 돈도 돈이지만 맞고소의 두려움을 건드렸기 때문이었다. 그렇게 믿는 구석이 있으니, 이편웅이 의기양양할 수밖에 없었다.

박 실장은 치가 떨렸다. 이렇게 될 것을 알면서도 기어이 불구덩이로 뛰어든 채송화가 안쓰러웠다. 더 크게 상처받는 것 이외에는 얻는 것이 아무것도 없을 텐데. 현실을 모르지도 않을 텐데.

"별것도 아닌 일을 복잡하게 만들어서, 왜 멀쩡한 사람을 피곤하게 만들어. 그냥 편하게 지내게 해 줄 때 말이나 잘 들을 것이지."

스무 살 이상 차이 나는 젊은 여자에게 품었던 탐욕스러운 눈빛이 박 실장의 앞에 일렁였다. 이편웅을 바라보던 시선을 아래로 내리며 박 실장은 여지없이 또 한숨을 내쉬었다.

눈앞에 생생하게 그려지는 앞날이 지독히 암담했다. 이편웅은 더욱 웃을 것이고, 채송화는 더욱 울 것이다. 박 실장의 가슴속에는, 그간 이편웅의 뒷일을 봐주며 느꼈던 회의감이 한꺼번에 밀려들었다.

정호는 바지 주머니에 손을 찔러 넣은 채 어슬렁어슬렁하며 골목을 돌았다. 이제 베네치아의 이 미로 같은 골목길들도 꽤 익숙해졌다. 눈 감고도 길을 찾을 수 있을 정도였다.

유리는 이미 고소장 접수를 했을 것이다. 사건이 검찰에 송치되고 나면 처분까지는 몇 개월, 혹은 몇 년이 걸릴지 시일은 장담할 수 없었다. 혹여 다른 사안들까지 얽혀 문제가 커지면 더욱 힘들어질 것이고.

그녀 마음대로 하게 두었으니 이제 자신과는 관계없는 일이다. 그렇게 됨으로써 유리도 자유롭게 행동할 수 있을 것이다. 후회는 되지 않았다. 한발 물러나 생각해 보니, 그녀와의 이별이 더욱 이해가 잘 되었다.

'내 전부를 걸고 악착같이 매달려 온 그 하나를 절대 놓지 못하겠어. 신념.'

'사람을 위해 만든 법이잖아. 사람이 사람답게 살려고 만든 법이잖아. 사람들이 어울려 잘 살자고 만든 법이잖아! 권력을 지키기 위해서도, 돈을 불리기 위해서도 아니잖아!'

그녀의 선택은 지극히 그녀나웠고.

'기적처럼 네가 내게 다가왔을 때. 어쩌면 함께 행복해질 수도 있겠다고 생각했어.'

'내가 너무 과한 욕심을 부렸다.'

'끊어 내자. 우리 인연.'

자신의 포기는 지극히 자신다웠다. 그 사이는 절대 좁힐 수 없을지 모른다. 그녀의 앞에 서기 두려워 결국 도망을 친 건 자신이었다. 유리를 위해서라지만, 어쩌면 자기 자신을 위해서는 아니었을까. 더 상처받기 싫어서. 더 미움받기 싫어서. 더 아프기 싫어서.

감히 누군가의 허물을 대신한 죄라 어찌 말할 수 있을까. 그녀를 사랑할 자격이 제게는 없었다. 과한 욕심을 부린 대가는 그의 가슴에 참혹하리만큼 깊은 생채기를 내었다. 그리고 앞으로 벌을 받듯, 그 상처를 껴안은 채 살아갈 것이다.

빛을 잃은 삶. 잠깐 맛본 연애의 달콤함은 잔인할 정도로 쓰게 남았지만, 그래도 괜찮다. 다시 짝사랑을 시작한다고 해도 상관없다. 어차피 그녀의 등 뒤에 서서 혼자 좋아하는 일쯤이야 오래도록 해 온 것이니까.

빛은 자신을 비추지 않아도 된다. 스스로 반짝일 수 있는 곳에 존재할 테니. 그것만으로도 충분하다. 밀려드는 가슴의 격통(激痛)을 느끼며 정호는 잠시 걸음을 멈추었다.

속을 쑤시고 드는 것은 형체가 없지만, 분명한 아픔이 느껴졌다. 그건 보고 싶은 마음이었다. 아무리 생각하고, 또 생각해도, 도저히 이겨 낼 수 없는 마음.

'을유리? 우리나라에 을씨도 있어요?'

'오빠 바꿔 드리려고 했는데, 배터리가 다 돼서 꺼졌어요.'

유리가 왜 전화를 했을까 궁금했지만, 못 받은 게 차라리 다행스럽기도 했다. 자신의 마음이 정리되지 않은 상태에서, 그녀에게 이별을 확인 사살 당하기는 싫었다.

그래도. 한 번만. 딱 한 번만. 목소리를 들을 수만 있다면. 아니, 얼굴 한 번만. 딱 한 번만 볼 수 있다면. 마지막으로 욕심이 조금 더 허락된다면, 품에 한 번만. 딱 한 번만 안아 볼 수 있다면.

그 입술, 아름다운 그 입술에 한 번만…… 딱 한 번만 입을 맞출 수 있다면. 팔다리가 묶여 영원히 움직일 수 없는 형벌을 받아야 한다고 해도 견딜 수 있을 것만 같다. 한 번만. 딱 한 번만 그녀에게 닿을 수만 있다면.

한 손으로 왼쪽 가슴을 누르며 서 있던 정호는 주머니에서 휴대폰을 꺼냈다. 아까부터 해 온 고민이 그를 세차게 흔들었다. 전화해 미친 척 보고 싶다고 목 놓아 울어 버릴까. 앞서 가졌던 잡념 따위 다 날려 버리고, 그렇게 유리를 붙들고 뒤흔들면 어떨까.

나 지금 베네치아라고. 한심하겠지만, 여기서 하는 일은 오로지 널 생각하는 것뿐이라고. 너 그냥, 내 옆에 있게 하려면…… 나 무얼 해야 하냐고. 그게 무엇이든, 하고 싶다고. 다 하겠다고.

네가 보고 싶어 나 지금 돌아 버릴 것 같은데, 좀, 구해 달라고. 이 운하에 지금 나 그냥 뛰어들 거라고. 그러니 제발, 나 좀, 살려 달라고. 죽겠다는데 별수 있을까. 어떻게든 되지 않을까.

정호는 크게 숨을 몰아쉬며 휴대폰 전원 버튼을 눌렀다. 로딩 중인 화면을 바라보다가 문득 고개를 돌릴 때였다. 운하 쪽으로 뒤뚱거리며 걸어가는 아기가 시야에 들어왔다. 휴대폰을 쥔 정호의 손이 흠칫 떨렸다. 부모로 보이는 남녀가 이야기하며 잠시 시선을 돌린 사이에 아기가 두 팔을 펼친 채 비둘기를 쫓고 있었다.

운하와 길 사이에 안전을 위하여 설치한 난간이 없는 구간이었다. 경계에는 약간의 턱이 올라와 있을 뿐이었다. 푸드덕! 운하에 이르는 길 끄트머리에서 비둘기가 날개를 펼치며 날아올랐다. 아기는 멈추지 않았다. 고개를 들고 웃으며 아장아장 걸어갔나.

턱에 부딪힌 아기의 몸이 운하 쪽으로 기우는 것을 본 정호가 바로 몸을 날렸다. 그리곤 타악! 아기를 낚아채어 품에 안고 굴렀다. 정호의 손에 쥐어져 있던 휴대폰이 포물선을 그리며 날았다. 첨벙, 소리를 내며 물보라가 사방으로 튀었다.

　아기는 울었고, 부모는 당황하여 달려왔다. 몇몇 사람이 놀라서 가던 길을 멈추었고, 정호는 가쁜 숨을 몰아쉬었다. 들고 있던 휴대폰 대신 손에 꽉 쥐고 있는 건 아기의 몸이었다. 하늘 위에서 쏟아지는 햇빛이 오늘따라 유독 강렬하였다.

　호텔에서 체크아웃하고 공항으로 향하는 정호의 발걸음이 그리 가볍지는 않았다. 마음이 완전히 정리되지는 않았기 때문이리라. 이렇게 오랜 시간 이곳에 머물렀으나, 얻은 건 하나도 없었다. 오히려 잃은 건 하나, 휴대폰이었다.

　운하에 빠지려던 아기를 구한 건 다행이었다. 아기의 부모가 얼마나 고마워했는지 모른다. 하지만 손에서 날린 휴대폰이 운하에 첨벙, 하고 빠져 버렸다. 사실 그 순간 정호는 마음이 꽤 홀가분해졌다.

　이제는 휴대폰을 켤까, 말까 고민하지 않아도 된다. 전화가 올까, 안 올까 마음 졸이지 않아도 된다. 어쩌면 그 끈 하나를 놓지 못해 지금껏 미련의 노예로 지냈는지도 모르겠다.

　완벽하게 잊는 법을 몰랐다. 인연을 끊자고 말해 놓고도 끊지 못했다. 내내 남은 감정에 휘둘렸으나 이제 달라질 것이다. 홀리듯 찾아온 베네치아에는 더 이상 머무를 이유가 없었다.

　훗날 이곳에 돌아오고 싶다는 욕심, 계속해서 오라고 유혹하는 이 아름다운 섬에 그녀와 함께 오고 싶다는 욕심, 제 안에 가득 찬 욕심, 그 모든 것을 내려놓아야만 했다. 이제 이곳에 다 놓고 갈 것이다. 정말, 떠날 것이다.

유리의 카페와, 자신의 옥탑이 있는 건물. 그리고 벚꽃 거리가 있는 그곳. 온통 추억뿐이라 가시덤불인 그곳으로 다시 돌아갈 때는 분명 웃는 얼굴이어야 한다. 아무렇지 않게 웃고, 별일 없었다는 듯 행동해야 한다. 그것이 제게서 그녀를 지킬 유일한 방법일 것이다. 그러기 위해서는 좀 더 강해질 필요가 있었다.

정호는 공항과 본섬 사이에 운행하는 ATVO 버스를 타고 공항에 도착했다. 아담한 규모임에도 불구하고 많은 인파로 북적거리는 마르코폴로 공항이었다. 그는 한쪽 어깨에 대충 걸쳐 멘 백팩을 잡고 사람들 사이를 걸었다.

누군가와 팔이 스치기도, 가방이 부딪히기도 했다. 수많은 우연과, 수많은 인연이 얽혀 들었다. 같은 시간, 같은 공간에 있지만 저와는 상관없는 사람들이었다.

정호는 탑승 수속을 하기 위해 걸어가면서, 어서 빨리 출국장 안의 라운지에서 커피나 한잔 마셨으면 좋겠다는 생각을 했다. 불과 10m 거리 안에, 자신의 가슴을 새까맣게 태우는 한 여자가 있을 거라고는 꿈도 꾸지 못했다.

한날한시, 같은 공기를 마시며 그들은 분명 그곳에 있었다. 조금만 방향을 달리해도 시선이 닿을 곳에, 조금만 걸음을 늦추어도 몸이 닿을 곳에. 미련을 거두어 떠나는 남자와, 사랑을 찾으러 온 여자가, 인파 속에서 지나쳐 갔다.

다음 날, 지방에서 열린 세미나에 참석하느라 자리를 비웠던 서원이 오랜만에 병원에 나왔다. 토요일 오후라 이미 진료가 끝나 갈 시간이지만, 내일 의료 봉사를 가기 위한 준비를 하려면 잠깐이라도 나와 봐야 했다. 서원은 병원 식구들의 커피를 사기 위해 1층 카페에 먼저 들렀다.

"쌤! 오랜만이네요."

주문대 앞에 있던 준이 반가운 얼굴로 맞이했다. 언제나 싹싹한 준의 웃음은 보기만 해도 기분이 좋아졌다.

"잘 지냈지?"

인사를 건네며 서원이 웃었다.

"네. 위층에 새로운 여자 선생님 오셨던데. 이제 같이 일하시는 거라면서요?"

"그래. 내 선배야."

"혹시……."

"유부녀."

"아."

"애가 셋."

핑크빛 호기심을 툭 자르며 하는 말에 준이 웃으며 고개를 끄덕였다. 대학 병원에서 근무하다가 출산을 한 후, 육아를 위해 오랜 공백기를 가졌던 여자 선배였다. 이제 작은 병원에서 일하고 싶어 하기에 혹시나 하고 제의를 했더니 서원의 병원에 기꺼이 와 주었다.

"잠깐만 앉아서 기다리세요. 얼른 만들어 드릴게요."

취향도 각각 다른 커피를 하나하나 불러 주문하고 자리에 앉아 기다렸다. 카페에는 준 혼자였다. 학교 후문이라 평소에도 주말에는 손님이 덜했지만, 방학이 시작되어서인지 더욱 한가했다.

서원은 커피를 만들기 위해 바쁘게 움직이는 준의 모습을 바라보다가 이내 시선을 돌렸다. 한동안 카페에 드나들기 불편하게 느껴진 날들도 있었다. 아무리 유리에 대한 마음을 접었다지만, 그게 그렇게 말처럼 쉬운 것은 아니었으니 말이다.

하지만 이제 많은 시간이 지났다. 정호와 유리가 공개적으로 연애를 한 이후로 이제 결혼 이야기까지 오간다는 말도 들었다. 이렇게까지 된 이상, 미련을 갖는다 한들 별수 없지 않은가. 서원도 이제 조금은 편해진 마음으로 두 사람을 볼 수 있을 듯했다.

두 달여 전, 중평도에서 불이 난 집에 갇혀 있던 정호를 구해 준 적이 있었다. 정호는 은혜 좀 갚게 해 달라며 얼마간 자신을 열심히 따라다녔다. 서원은 그럴 것까진 없다며 오히려 정호를 피하게 되었는데, 그사이 중평도에 있는 동기에게 연락이 왔다.

'너한테 미리 말했어? 김정호 씨가 돈 보낸 거.'

'무슨 돈?'

'너도 몰랐구나. 장 씨 할머니 집 재건에 보태어 써 달라고. 김정호 씨가 돈을 보내 왔어.'

'정호가?'

'그래. 근데 공사에 쓰고도 남을 돈이던데. 이거 받아도 되는 건가 싶어서. 그 친구 너무 무리하는 거 아닌가?'

정호의 실수로 난 불이 아니었다. 오히려 그곳에서 자신이 위험한 상황에 빠졌음에도 불구하고, 이곳 사람들 모르게 따로 연락하여 굳이 할머니에게 공사 비용을 대 준 것이다. 아마 유리조차 모르게 한 것 같았다.

구해 준 은혜고 뭐고, 그거면 되었다고. 마음 써 주어 고맙다고 정호에게 인사를 건넸었다. 사실 고마운 건, 정호가 기꺼이 돈을 썼기 때문이 아니다. 그는 상황을 돌아보고 자신이 할 수 있는 일을 찾는 남자였고, 속 깊고 배려심 있는 남자이기도 했다.

그런 남자가 유리를 사랑한다는 사실이 다행스럽게 느껴졌다. 그만한 남자에게 물러날 수 있어 조금이나마 마음이 가벼워지기도 했다. 상대가 강할수록 패배가 부끄럽지 않으니 말이다.

"여기요. 커피 나왔어요, 쌤."

각각의 커피를 종이 캐리어에 넣어, 봉투에 가지런히 담은 후 준이 서원을 불렀다. 서원이 다가가 커피를 챙겨 들며 물었다.

"근데 다들 어디 가셨어?"

"마미는 볼일 보러 나가셨고, 은강 형은 저랑 교대로 쉬어요. 지금 사무실에서 잠깐 눈 붙이고 있어요. 그리고 유리 누나는 지금 어디에 계시게요?"

흥미로운 이야기가 있다는 듯, 준이 눈을 반짝거렸다. 서원이 궁금하여 어디냐고 되묻자, 준은 놀라운 사실을 말해 주었다.

"어제 오후에, 정호 형님 잡으러 베네치아 갔어요."

"어딜 가?"

"베네치아요. 정호 형님, 누나랑 싸우고 여행 가 버린 거였어요. 싸움 스케일 대박이죠. 큭, 지금쯤 잡히지 않았을까 싶어요. 아마 등짝 실컷 두드려 맞고 있겠죠."

서원은 그 사실이 조금 이상하게 느껴졌다. 정호가 싸웠다고 홧김에 여행 가 버릴 남자였나. 아니, 검사직도 3개월 만에 때려치웠다고 했으니 그럴 수도 있겠다. 하지만 평소에 보아 온 정호는 겉으로 가벼운 듯해도 사실상 그렇게까지 즉흥적인 면이 두드러지는 사람은 아니었다.

"선생님 오셨네. 세미나 잘 다녀왔어요?"

마미의 밝은 목소리가 들려, 서원은 고개를 돌려 인사했다.

"안녕하세요. 네, 잘 다녀왔습니다."

"아, 내일 중평도에 봉사 간다고요? 세미나 갔다 와서 내일 바로 출발하려면 힘들겠어요."

"괜찮습니다."

"병원 식구들만 괜찮다고 하면 이번에도 우리 따라가고 싶었는데. 유리도 없고, 아쉽지만 우리는 다음에."

"언제든 편하실 때 같이 가시죠. 지난번에 정말 감사했어요."

"감사는요 뭘, 우리가 즐거웠지."

서원이 두 달에 한 번 정도 하는 중평도 의료 봉사가 내일이었다. 이번에는 복잡한 스케줄 때문에 1박 2일로 짧게 다녀오기로 했다.

누가 시키는 것도 아니니 바쁘면 적당히 넘겨도 될 법한데, 월요일 진료 휴무까지 걸고 기어이 날을 잡은 참이었다. 그때 휴대폰 벨 소리가 울렸다. 마미가 가방에서 휴대폰을 찾아 꺼냈다.

"어, 유리 전화네. 이제 정호 만났나?"

"진짜, 진짜요? 빨리 받아 보세요."

준도 흥분하여 마미의 곁으로 다가섰다. 마미가 귀에 댄 휴대폰 쪽으로 얼굴을 바짝 밀고 목소리라도 들어 보려고 하는데.

-으아아아아아아아아악!

괴이한 비명이 터져 나왔다.

"아이고, 엄마야."

마미와 준이 동시에 놀라 버렸다. 서원 역시 당황한 얼굴로 그 모습을 바라보았다. 휴대폰을 귀에서 떨어뜨린 마미가 오만상을 찌푸리며 팔을 뻗었다. 우렁찬 소리가 휴대폰에서 다시 쏟아졌다.

-김정호, 이 토깽이 새끼! 토꼈어, 이 쉬키! 미쳐 버리겠네! 여기 없대! 왜애애애애애! 내가 여기까지 왔는데, 왜애애애애! 없냐구우우!

멍한 시선들이 허공에서 부딪쳤다. 이역민리 땅에서 울부짖는 유리의 모습이 눈에 선했다. 간신히 놀란 마음을 가라앉힌 마미가 말했다.

"자, 잘 찾아봐. 그 호텔 제대로 찾아간 거 맞아?"

-오늘 체크아웃했대!

"혹시 다른 호텔로 옮긴 건 아니고?"

-이 호텔에 오래 머문 동양 남자는 걔 하나였다고 일하는 사람 아주 다 알더라. 그 자식, 공항 갔다고 보는 사람마다 다 나한테 말해 줘. 와, 진짜. 돌겠다, 정말!

전화에 대고 이럴 정도면, 현지에서는 어떤 모습일지 안 봐도 뻔하다. 아마도 코로 불을 푹푹 뿜고 있을 것이다.

-아닐 거야. 아닐 거야. 여기 좀 더 돌아다니다 보면 정호가 있을 거야. 그치, 엄마?

그녀는 기어이 현실 부정을 하기에 이르렀다. 준은 안타까운 표정으로 고개를 절레절레 흔들며 중얼거렸다.

"잡으려고 하면 안 잡히는, 나비 같은 남자네."

유리가 한국에 없는 가운데 박 실장의 연락을 받은 송화는 난감해졌다. 이편웅과의 자리라니……. 그를 만나고 싶은 생각은 전혀 없기에 거절하고 전화를 끊었다. 그런데 근무를 조금 이르게 마치고 식당에서 나올 때였다. 오늘은 일찍 나왔으니, 카페로 이슬이를 데리러 갈 생각이었다.

식당 밖에 서 있던 검은색 세단에서 박 실장이 내렸다. 송화는 한 걸음 물러섰다. 어쩐지, 사장이 오늘따라 일찍 퇴근해도 된다며 재촉해 내보내더라니. 토요일인데 왜 이러나 싶어서 이상하긴 했었다.

"이사장님이 뵙기를 원하십니다. 잠깐이면 됩니다."

짙게 선팅 한 뒷좌석 창문 너머 아마 이편웅이 앉아 있겠지. 송화는 제 앞에 와서 정중히 인사하고 안내하려는 박 실장을 물끄러미 바라보았다. 그녀의 눈빛에, 박 실장이 고개를 약간 떨어뜨리고 말했다.

"제가 같이 있을 테니까, 걱정하지 마세요."

홍보실의 박 실장은 송화의 입사 때부터 자상하게 대해 준 분이었다. 자신과 동갑인 막내 여동생이 있다고 했던가. 그러나 어차피 이편웅의 일을 돕는 사람이 아닌가. 수행 비서도 아니면서 요즘 들어 부쩍 밀착하여 보좌하는 듯했다.

이런 상황에서 박 실장에게도 쉽게 믿음이 생길 리가 없다. 송화는 강단 있는 목소리로 말했다.

"합의나 고소 취하는 절대 하지 않을 거예요."

"압니다. 단지 대화를 좀 하셨으면 하는 것뿐입니다."

"정말…… 박 실장님도 자리에 같이 계시는 거죠?"

"네. 걱정하지 마세요."

박 실장의 확답을 받고서야 송화는 고개를 끄덕였다.

"대신 저 차에 같이 타는 것도, 멀리 가는 것도 싫어요."

"걸어서 1분 정도 거리에 있는 한식집에서 기다리고 있겠습니다. 이 방향으로 쭉 내려오시면 됩니다."

한식집 이름을 일러 주고 박 실장이 다시 차에 올랐다. 곧 차가 떠나고, 송화는 어깨에 멘 가방을 움켜쥐고서 천천히 걸어갔다. 그녀의 가방 안에는 보이스 레코더가 있었다.

'만약을 위해 가지고 있어요. 되도록 따로 만날 일이 없는 게 좋겠지만, 사람 일은 모르는 거니까.'

얼마 전에 유리가 준 초소형 녹음기였다.

'혹시 이편웅이 찾아오거나 하면, 녹음하는 줄 모르게 하고 이걸 누르면 돼요. 작동은 간단하니까. 어렵진 않을 거예요. 수사가 진행되고 있는 이상 헛소리를 하지는 않

186

을 테지만, 만약 먼저 찾아온다면 송화 씨가 대화를 잘 끌어 봐요.'

송화는 한식집에 도착해, 종업원의 안내를 받아 방으로 들어가기 전 미리 녹음기 버튼을 눌렀다. 이편웅과 얼굴을 마주 대하기는 끔찍했지만, 어쩌면 좋은 기회가 될 수도 있겠다고 생각했다. 심호흡한 송화는 천천히 안으로 들어섰다.

다음 날.

서원과 병원 식구들이 중평도에 도착한 건 일요일 낮이었다. 함께 간 선배와 간호사 일행과 보건소 마당에서 오후부터 진료할 준비를 할 무렵이었다.

문득 꿈인가 싶은 장면이 서원의 눈앞에 펼쳐졌다. 보건소 너머 바다로 향하는 길을 걷고 있는 남자. 뒷짐을 진 채 슬렁슬렁 움직이는 저 남자. 분명 눈에 익은 남자의 모습이었다.

"김정호!"

부르는 목소리에 남자가 돌아보았다. 정말 그였다.

"어, 형."

돌아선 정호가 빙긋 웃었다. 저런 미소를 지을 때가 아니지 않은가. 베네치아에 있어야 할 사람이 왜 이 섬에 있느냐는 말이다. 머나먼 이탈리아까지 그를 찾으러 간 여자가 있는데, 정작 왜 지금 여기에…… 말문이 막힌 듯 서원이 멍하니 서서 정호를 바라보았다.

"진짜 형이네. 뭐야, 갑자기 여기엔 왜? 아, 봉사 온 거야?"

아무 일 없는 것처럼, 그저 편안하게 짓는 그 미소에 서원은 기가 막혔다.

"너야말로 왜 여기 있어?"

"나? ……바람 좀 쐬러."

고개를 까딱 기울이자 정호의 앞머리가 사르르 흩어졌다. 그는 바지 주머니에 손을 찌르고 먼저 몸을 돌려 천천히 걸어 나갔다. 서원이 알고 있는 상황과는 전혀 어울리지 않게, 더없이 느릿한 몸짓과 여유로운 태도였다.

물결 위에 흩어진 햇빛이 속없이 반짝거리고 해면이 무심하게 일렁였다. 깊이를 알 수 없는 심해는 짙푸른 빛을 띤 채 그저 머물고, 또 흘렀다.

바다는 늘 움직이고 있으나 언제나 그 자리다. 넓고, 또 깊어서 무엇을 품고 헤매는지 알 수가 없다. 서원은 정신을 차리고 정호에게로 다가가 어깨를 잡아 돌렸다.

"너, 베네치아에서 여기로 바로 온 거야?"

"형이 그걸 ……어떻게 알아?"

서원의 입에서 '베네치아'라는 지명이 흘러나오자, 이제야 정호의 표정이 조금 무너졌다. 지나치게 느른하게 풀어져 있던 얼굴에는 긴장감이 스쳤다.

"남녀 연애사에 끼고 싶지는 않지만, 이건 말을 안 할 수가 없다. 당장 서울로 돌아가. 무슨 일인지 몰라도, 이렇게 숨어 다니지 말라고. 가서, 직접 얼굴 보고 해결해."

단순한 다툼은 아니라는 것, 알겠다. 두 사람 사이에 깊은 갈등이 있다는 것 또한, 알겠다. 하지만 지금은 이럴 때가 아니라는 생각이 들었다. 정호는 지금 그녀가 어디에 있는지조차 모르지 않는가.

"내가 알아서 해."

차갑게 얼굴을 굳힌 정호가 돌아서려 하자, 서원이 다시 그의 어깨를 꽉 붙들었다.

"아니, 네가 알아서 못 해."

"……."

"주제넘지만, 그래서 말해 주는 거야. 혹시 너, 유리 씨와 헤어졌다고 생각한다면, 그거 틀린 것 같다."

넘겨짚어 한 말에 정호의 시선이 흔들렸다. 두 사람, 정말로 이별을 했던 모양이다. 서원의 눈빛이야말로 미약하게 흔들렸다. 어쩌면 제게 기회가 될 수도 있는 순간을, 이렇게 날리고 마는 것이다. 유리가 제 여자였으면 좋겠다고 바란 적이 한두 번이 아니었으면서도.

"진짜 헤어졌다면, 너. 여기에, 왜 왔어?"

"그냥, ……바람이나 쐴까 해서 왔다니까."

"하필 왜 여기냐고."

"……."

"눈길 닿는 곳마다 유리 씨와의 추억이 덕지덕지 붙어 있을 여기에서, 마음 정리가 제대로 될 거라고 생각하는 거야? 너 진짜 바보냐?"

잊으려고 떠났겠지. 하지만 한순간도 잊지 못했을 것이다. 지금 홀로 이 섬에 와 있는 것만 봐도 쉽게 알 수 있었다. 흘러 흘러 온 곳이 왜 하필 여기였을까. 그가 지금 여기 있다는 것은, 지우지 못한 마음의 방증이다.

"내가 틀렸어?"

자각은 아픈 법. 마음으로 받아들일 수 없는 이별을 껴안고, 이렇게 스치는 바람처럼 떠다니는 자신의 모습을 깨닫는 건, 달갑지 않은 경험일 것이다.

서원은 가운 주머니에서 휴대폰을 꺼냈다. 그리고 스피커폰으로 설정하고는 준에게 전화를 걸었다. 갑작스러운 서원의 행동에 정호가 의아한 시선을 들어 바라보았다. 이윽고 준이 전화를 받았다.

-어, 쌤. 안녕하세요. 웬일이세요? 섬에는 들어가셨어요?

"응. 들어왔어. 유리 씨는?"

-아, 유리 누나 걱정돼서 전화하셨구나. 염려 마세요! 어젯밤에 출발했다

는 연락 왔었어요. 아마 지금쯤 비행기 안일 거예요.

일부러 들을 수 있게 스피커폰으로 통화를 하는 서원을 보며 정호가 아랫입술을 씹듯이 물었다. 애써 여유로 포장하고 있던 태도는 잠깐 사이에 완전히 허물어져 있었다.

"그럼 오늘 도착하겠네."

-네. 아마 좀 이따 오후 늦게 공항 도착할 거예요. 근데, 세상에, 베네치아가 어디라고 이틀 만에 왔다 갔다, 유리 누나도 진짜 대박이죠. 거기 시간으로는 어제 낮 3시쯤에 출발했다고 하니까, 아침에 도착해서 베네치아에서 채 한나절이나 있었나. 누운 김에 엎어진다고 구경이나 하고 오시지, 정호 형님 안 계시니 더 있을 필요도 없다고 바로 오신다더라고요.

"그래. 유리 씨 정말 ……대단하다."

서원은 천천히 말하며 정호를 쳐다보았다. 그는 한 손을 들어 제 얼굴 아랫부분을 문지르듯 잡았다. 입가를 누른 긴 손가락 끝이 파르르 떨리고 있었다. 그 떨림을 응시하며 서원이 다시 말했다.

"유리 씨 기분은 괜찮아 보여?"

-괜찮겠어요? 거기까지 가서 정호 형님도 못 봤는데. 어휴. 죽일 놈, 살릴 놈, 해 가면서 이를 바득바득 갈고 있죠, 뭐. 베네치아에서 잡았다면 등짝 스매싱 예상 강도가 평소의 열 배 정도였겠지만, 다시 한국 와서 만났을 때라면 스매싱 강도가 천 배쯤 되지 않을까 싶어요! 정호 형님은 한마디로, 끼익, 죽은 목숨인 거죠.

이 상황이 재미있다는 듯 준이 경쾌하게 웃고는 말했다.

-유리 누나 요즘에 일 많다고 매일 무리하셨던데, 돌아와 병나시는 건 아닌지 몰라요. 그래도 그 먼 곳까지 단숨에 날아가는 거 보면, 진짜 사랑하시나 봐요. 정호 형님도 너무하시지, 아무리 싸웠어도, 그렇게 연락 두절로 애인 걱정하게 만들면 안 되는 거 아니에요?

"안 되지. 그럼."

-눈 까뒤집고 나가는 유리 누나 보셨으면 형님도 그렇게 편하게 지내진 못하실 텐데. 아니다, 우리 정호 형님, 보기보다 마음도 아주 여려서, 지금쯤 어디서 울고 계신 건 아닌지 몰라요. 아, 그냥 빨리 돌아오셨으면 좋겠는데.

"아닐걸. 정호, 생각보다 강한 사람이야."

서원이 분명한 음성으로 말했다.

"유리 씨를 잃지 않으려면, 어떻게 해야 할지 잘 알고 있을 거야. ……아마, 그렇게 해낼 거고."

차마 놓을 수 없어 쥐고 있던 사랑이라면, 절대 잊을 수 없어 품고 있던 사랑이라면. 잃을 이유가 없지 않은가. 함께해야 할 명분이 단 하나, 사랑뿐이라면 그걸로 충분하다. 다른 건 중요하지 않다. 무엇이 더 필요할까.

-암튼. 쌤, 진료 잘 보세요!

"그래, 준아. 서울 가면 보자. 끊는다."

준과 인사를 나눈 서원이 전화를 끊었다. 휴대폰을 주머니에 넣고, 길게 한숨을 내뱉었다. 그리고 정호에게 나지막한 음성으로 말을 건넸다.

"내가 유리 씨 포기한 걸 후회하게 하지 마."

"……."

"널 찾아 베네치아까지 갔던 여자를 곁에 두고, 세상에 두려울 게 대체 뭐가 있어."

정호는 바다 쪽으로 시선을 던졌다. 이제는 서 있기 힘들 정도로 발끝마저 떨려 왔다. 푹푹 찌는 여름인데도, 오한이 느껴졌다.

"오랫동안 짝사랑했다고 했었지? 그 대상이 아마 유리 씨일 거고. 너, 그렇게 짝사랑이 오래된 습관이라 잘 와닿지 않는 모양인데. 너 하나 외에는 아무것도 안 보이는 여자더라, 유리 씨. ……김정호 너는, 그런 여자에게 사랑받고 있는 거라고."

"……."

"그런데 왜 도망 다녀? 네 생각보다 너, 훨씬 괜찮은 남자야. 아니면 유리 씨가 이럴 리 없잖아. 대체 왜 그렇게 자신감이 없어?"

바다에서 시선을 거둔 정호가 고개를 돌렸다. 서원을 바라보는 그의 눈가에 눈물이 그득하게 고였다. 흘리지 않으려 참다 보니 눈동자 주변이 온통 새빨개졌다. 그를 보고 있으니, 서원의 가슴도 뜨거워졌다. 무슨 이유인지도 모르고 끼어들었다. 다만 분명한 것은, 이로써 자신의 짝사랑을 끝내도 후회는 없다는 것이다.

이토록 그녀를 소중히 여기는 정호라면, 소유하고자 하는 마음보다 더 깊고 애달파서 도망치고도 놓지 못한 저 사랑이라면. 그렇다면 충분하다. 이제, 진짜, 떨쳐 낼 수 있겠다. 그녀를 보내 주는 것이 아깝지 않았다.

"형, 내가 감히, 잡아도 될까."

"……."

"내가 감히, 계속 ……사랑해도 될까."

그는 몇 번이나, 아니 수도 없이 스스로 자신에게 물었겠지. 결국 답을 찾지 못해, 이렇게 내내 떠돈 것이고. 하지만 이제 그 답을 찾았을 것이다. 유리가 베네치아에 갔다는 이야기를 들은 이상, 그 무엇도 고민할 이유, 그리고 망설일 필요조차 없겠지. 서원은 입을 열어 확인시켜 주었다.

"유리 씨는, 네가 아니면 안 돼."

그를 인정하는 말을 내뱉자 먹먹했던 서원의 가슴도 한결 편안해졌다. 애초에 그녀의 곁은 자신의 자리가 아니었다. 둘 사이는 바늘 하나도 통과할 수 없을 만큼 밀접하고도 견고했다. 처음부터 그랬다.

정호의 떨리는 손끝과 입술을 번갈아 바라보았다. 그녀 심장의 주인이 바로 여기에 있다. 서원은 비로소 편안히 웃어 보였다.

"여름이라 해가 길어져서 오후에 배 한 번 더 다닌대. 어서 가라."

이제 제 손으로 그를 다시, 그녀에게 보낸다. 바다는 여전히 제자리에. 격한 풍랑을 품고도 지극히 고요하게. 속절없이 흔들리는 물결이 유약한 듯해도, 결국에는 묵묵히 모든 것을 품고 마는 바다가 여기 있었다.

넓고도 깊은 그 속이 온통 물이듯. 계산할 것 없이 그 속은 결국 온통 사랑뿐이었던 그 바다 안에서, 이 남자 품 안에서, 그녀가 행복하게 웃을 수 있기를.

"형, 인사는 나중에 다시 할게."

정호가 서원의 팔을 힘껏 움켜쥐었다가 놓았다. 복잡한 눈빛을 거두며 몸을 돌려 뛰어가는 정호의 뒷모습을 물끄러미 바라보았다.

이제 모든 번민을 훌훌 털고 그녀에게 달려가는 모습이었다. 서원은 이내 웃으며 팔을 길게 뻗어 기지개를 켰다. 여름 햇살이 바다 위로 내려앉았다. 반짝반짝, 눈이 부셨다.

"하아. 진짜 뼛골 빠지겠네."

택시에서 내린 유리는 숨을 푸욱 내쉬었다. 청바지에 티셔츠, 백팩 하나 메고 머나먼 베네치아까지 다녀왔건만, 성과는 전혀 없었다. 정호와는 간발의 차로 엇갈린 것이 분명했다. 그가 호텔에서 나갔다고 하는 시간과 자신이 도착한 시간에 큰 차이가 없었으니 말이다.

생각할수록 부글부글 화가 끓었다. 아니, 보름도 넘게 있었던 곳이 아닌가. 자신이 오자마자 왜 기다렸다는 듯 딱 그때 떠나느냐 말이다. 한없이 보고 싶어 안타깝고 그리워했던 마음은, 분노로 뒤바뀌었다. 꽃봉오리가 채 피기도 전에 그 위에 서리가 내려 얼어붙은 형국이다.

유리는 이를 바드득 갈면서 카페에 들어섰다.

"어머. 우리 딸 얼굴이 이틀 만에 아주 반쪽이 되어 버렸네."

공항에 도착했다는 전화를 받고 기다리던 마미가 벌떡 일어섰다. 잔뜩 안타까운 표정으로 딸을 맞이했다. 그리고 보란 듯이 과장된 어조로 말했다.

"정호 이놈 시키, 진짜 사윗감이고 뭐고, 나타나면 내가 먼저 다리몽둥이를 아주 콱 잡아서……."

"엄마, 그만."

피곤하다는 듯 유리가 손을 휘휘 저었다.

"그 자식 다리몽둥이는 나한테 양보해. 분질러도 내가 분질러. 이런 십팔 송이 개나리꽃 같은 새끼."

살벌한 눈빛을 번뜩이며 사무실로 휙 들어가는 유리에게서 냉기가 풍겼다. 그녀의 서늘한 뒷모습을 보며 마미가 고개를 절레절레 저었다.

사무실 안으로 들어온 유리는 소파에 털썩 주저앉았다. 몹시 피곤했다. 다른 도시를 경유해 가며 베네치아까지 갔다가, 그대로 다시 돌아오는 길이 결코 편할 리 없었다.

갈 때는 그나마 정호를 만날 것이라는 기대감이라도 있었지, 올 때는 아주 죽을 맛이었다. 돌아오는 비행기 안에서 분하고 초조한 마음에 손톱을 죄다 물어뜯었다. 망가져 버린 손톱이 마치 제 마음 같았다.

유리는 다시 숨을 푸욱 내쉬었다. 운이 좋아 그가 베네치아에 있다는 것을 알게 되었지만, 지금은 또 어디로 갔는지 전혀 모른다. 이제는 정호가 스스로 돌아올 때까지 기다리는 수밖에 없었다. 유리는 휴대폰을 꺼내 일단 송화에게 전화했다.

"어디예요? 아직 놀이공원이죠?"

-네, 아직 출발 못 했어요. 곧…….

"어, 아니에요. 모처럼 즐거울 텐데 서두르지 말고 천천히 놀고 와요. 나는 좀 쉬다가 밤에 송화 씨 집으로 갈 테니까."

인천 공항에 도착하여 휴대폰을 켰을 때 송화의 문자가 도착해 있었다. 어제 이편웅과 짧은 만남을 가졌고, 그와 나눈 대화들을 모두 녹음했다는 내용의 문자였다.

송화에게 전화해서 간단히 상황에 대해 다시 들었다. 그러고는 만나서 함께 녹음을 들어 보고 이야기를 더 나누자고 했다. 녹음 파일은 중요한 증거가 될 테니 유리는 한시라도 빨리 그녀와 만나 확인하고 싶었다.

그런데 전화를 받은 송화는 꽤 시끄러운 곳에 있는 듯했고, 들어 보니 은강과 함께 이슬을 데리고 놀이공원에 갔다고 했다. 셋이서 놀이공원이라니. 이슬이가 많이 좋아하겠구나, 생각하니 코끝이 찡해졌다. 그리고 송화도 역시 즐거워하지 않았을까 짐작했다.

넌지시 놀이공원에 다녀온 이야기도 들어 봐야겠구나 싶었다. 밤늦은 시간 이슬 혼자 두고 나올 순 없을 테니 유리가 그녀의 집으로 가겠다고 했다.

"그럼 집에 도착할 때쯤 전화해요. 나도 그때 나갈게요."

유리는 전화를 끊고 다시 소파에 몸을 깊게 묻었다. 베네치아에 발을 디뎠던 순간이 불과 어제였는데, 아득하게 멀게 느껴진다. 이렇게 다시 현실로 돌아왔다. 결국 달라진 것은 아무것도 없다.

그는 아직 자신을 사랑하지만, 마주할 용기가 없어 돌아오지 못하고. 자신은 아직 그를 사랑하지만, 복잡하게 얽힌 매듭을 스스로 풀지 못한다.

"힘들다……."

듣는 사람도 없는데, 유리는 혼자 중얼거렸다.

"나 힘들다고……."

작은 울림이 공허하게 맴돌았다.

"다리몽둥이, 분지를 기회라도 좀 주면 안 되냐."

울컥, 뜨거운 것이 치솟았다.

"나타나야 등짝이라도 팡팡 때리고, 앞으로 우리가 어쩔 건지 얘기나 좀 해 보지. 이건 뭐, 아예 보이질 않으니…… 어떻게 해야 하냐고."

유리는 두 손을 들어 얼굴을 감쌌다. 손바닥으로 눈, 코, 입을 다 막아 버렸다.

"나쁜 놈. 보고 싶어…… 죽겠는데."

그래도 자꾸만 튀어나온다. 그리움이. 그를 그리워하는 이 마음이. 아파하고, 슬퍼하고, 원망하는 그 모든 마음이. 잘못 박아 둔 못처럼. 자꾸만. 자꾸만.

"너무 어려워. 답이 없잖아. ……어떻게 해야 하는 건지, 정말 모르겠어. 정호야."

어깨가 파르르 떨렸다. 눈물이라곤 이제 남아 있지 않을 것 같았는데, 얼굴을 누른 손바닥 사이로 물기가 번졌다. 사방이 벽으로 갇힌 곳에서 누가 대답할 리는 없으니, 유리의 눈물 섞인 음성은 손바닥 안에서 홀로 메아리쳤다.

못에 사정없이 긁히고, 쓸리고, 박히더라도, 그걸 모른 척하기가 너무 힘들다. 자학하듯 그 못에 몸을 뭉갠다. 그렇게 참지 못한 울음이 계속 터져 나왔다.

그때, 타박타박 누군가의 발소리가 들렸다. 문을 닫았다고 생각했는데 열려 있던 모양이었다. 낭패다. 실컷 울고 있는데…… 창피하게.

다가온 누군가가 유리의 손을 잡았다. 얼굴을 가린 손이 천천히 떼어졌다. 남자의 손인 듯하니 마미는 아닐 것이다. 우는 걸 들켜 버린 유리가 눈을 질끈 감은 채 말했다.

"배준, 누나 지금은 쉬고 싶으니까, 좀 이따……."

"나는 답을 찾았어."

투욱. 그리움의 못이 빠졌다. 수많은 감정이 가슴을 치며 하염없이 밀려들었다. 유리의 몸이 얼어붙었다. 차마 눈을 뜰 수조차 없었다. 너무도 듣고 싶었던 목소리라, 자신이 잠시 미쳐 버려 환청이 들려온 거라 해도 좋았다. 한 마디만. 한 마디만 더. 딱 한 마디만 더 들을 수 있다면.

"이제 눈 좀 떠 봐."

투욱. 원망의 못이 빠졌다. 따뜻한 손이 제 한쪽 볼을 부드럽게 감쌌다. 눈물로 엉망이 되어 버린 볼에 피부의 감촉이 생생히 느껴졌다.

"나를 좀 봐 줘. ……유리야."

투욱. 분노의 못이.

"잘못했어."

투욱. 아픔의 못이.

"다 내 잘못……. 전부 다 내 잘못이야."

투욱. 후회의 못이.

"널 정말 위하는 게 뭔지도 모르는 내가 나빴어."

투욱. ……죄책감의 못이. 투욱, 툭툭. 빠져나온 못들이 바닥 위로 떨어졌다. 제멋대로 나뒹구는 못은 이제 제 것이 아니었다.

"흐윽……."

유리는 손을 들어 올려 제 입가를 막았다. 눈앞이 자꾸만 흐려졌다. 다른 한 손으로는 눈물을 훔쳤다. 잠시 맑아지는 시야에 그의 얼굴이 오롯이 들어왔다.

한층 더 날카로워진 콧날과 심연처럼 깊은 눈빛. 깎은 듯 단정한 얼굴선, 그리고 제멋대로 흐트러진 머릿결. 겨우 두 뼘 남짓, 이렇게 가까운 거리에 그의 얼굴이 보였다. 정호가, 돌아왔다.

"오랜만에 보니까 ……더 반했구나. 내 얼굴 잘생긴 거 하루 이틀도 아닌데, 감격해서 울기나 하고. 하여튼, 얼굴 하나는 되게 밝혀."

그가 울 듯, 웃을 듯, 애틋한 표정으로 실없는 소리를 했다. 너무나 정호다워서, 이제야 현실처럼 느껴졌다.

"야, ……이 나쁜 토깽이 놈 시키야. 너 나한테 죽었……."

유리가 눈물범벅이 된 얼굴로 벌떡 일어나서 주먹을 휘둘렀다. 눈앞은 여전히 물기로 가득해 정확한 타격이 어렵기만 했다.

"하앗!"

주먹을 쥔 팔목이 단번에 잡혔다. 풀썩, 그의 품에 당겨 안겼다. 그토록 그리워하던 정호의 품, 정호의 숨, 정호의 목소리. 어떤 것도 실감 나지 않았다. 유리의 온몸이 미친 듯이 덜덜 떨렸다.

"나, 정말 돌아왔어."

"……."

"차라리 죽으라고 해. 그럼 죽을게. 뭘 하라고 하든지, 나는 다 할 거야. 딱 하나만 빼고."

"……."

"이제 절대, 너 안 놔."

"……."

"그게 내가 찾은 답이야."

모든 것이 명확해졌다. 정신은 아득해졌다. 그의 이름을 부르고 싶었지만, 바로 부딪쳐 온 입술 속으로 사라져 버렸다. 누구의 손이고, 누구의 입술인지 구분할 수 없을 만큼 깊고도 깊은 키스였다.

보고 싶었어. 그리웠어. 안고 싶었어. 죽는 줄 알았어. 아팠어. 슬펐어. 네가 아니면 안 되는 걸, 완전히 알아 버렸어.

그렇게 키스인지 대화인지 모를 입맞춤이 끝없이 이어졌다. 분명 바로 전까지만 해도 작열하는 태양 아래 물 한 모금 마시지 못하는 고문을 당하고 있었는데. 타오르는 그리움으로 그렇게 바짝바짝 말라 가고 있었는데.

지금은 맑고 달고 시원한 물줄기가 아낌없이 쏟아졌다. 그 달콤한 폭포수에 해갈하느라 정신을 차릴 수가 없었다. 꿈일까, 꿈이 아닐까? 알 수 없었다. 실감이 되지 않았다. 이렇게 입을 맞추고 있어도, 함께 있다는 것이 믿어지지 않았다.

끼이익.

문이 닫히는 소리가 나는지도 모를 정도로 정신이 없었다. 두 사람은 서로를 쉽게 놓지 못하고 더 가깝게 다가들었다.

"정호 형님 박력, 대박⋯⋯."

열린 문 사이로 열렬하게 키스하는 정호와 유리의 모습이 보였다. 넋을 놓고 두 사람을 바라보는 준의 뒤로 어두운 그림자가 드리웠다. 이내 준의 덜미를 잡아 끌어낸 마미는 사무실 문을 조심스럽게 닫았다.

끼이익.

"아아. 마미이이. 성격도 급하셔라, 왜 벌써 닫으시고. 조금만 더 봐요오."

"네가 맞을래, 내가 때릴까?"

아쉬워하는 준에게 마미가 다부진 주먹을 들어 보였다.

"아하하. 마미느님. 제가 때릴 데가 어디 있다고. 하하하."

"그럼 딱 다물고, 가서 마감 준비 어서 해. 퇴근하자, 청소는 내일 아침에 하고."

"헐, 정말요?"

아무리 힘들어도 그날의 청소는 반드시 그날 끝내는 것이 마미의 철칙이었다. 오늘따라 예외를 두는 마미를 준이 놀란 얼굴로 바라보았다.

"그래, 우린 빨리 집에 가자고."

"아무리 그래도 성인 남녀를 단둘이서만, 이 밤중에, 카페에, 남겨 두고, 자리까지 비워 주고, 막 그러시면……."

"막 그러시면 뭐."

"좋잖아요. 와우. 우리 마미 화끈하십니다. 정호 형님은 무슨 복에 이런 진보적인 장모님을!"

준이 부럽다는 듯 입술을 둥글게 내밀며, 닫힌 사무실 문 쪽을 물끄러미 바라보았다. 마미가 싱긋 웃었다.

"자, 그럼 빨리 마감을 쳐 볼까?"

그리고 마미와 준이 서둘러 정리를 끝내고 카페를 나설 때쯤, 안에서는 처절한 비명이 터져 나왔다.

"아아아아아아악!"

정호의 목소리였다. 준이 놀란 얼굴로 사무실 쪽을 돌아보았다. 마미가 미간을 찡그렸다.

"아이고, 이제 슬슬 맞을 시간 됐구만."

"네, 유리 누나님 정신이 돌아올 시간이네요."

잠시 고개를 숙여 묵념을 한 두 사람이 빠르게 카페에서 빠져나갔다. 사무실 안 정호의 수난은 계속되었다.

"티켓값이 얼민데, 이 자식아!"

번뜩 억울함이 밀려온 듯 유리가 이를 앙다물었다. 정호는 등에 화르르 솟아오른 불길마저 반가웠다.

"그 티켓값 내가 줄……."

"돈이 흔하지! 흔해! 이 자식이 아주 돈이 흔해 빠졌어!"

"아악! 아아악! 너는 어째 손이 더 매워졌냐!"

"너 없는 동안 매일 스매싱 훈련했다, 어쩔래! 내가 거기까지 가서 몇 시간 만에 다시 혼자 비행기 타고 온 걸 생각하면, 후우, 너 이리 와."

금요일에 떠났다가 일요일에 돌아온 지금, 대부분의 시간 동안 비행기에서 고생했던 유리의 체력은 완전히 회복되어 있었다. 정호의 등에 번쩍번쩍 불꽃이 일었다. 이제야 조금 현실 감각이 돌아온 것 같았다.

기꺼이 등을 내주었다. 이걸로는 부족하겠지만, 그래도 조금이나마 그녀의 화가 풀릴 수 있다면, 얼마든지 맞아 줄 수 있다. 오늘뿐 아니라 이제 쭉, 오랫동안. 유리가 허락해 준다면 평생이라도.

"흐아아악! 그래도 야! 인간적으로, 좀! 때린 부분 또 때리지는 말자!"

"아프냐? 나도 아프다, 내 손이 아프다! 이 자식아!"

"아아아아아아아악!"

화려한 리액션은 필수. 적당히 피하려다가 맞아 주는 동작은 자연스럽게. 철썩! 재회의 메인이벤트는 분명 등짝 스매싱, 바로 이 순간이었다. 뜨거웠고, 후련했다.

"흐흑."

유리는 실컷 정호의 등을 두드려 패다가 이내 쏟아 내듯 눈물을 터뜨렸다. 정호가 돌아보려 하는데, 뒤에 말캉한 몸이 와서 닿았다. 우리는 무엇이 그렇게 두려웠을까. 함께 있는 것 말고는 생각할 수가 없었는데.

"너 이 자식, 이제 나 버리고 어디 가면 진짜 죽여 버릴 거야……."

그래, 그러자. 그럴 바에 죽자. 죽을 만큼 힘든 것보다는 차라리 그게 낫겠다. 정호는 자신을 꽉 끌어안은 유리의 손 위로 제 손을 포갰다. 두려움이 저만치 물러갔다. 자신을 작게 만들던 그 형편없는 감정들이 형체도 없이 사라져 버렸다.

"유리 네가 더 이상 나를 사랑하지 않을 거라고 생각했었어."

무서웠던 건 바로 그것이었다.

"나 같은 건 보고 싶지도 않을 거라고. 치를 떨 정도로 싫을 테니까…… 우리는 이대로 끝까지 갈 수 없을 거라고 난…… 그렇게 생각했었어."

"그럴 리가 없잖아. 내가 널, 얼마나 사랑하는데……."

유리를 향한 믿음이 부족해서가 아니었다. 늘 쉽게만 살았던 스스로가 유리를 만나는 순간 지독하게도 부끄러워져서. 세상이 어렵고 사는 게 팍팍해 치열하게 노력할 수밖에 없었던 그녀 앞에 자신의 존재는 너무도 작게 느껴져서.

감당하기 어렵다고 느꼈을 뿐이었다. 모든 걸 다 가지고도 정호는 매 순간 열패감을 느꼈었다. 깊디깊은 사랑의 감정과 그것이 맞물렸을 때, 정호는 늘 두려웠고 늘 아팠다. 자신에게 다가온 유리가 믿어지지 않았고, 현실이 아닌 것만 같았다. 달콤한 꿈이 깨질 것만 같은 불안함이 늘 그를 괴롭혔었다.

참으로 어리석은 도피였다. 그렇게 떠난다 해도 유리는 자신을 그리워하지 않을 거라 생각했었다. 심장을 쥐어짜는 아픔은 그저 제 것인 줄로만 알았다. 막연한 두려움에 눈이 멀어, 홀로 이렇게 아파하는 그녀를 보지 못했다.

자신을 꼭 안은 유리의 손에 힘이 잔뜩 들어갔다. 놓고 싶지 않은 듯이. 이제 절대로 놔주지 않겠다는 듯이. 그녀의 마음을 처음 확인했을 때보다 훨씬 더 가슴이 벅차올랐다.

"이제는 네가 싫다고 해도, 내가 못 놔."

유리의 손을 풀고 마주 선 정호는 분명한 눈빛으로 그녀를 바라보았다.

"내가 절대로 너를 안 놓아줄 거야. ……사랑해, 정말."

품에 가득 유리를 끌어안았다.

물 한 잔만 가져다 달라는 유리의 부탁에 정호는 사무실 밖으로 나왔다.

"어, 다들…… 가셨나."

불까지 꺼진 카페는 고요했다. 마미와 준은 퇴근한 모양이었다. 정호는 조명을 켜고 바 안으로 들어갔다. 그리고 잠시 뒤 물을 따른 컵을 들고나오다가 문득 밖을 바라보았다. 익숙한 풍경을 바라보니, 정말 돌아왔다는 사실을 실감할 수 있었다.

'유리 씨는. 네가 아니면 안 돼.'

서원에게는 또 한 번 빚을 졌다. 고맙다는 말로는 이 감정을 모두 표현할 수 없을 것이다. 한국에 오자마자 아직 완전히 정리되지 않은 감정 때문에 옥탑으로 바로 돌아올 수가 없었다. 미련은 베네치아에 두고 왔으니, 이제 마음만 다잡으면 되겠다는 생각에 정처 없이 걸음을 옮겼다.

그래 놓고 고작 간 곳이 중평도였다니. 자꾸만 유리를 쫓아 움직이는 제 발이 한심하게 느껴졌다. 그녀와의 추억이 새겨진 장소에 닿을 때마다 또다시 그리움이 번져 갔었다.

끊어 내려 해도 끊어 낼 수 없고, 잊으려 해도 잊을 수 없는, 어쩔 수 없는 사랑. 여기가 마지막이라는 심정으로 섬 곳곳을 걸어 다녔었다.

지금 생각하니, 중평도에 가서 서원을 만나지 않았더라면 이후로 얼마나 더 오래 헤맸을지 알 수가 없다. 이제 그건 생각할 필요도 없겠지만.

늘 그녀에게로 향하던 마음, 그녀에게로 이르던 길, 그녀에게로 흘러가는 사랑을 막을 수 없었으니 두 사람은 만날 수밖에 없고, 사랑할 수밖에 없는 인연이었다.

그녀의 선택, 자신의 포기. 그건 사랑을 배제한 결정이 아니다. 돌고 돌아온 길의 끝에는, 더욱 견고해진 사랑만이 남았다. 미친 듯이 달려온 이곳에서 그녀 혼자 울고 있었으니, 그 모습을 바라보던 정호의 가슴은 찢어질 것만 같았다. 그래서 이런 일을 다시는 만들지 않을 거라 다짐했다.

지금껏 숨죽인 채 그녀의 등만 바라보며 살아왔다면, 이제는 손잡고 함께 나아갈 것이다. 그러니 닥칠 일이 하나도 두렵지 않았다.

"뭐야, 엄마랑 준이 다 갔어?"

유리도 사무실 밖으로 나왔다.

"그러네, 나와 보니 가신 모양이야. 봐라, 카페에 문까지 걸고 가셨어."

"웬일로 정리도 다 안 하고 그냥 갔지."

"워낙 우리가 격하게 키스를 하니까, 알아서 피해 주신 거지."

"헐, 그런 거야? 네가 문을 닫고 들어왔어야지."

"그럴 정신이 어디 있냐."

정호가 웃으며 물컵을 내밀었다. 받아 든 유리가 테이블로 가서 앉았다. 처음, 옥탑에 있는 정호를 불러내 이 카페를 인수하고 싶다고 말했던 바로 그 자리였다. 그때는 이렇게 될 인연을 전혀 상상하지도 못했었는데, 몇 달 만에 너무도 달라진 상황이 그저 신기하기만 하였다.

정호는 물을 마시고 컵을 내려놓는 유리에게 다가갔다. 그리고 그녀를 일으켜 다시 품에 안았다. 그 어느 때보다 강한 힘으로, 부서질 듯 세게 안아 버렸다. 답답한 상황 속에서 아픔은 제 것이라고만 생각했지만, 이제는 아니다. 힘껏 껴안은 채 정호는 잊고 있던 말을 꺼냈다.

"미안해. 정말 미안하다."

"사랑한다고 했으면 됐지, 뭐가 미안해."

미안하지 않은 것이 없었다. 전부 다, 미안했다. 그녀에게 매달려 흐느끼던 때처럼, 정호는 어깨를 떨었다. 이 남자를 짓누르는 것이 무엇인지 잘 아는 유리 역시 금세 눈물이 차올랐다. 유리는 자신을 끌어안고 있는 정호의 머릿결을 어루만졌다. 단단한 목과 어깨를 끝없이 쓰다듬었다.

"원래 맞은 사람은 발 뻗고 잘 수 있는 법이야. 나는 괜찮아. 오히려 때린 사람이 불편해하는 게 세상의 이치인데, 왜 그게 아닐까 조금 억울하긴 했어."

"……."

"그런데 아니란 걸 알았어. 너도 아팠잖아. 너 많이 아팠잖아. 우리 가족만 힘들었던 게 아니라, 이렇게 상처받은 사람이 또 있었던 거잖아. 네가 대신 아팠잖아."

"……."

"왜 우리만 힘드냐고 억울해했던 게 자꾸 생각나. 미안한 건 나야. 나도 모르게 저주하고 있었나 봐. 누구든 우리보다 더 힘들게 해 달라고."

상처는 상처를 만든다. 끊을 수 없는 고리 위에서 그 상처는 다시 제게로 돌아온다. 이제 여기서 끝맺으리라. 사랑하는 대가로 느끼는 통증이라면, 이제 이 또한 달게 받아들이리라.

"그러니까 정호야."

이 착한 남자를, 이 여린 남자를……

"미안해하지 마. 제발 그러지 마."

그럼에도 불구하고 오랫동안 자신에 대한 사랑을 지켜 온 이 굳건하고 강한 남자를 이제부터 더욱 사랑할 것이다. 제 잘못이 아닌 일에도 이토록 괴로워하는 남자를, 인생 전부를 제게 걸어 버린 남자를, 유리는 온 마음을 다해 더 많이 사랑하겠다고 다짐했다.

"······김유리, 사랑해."

나지막한 음성에는 진심이 가득 실렸다. 그녀를 제 품에 완전히 가두고 이렇게 소리 내어 말할 수 있는 날이 다시 오다니. 우리 이제 미안해하지 말자. 사랑하자. 사랑하고 또 사랑하자. 우리 그냥 사랑만 하자.

물러가는 먹구름 사이로 별빛이 반짝였다. 저 멀리 새로운 바람이 불고 있었다. 몸을 일으킨 정호가 허리를 숙여 유리의 입술을 머금었다. 애틋한 움직임이 그녀의 입술을 열고, 깊숙이 들어갔다. 한참을, 또 한참을 어루만지고 헤매며 몸을 당겨 안았다.

유리의 청바지 주머니에 있는 휴대폰의 진동이 계속 울리기 시작했다. 간신히 입술을 떨어뜨리고 손을 떼면서 그녀가 물러섰다. 아쉬운 정호가 팔을 뻗어 허리를 휘감는데, 유리가 액정을 보고는 아차 하는 표정을 지었다.

"맞다, 나 잠깐 전화 좀 받을게."

아무래도 오늘 밤에 송화에게 가기로 한 약속은 취소해야겠다. 내일 아침에라도 일찍 가겠다고 말해야지, 하며 통화 버튼을 눌렀다.

"아, 송화 씨, 내가 오늘······."

-언니. 어, 언니······. 흐흐흑. 어어, 언니······.

송화가 처음으로 언니라고 부르며 울고 있었다. 정신이 없는 듯 울다가, 중얼거리며 부르는 소리를 반복했다. 놀라서 귀를 기울이니 이슬의 꺽꺽내는 울음소리까지 들려왔다.

"무, 무슨 일이에요!"

유리의 반응에 정호 역시 입술을 떼며 물러섰다.

-으, 은강 씨가······. 언니······. 은강 씨가요.

심상치 않은 일이 벌어졌음을 직감했다. 유리도, 정호도 당황스러운 표정을 감추지 못한 채 마주 바라보았다. 카페 앞 도로에 앰뷸런스가 요란한 소리를 내며 지나갔다. 이내 휴대폰 속에서도 사이렌 소리가 흘러나왔다.

사람들의 웅성거리는 소리, 이슬의 울음, 파르르 떨리는 송화의 목소리, 사이렌 소리 그 모든 것이 뒤섞여 유리의 귓가에 밀려들었다.

"김유리!"

카페 문을 열고 뛰어나간 유리를 정호가 바로 뒤쫓아 갔다.

그들이 송화의 집으로 달려갔을 때, 이미 앰뷸런스가 그들을 싣고 간 후였다. 한밤중에 놀라서 뛰어나온 사람들이 집 주변에 선 채 웅성거리고 있었다.

"사람이 칼에 찔렸다면서."

"에고. 이게 무슨 일이야. 강도는 잡혔나?"

"벌써 도망갔다는데. 아유, 무서워라. 문 꼭 걸고 자야지."

유리와 정호는 바로 도로로 나가 택시를 잡아탔다. 이내 전화를 받은 송화가 지금 향하고 있는 병원 이름을 알려 주었다. 아까보다는 한결 가라앉은 그녀의 음성이 다행스러웠다.

괴한의 칼에 복부를 찔린 은강이 응급 처치를 받는 중이라 했다. 정호는 숨을 몰아쉬는 유리의 손을 잡아 주었다.

"괜찮을 거야."

"그래. 그럴 거야."

유리가 고개를 끄덕였다. 택시 차창 밖 불빛들이 무참히 일그러졌다. 심상치 않은 느낌에, 정호의 가슴속은 쇠로 된 추를 매단 듯 무겁게 내려앉았다.

왜 이런 일이 생겼는지에 대해서는 이야기를 나누지 않았다. 둘 다 그저 입을 닫아 버린 채 창밖만 바라보았다. 잡은 손안에 뜨거운 땀이 맺혔다.

병원에 도착했을 때, 이미 은강의 수술이 시작된 후였다. 유리는 황망하여 어찌할 바 모르는 송화의 어깨를 안고 토닥였다. 연락을 받고 뒤이어 도착한 마미 역시 송화의 품에서 울다 잠든 이슬을 조심스레 받아 주었다.

"자상(刺傷)이 깊지 않은 편입니다. 출혈이 심하지 않고, 응급 처치도 빨랐구요. 그래도 당분간은 절대 안정을 요하니 회복을 위해 보호자분이 각별히 신경 써 주세요."

응급 수술이 잘 끝났고, 다행히 중상이 아니라는 의사의 말에 송화가 깊은 숨을 내쉬며 의자에 주저앉았다. 은강이 잘못될까 봐 지금껏 마음 졸였던 그녀에겐 정말 다행스러운 소식이었다.

창백한 얼굴로 눈을 감은 채 누워 있는 은강을 바라보는 송화의 눈이 붉게 충혈되어 있었다. 다행히 바로 병실을 배정받아 입원 수속을 할 수 있었다.

1인실만 남아 있었지만, 상관없다며 수속을 서두른 건 정호였다. 그는 은강의 입원을 위해 빠르게 움직였다. 어느 정도 상황이 정리된 후에 마미가 이슬을 품에 안고 말했다.

"난 일단 이슬이 데리고 집에 가서 잠깐이라도 쉬게 할게. 어린애가…… 엄청 충격받았겠지."

어느덧 새벽이 다 된 시간이었다. 은강의 곁에 송화를 두고 모두 병실 밖으로 나왔다. 마미를 배웅하기 위해 함께 로비로 내려갔다.

"너희는 여기 계속 있을 거야?"

마미는 나란히 선 유리와 정호를 바라보았다.

"둘 다 멀리서 오느라 힘들 텐데 일단 너희도 집으로 가지 그러니."

"나는 괜찮아."

"저도 괜찮아요."

이탈리아에서 오자마자 휘몰아친 피습 사건에 정신을 차릴 수가 없었다. 하지만 유리는 병원에 송화만 두고 갈 수 없었다. 정호는 당연히 유리의 곁을 지키고 싶어 했고.

"아마 날 밝으면 서에서 조사 나올 거야. 은강이랑 송화 씨 옆에 내가 있어야지."

"남 일도 좋지만, 네 몸을 우선으로 생각해. 이런다고 누가 알아주니?"

"그게 낑낑거리면서 이슬이 안고 있는 엄마가 할 소리야? 빨리 택시나 타."

센 척하고 거리낌 없이 행동하는 듯해도 인정이 넘치는 마미였다. 그녀는 전화를 받자마자 한달음에 뛰어왔고, 모두 정신없는 가운데 어린 이슬부터 챙겼다. 지금도 송화를 대신해 내일 학교에 보내 주겠다며 이슬을 데리고 나오는 참이었다.

송화는 미안한 마음에 극구 사양했다. 마미는 그럼 이 어린아이를 병원에서 재울 생각이냐며, 아무 걱정 하지 말고 일단 은강이 눈뜰 때까지 자신에게 맡기라고 했다. 이슬을 맡겠다고 선뜻 나선 마미나, 송화의 일을 끝까지 도우려는 유리나, 정호의 눈에는 매한가지였다.

자신과 같은 누군가를 돕는 것으로써. 그리고 그 누군가의 곁에 함께 있어 주는 것으로써. 지금까지 세상으로부터 받은 상처를, 그녀들은 그렇게 스스로 치유하고 있었다. 그 모습이 이제야 눈에 들어온다. 유리가 단지 욕심만으로 이 사건을 고집한 건 아니라는 사실이. 그래서 더욱 미안했다.

새벽임에도 병원 로비 앞에는 택시들이 줄지어 서 있었다. 두 사람은 마미와 이슬이 올라탄 택시가 저 멀리 사라지는 모습을 하염없이 바라보았다.

"칼 휘두르는 걸, 이슬이가 안 봤어야 할 텐데."

유리는 일차적으로는 어린아이가 받았을 충격을 걱정하였다.

"송화 씨도, 자기 때문이라며 은강이한테 너무 미안해하고 있고……. 그거 정말 괴로운 기분일 텐데."

그리고 송화의 죄책감도.

"은강이 다친 게 심하진 않다고 하니 그나마 다행이지만, 그래도 당분간은 병원에 있어야 할 거고. ……휴우."

은강의 상처까지. 그녀의 걱정은 끝이 없었다. 유리는 건물 앞 정원의 벤치로 가서 털썩 앉았다. 잠깐 사이에 너무도 많은 일이 일어났다. 두 사람은 다시금 아픈 현실 속에 내던져졌다. 정호는 그녀의 옆에 천천히 앉았다. 묵직하게 누르는 감정에 목이 메었다.

"김유리, ……나 때문에 시원하게 욕도 못 하고 있네."

강도의 단순한 칼부림이 아닌 것쯤은 정호도 이미 예상했다. 왜 이렇게까지 일을 벌였는지 전혀 이해할 수는 없지만, 짐작이 가는 곳은 단 한 곳뿐이었다. 정호와 무관하지 않았다. 그러니 유리 역시 내키는 대로 말하지 못하고 참고 있을 것이다.

"욕한다고 해결되는 일도 아닌데, 뭐."

유리는 부정하지 않았다. 그 대답은, 두 사람이 서로 생각하는 사건의 근원지가 일치한다는 이야기이기도 했다. 정호는 힘겹게 입을 열어 물었다.

"어떻게 된 거래?"

그 말에 유리가 고개를 돌려 정호를 바라보았다. 입원을 위해 그가 이리저리 뛰어다닐 때, 유리는 송화와 잠시 이야기를 나누었다. 마음을 가라앉힌 송화가 사건의 정황에 대해 간단하게나마 들려주었을 것이다.

그는 심장을 난도질당하는 끔찍한 기분에 휩싸여 유리를 제대로 쳐다볼 수 없었다. 그녀의 경멸이 바닥을 쳤을지도 모른다. 묻는 정호의 마음은 편치 않았다. 그런데 유리가 손을 뻗어 그의 손을 가만히 잡아 주었다. 정호는 고개를 돌려 그제야 그녀를 보았다. 깊고 검은빛을 띤 그녀의 눈은 생각보다 훨씬 다정하였다.

이편웅과 피로 얽힌 자신마저 경멸하지 않을까, 늘 두려워하던 정호의 마음을 차분히 쓰다듬어 주듯. 그녀의 눈빛은 따스하기만 했다. 내내 기분 나쁘게 둥둥 뛰던 그의 가슴이 조금은 차분해져 갔다.

"송화 씨가 이사장과 어제 만났다고 했어. 내가 혹시 만나게 되면 대화를 녹음하라고 보이스 레코더를 줬거든. 근데 송화 씨가 이슬이 데리고 집에 들어갔더니…… 이미 다 뒤졌는지 안에는 난장판이고, 대놓고 녹음기를 내놓으라 요구하더래. 없다고 하니, 이미 집 안은 다 봤겠다, 있을 곳이라곤 송화 씨 들고 있는 가방이라고 생각했겠지. 그걸 빼앗아 막 나갔는데, 집 앞까지 데려다줬던 은강이가 괴한을 본 거야."

"……"

"그 사람이 가지고 나온 게 송화 씨 가방인 거 아니까 은강이가 붙잡았고. 송화 씨가 막 뛰쳐나갔을 때 은강이가 괴한을 이미 두어 대 때린 후였다고 하더라고. 그런데 그 미친놈이 잭나이프를 꺼내서 은강이 배를 찌르고, 가방에서 쏟아진 물건 중에 보이스 레코더를 집어서 순식간에 사라진 거야."

"얼굴 못 봤대?"

"검은 모자에 검은 마스크, 검은 옷, 그리고 장갑까지. 얼굴도 못 보고, 키도 보통이고, 목소리도 특색 없어서 나중에 봐도 알지 못할 거래. 게다가 송화 씨 집 쪽으로는 방범용 CCTV도 없어. 골목 나가 바로 대기 중인 차에 탔다고 치면, 거리가 짧아 목격자도 없었을 거고."

한숨이 절로 나는 상황이었다.

"일부러 녹음기를 탈취(奪取)할 정도면……."

그 자체만으로도 범죄 사실을 인정한다는 얘기가 된다. 정호는 말을 마치지 못했다. 감싸 줄 이유는 없었지만, 나서서 비난하기에도 껄끄러웠다.

"응. 송화 씨 얘기로……. 이사장이 처음에는 본색을 드러낸 상태로 말을 하다가 나중에는 태도를 조금 바꾸었더래. 그게 자기한테 부드럽게 대하는 척해서 회유하려고 하는 줄 알았는데, 지금 생각해 보니 녹음하고 있는 걸 중간에 눈치챈 것 같다고 하더라. 그래서 하루 정도 시간을 두고 녹음기 빼앗아 갈 상황이 되는지 알아본 후에 오늘 빼앗으려고 찾아온 거겠지."

"그거, 증거로 제출하면 자신이 쓰고 있는 가면이 벗겨질 테니까."

"그렇지. 지금 사실…… 경찰에서는 송화 씨 말을 건성으로 듣는 것 같아. 조사도 형식적이고. 이미지 관리를 어쩜 그렇게 잘했는지, 이편웅에 대한 신망이 너무 두터워서 그걸 깨기가 쉽지 않아. 이쪽 말은 아무도 안 믿는 것 같아. 아마 검찰에 사건 넘어갈 땐 무혐의 의견이 백 퍼일 거야."

아무리 피해자 진술이 일관되어 증거로 충분한 효력을 발휘할 수 있다 하더라도, 가해자 쪽에서 끝까지 혐의 부인을 한다면……. 이미 피해 사실의 진실 여부는 거센 공격을 받는 셈이다.

녹음 파일이 있다면, 적어도 이편웅의 가면 정도는 벗길 수 있었는데. 이제는 일이 좀 더 어렵게 되어 버렸다. 잠시 침묵을 지키고 있던 그녀가 다른 질문을 던졌다.

"나, 이거…… 포기 안 해도 정말 괜찮겠어? 그래도 돼?"

정호에게 허락을 구하고 있었다. 조심스러운 말투였다. 애타게 그리워하던 마음은 다시 만난 것으로 완전히 해갈했으나, 아직 풀지 못한 숙제가 너무도 많았다. 들떠 있던 마음에 찬물을 끼얹듯, 그 숙제가, 그 문제가, 지금 그들의 앞에 펼쳐졌다.

정호는 유리가 이 사건에서 절대 손 뗄 수 없음을 알고 있었다. 그건 일이 벌어진 처음부터 예감했던 사실이다. 그래서 그때는 그녀의 곁에서 떠나 주어야 한다고 생각했었다.

"너 절대 포기 못 할 거, ……알고 온 거야."

"정호야."

"그러니 난 상관없어. 포기하지 마."

이제는 아니다.

유리에게서 멀어질 수 없다는 걸 완전히 알아 버렸다.

"네가 하고 싶은 대로 해."

"……."

"그게 정의잖아. 네가 옳은 거야. 네 뜻을 알면서도 쉽게 버리라고 했던 내가…… 나빴다. 너한테 그 일이 어떤 의미인 줄 알면서도."

"그건 아니지. 네가 나쁜 거 아니야. 그렇게 생각하지 마."

'그 일 제발 하지 마.'라고 절규하던 이도. '대단한 집안이구나.'라고 비아냥거리던 이도. 이별을 원하는 사람은 아무도 없었다. 그러니 달라질 수밖에.

서로를 잡은 손을 놓지 않으려면 어떻게 해야 할지 이제는 잘 알았다. 유리는 조심스럽게 허락을 구했고, 정호는 그녀를 인정하는 마음을 내려놓았다. 다시 돌아온 현실은 여전히 참혹했으나, 두 사람을 둘러싼 울타리는 이전보다 훨씬 견고한 느낌이었다.

유리가 팔을 뻗어 정호를 당겼다. 그리곤 그의 너른 품에 안겨 들었다. 거칠게 불어닥친 풍랑 속에서 제대로 집에 찾아 들어간 듯 편안함이 느껴졌다. 정호의 품이 너무도 넓고, 따뜻해서, 눈물이 날 것 같았다.

그가 손을 들어 유리의 머리를 쓰다듬어 내렸다. 앞날은 두 사람 하기 나름. 지금부터 만들어 갈 미래가 어떤 색으로 칠해질지는 그들에게 달려 있었다. 그리고 그건, 누구보다 두 사람이 잘 알고 있었다.

"좋다."

"……."

"돌아오니까 참 좋다."

정호가 나직하게 중얼거린 말이 새벽 공기 속으로 섞여 들었다.

"같이 있으니까…… 나도 진짜 좋다."

품에 안긴 유리가 작게 답했다. 무엇이든 견딜 수 있었다. 같이 있을 수만 있다면. 이젠 그것만이 중요했다. 다른 건 아무런 의미가 없었다.

정호와 유리는 병실로 돌아왔다. 조심히 문을 열었을 때, 의자에 앉아 침대에 엎드려 있는 송화의 작은 등이 보였다. 그리고 몸을 일으킨 은강이 잠든 그녀를 보고 있었다. 그 눈빛이 너무도 애잔해서, 유리의 마음마저 안타까웠다.

"은강아, 깼구나. 간호사님부터 불러야겠지?"

"누나."

송화에게서 눈을 떼지 못한 은강이 유리를 불렀다.

"응. 지금 어디가 제일 아프니? 많이 힘들지?"

"누나, 저 이 사람."

"……"

"그냥은 못 두겠어요."

은강의 진심 어린 목소리에 멈칫했다. 송화의 집에서 뛰쳐나온 괴한과 마주했다고 들었다. 은강은 송화와 이슬 모녀를 집에 들여보내고도 바로 돌아서지 못한 채 그 앞에서 한참을 서성였다.

발길이 떨어지지 않아 머문 것은 우연이었지만, 어쩌면 또 운명이다. 그랬기에 은강은 모녀를 지킬 수 있었다. 은강이 만약 바로 자리를 떴다면, 상황은 더 심각했을 수도 있었다. 가방을 빼앗긴 송화가 저도 모르게 괴한에게 달려들었을 수도 있고, 그러면 일은 어떻게 되었을지 아무도 예상할 수 없으니까.

송화가 말하길, 은강은 칼에 찔린 배를 붙잡고 괴한으로부터 자신을 막아섰다고도 했다. 이슬을 안은 그녀부터 보호하려고 막아선 그 등이 너무 넓고 든든했다고.

그런 은강에게 고마운 감정 이상을 느껴 버리면 자긴 정말 욕심 많고 나쁜 년이 되는 것 아니냐고. 멀쩡한 남자 앞길 막는 그런 여자는 되고 싶지 않다고. 제겐 그럴 자격이 없다고. 이미 송화는 그에게 기울어져 있었다. 은강은 말할 것도 없었다.

"꼭 잡아 줘, 송화 씨 손."

"내 마음대로…… 그렇게 해도 괜찮을까요?"

"옆에서 보니까, 송화 씨 마음도 너랑 같더라. 그냥 겁을 내고 있을 뿐이지."

유리가 생긋 웃었다.

"인생 뭐 있냐? 사랑하고 싶은 사람, 마음껏 사랑하면 그만이지! 뭐가 그리 복잡해."

그건 자신에게 하는 말이기도 했다. 유리가 시원시원하게 내뱉은 말에 은강이 조금 편해진 얼굴로 웃었다. 힘든 사랑이 분명하지만, 어떤 상황도 개의치 않는다는 듯 은강의 눈빛은 굳건하기만 했다.

며칠이 지난 후, 법원에 다녀온 유리가 카페에 들어설 때였다.

"우와아. 저 오빠 진짜 잘생겼어. 어떻게 저 인물로 변호사냐고."

"콧날 대박, 턱선 대박. 한번 만져 보고 싶다. 나 손 베여도 좋을 것 같아!"

넋을 잃은 학생들의 시선은 바 안의 정호에게 닿아 있었다. 문가 테이블에 앉은 학생들을 보고 유리가 멈칫했다.

"야, 찍었어? 내 폰 자꾸 흔들려. 네 걸로 찍은 것 좀 봐 봐."

"후아! 남신 강림! 이 옆모습 너무 잘 나왔다!"

학생들이 머리를 맞대고 보는 휴대폰 화면 위로 그림자가 드리웠다. 고개를 드니 팔짱을 턱 낀 유리가 싸늘하게 내려다보고 있었다.

"아, 안녕하세요, 선배님?"

다른 학생들도 일단 인사부터 했다. 마치, 형님 나오셨습니까, 하는 분위기에 저 멀리 바에 있던 정호도 돌아보았다. 유리를 발견한 그가 씨익 웃었다. 그의 미소를 본 학생 한 명이 황홀한 표정으로 휴대폰을 들었다. 홀린 듯 사진을 찍으려는 학생의 휴대폰을 유리가 탁 채었다.

"현행법상 직접적인 규정은 없지만, 헌법상 인간의 존엄과 가치권에 근거하는 일반적 인격권에 포함되는 권리 중 하나로."

"……."

"'초상권'이라는 게 있단다, 애들아?"

입술을 벌린 학생들을 내려다보며 말하는 유리에게는 위압감이 흘렀다.

"남의 초상을 본인의 허가 없이 촬영, 공표, 전시하거나 사용하면 안 된다는 거야. 우리 후배님들, 그 정도는 알고 있겠지?"

"네? 네, 네."

얼떨결에 대답하는 학생에게 휴대폰을 건네주며 유리가 말했다.

"게다가 이건 명백한 도촬이야. 카메라 등 이용 촬영죄는 성폭력 범죄의 처벌 등에 관한 특례법 제14조에 의거, 카메라나 그 밖에 이와 유사한 기능을 갖춘 기계 장치를 이용하여 성적 욕망 또는 수치심을 유발할 수 있는 사람의 신체를 촬영 대상자의 의사에 반하여 촬영한 자는 7년 이하의 징역 또는 5천만 원 이하의 벌금에 처한다, 는 조항도 있지."

"그, 그런 불순한 의도는 절대 아니었어요."

"아니더라도 다른 사람 사진 몰래 찍고 그러는 거 아니야. 한 가지 더 말해 주면, 엄연히 여친도 있는 남자거든."

"저 오빠 여친이 있었어요?"

격한 안타까움에 학생들의 표정이 일그러졌다.

"누군데요?"

그의 여자 친구가 눈앞에 선 자신이라는 건 상상도 하지 못하는 얼굴들이다. 학생들은 아마도 그녀가 정호의 등짝을 살벌하게 내리치는 모습을 여러 번 봤던 모양이었다. 유리는 나지막한 음성으로 고백했다.

"그 여자 친구가 바로, 나야."

"네에?"

"헐! 말도 안 돼! 두 분 친구 사이잖아요!"

"친구가 애인 되고, 애인이 부부 되고, 인생사 다 그런 거지, 뭐. 그러니까 내 남자 사진, 앞으로 허락 없이 막 찍고 그러면 안 된다. 김유리 법에 걸려."

유난히 꼿꼿하고 바른 자세로 몸을 휙 돌린 유리가 저만치 멀어졌다. 오늘따라 결 좋은 머리카락은 걸을 때 더 찰랑거렸다. 유리의 아찔한 뒷모습을 바라보던 학생들이 허탈한 한숨을 내쉬었다. 다른 사람은 몰라도, 저 언니는 너무 막강하잖아.

"쟤들이랑 무슨 얘기 했어?"

병원에 입원해 있는 은강 대신 카페 일을 돕고 있던 정호가 물었다. 유리는 마음에 들지 않는다는 듯 팔짱을 낀 채 그를 훑어보았다. 하여튼 밖에 내놓기 참 아까운 인물이다. 은강이 입원만 아니면, 카페에 못 나오게 할 텐데.

"너 이렇게 카페에서 계속 일해야겠어?"

"일단은 나라도 도와야지. 일하는데 왜 시비야?"

생전 일을 안 하던 백수가, 지금은 카페 일에 유리의 업무까지 하고 있다. 칭찬받아도 모자란 상황에 딴죽을 걸듯 말하는 유리를 보고 정호가 어깨를 들썩였다. 그러다가 학생 무리를 슬쩍 보고 감을 잡은 정호가 씩 웃었다.

"김유리, 너 혹시 질투하냐?"

"누가 뭘 해. 질투우? 하하. 내가아? 아하하하."

유치한 감정을 인정하기 싫은 듯 유리가 어색하게 웃었다.

"그럼 쟤네랑 무슨 얘기 했어? 저 애들 표정이 왜 저렇게 썩었는데. 네가 눌러 말아 주고 온 거 아니야?"

"눌러 말긴, 쟤들이 김밥이냐? 너나 말아 버리기 전에……."

옆에 있던 준이 괴롭다는 듯 두 손을 들어 제 머리를 감쌌다.

"아니! 다들 나한테 왜 이래요? 내가 뭘 그렇게 잘못했어?"

"애는 또 왜 이래."

"병원 갈 때마다 은강 형이랑 송화 누나랑 아주 애절하다 못해 눈물 쏙쏙 빼는 정통 멜로를 찍고 앉아 있고! 카페에서는 두 분이 이렇게 싸우는 척 맨날 깨 볶으며 로코 찍고 있으면. 나는 대체 어쩌란 말이에요!"

여기저기 벌어지는 애정 행각에 준이 괴로움을 토로했다. 정호와 유리의 시선이 맞부딪쳤다.

"미안. 우리가 좀 예의 없었지?"

"준배를 위해서라도 피해 줘야지, 우리가 너무했다."

다정하게 사무실로 향하는 두 사람의 뒤로 준의 통탄 어린 음성이 내려 앉았다.

"뭐야아. 이 시점에서 사무실은 또 왜 들어가. 대체 왜들 이러는 건데. 인간적으로 근무 시간에 뽀뽀는 좀 하지 말자고요! 마미 오시면 다 이를 거예요!"

대답 없이 사무실 문이 탁 닫혔다. 준은 축 처진 어깨로 돌아섰다. ……커플 지옥, 솔로 천국. 하지만 준의 중얼거림과 무관하게, 어쩐지 사무실 안에선 핑크빛 기운이 뿜어져 나오는 듯했다. 커플 지옥은 무슨. 아무래도 천국은 저 안에 있는 것 같았다.

탁.

사무실 문을 닫자마자 유리가 종이 한 장을 팔랑거리며 내려놓았다.

"이게 뭐야?"

"입굴 신고서."

"뭔 신고서? 입국 신고서?"

정호가 맞은편에 앉으며 종이를 들여다보았다.

"아니, 입. 굴. 신. 고. 서."

"그게 뭐야?"

"책에서 봤는데, 남자에게는 기본적으로 '동굴 습성'이 있대. 여자는 이야기하는 것으로, 남자는 동굴에 들어가는 것으로 각자 힘든 마음을 푸는 거지. 너도 혼자만의 동굴에서 묵언 수행을 하든, 숨바꼭질하든, 그래, 뭐, 다 이해할 수 있어."

유리가 말을 이었다.

"네가 앞으로도 수없이 파고들어 갈 토깽이굴, 뭐, 다 좋다고. 필요하면 동굴이든 터널이든 들어가야지, 난 괜찮아."

이른바 '남자들의 동굴'로 인해 여자들이 얼마나 답답하고 괴로운지에 대한 이야기, 남자가 왜 동굴에 들어가는가에 대한 심리 분석 등에 대해 들은 적이 많았다.

정호는 풋, 웃음이 나왔다. 이 쿨하고 멋진 내 여자가 지금, 동굴 인정해 준다는 거지. 내가 했던 그간의 방황에 대해 김유리는 이런 식으로 대응을 하고 마무리를 하는구나.

"그래서 앞으로 동굴에 들어가기 전에는 '입굴 신고서'를 작성하라고?"

"응. 직접 출석 없어도 돼. 서면 제출도 가능하니까 예고 없는 입굴만은 안 돼."

정호가 복잡한 상황에서 벗어나 숨어들었던 자신을 자책하게 될까 봐, 유리가 꺼내 든 카드는 '입굴 신고서'였다. 그럴 수 있어. 너는 충분히 그럴 수 있었어. 이 단순한 종이 한 장이, 마치 자신의 등을 토닥이고 어루만지는 것만 같았다.

"들어갈 때 알려만 줘. 난 그거면 돼. 네 동굴, 안 건드릴게."

220

그간 얼마나 괴로웠냐고. 도망치고 싶었던 널 이해한다고. 힘들었던 네 마음, 이제 내가 안다고. 다정하게 속삭이는 유리의 마음이 느껴졌다. 이내 누가 먼저인지 모르게 다가들었다. 손에서 떨어진 종이가 팔랑팔랑 내려앉았다.

"흐음."

이대로 녹아내릴 것만 같은 기분을 느끼며 유리가 그를 받아들였다. 문과 정호 사이에 몸이 갇힌 채, 지그시 눌러 오는 그의 무게를 느꼈다. 노닐듯 가볍던 움직임이 점점 깊어졌다.

키스는 이전보다 훨씬 진했고 깊었다. 이내 유리는 물과 바람에 모든 것을 맡기고 흘러가는 종이배가 된 기분으로 눈을 감았다. 아무래도 좋았다. 정호를 거부할 마음은 전혀 없었다. 그런데 순간 손의 움직임이 딱 멎었다.

"후우우."

돌연 키스를 멈춘 정호가 푹 꺼지듯 한숨을 내쉬었다. 유리는 딱히 제지하지 않았지만, 정호 스스로 당황하여 멈추고 만 것이다.

"……왜?"

유리는 무엇보다 키스를 중단한 것이 아쉬운 듯, 좀 더 가까이 다가왔다. 사실 정호는 다시 만난 이후로는 키스하는 것이 다소 괴로워졌다. 서면 앉고 싶고, 앉으면 눕고 싶은 인간의 욕망은 어쩔 수 없는 것일까. 입을 맞추면 키스하고 싶고, 키스하면 만지고 싶고, 만지면…….

"아아. 유리야, 방금 너 법원 간 사이에 내가 이거 작성해 놓은 것 좀 확인해 봐."

정호가 서둘러 책상 앞으로 갔다. 갑자기 화제를 돌리는 그의 움직임이 어색하여 유리가 불만스러운 표정을 지었다.

"뭐야, 진짜."

먹던 초콜릿을 빼앗긴 아이 같은 얼굴이었다. 출력해 둔 서류를 유리에게 급히 보여 주기 위해 챙기고 있는데 유리가 뒤로 다가왔다. 그리곤 그의 등에 얼굴을 찰싹 붙이고는 허리를 확 껴안았다.

"흐억."

정호가 짧게 숨을 뱉었다. 탄탄한 복부에 유리의 손이 착 닿았다. 저절로 배에 힘이 바짝 들어갔다. 이러면…… 정말 곤란한데.

"음. 좋다아."

"아아. 김유리, 제발, 그만."

정호가 자신을 감싼 그녀의 손을 떼어 냈다. 그러자 기분이 상한 듯 유리가 그의 몸을 돌려세웠다.

"너 왜 그래, 진짜?"

어제도 키스하다가 돌연 멈추더니 딴소리를 하질 않나, 휴대폰을 보질 않나, 오늘은 좀 몰입하는가 싶었는데 역시 마찬가지였다.

"나한테 벌써 질렸어?"

"무, 무슨 소리야. 질리긴 왜 질려."

"그런데 왜 이렇게 반응이 시큰둥해. 나랑 키스하기 싫어? 하지 말까?"

"사람이 뭐, 이리 극단적이야. 내가 언제 싫다고 했냐."

유리는 팔짱을 끼고 정호를 올려다보며 마음에 안 든다는 듯 혀를 찼다.

"밀어내다가 후회하는 수가 있다, 너."

"아아, 밀어내는 게 아니라고."

"밀어내는 게 아니면 뭔데."

"더 나가면 안 될 것 같아서 그래. 왜 이렇게 참기 힘드냐."

"어?"

유리가 한 걸음 물러섰다. 묘한 긴장감이 흐르고, 숨이 탁 막혔다.

"그러니까 건드리지 말라고. 알아서 자제하고 있는데 왜 사람을 자꾸 흔드는 거야."

나이도 있고, 마음도 있고. 사실 자제할 이유가 없기는 하다. 하지만 요즘 상황이 상황인지라 재회 후에도 그럴 만한 기회는 만들지 못했다. 지금도 정호가 자제하는 것이 옳고.

밖에는 손님들과 마미, 준이 있는 카페 공간, 여긴 사무실이 아닌가. 누군가 들어올 수도 있었다. 그렇지. 여기서는 더 나아가선 안 되지. 그제야 정신이 든 유리가 웃으며 넘어가려는데, 정호의 눈빛이 갑자기 변했다. 유리가 여유를 잃은 것도 바로 그때였다.

"아, 알았어. 가까이 오지 마. 무슨 말인지 알았다고. 왜, 왜, 그냥, 잠깐. 야. 야아아!"

뒷걸음질 치던 유리가 소파 위로 풀썩 넘어갔다. 발랑 누운 그녀의 몸 위로 정호가 다가왔다.

"기, 김정호. 안 건드릴게. 미안. 내가 잘못 생각했어, 응?"

"이미 늦었어."

"왜, 왜!"

"간신히 참았는데, ……지금 네 표정이 너무 야해서 내가 견딜 수가 없네."

"어우, 야. 야. 정호야. 정신 차려! 여기 사무실이야."

당황스러운 얼굴로 손을 휘휘 저어 보았지만, 손목마저 탁 잡혔다. 유독 강한 힘에 유리가 인상을 찡그렸다. 돌변한 정호를 이길 수 없었다. 그는 마치 연약한 초식 동물을 잡아먹으려고 다가온 거대한 육식 동물 같았다. 유리는 자신답지 않게 사정하는 투로 말했다.

"제가 잘못했어요. 살려 주시죠? 네?"

정호의 얼굴에서는 웃음기가 사라졌다. 그의 몸 아래 깔린 채 올려다보니, 침이 꼴깍 넘어갔다. 이런 상황에서 진지한 그 얼굴이 왜 이렇게 섹시한 건지. 키스야 수도 없이 해 봤지만, 그 이상은 아니었다.

그러니 이렇게까지 농밀한 분위기가 연출된 적은 없었다는 이야기다. 아마 몇 번이고 정호가 스스로 자제하여 돌아섰기 때문이겠지.

이왕 이렇게 된 거, '에라, 모르겠다!' 하는 심정인 걸까. 정호는 지금 전혀 참지 않으려 하고 있었다. 너만 모르냐. 나도 모르겠다! 유리는 눈을 질끈 감았다.

흐읍. 그 뜨거운 숨결이 입술에 바로 닿았다. 손을 뻗어 정호의 목을 감싸 안았다. 더 바짝, 제게로 당기며 깊게 입을 맞추었다.

그때. 타악!

"정호야! 이따가 은강이 병원에 갈 때 송화한테 도시락……."

겹쳐 있던 정호와 유리의 몸이 딱 굳어 버렸다. 익숙한 목소리의 주인공은 마미였다. 워낙 깊은 키스를 하던 중이라 움직일 생각도 못 했다. 그대로 얼음이 된 채 눈도 못 뜨고 있는데.

"흐음. 미안. 하던 거 계속해."

끼이익, 닫히는 문 사이로 준의 놀란 음성까지 더해졌다.

"허억! 마미, 그 문을 막 여시면 어떡해요! 예전엔 저보고 꼭 노크하라고 하시더니!"

"내가 뭐, 저러고 있을 줄 알고 그랬니?"

뜻밖의 광경에 놀란 사람치고는 너무도 태연하기만 한 목소리를 끝으로 탁, 문이 닫혔다. 입술을 떨어뜨린 정호가, 유리를 내려다보며 쿡 웃었다. 유리도 웃음이 터졌다. 둘만의 은밀한 애정 행각을 들키고도 나오는 건 웃음뿐이니, 이제 거리낄 것 없이 확실한 연인 사이가 맞는 모양이었다.

"일단 오늘은 이렇게 끝내지만…… 앞으로 도발하지 마. 참기 힘드니까."

정호가 몸을 일으켰다.

"그런데 우리 사이에 참을 이유가 뭐 있어?"

"너, 후회하지 마. 조만간 큰일 난다."

같은 건 씌우면 안 되는 거야. 지금도 채 비서 만나려고 내가 여기까지 오고, 바쁜 사람 시간 빼앗으면서 이게 뭔가, 대체."

"누명이요?"

송화가 혀를 차는 소리가 비상구에 울려 퍼졌다. 인면수심(人面獸心)의 이편웅이, 이제는 자신이 잘못했던 일들마저 아예 없었던 것처럼 꾸며 말하고 있었다.

얼마 전까지만 해도 송화에게 회유와 설득을 했다 하더니, 이젠 태도 자체를 완전히 바꿔 버린 모양이었다. 이편웅 측이 저렇게 나오면, 한 가지 우려되는 사실이 있다.

"이제 검찰로 넘어갔고, 어차피 나는 잘못한 게 없으니 무혐의 처분 받을 테고, 그럼 누가 손해겠나. 채 비서가 스스로 무덤을 판 꼴이지. 사건 끝나면 내가 명예 훼손에 무고죄로 채 비서 고소할 테니까. 이거야말로 죗값을 치러야 할 일이 아닌가. 무고한 시민을 상대로 꽃뱀이 사기를 치는 격이니 말이야."

'무혐의 의견'으로 검찰에 송치된 이상, 검찰도 아주 특별한 경우가 아닌 이상 번복 없이 그대로 불기소 처분을 내릴 것이 뻔했다. 그 경우 이편웅의 말대로 무고죄 고소가 가능했다. 지금과는 반대로 송화가 피의자가 되어 법정에 설 수도 있단 말이었다.

"꼬, 꽃뱀이라니요."

"지금 사건이 널리 알려지지는 않았지만, 이거 아는 사람들은 다들 그렇게 얘기하고 있는데 채 비서만 몰랐나 보군. 심지어 경찰들까지 말이야. 이렇게 억울하게 성추행 고소당하는 경우가 아주 흔하다면서 오히려 날 위로하던데. 돈 노리고 죄를 뒤집어씌우는 질 나쁜 꽃뱀들은 아주 뿌리를 뽑아야 하지. ……채 비서가 그런 여자일 줄 상상도 못 했어."

"아니에요. 저는 아니라고요."

이런 전개를 예상하지도 못하고 시작한 건 아니었을 것이다. 유리가 그 럴 가능성에 대해서도 충분히 설명을 해 주었을 텐데. 정작 이편웅의 입 에서 '꽃뱀'이라는 말을 듣자 송화가 적잖이 당황한 모양이었다. 이편웅의 음성이 한결 여유로워졌다.

"그러게, 가만히 있는 사람을 건드리긴 왜 건드리나. 법 무서운 줄 알아야 지."

정호는 주먹을 말아 쥐었다. 터진 입이라고 함부로 지껄이는 저 남자를 당장에라도 때려눕히고 싶었다.

법을 무서워해야 할 사람이 누군데. 외삼촌? 어머니의 이복동생? 다 필요 없다. 하늘 아래 무서운 것 없이 날뛰는 저 인간이 핏줄이라고 믿고 싶지 않 았다. 왜 저런 짐승 같은 인간의 허물을 덮어 주는지, 자신의 집안조차 이해 하고 싶지 않았다.

송화를 수치심에 떨게 하고, 유리의 가족을 사지로 몰아넣은 사람이었다. 저 비릿한 웃음 뒤에 얼마나 많은 사람이 좌절하고 분노했을지, 그 눈물이 정호의 가슴을 쾅 내리쳤다.

"그러니 어디 한번 해 보자고."

이편웅은 자신만만한 목소리로 송화에게 선전 포고 하듯 말했다. 보이스 레코더도 빼앗았겠다, 경찰 수사 단계에서 더 이상의 증거는 없었으니 앞으 로 진행될 싸움도 자신에게 유리할 것으로 생각하는 모양이었다.

"그래, 어디 한번 해 보자."

정호는 중얼거렸다. 지금 당장 이편웅의 멱살을 잡고 한 대 치지 않은 건, 더 멀리 보기 위해서다. 다만, 잠기 위해 말아 쥔 수먹이 분노도 부들 부들 떨렸다.

방황을 끝내고 돌아온 때에는, 유리의 뜻을 존중해 주는 것만으로도 충분 하다고 생각했었다. 어쩌면 그조차도 제게는 힘든 일이었을지 모른다. 하지만 지금 그는 투지가 활활 타올랐다. 이건 처음 느끼는 감정이었다. 상식으로 살아가는 사람들은 상처를 받고, 부당하게 살아가는 사람들에게는 죄책감이 없다.

'세상 참 엿 같잖아.'

유리의 목소리를 떠올리며 정호는 피식 웃었다. 네 말이 맞네. 참 엿 같네. 허탈한 웃음을 내뱉으며 정호는 은강의 병실로 갔다. 잠든 은강을 보며 도시락을 내려놓고 나오는 길에 송화와 마주쳤다.

"어, 언제 오셨어요? 전…… 잠깐 화장실에 다녀오는 길이에요."

송화는 울었는지 눈이 시뻘겋게 달아올라 있었다. 한껏 충혈된 그 눈에서, 정호는 유리를 보았다. 그런 세상 속에서 살아가며 힘들었을 자신의 여자, 유리를 보았다.

억울함에 가슴을 치고도 못내 살아가야 하는 여자, 송화를 보았다. 잭나이프에 찔린 배를 움켜쥐고도 송화와 이슬을 막아섰다는 남자, 은강을 보았다.

자신은 지금껏 무엇을 했는가. 알량한 사랑 하나 붙잡고 알아주지 않는다고 아파하고, 도망가고, 다시 매달리고. 그뿐이었다. 유리를 위해 한 일은 아무것도 없었다.

그토록 힘들었다는 그녀를 온전히 이해하지도 못했다. 편하게 살자며, 그만두라 말했다. 그 아픔이 어느 정도인지 상상할 수도 없었다. 지독한 깨달음이 그를 뒤흔들었다.

"송화 씨."

유리가 왜 이 일에 뛰어들었는지, 이제야 알아 버렸다. 그동안 머리로만 알았던 것을, 가슴이 느껴 버렸다.

"송화 씨가 무고죄로 고소당할 일 없을 거예요. 걱정하지 마세요."

이건 유리 혼자 감당할 일이 아니었다. 유리만의 몫이 아니었다. 선심 쓰듯 이해해 주고, 하고 싶은 대로 할 수 있게 내버려 두는 것이 제가 할 수 있는 전부가 아니었다.

"……정말 그럴까요?"

두려웠던 모양이다. 정호의 말에 송화가 떨리는 목소리로 물었다.

"송화 씨가 잘못한 것이 없는데 왜 처벌을 받아요. 아니에요. 그럴 일 절대 없어요."

절대 없어야 했다. 그것이 바로 유리가 원하는 세상이다. 이토록 약한 이의 생명 줄을 쥐고 흔들며 잔인한 웃음을 흘리는 이가 발 뻗고 잠들어서는 안 된다. 정호는 제 여자의 작고도 깊은 바람, 그 굳센 신념을 완전히 이해해 버렸다.

"벌은 잘못을 저지른 사람이 받아야죠. 유리랑 제가, 끝까지 최선을 다할게요. 그러니 걱정하지 마세요."

정호는 송화의 두 어깨를 잡고 가볍게 두드려 주었다. 그의 따뜻한 격려에 송화가 눈물을 참으며 인사했다.

"고맙습니다. 정말 고맙습니다."

병원에서 나오자마자 정호는 어디론가 전화를 걸었다.

"네. 제가 부탁드렸던 직원 명단이요. 비서실. ……네, 팩스 빈호를 문자로 보내 드릴 테니 이쪽으로 보내 주세요. 네, 감사합니다."

간단한 통화를 마치고, 또 다른 곳으로 전화를 걸었다.

"선배, 혹시 태경병원 이사장 이편웅의 성추행 사건이 누구에게로 배당

되었는지 좀 알아봐 주세요. 네, 맞아요, 태경병원. ……네, 부탁합니다. 전화 주세요."

그의 눈빛이 날카롭게 번뜩였다. 그간 정호에게서는 찾아볼 수 없었던 모습이었다. 정호는 몇 군데 더 전화를 걸어 통화를 마친 후, 이내 숨을 몰아쉬며 다시 휴대폰을 들었다.

-어, 정호야. 병원에 계속 있을 거지? 나도 이제 가려고.

유리는 오후에 일을 마치면 꼭 은강의 병원에 들렀다. 정호가 카페 일을 돕다가 먼저 와 있으면 유리가 와서 같이 돌아갈 때가 많았다.

"아니, 유리야."

-응?

"10분 내로 팩스가 하나 갈 거야."

-무슨 팩스?

"태경병원 이사장 비서실에서 근무했던 직원들의 명단이야. 그중 퇴사한 여직원만 따로 추려서 연락하고 약속을 잡아."

-뭐?

유리가 놀란 음성으로 되물었다.

'그 사람. 아마 송화뿐 아니라 다른 여직원들에게도 그랬을 수 있는데. 또 다른 피해자들 증언을 모을 수 있으면 좋을 텐데.'

그녀가 언뜻 그렇게 말한 적이 있었다. 유리에게 도움이 될까 싶어, 정호는 태경병원 비서실 퇴사 직원 명단을 구하던 중이었다. 이편웅에게 감정이 그리 좋지 않다는 큰외삼촌에게 따로 부탁했고, 다행히 큰외삼촌을 수행하는 비서의 도움을 받아 태경병원의 자료를 얻기로 했다.

"팩스 도착하면 일단 추려 내서 연락부터 시도해 봐. 아무래도, 잠정적 피해자들을 만나 설득하는 일은 나보다 네가 더 나을 거야."

-정호야.

마치 함께 일하는 것이 당연하다는 듯 말하는 정호가 그저 놀랍다는 반응이었다.

"퇴근하지 말고, 카페에서 기다리고 있어. 나 누구 좀 만나고 갈 테니까, 제대로 얘기 좀 하자."

-너 이 일…….

"그래. 내가 같이할 거야."

-김정호…….

"너, 혼자 안 돼. 이제는, 절대로."

지금까지의 순정은 전초전에 불과하였다. 그의 사랑은 이제부터가 진정한 시작이었다.

15. 대의멸친

정호는 외가인 태한가(家) 저택에 도착했다. 이미 해가 뉘엿뉘엿 넘어가
고 있었다. 따로 약속은 한 건 아니지만, 정호는 무리 없이 외조모를 만날 수
있었다.

"왕사모님께서, 서재에서 기다리라고 하십니다."

외조부의 타계 이후, 후계자였던 큰외삼촌이 그룹의 총수직을 맡고 나머
지 형제들이 계열사를 이끌어 가고 있다. 그룹의 막내딸인 정호의 모친만이
정글과도 같은 이 세계에서 멀찍이 떨어져 지낼 뿐이었다.

정호는 서재 소파에 앉아 외조모를 기다렸다. 워낙 소탈하게 생활한 부모
님 밑에서 자라서인지, 위압감이 넘치는 이 집안 분위기는 도통 적응이 되
지 않았다.

"정호 왔구나."

문을 열고 들어서는 외조모 구 여사를 보고 정호가 일어섰다. 그는 말없
이 고개를 숙여 인사를 올렸다.

"앉으렴."

높은 연세에도 불구하고 한 치의 흐트러짐이 없는 외양과 분위기를 지닌 외조모는 허리를 꼿꼿이 펴고 앉아 정호의 얼굴을 빤히 쳐다보았다.

"지난번에 봤을 때보다는 좀 사람다워졌구나."

꼬장꼬장함이 물씬 느껴지는 음성에 정호는 숨이 콱 막혔다.

"그래, 어쩐 일로 연락도 없이 왔니."

"할머님 뵙고 드릴 말씀이 있어서 왔습니다."

"그래, 할 말이 있으니까 왔겠지. 그게 뭔지, 말해 보렴."

테이블에 놓인 찻잔을 들고 소리 없이 들이켜는 구 여사를 보며, 정호가 입을 열었다.

"태경병원 이편웅 이사장 말입니다."

"이편웅이, 왜?"

이미 사건에 대해 알고 있는 구 여사의 음성은 그저 차분하기만 하였다. 아마 구 여사가 묻고 싶은 건, '이편웅이, 왜?'가 아닐 것이다. '그 사건을, 네가 왜?'겠지.

"감춘다고 해결이 될 일이 아닙니다. 세상에 비밀은 없고, 언젠가는 드러나게 되어 있어요."

"의외로구나. 네가 이런 일에 관심을 다 두고. 이렇게 할미한테 찾아와 훈계까지 하다니."

"훈계…… 는 아닙니다. 심기 불편하게 해 드렸다면, 죄송합니다."

구 여사는 적절치 않은 단어 선택으로 잠시 정호를 혼란스럽게 하였다. 기선을 제압하는 수법이었다.

"쓸데없는 사족 붙이지 말고, 본론만 말해라. 그래서 네가 지금 원하는 것이 무엇인데?"

정호는 구 여사를 바라보며 말했다.

"원하는 건 하나예요. 더 이상 그 사람을 감추려 애쓰지 마세요."

"……."

"시끄러워지는 것을 바라지 않으셔서 지금까지 이렇게 감추셨겠지만, 이제는 포기하셔야 할 겁니다."

"계속하렴."

흔들림 없는 구 여사의 음성에 정호는 잠시 호흡을 가다듬었다. 누구를 위해서, 무엇을 위해서 뜻을 꺾겠는가. 구 여사로서는 굳이 골치 아픈 일에 휘말릴 이유가 없을 것이다.

지금껏 견고히 쌓아 올린 그 성이 단번에 무너질 리 없었다. 그러니 권력을 가진 사람에게는 간단한 싸움이, 약자에게는 목숨을 걸 만큼 힘겹고 처절하기만 한 것이다.

"저는 이편웅 이사장이 온당한 처벌을 받을 수 있도록, 이번 일에 개입할 생각입니다."

"그렇구나."

깊이를 알 수 없는 눈빛으로 구 여사가 정호를 빤히 바라보았다. 무슨 생각을 하는지 가늠을 할 수 없었다. 구 여사는 가만히 앉아 있는 것만으로도 서늘한 분위기를 뿜어냈다.

"이 과정에서 혹여 할머님께서 원치 않는 일이 일어날 수도 있다고, 미리 말씀드리러 왔습니다."

이편웅이 태한가(家)의 애물단지 사생아라는 것이 밝혀질 수도 있다. 그를 둘러싼 복잡한 일들 모두 사람들의 입에 오르내릴 수 있다. 지저분한 스캔들의 진위는 이편웅의 존재만으로도 충분히 증명될 수 있다.

가십만으로 끝나는 것이 아니었다. 태경병원을 비롯하여 스캔들에 얽힌 인물들이 경영하는 회사의 가치마저 타격을 입을 수 있다.

일례로, 지금 태한그룹 총수인 정호의 외숙부와 이편웅 사이의 불화까지도 어떤 일에 이용이 될지 알 수 없는 노릇이다. 결벽증에 가까운 구 여사로서는 절대 용납할 수 없는 그런 일들이, 앞으로 수없이 일어날 수 있다.

"벌 한 마리 잡자고 벌집을 쑤시는 형국이구나."

"부실한 벌집일수록, 작은 벌 한 마리에도 무너지는 법이겠지요."

그의 말에 외조모의 눈빛이 잠시 흔들렸다. 정호는 시선을 피하지 않았다. 강한 기운이 맞부딪쳤다. 이내 구 여사의 얼굴이 부드럽게 풀어졌다.

"외우는 머리만 있지, 생각하는 머리라고는 영 없는 줄로만 알았는데."

"……."

"네 아비의 자식이 맞는구나."

"……."

"근성도, 욕심도, 야망도 없는 놈이라, 대체 누구를 닮았나 했었는데, 아니었어."

구 여사는 새로운 깨달음에 웃음을 터뜨렸다. 정호는 얼굴을 굳힌 채 구 여사를 바라보았다.

"그래, 그럴 리가 없지. 그럴 리가 있나. 호랑이 새끼가 호랑이지, 강아지일 리가 없는데 말이야. 내가 착각을 하고 있었구나."

무엇이 그렇게 재미있는지, 구 여사는 뜻을 알 수 없는 말을 내던지며 연신 웃어 보였다.

"근성도, 욕심도, 야망도 없는 게 아니었어. 지금껏 내보일 필요가 없었던 거지. 딱히 노력이란 걸 하지 않아도 살 만했으니까. 그렇지, 정호야?"

"무슨 말씀이신지."

"김승운의 아들에게, 기본적으로 그런 게 없을 리가 없지. 내가 널 너무 가볍게 보았구나."

이런 시점에 왜 그런 말을 하는 것인지, 이제는 뜻보다도 의도를 파악하기가 힘들어졌다. 구 여사의 입가에 웃음기가 단번에 싹 가셨다. 오싹할 정도로 표정 변화가 자유로웠다. 다시금 속을 알 수 없는 얼굴로 구 여사가 입을 열었다.

"그래서 네가 하겠다는 것이 지금."

"……."

"대의멸친(大義滅親)이냐."

"말하자면 그렇습니다."

큰 의리를 위하여 혈육의 친함도 저버린다는 뜻의 사자성어에 정호는 수긍하였다.

"제 집안에다가 겁 없이 칼을 휘두르겠다니."

"……."

"그것참 대단한 신념이구나."

"……."

"좋다."

툭 떨어진 구 여사의 말에 정호가 순간 귀를 의심했다.

"원하는 대로 하렴."

허락까지 바란 건 아니었다. 다만, 본격적으로 일에 개입하기 전에 알리는 것이 도리라고 생각했을 뿐이었다. 그런데 뜻밖에도 구 여사는 시원스럽게 수긍하였다.

"내 논둑을 튼튼하게 하려면 저수지의 돌이라도 빼다가 쌓아야 한다고 생각했었지."

"……."

"세월이 그렇게 가는 동안 저수지가 점차 무너져 내리고 있다면, 아무리 내 논둑이 튼튼해졌다 한들 그게 다 무슨 소용이겠니."

이편웅의 과오를 덮어 주는 일에 염증이 나긴 마찬가지라는 얼굴이었다. 구 여사는 뜻을 드러내었다.

"네 마음대로 하려무나. 언론에 터뜨려 너희 유리한 쪽으로 여론을 몰든,

그것이 성공하여 이편응에게 콩밥을 먹이든, 나는 관여하지 않겠다."

"……."

"잘못했다면 응당 대가를 치러야 하지. 그래, 네 말이 옳아. 이편응 하나 잡는다고 무너질 집안도 아니긴 하다. 썩은 돌부리는 빼내야 곡식도 잘 자라는 법. 이참에 시원하게 뽑아 보렴. 네가 원하는 게 그것이라면."

뜻밖의 수확이다. 어쩌면 일이 생각보다 훨씬 수월하게 풀릴 수도 있겠다.

"그런데 정호야."

구 여사의 음성이 잠시간 희망으로 부풀었던 마음을 날카롭게 쿡 찔렀다.

"사람이 하나를 얻으려면 하나를 내어 줘야 하는 법이란다."

"……그렇죠."

틀린 말은 아니다. 묘한 불안감이 엄습하였다.

"이 일이 내게 얼마나 큰 손해를 안겨 줄 것인지는, 일일이 말하지 않아도 알겠지. 너는 똑똑하니까."

"……알고 있습니다."

"그럼에도 불구하고 나는 네 뜻을 존중해 줬어."

"네."

"자, 너는 내게 무엇을 줄 수 있겠니?"

정호는 입술을 굳게 다문 채, 대체 구 여사가 하고 싶은 말이 무엇인지를 차분히 기다렸다.

"손해는 이득으로 메워야지. 그래 봤자 본전이겠지만 말이야."

"……."

지략에 능한 여장부였다.

"결혼으로 나를 기쁘게 하면 어떻겠니?"

"결혼…… 이라니요?"

"아. 물론, 이로운 결혼을 말하는 것이다. 다만 네가 아닌, 나에게 이로운 결혼이겠지."

정호의 의사와는 관계없는 결혼. 혼인 관계로써 이득을 취할 수 있는 그런 정략결혼. 외조모가 제게 그런 걸 요구하리라고는 생각하지 못했다. 정호의 신경이 한껏 곤두섰다.

"내 바운더리(boundary) 안에 제 발로 걸어 들어온 건 너다."

만들어 둔 세상 안에서는 개미 새끼 한 마리마저 외조모의 뜻대로 움직여야 했다. 정호는 지금껏 외조모의 세상 바깥에 머물러 있었다. 하지만 저도 모르게 성큼, 다가섰다. 한 발짝 그 안으로 들어서고 말았다. 겁도 없이.

"들어온 이상, 무엇이든 공짜로 얻을 생각은 하지 마. 나는 공짜로 내어 줄 생각이 없으니까."

"할머님, 저는 결혼할 여자가 있습니다."

차라리 다른 걸 지불하고 말겠다. 결혼은 아니다. 유리가 아닌 여자는 제게 아무런 의미가 없지 않은가.

"결혼할 여자. 지금 결혼할 여자라고 했니?"

"네."

구 여사는 풋, 웃었다.

"사랑하는 남자의 집안에 칼을 들이미는 여자."

"……."

"네가 결혼할 여자가 그 여자를 말하는 거라면, 나는 두고 볼 생각이 없다."

"할머님."

유리에 대해서 이미 다 알고 있다는 듯 말하는 구 여사를 보며 정호는 당황스러운 표정을 지었다. 결의에 찼던 태도에 균열이 가는 것을 보며 구 여사는 조소를 머금었다.

"이번 일 피해 여성의 고소 대리인이라지. 앞뒤 분간 못 하고 뛰어드는 꼴이, 꼭 불나방 같은 아이더구나. 세상일이 의욕 하나만 가지고 되는 게 아닌데 말이다."

그 말 뒤에 구 여사가 '어디 감히.'라고 중얼거리며 덧붙인 소리를 똑똑히 들었다. 그 차가운 음색에 정호는 입술을 깨물었다.

"헤어져라. 일 번잡스럽게 만들지 말고, 깔끔하게 헤어져."

"아니요. 헤어지지 않을 겁니다."

"내게 정신적, 금전적 피해를 주겠다고 통보하면서, 너는 단 하나도 잃지 않겠다고 하다니. 너무 뻔뻔하구나."

노기 어린 목소리, 강한 눈빛. 간 보기는 끝났다는 듯, 본 게임을 알리는 구 여사의 태도가 서늘하기만 하였다.

"그 아이를 잃기 싫으면, 이 일도 포기해. 너뿐 아니라, 그 아이까지 포기시켜. 그래야 공평하지."

"어떻게 그게 공평한 겁니까? 이쪽은 정당한 일을 하는 겁니다. 거래하고 말고 할 일이 아니에요. 왜 이런 것까지 거래하려고 하세요."

"세상에 거래 아닌 일이 어디 있니. 부모가 자식을 키우고 사랑을 하는 것이 당연한 일 같지? 아니야. 자식은 부모에게 그만한 충족감을 주지. 설령 상대에게서 받지 못하는 것이 있다면, 자기만족이라도 느껴야 하는 것이 사람 심리야. 대가 없는 일은 없어. 그게 안 되니까 억울하다고 하는 거지. 하나를 받으면 하나를 내주는 그 단순한 논리가 어째서 불공평하다고 하는 거니?"

"할머님, 지금 하시는 말씀은 궤변일 뿐이에요. 제게 뭔가를 원하신다면, 차라리 다른 걸 요구하세요."

헤어지라니. 다른 여자와 결혼을 하라니. 어떻게 돌고 돌아 다시 만났는데. 유리가 제게 어떤 의미인데. 어떤 여자인데. 그렇듯 가볍게 말할 사람이 절대 아니란 말이다. 정호는 가슴속 깊은 곳이 끓어올랐다.

"너와 같은 학교 출신이고 직업도 나쁘진 않다만, 가정 환경이 영 탐탁지 않아. 본데없이 자라 독만 남은 것이, 네 짝으로 충분치 않다."

그 독을 심어 준 건 잘못된 세상이고, 그 세상을 만든 어른들이었다.

"아버지와 어머니 결혼도, 허락하지 않으셨습니까."

정호의 아버지, 김승운은 가난한 고학생이었다. 재벌가 막내딸과의 결혼이 수월했을 리가 없었다. 더욱이 이런 외조모라면. 하지만 아버지와 어머니가 결혼하셨으니, 자신의 결혼 역시 반대당할 이유가 없었다.

"네 아비 말이냐. ……역시 그만한 대가를 치렀지."

뭔가 둔탁한 것에 얻어맞은 듯한 기분이 들어 정호는 멍해졌다. 대가를 치렀다니. 아버지께서? 어떻게? 어떤 대가를?

"그러니 너도 그 아이와 결혼을 하려거든, 당장 이 일에서 손 놓게 해."

받아들일 수 없는 조건.

"그게 아니라면 헤어지렴. 내가 너에게 원하는 건 그것뿐이다."

마치 덫에 걸려든 느낌이었다. 정호는 정신을 다잡았다. 그 어떤 이유로든 유리를 포기할 수 없다. 그 어떤 이유로든 유리의 뜻을 꺾을 수도 없었다. 그렇다면 답은 하나다.

"제가 원하는 것도 단 하나입니다."

정호에게 근성도, 욕심도, 야망도 없는 것이 아니었다. 마음 한구석엔 그 모든 것들이 늘 존재하고 있었다. 김유리를 위한 마음 자체가 그의 근성이고, 욕심이고, 야망이었다.

그리고 그녀가, 지금 그의 신념이고 종교다. 그녀로 인해 움직이고, 숨 쉬고, 살아가고, 사랑할 수 있었다. 억울하고 분한 감정들까지도 완벽하게 나눌 수 있게 된 순간. 그녀가 바라는 세상은 이제 자신도 바라는 세상이 되어버렸다.

"유리와 함께하겠습니다. 무엇이든지."

반대당할 이유는 찾지 못했다. 외조모의 논리는 절대로 제게 통하지 않을 것이다. 정호의 선명하고 검은 눈동자에 빛이 흘렀다.

"퇴근 안 해?"

"정호가 잠깐 기다리라고 해서, 이따 갈게. 엄마 먼저 들어가."

모니터에서 시선을 떼며 유리가 마미에게 말했다. 집에 가기 위해 가방까지 다 챙긴 마미가 사무실 안으로 들어왔다.

"아주 깨가 쏟아지시네."

"아니, 아니야. 일 때문이야. 얘기할 거 있어서 기다리라고 한 거야."

"일이면 어떻고, 연애면 어때?"

아무리 마미가 쿨하게 말한다 해도, 적나라한 키스 장면을 들켜 놓고 뻔뻔하게 굴 정도로 철면피는 아니었다. 유리는 민망한 마음에 시선을 돌렸다.

"결혼은 언제 해? 늦출 거 뭐 있니, 가을에 해 버리지."

"결혼은 무슨."

"왜? 하기로 했다며."

"이제 상황이 다르지. 걔네 집에서 날 받아 주겠어? 그냥 이렇게 지내는 것만도 감사해. 내가 어떻게 결혼까지 욕심을 내겠……."

아차, 싶은 유리가 입을 다물었다.

"이제 달라진 상황이 뭔데?"

태경병원 이편웅과 정호의 집이 관련 있다는 이야기는 아직 마미에게 하지 못한 상태였다. 자신이 그랬듯, 마미 역시 상처를 받을 게 분명하였다. 쉽게 꺼낼 수는 없는 이야기였다.

아니, 마미는 자신보다 더한 상처를 받을 것이다. 정호를 붙잡지 못했던 그날의 자신처럼, 마미 또한 혼란스러운 감정을 느끼게 될 것이었다.

"무슨 소리냐고. 걔네 집에서 널 왜 안 받아 줘. 왜? 엄마 혼자 키워서?"

"아니야, 그런 것."

마미가 팔짱을 낀 채 유리를 싸늘하게 바라보았다.

"똑바로 얘기해. 정호 오면 엄마가 물어볼까?"

정호까지 곤란하게 할 수는 없다.

"내, 내가 얘기할게."

"그래. 말해."

잠깐의 망설임. 유리는 천천히 입을 열어 그간의 일들을 말하기 시작했다. 언제고 마미도 알게 될 일이었다.

마미는 생각지도 못했던 말들을 들으면서, 내내 복잡한 눈빛으로 유리를 바라보았다.

그렇게 한참이나 계속되던 이야기는, 그럼에도 불구하고 두 사람이 왜 헤어질 수 없었는지, 서로를 향한 마음이 얼마나 큰지로 이어졌다.

"혹시나 정호 집에서 날 반대하더라도, 난 할 말이 없어. 그래서 결혼을 못 하게 할 수도 있지만, 원망 안 해. 내가 자초한 일이니까. 그냥 정호가 이렇게 날 사랑해 주는 것만 해도 행복해. 미안하고, 또 고마워. 엄마한테도 미안하고……."

마미는 말없이 유리를 바라보기만 하였다.

"그러니까, 결혼한다 어쩐다 설치면서 괜히 상처받지 않으려고. 그냥 이대로도 충분하잖아. 이렇게 계속 지낼 수만 있으면 나는 족해. 엄마도 그러

니까…… 제발 반대만은 하지 말아 줘. 엄마 가슴에 못 박고 싶지는 않은
데, 조금만 다르게 생각하면, 정호가 잘못한 일도 아니고…….”

마미가 아무런 말도 없자, 유리의 가슴이 쿵쿵 뛰었다. 정호에 대해서 오
해를 하는 건 아닐까, 그동안 예뻐하던 마음마저 다 사라진 건 아닐까.

그만한 충격이긴 할 것이다. 당사자인 유리야, 아무리 마음이 괴로웠어도
이별까지 받아들일 순 없어 다시 만났다지만, 마미는 이 사랑에서 제삼자가
아닌가. 정을 떼고 헤어지라 할 수도 있었다.

“김유리.”

똑 부러지는 말투로 마미가 유리를 불렀다.

“정호 걔 정말 못쓰겠다.”

“엄마…….”

가슴이 철렁 내려앉았다.

“그런 일이 있었는데도, 내내 말 안 한 거야?”

“응, 엄마. 그게…….”

“과거에 그런 일이 있었던 것도 진작 너한테 말하고 풀었으면, 송화 일 처
음 터졌을 때도 너희 그렇게까지 힘들진 않았을 것 아니야.”

마미 말이 틀린 것도 아니었다.

“걔 정말…… 무슨 애가.”

우려하던 바였다. 마미는 정호에 대해 안 좋은 감정이 생기기 시작한 모
양이었다. 유리는 잘못 말했나, 괜히 말했나, 그렇다고 영영 말하지 않을
수도 없었는데, 하며 난감한 기분이 들었다.

그런데 마미가 이어서 말했다.

“아니, 무슨 애가, 지 힘들어도 그걸 품고 끝까지 견디고. ……속이 깊어도 지
나치게 깊잖아. 애가 너무 바르고, 너무 착하고, 너무…… 듬직하고. 너무…….”

눈물이 울컥 솟는지 말을 멈추었고, 유리는 어리둥절한 얼굴로 마미를

바라보았다.

"마음에 쏙 들잖아, 내 사위."

"엄마?"

마미에게 갱년기 조울증이라도 생긴 걸까. 갑자기 왜 저러나 싶어서 유리는 마미에게 다가갔다.

"너희 고등학교 때, 정호가 엄마랑 만났던 것도 얘기 안 했니?"

"그게 무슨 말이야?"

"……말하지 말랬다고, 그걸 여태 말 안 하고. 걔는 애가 정말……."

"엄마, 정호랑 무슨 일 있었어?"

마미는 그렁그렁 눈물이 맺힌 얼굴로 유리를 보았다.

"엄마는 그렇게 엮인 인연도 괜찮아. 아무래도 상관없어. 누구 탓하고 싶은 생각도 없고. 혹시 너도 복수심 같은 게 조금이라도 섞여 있다면, 그일 손 놔. 그렇게 해서는 안 될 일이야. 너를 위해서도, 송화를 위해서도. 정호를 위해서도. ……너희 미래가 중요하지, 과거가 중요한 게 아니야. 알지?"

"엄마."

"그리고 정호 부모님, 너 반대하실 분들 아니야. 그리고 나도, 정호 반대안 해."

마미는 두 손을 들어 유리의 볼을 감쌌다. 예쁜 내 딸. 착한 내 딸. 지금껏 아무 불평 없이 이렇게 잘 버텨 준 내 장한 딸. 훌륭하게 자라 준 나의 사랑하는 딸.

"그러니까 두 사람, 연애하고 싶으면 연애하고, 결혼하고 싶으면 결혼해. 마음껏 해. 어른들 일은 상관하지 말고."

"……."

"그리고 정호한테…… 전해 줘. 지금까지 말하지 말라는 부탁, 지켜 줘서 정말 고맙다고.”

“정호랑 어떻게 만났었는데 그래? 아직도 얘기 못 하는 거야?”

마미는 처음으로 그날 일에 대해 입을 열었다.

“……너희가 열여덟 살 때였어.”

13년 전.

-엄마, 오늘도 늦어?

휴대폰을 통해 흘러나오는 유리의 목소리는 살짝 잠에 취해 있었다. 늦은 밤이었다.

“응. 유찬이는 자니?”

-방금 잠들었어.

“숙제 다 하고 자는 거지? 학원 것도?”

-그럼! 내가 확실히 체크했어, 유찬인 걱정하지 마.

“너도 어서 자야지. 내일 수학여행 가잖아.”

-모의고사 봤던 거, 다시 한번만 보고 자려고.

해 주는 것 없어도 알아서 잘 자라는 딸이었다. 그래서 유리를 생각할 때마다 목이 메었다.

종일 발에서 불이 나도록 뛰어다니면서도 유리와 유찬 남매를 잘 챙기지 못해 마음 한구석이 늘 아렸다. 한창 잘 먹고, 잘 배워야 할 아이들. 유리는 고등학교 2학년, 유찬은 이제 중학교 2학년이었다.

“그럼 얼른 하고 일찍 자.”

-응, 알았어. 엄마도 일찍 들어와서 쉬어.

옥자는 전화를 끊고 깊은 한숨을 내쉬었다. 마음 같아서는 왜 아이들 곁을 지키고 싶지 않을까. 그러나 몇 년간 소송에 매달리느라 금전적, 육체적, 정신적 에너지를 다 소모했기에, 다시 제로의 상태에서 새롭게 시작해야만 했다.

낮이고 밤이고 정신없이 뛰어다니는 데에는 이유가 있었다. 남매에게 먹고 싶은 것 배불리 먹이고, 원하는 공부는 다 할 수 있도록 해 주고 싶어서였다.

원초적인 이유였다. 무엇을 더 바란 적은 없었다. 아버지가 없어도 살아가는 데 부족함을 느끼지 않는다면 그걸로 족했다. 그래서 이를 악물고 악착같이 뛰었다. 어쩌면 남들에게는 당연하게 주어졌을지도 모를 것들이지만, 그녀는 죽을 만큼 노력해야만 얻을 수 있었다.

병원에서, 그리고 법정에서 자신이 힘든 시간을 보내는 동안 일찍 철이 들어 버린 딸 유리는 초등학교 때부터 혼자 챙기는 법을 터득했다.

그뿐일까. 아이들 아빠를 잃었을 때 아들 유찬은 초등학교 1학년에 불과했다. 겨우 4학년인 유리가 세 살 터울의 동생 유찬을 아들처럼 건사하기 시작한 것도 그때부터였다.

'엄마, 난 괜찮아.'

'엄마, 유찬이 오늘 하나도 안 울었어. 걱정하지 마.'

'엄마, 밥이랑 다 있어. 신경 쓰지 마.'

괜찮아, 걱정하지 마, 신경 쓰지 마. 어린 유리가 입에 달고 산 말이었다. 그때는 미처 돌아보지 못했다. 아이가 괜찮다고 하니 괜찮은 줄 알고, 소송에만 매달렸다. 억울함을 풀기 위해 밖으로 뛰어다녔다.

그런데 뒤늦게 생각해 보니 그 어린아이가 저보다 더 어린 동생을 품고 혼자 얼마나 막막했을지. 떠올리는 순간마다 가슴이 먹먹하기만 했다.

옥자는 패소한 후 빈털터리가 되었다. 먼지 하나까지 탈탈 털리고 빈손이 되자 정신이 번쩍 들었다. 아직 아이들은 한창 자랄 시기였다. 미친 듯이 돈을 벌었다. 어떻게든 벌어야 했다. 그렇게 옥자가 처음 보험 영업을 시작해 숨도 못 쉬고 달리는 동안 유리는 저 나름대로 살길을 마련하고 있었다.

'어머님, 유리를 일반 고등학교에 보내기는 너무 아깝습니다.'

중학생이 된 유리는 끈질기게 책만 파더니, 3년 내내 모든 시험에서 전교 1등을 단 한 번도 놓치지 않았다. 어린 유리에게는 공부해서 반드시 성공하겠다는 집념이 있었다.

'이대로 공부를 쭉 이어 간다면 한국대에도 무리 없이 갈 수 있을 텐데요. 환경만 계속 만들어 주면 유리는 정말 잘할 겁니다.'

진학 상담 때 담임 교사가 하는 말을 들으며 기쁘기도, 착잡하기도 했다. 교사가 진학을 추천한 외국어 고등학교는 명문 중의 명문이었다. 부잣집 아이들이 유독 많다고도 들었다.

그런 곳에서 유리가 잘 해낼 수 있을까, 걱정이 앞섰다. 일반 고등학교에 간다고 공부를 못하는 것도 아닌데 무리해서까지 꼭 그 학교에 가야 할까. 오히려 내신 챙기기도 어렵다던데.

'유리는 아마 악착같이 할 겁니다. 이렇게 독한 제자는 제 교직 인생 중 처음입니다. 하하!'

농담처럼 하는 담임 교사의 말마저 가슴이 쓰렸다. 어린 유리를 그렇게 만든 건 자신이었다. 좀 적당히, 좀 아이답게, 그런 면이 전혀 없어 미안하고 안타까웠다.

'엄마, 나, 가고 싶어. 열심히 할게. 보내 줘. 응?'

지금껏 뭔가 해 달라고 떼를 쓴 적 없던 유리는, 유일하게 학교 진학 문제에 고집을 부렸다. 개천에서 용 난다는 말은 옛말이었다. 요즘에는 용도 금수저 물고 태어나 비싼 밥 먹고 좋은 옷 입으며 잘 자란다고 하였다. '부모가 곧 스펙'이라는 세상에서 유리는 그저 약자에 불과했다.

'나 잘할 수 있어. 거기 가서 열심히 하면 한국대는 문제없이 간대. 나 해 보고 싶

어, 엄마. 보내 줘.'

딸의 확고한 태도를 보며 옥자는 걱정을 내려놓았다. 그리고 유리의 뜻대로 해 주었다. 유리는 놀랍게도, 그 대단한 아이들이 모인다는 곳에 수석으로 입학하였다. 첫 시험 이후로는 2등으로 내려앉았지만 그 역시 대단한 성적이었다.

그 성적을 유지하기 위해 딸이 얼마나 노력하는지 옥자는 알았다. 크게 좋은 머리를 물려주지 못했기에 더 안쓰러웠다. 가정 환경 또한 조금만 더 편했으면 얼마나 좋았을까. 그러지 못하니 돈이라도 벌어야 했다. 최소한 공부하는 데 부족함은 없게 해 주기 위해서였다.

보험 설계사로 일하던 옥자는 근성에 수완까지 좋아 보험왕으로 선발되기까지 했다. 그렇게 되기까지 얼마나 노력했던가. 이후로는 형편도 조금씩 나아졌다.

하지만 그걸로 끝내지 않았다. 저녁에 근무를 마친 후에는 또 다른 일을 시작했다. 유리에게는 고객을 만나거나 영업을 위한 모임에 참석하느라 밤에 늦는다고 둘러댔다. 옥자는 고급 일식집 앞에 도착했다.

"안녕하세요. 대리 부르셨죠?"

한 여자에게 싹싹하게 웃으며 다가섰다.

"네, 여기 키요."

옥자가 대리운전 일을 하는 회사는 여성 고객만을 전문으로 하는 곳이었다. 대리운전자 또한 여성으로만 이루어져 있었다.

"두 번째 뵙네요. 얼마 전에도 여기 일식집에서 부르셨는데."

"어머. 보름 전인가 그 회사 처음 이용하고 좋아서 오늘도 부탁드렸거든요. 같은 분이 오신 거구나. 기억력이 정말 좋으시네요."

뒷좌석에 앉은 여자 고객은 화사하게 웃으며 대답했다. 옥자는 한 번 본 사람의 얼굴과 특징은 잊지 않고 잘 기억하는 편이었다. 그게 보험 일을 하는 데도 큰 도움이 되었고.

지난번과 마찬가지로 이 고객은 별로 술에 취해 있지 않았다. 모임에서 가볍게 한두 잔 마시고 대리운전을 부른 듯했다. 딱 봐도 화려하진 않지만 우아하고 세련된 옷차림, 교양 있는 말투가 인상적이었다.

외제 차는 아니지만 국산 차 중에서도 꽤 고급 모델에 속하는 세단이었다. 목적지는 서초동. 유리의 학교 때문에 이사 와 살게 된 옥자의 동네도 그곳이었지만, 동네도 동네 나름. 일단 기억을 떠올려 보자면 골목을 들어서는 분위기부터 확연히 다른 곳이었다.

있는 집 사모님이 분명하지만, 이 일을 하다가 간혹 만나는 진상 고객들과는 달랐다. 자신을 아랫사람 부리듯 대하지 않는 사람이었다.

"기사님은 자녀가 어떻게 되세요?"

지난번에는 아무런 질문이 없었는데, 두 번째라고 했더니 은근히 친근하게 느껴졌는지 뒤에 앉은 고객이 물어 왔다. 신호에 걸려 잠시 멈춰 있던 옥자는 룸미러로 고객을 보며 말했다.

"딸 하나, 아들 하나 있어요."

"어머, 딸도 있으시고, 좋으시겠어요. 저는 아들 하나뿐이라서."

"잘 키워서 나중에 며느리를 싹싹한 아이로 들이시면 되죠."

"그러게요. 애들이 아직 어리시죠? 기사님 저보단 젊으신 것 같은데."

"딸이 고등학생이에요."

다시 차를 출발시켰다.

"정말이세요? 어떻게 그렇게 큰 딸이 있으세요? 아직 30대 중반 같으신데?"

"제가 좀 동안이죠."

농담하며 옥자는 웃었다.

"비결이 뭐예요? 저도 좀 알려 주세요."

그 농담에 장단을 맞추며 고객도 웃었다.

"사실 제가 결혼을 좀 일찍 했어요. 스무 살에 해서 딸애를 스물하나에 낳았 거든요. 30대 중반은 아니고 후반이에요."

옥자는 대답하면서 잊고 있던 제 나이를 떠올렸다.

새삼 기분이 팍팍해졌다. 남편 간병을 시작하고 몇 년 안 되어 허망하게 떠나 보냈다. 오랫동안 힘겨운 법정 싸움에 시달리고, 지금은 밤낮으로 일을 하느라 시간이 어떻게 지났는지도 모르고 살았다. 이렇게 곧 마흔이 되는구나, 생각하 니 조금은 서운하기도 했다.

유리와 유찬을 대학에 보내고 나면, 인생을 제대로 살아 보고 싶었다. 옥자는 배우고 싶은 것도 많고, 하고 싶은 일도 많았다. 그녀도 때론 엄마가 아닌, 그저 사람이었다.

"일찍 아이 키워 놓고 나서, 하고 싶은 일 찾는 것도 좋은 것 같아요. 저는 기 사님보다 나이가 더 많은데 이제 아들이 고등학생이거든요. 언제 며느리 보고, 언제 손주 보나 싶어요."

웃음 섞인 목소리로 말하는 고객은 걱정이라곤 하나도 없는 사모님처럼 보였 다. 게다가 성격까지 좋아서 두루두루 사랑받고 사는, 참 편안한 인생.

그 인생은 그 인생이고, 내 인생은 내 인생이지. 괜한 비교로 스스로 비참하 게 하지 말자고 생각하며 옥자는 마음을 다잡았다. 착한 아이들, 유리와 유찬이 있으니 제 삶도 그리 나쁘지 않았다.

"다 왔습니다."

지난번의 그 집이 맞았다. 높은 담장에 커다란 대문. 위압감마저 느껴지는 집 차고에 주차까지 해 준 후 대리운전 비용을 받기 위해 기다렸다.

"어머. 현금이 모자라네. 잠깐만요. 전화 좀 할게요."

지갑을 열어 본 고객이 얼른 휴대폰을 꺼냈다.

"아, 여보. ……늦어요? 아니, 괜찮아요. 나도 도착했어요. 응. 조심해서 들 어와요."

전화를 끊은 고객은 멋쩍게 웃었다.

"기사님 바쁘실 텐데 죄송해요. 남편이 집에 있는 줄 알았더니 아직 귀가 전이네요."

"괜찮아요. 편하게 하세요."

"안에 아들 있으니까 다시 전화 한 통만 할게요."

공손한 태도로 말하며 고객은 다시 전화를 걸었다.

"어, 아들. 잤구나? 미안. 엄마 부탁이 있는데. 안방에 가서, 화장대 서랍에 엄마 검은 장지갑 하나 있지? ……그래, 그거. 어어, 그 지갑 맞아. 엄마 여기 대문 앞인데. 좀 가지고 나와 줘. ……어, 그래, 고마워."

아들과 통화를 하고 난 고객은 한결 편해진 표정으로 웃어 보였다.

"금방 나온다고 하네요. 죄송해요."

"괜찮아요."

대리운전하다 보면 별의별 일이 다 있었다. 이 정도 기다리는 것쯤이야 아무 일도 아니었다. 돈을 가져온다며 들어가서 나오지 않는 것보다는 나았다.

고객은 휴대폰을 자신의 가방에 넣었다. 입이 딱 벌어질 정도의 명품 가방은 아니었다. 집이나 차에 대면 소박함마저 느껴지는 가방이었다. 단정한 디자인의 가죽 가방은 국산 브랜드의 것이었다. 가격대가 크게 높지 않아 옥자도 하나 가지고 있었다.

게다가 옷차림도 사모님이라기엔 지나치게 수수한 스타일이었다. 그럼에도 불구하고 느껴지는 귀티와 우아한 분위기는 무시할 수 없었다. 아마도 남편이 공직에 있을 것으로 추측해 볼 수 있었다.

기본적으로 좋은 집에서 잘 배우고 잘 지냈을 것이고, 현재는 남의 이목을 신경 써야 하는 높은 자리에 있기에 그럴 것이다. 따로 운전기사가 있는 차가 아닌, 직접 차를 몰고 대리운전을 부른 것만 봐도 알 수 있었다.

"엄마."

대문이 열리고 남학생의 목소리가 들렸다. 옥자는 고개를 돌렸다.

"어……."

그리고 그 집 앞에서…….

"유리 어머니?"

딸의 친구를 만났다.

"저, 정호구나."

옥자는 저답지 않게 말을 더듬었다. 예상치 못한 만남이었다.

유리에게는 밤에 대리운전 하고 있다는 얘기를 한 적이 없었기에, 옥자는 딸의 친구와 맞닥뜨린 것이 당혹스럽기 그지없었다.

자신의 난감한 표정을 보고 정호도 입을 다물었다. 분위기를 금방 파악한 정호의 어머니, 이연주도 쉽사리 말을 하지 못하는 모습이었다. 어색한 분위기를 깨고 옥자가 먼저 웃으며 말했다.

"정호 어머니셨구나. 정호가 누굴 닮아 이렇게 잘생겼나 했더니, 다 어머니 닮은 거였네요."

"저희 아들이랑 따님이 친구였네요. 어쩜 이런 인연이."

연주 역시 입을 가리고 웃으면서 다정하게 말했다. 세상이 좁아도 뭐, 이렇게 좁을까 싶었다. 같은 동네에, 같은 고등학생 자녀라고 했을 때도 이런 인연까지는 생각하지 못했었는데. 옥자는 연주가 건네는 돈을 받았다.

'감사합니다. 또 이용해 주세요.'

그 말까진 차마 덧붙이지 못했다. 자다가 깬 채로 불려 나온 정호가 옆에 서서 바라보고 있는 상황에서는 할 수 없는 말이었다.

"그럼 전 이만 가 볼게요. 정호야, 나중에 보자."

옥자는 불편한 마음을 감추며 인사를 하고 돌아섰다. 경사진 길을 뛰듯이 걸어 내려오는데 울컥 눈물이 솟구쳤다. 괜한 서러움이었다.

그러다가 생각해 보니, 유리에게는 말하지 말라는 얘기를 하지 못했다는 것을 깨달았다. 혹시나 자신 때문에 유리가 상처받지는 않을까. 아니지, 나쁜 일을 한 것도 아니고, 돈 벌자고 하는 일인데.

그래도 의연한 척하고 있지만 유리는 열여덟, 한창 감수성 예민한 여고생이 아닌가. 정호가 흘리듯 말하는 것을 듣고 자존심이라도 상하면 어쩌지. 늦은 밤, 일하다가 부잣집 앞에서 딸의 친구를 만난 제 처지의 부끄러움보다도, 딸에 대한 걱정이 우선이었다.

옥자는 그날 새벽 집에 돌아와 뜬눈으로 뒤척였다. 잠깐이라도 눈을 붙여야 나가서 다시 종일 일을 할 수 있는데, 걱정 때문에 편히 쉴 수가 없었다.

유리가 그 학교에 들어가 만났다는 친구들 오총사는 옥자도 익히 알고 있었다. 학교에서 제일 가까운 유리의 집에서 함께 놀거나 공부하는 걸 몇 번 본 적이 있었다. 작은 아파트인데도 불구하고, 불평도 없이 모여 앉아 복작거리며 노는 아이들이 신기했다.

부모가 큰 기업의 사장, 대학교수 등으로 유복한 환경의 아이들이었다. 그중 정호의 아버지는 검사, 어머니는 재벌가 딸이라고도 했다. 정호네 집에 간 적이 있었는데 어마어마하게 커서 깜짝 놀랐다고도 했고.

그 사이에서 기죽지 않고 지내는 유리가 기특했다. 환경이나 돈과 상관없이 어울려 친구가 되는 아이들이 사랑스러웠고, 또 그 아이들을 사로잡을 만큼 매력이 있는 제 딸이 자랑스럽기도 했다.

하지만 이런 식의 만남은 옥자에게도 당황 그 자체였고, 유리에게 말이 전해질까 걱정이 되었다. 악의 없이 한 말에 유리가 상처를 받을 수도 있으니까.

그래서 결국 다음 날, 수학여행을 떠나는 딸의 아침도 챙겨 주지 못하고 새벽같이 집을 나섰다. 그런 옥자가 향한 곳은 정호의 집이었다. 나올 시간을 예상해 그 앞에서 기다렸다. 잠시 후, 대문이 열리고 정호가 나왔다.

"어? 유리 어머니."

"정호야, 부탁이 있어서 왔어."

제 딸과 같은 고등학교 2학년. 소년과 남자의 경계에 선 정호는 훤칠하니 키가 커서 옥자는 한참이나 올려다봐야 했다. 세상 물정 하나 모르는 듯 맑고 밝은 얼굴. 깨끗한 피부와 검은 눈동자가 과연 근방에서 '외고 왕자'로 유명하다는 정호다웠다. 새삼스레 잘생겼구나, 흐뭇한 마음에 옥자는 웃으면서 말했다.

"우리 정호는 잘생겼으니까, 지금부터 아줌마가 하는 말 무슨 말인지 알 거야."

"잘생긴 거랑 어떤 관계가 있는 말씀을 하시려고⋯⋯."

"농담이야."

그제야 정호도 굳어진 표정을 풀며 웃었다.

"네, 말씀하세요."

"정호야, 아줌마가 낮에 회사 다니는 것 말고, 밤에 운전 일까지 하는 건 유리가 몰라."

"⋯⋯네."

"유리한테는 계속 말할 생각이 없어. 알게 되면, 무리해서 일할 필요는 없다고 애가 길길이 날뛸 거야. 차라리 자기가 공부를 안 하고 만다고. 너도 유리 성격 알지?"

"알죠."

수긍하는 정호의 얼굴에 어딘가 모를 그늘이 드리웠다. 자신의 스매싱 능력을 고스란히 물려받은 딸이 애용하는 등짝이 정호의 것인지는 모르고 옥자는 계속 말을 이었다.

"그런데 아줌마는 유리가 대학 들어갈 때까지는 무슨 일이든 닥치는 대로 열심히 할⋯⋯. 아니, 이것까지는 말할 필요 없고, 아무튼 아줌마가 대리운전 일하는 거 봤다는 얘기 유리한텐 하지 말았으면 해."

"네."

"유리가 걱정할까 봐."

"무슨 말씀인지 잘 알았어요."

정호는 고개를 끄덕였다. 옥자는 그제야 마음이 편해졌다.

"걱정하지 마세요. 유리에겐 절대 이야기하지 않을게요."

"그래, 고맙다. 겨우 이 얘기 한다고 아침부터 붙잡고, 미안해."

"에이, 아니에요."

"담에 아줌마 실 때 맛있는 거 해 줄게."

"전에 해 주신 김치전 되게 맛있었는데. 또 먹고 싶어요."

"그래. 김치전 해 줄게."

정호는 잘생긴 얼굴이 전부가 아니었다. 고민 하나 없이 말간 얼굴이었는데, 옥자가 속을 털어놓고 부탁한 순간 전혀 다른 표정을 지었다. 부탁하는 사람이 부끄럽지 않을 정도로, 굉장히 진중하고 사려 깊은 태도를 보여 주었다. 어떠한 부탁이고 편안하게 할 수 있을 만큼. 고마웠다. 그런 정호가 고마웠다.

아래 큰 도로까지 함께 걸어 내려갔다. 잠깐이지만 소소한 이야기를 나누었다.

"그런데 유리가 죽어라 공부해도 늘 2등 하는 게, 네가 맨날 1등 해서 그렇다며?"

"등수가 무슨 의미가 있겠어요."

"그래도 얘, 나도 유리가 이렇게 이쁜데. 너희 부모님은 널 얼마나 자랑스러워하시겠니. 한 번도 1등을 놓친 적이 없다면서."

"가끔 저도 제가 자랑스러워서 깜짝깜짝 놀라긴 해요."

푸훗, 옥자는 웃음을 터뜨렸다. 잘난 척하지 않는 얼굴로 잘난 척을 하는 정호에겐 그저 장난이 몸에 배어 있었다. 좀 전의 묵직해 보이던 그 태도는 어디로 갔는지 금새 시러졌디. 그때 전화기 걸려 왔다.

"어, 정호야. 넌 저쪽으로 가면 되지? 그럼 다음에 또 보자."

"네. 조심히 가세요."

정호와 인사를 나누고, 옥자는 돌아서서 걸음을 옮기며 전화를 받았다. 모르는 번호였는데, 들려온 건 유찬의 목소리였다.

-엄마.

"응, 유찬아. 학교에 잘 갔니? 왜 전화를 했……."

그리고 옥자는 떼던 발을 딱 멈추었다. 들려온 말에 숨이 탁 막혔다.

"그게 무슨 소리야……. 경찰서라니, 네가 거기 왜 있어."

옥자는 전화를 황급히 끊고는 택시를 잡았다.

"택시!"

"어머니, 무슨 일이에요?"

정호가 통화하는 소리를 들었는지 가까이 다가왔다.

"너 왜 다시 왔니? 얼른 학교 가."

"경찰서라고 하셨잖아요."

옥자는 택시 문을 열었다. 정호는 안중에도 없었다. 갈 길이 바빴다.

'경찰서라니? 김유찬! 네가 거기 왜 있는 건데! 일단 있어. 엄마가 지금 갈 테니까!'

이른 아침이었다. 학교에 갔을 유찬이 왜 경찰서에서 전화를 걸어 온 건지 이해할 수가 없었다. 전화를 끊고 경찰서로 가기 위해 급히 택시부터 잡았다. 그런데 정호가 뒷좌석에 몸을 구기며 들어왔다.

"얘, 얘 왜 이래."

"어느 경찰서예요? 빨리 말씀하세요."

오히려 정호가 더 안달이었다. 택시 기사에게 목적지를 말하라며 재촉했다. 그리고 택시가 출발했다.

"학교 안 가고 너 이걸 왜 탔어!"

"일단 가요. 유리 동생이 지금 경찰서에 있다고 하신 거잖아요."

"그게 지금 너랑 무슨 상관……."

"친구니까요. 유리랑 저랑…… 친구니까요. 다른 친구였어도 마찬가지예요. 가서 제가 도울 일이 있을 수도 있고."

네가 도울 게 뭐 있냐고 반박하지 못했다. 정호는 어리지만, 그의 집에는 힘이 있다. 그건 누구도 부인하지 못할 사실이었다. 그렇게 택시는 경찰서를 향해 달렸다.

"아니, 얘가 그런 애가 아닌데……."

형사의 설명을 들은 옥자가 기가 막혀 의자에 주저앉았다.

"일단 상대 학생들의 피해 정도가 너무 심해요. 합의도 절대 안 해 준다고 하고. 유찬 군이 일방적으로 때렸다고 하니……."

곤란해하는 형사를 보며 옥자는 막막한 기분에 휩싸였다. 아들 키우며 경찰서 출입 한 번쯤 할 수도 있지, 했었지만 막상 닥쳐 보니 너무도 큰 시련이었다.

그 착한 애가 친구를 때렸다니. 그것도 일어서지도 못할 정도로 흠씬 두들겨 패서 응급실에 실려 갔다고 했다. 유찬은 당번이라 일찍 가야 한다고 해서 새벽에 등교했었다. 등굣길에 그런 일이 생겼을 줄 꿈에도 모르고 있었다.

"담임 선생님도 곧 오신답니다. 도착하시면 선생님 얘기도 들어 봐야 할 것 같아요. 섣불리 판단하긴 좀 그렇지만, 맞은 학생이 일대 유명한 일진이거든요. 저도 아는 악질 놈이에요. 어린놈의 시키가 벌써 얼마나 사고를 치고 다녔는지. 그에 비해 유찬 군은 딱 봐도 모범생인데, 어쩌다가 이렇게 맞붙었는지도 이해가……."

유찬은 크게 다친 곳 없이 광대 쪽에 멍만 약간 들어 있었다. 주먹으로 스치듯 맞은 것이 전부인 모양이었다.

"게다가 무슨 일만 터졌다 하면 요리조리 잘 피하던 놈들이에요. 백이 좋긴 좋지. 지들이 잘못했을 때도 그렇게 잘 빠져나갔는데, 이번에는 아예 상황이 이러니…… 이번엔 그 백을 어떻게 쓸지. 에휴."

학교 근처 골목에서 일어난 일이고, 두 명의 학생이 실려 갈 정도로 폭력의 정도가 심해 주민의 신고로 경찰이 출동했었다. 이대로 정말 피해 학생들이 합의를 해 주지 않는다면, 유찬이 처벌을 받게 될지 모른다. 옥자는 눈앞이 캄캄했다.

"어머니, 이것 좀 드세요."

유찬은 계속 조사를 받는 중이었다. 옥자가 잠깐 경찰서 복도로 나와 앉아 있는데, 정호가 따뜻한 커피를 내밀었다. 자판기에서 뽑은 커피에서는 모락모락 김이 올라왔다. 소리 없이 자신의 뒤를 따르고, 자신의 옆을 지키는 정호가 아니었다면 옥자는 벌써 쓰러졌을지도 모르는 일이었다.

"고맙다. 너 어서 학교 가야지."

"괜찮아요."

"시간이 벌써 이렇게 됐네? 어머, 너도 오늘 수학여행 가는 날이잖아."

이미 정호가 학교에 갔어야 할 시간이 지난 건 잊고 있었다.

"제주도까지 가기 귀찮았는데. 잘됐죠, 뭐."

"무슨 소리야. 어서 가."

"그것보다 어머니, 유찬이가 많이 때리긴 했지만 이유가 분명히 있을 거구요. 그 이유 밝히는 게 우선일 것 같아요. 그럼 합의도 충분히 할 수 있을 테고요. 제가 보기에도, 유찬이 잘못으로 일어난 일은 아닌 것 같은데."

정호의 분명한 음성에 옥자는 알 수 없는 안도감을 느꼈다. 그럴까. 정말 그런 걸까.

"그러니까 너무 걱정하지 마세요. 실례가 되지 않는다면, 제가 아버지께 부탁드려서 변호사분이 오시면 더 좋을 것 같은데…… 어머니, 허락 좀 해 주세요."

옥자가 먼저 부탁해야 할 일이었다. 어떻게든 도와주지 않겠냐고. 너, 전화 한 통이면 되지 않느냐고. 그런데 차분히 상황을 지켜본 정호는 오히려 자신이 도와줄 수 있도록 부디 '허락해 달라'고 말하고 있었다.

"정호야."

경찰서라는 말을 들은 순간, 앞뒤 가리지 않고 자신을 따라온 정호를 바라보았다. 목이 꽉 메었다. 고맙다고 말하고 싶은데, 이름을 부르고 났더니 말이 더 나오지 않았다.

정호가 건네준 커피가 너무도 따뜻했다. 시린 마음도, 시린 손도, 전부 그 온기에 가만히 녹는 듯했다. 팍팍하던 세상이 조금은 따뜻하게 느껴졌다.

"그런 일이…… 있었어? 왜 나한테…… 말도 안 하고."

마미가 들려주는 오래전 이야기를 다 듣고 난 유리는 입술을 벌린 채 당황스러운 표정을 지었다. 더 이상 말을 잇지 못했다. 모두 처음 듣는 이야기였다. 복잡한 감정이 해일처럼 밀려들었다.

유리는 고등학교에 들어가던 때부터는 어느 정도 집안 형편이 나아졌다고 생각하고 있었다. 엄마가 자신에게 감추면서까지 투잡, 때로는 쓰리잡까지 했었다는 건 알지 못했다. 대리운전뿐 아니라 닥치는 대로 어떤 일이든 했다는 말에 뒤늦게 가슴이 쿵 내려앉았다.

하루에 두세 시간도 제대로 잠들지 못했던 엄마. 엄마는 자신이 공부하는 것 외에 다른 건 신경 쓰지 않도록 해 주기 위해 그렇게 살아왔다.

"헛생각하지 마. 나 그렇게 사는 동안 넌 코피 터져 가며 공부했잖아. 너도, 나도, 열심히 살았으니 서로 가슴 끓으며 애틋해할 것 없어. 뭐가 걱정이야. 다 지난 일인데."

마미는 담담한 어조로 말했다. 힘든 시간은 다 지나갔고, 지금은 '살 만한 척'이 아니라 진짜 살 만하게 살고 있다. 모두 그런 시간이 있었기에 가능한 오늘이었다.

"그걸…… 정호가 알고 있었구나."

"그래. 말하지 말랬다고, 여태 말도 안 하고. 정호는, 애가 뭐, 그리 미련하니."

괜찮다던 마미는 정호를 입에 담은 순간 다시 먹먹한 기분을 느껴야 했다. 벌써 13년 전의 일이다. 마미는 오랫동안 여전한 친구로만 잘 지내는 것을 보며 두 사람 사이가 더 이상 발전하지 못하는구나 하고 마음을 접은 참이었다. 유리의 짝으로, 정호는 늘 마미의 마음속에 있었지만 말이다.

"유찬이 정말, 정호 아니었으면……."

마미는 상상만 해도 끔찍한 듯 어깨를 움찔하고 떨었다.

유찬의 싸움은 학교 일진으로부터 오랫동안 괴롭힘을 받아 온 반 친구를 보호하기 위해서였다. 새벽부터 골목길에서 위험에 처한 친구를 보고 끼어든 것이 화근이었다.

싸움이 시작되면서 그 친구는 도망을 갔고, 유찬은 두 명의 일진을 상대로 뜻하지 않게 주먹을 휘두르게 되었다. 결과는 생각지도 못하게 일진들의 패. 흠씬 두들겨 맞고 나가떨어진 그들은 실려 가고, 유찬은 지구대에 끌려갔다가 경찰서로 넘어왔다.

일진 중 한 명의 아버지가 시 의원이었다. 그간 골칫덩어리 아들 때문에 이골이 난 그 아버지는 이번 싸움을 철저히 이용하기로 했다. 가해 학생인 유찬과는 절대로 합의하지 않겠다고 도리어 길길이 날뛰었다.

일진들의 폭력에 시달리던 그 학생마저도 뒤늦게 불려 와서는 사실을 부인하고 말았다. 빠져나갈 데 없이 벼랑 끝에 섰을 때, 정호가 자신의 아버지에게 도움을 청했다.

편법이 아니었다. 부당한 봐주기도 아니었다. 그저 유찬의 이야기를 들어 주고 대변할 사람을 보내 주십사 청했을 뿐이었다. 그런 정호의 부탁을 그의 아버지는 기꺼이 들어주었다.

일은 다행히 잘 해결되었다. 적당한 선에서 합의를 보게 되었고, 유찬은 집으로 돌아올 수 있었다. 그사이 정호는 내내 마미와 함께 있었다. 수학여행은 결국 가지 않았다.

"엄마, 제발. 누나한테는 말하지 마. 응? 형, 절대 말하면 안 돼요."

이번에도 유리에게 말하지 않길 당부했다. 그건 유찬 때문이었다. 누나가 알게 되면 자신은 뼈도 추리지 못할 거라고 겁을 먹었다. 경찰마저 알 정도로 악명 높은 일진들을 혼자 때려잡아 놓고도 유찬이 제일 무서워하는 건 누나였다.

"누나 성격 아시죠!"

"알지."

"저 죽어요. 진짜 죽어요."

"그래. 말 안 할게."

정호는 웃으며 대답했다.

"아니지. 이건 얘기해야지. 유리한테도 말하고, 정호한테 고맙다고 인사하라고 해야지."

마미의 말에 유찬이 울상 지었고, 정호는 손을 내저었다.

"아니, 아니에요. 그러실 필요 없어요. 괜찮아요. 인사받으려고 한 일도 아닌데요. 별로 한 것도 없고요."

기어이 유리에게 비밀을 지켜 주겠다고 하니 고마운 일이었다. 사실 말을 하게 된다면, 앞서 대리운전을 해서 만나게 된 이야기부터 다 해야 할 것이다. 정호가 경찰서에 따라온 상황조차 그렇게 얽혀 있었으니. 잠깐 사이에 딸에게 말하지 못할 비밀이 두 개나 생겨 버렸고, 그건 모두 정호 덕분에 지킬 수 있었다.

당시 사건이 해결된 후 정신을 차린 마미는 정호의 집에 찾아가 인사했었다.

"감사해요, 정말. 면목이 없습니다."

그때 정호의 어머니 이 여사는 마미의 손을 따뜻하게 잡아 주었다.

"얼마나 마음고생하셨어요. 저희가 조금이나마 도움이 되었다니 다행이에요."

상냥하게 건네는 말에 온기가 흘렀다. 하지만 딸 유리는 수학여행에 가서 아무것도 모르고 있는데, 멀쩡한 남의 집 아들만 데리고 고생시킨 것 같아 마음이 편치 않았다.

"정호가 저희 때문에 수학여행도 못 가서 어쩌죠."

"아니에요. 안 그래도 친구 일이라고 다 제쳐 놓고 나서는 걸 보니 흐뭇하던데요. 정호답지 않아서 저도 신기하기도 하고 그렇더라고요. 내 아들 맞나 싶었어요."

"그렇게 말씀해 주시니…… 정말 감사해요."

"정호 아빠도, 저와 생각이 같아요. 그러니 개의치 마세요."

이 여사는 정호의 흉을 보듯 덧붙였다.

"안 그래도 수학여행도 엄청 가기 싫어하는 거 억지로 보낸 참이었어요. 하여튼 애가 만사 귀찮아하고 게을러서 큰일이에요. 정호 얘기 들어 보니 유리는 뭐든 그렇게 열심이라면서요. 아니, 대체 딸을 어떻게 그렇게 잘 키우셨어요?"

열 살은 족히 많아 보이는 이 여사는 마미에게 살갑게 굴며 편하게 대해 주었다. 마미는 그녀로 인해 권력과 재력이 있는 사람들에 대한 편견을 떨쳐 낼 수 있었다.

이런 부모에게서 자란 남자라면, 사윗감으로 탐이 나기도 했다. 욕심이라 해도 어쩔 수 없었다.

사실 유리와 정호가 친구로만 지낸다고 할 때는 아쉽긴 해도 더 이상 그런 욕심조차 품을 수 없었다. 마음은 제게만 있지, 당사자들은 생각도 없으니 말이다.

그렇게 잊고 살았다. 그러다가 정호의 건물에 카페를 차리겠다는 유리의 말에, 혹시나 해서 달려왔다. 서른한 살이 되도록 서로 제대로 연애도 안 하고 있으니 이제 관계가 좀 달라지려나 기대도 했다.

하나 내내 치고받고 싸움질이나 하지 영 관계가 진전될 기미가 안 보이기에 포기하려던 차에, 중평도 화재 때 두 사람의 사랑을 확인했다. 생각보다 훨씬 뜨겁고, 깊고, 아린 사랑이었다. 언제 그렇게 발전했나 싶었더니 정호의 짝사랑이 꽤 길었다는 것을 알게 되었다.

그런 정호가, 지금까지 고등학교 때 있었던 일도 말하지 않고 있었다는 것 또한 놀라웠다. 어쩌면 좋은 무기가 될지도 모를 그런 비밀이 아닌가. 이건 분명 유리의 환심을 살 만한 일이다. 사실은 내가 이렇게까지 했었다, 하고 호기롭게 말하고 생색낼 수도 있는 일이었다.

그 비밀이 뭐라고, 그 부탁이 뭐라고, 그걸 여태 품에 안고서 ……끝까지 말하지 않았다는 사실에 그저 가슴이 아리기만 했다. 딸에 대한 깊은 사랑이 제게까지 전해졌다. 사윗감 하나는 잘 얻었구나. 마미의 가슴에 뿌듯함이 묵직하게 느껴졌다.

"정호 절대 놓치시 마. 아무것도 신경 쓰지 말고, 결혼하고 싶으면 해. 그 집 핏줄이 태경병원이랑 관련이 있든 없든 엄마는 상관없어. 그렇게 독이 올라, 악에 받쳐 살 것 없어. 그러다가 소중한 사람 잃으면 그게 다 무슨 소용이니."

마미가 유리의 손을 꼭 잡아 주었다. 유리는 눈물이 그렁그렁한 눈으로 고개를 끄덕였다.

그때, 똑똑똑. 문을 두드리는 소리가 들렸다. 마미와 유리가 고개를 돌렸다. 열려 있던 사무실 문을 두드린 정호가 거기 서 있었다.

"언제 왔니?"

눈물을 찍어 내며 마미가 반가운 얼굴로 물었다.

"방금이요."

대답한 정호가 사무실 안으로 들어왔다. 어딘가 모르게 달라 보이는 모습이었다. 눈빛도 선명하고, 입가엔 그 흔하던 웃음기도 없었다. 정호가 마미의 앞에 와서 서더니, 몸을 굽혔다.

"정호야!"

그가 갑자기 무릎을 꿇고 큰절을 했다.

"얘가, 왜 이래?"

놀란 얼굴로 함께 맞절하듯 얼떨결에 주저앉은 마미의 앞에 고개를 든 정호가 말했다.

"정식으로 허락을 구하려고 합니다, 어머님."

"정호야."

"따님과 결혼하고 싶습니다."

갑자기 들이닥친 정호의 구혼에 마미가 한 대 얻어맞은 듯 멍하니 바라보았다. 유리 역시 놀란 얼굴이었다. 이렇게까지 비장하게 허락을 구하는 모습은 드라마에서 본 장면 이상이었다.

언젠가는 장난처럼 유리에게 '마미를 내 장모님으로 허락해 달라'고 농담하지 않았던가. 지금은 장난기를 완전히 뺀 진지한 얼굴이었다.

"죽을 때까지, 예쁘고, 사랑하고, 귀하게 여기면서 그렇게 살아가겠습니다. 유리와의 결혼, 허락해 주세요."

방금 왔다면, 마미가 이미 정호와 결혼하라고 한 말을 들었을 것이다. 그런데도 정호는 정식으로 허락을 구했다. 마미는 놀라면서도 가슴이 벅차올랐다.

"손에 물 안 묻힌다고도 못하고, 눈물 안 흘리게 한다고도 못해요. 어머님, 그건 거짓말이니까요. 하지만 제가 더 사랑하고, 제가 더 노력하면서 그렇게 살게요. 이건 지킬 수 있는 약속입니다. ……꼭, 지키겠습니다."

옆에 선 유리가 고개를 돌렸다. 치솟는 눈물을 닦아 내는 딸을 보고, 마미는 다시 정호를 바라보았다.

"그 약속 꼭 지켜 달라고 당부 안 해. ……안 해도 넌 반드시 지켜 낼 사람이니까."

그보다 더한 허락의 말은 없었다. 믿는다, 우리 사위. 많이 힘들었고, 많이 아팠던 우리 딸. 네가 지금처럼 예뻐하고, 사랑하고, 귀히 여기며, 앞으로도 그렇게 살아 주렴.

고개를 숙여 정호가 인사했다.

"감사합니다, 정말. ……어머님. 정말 감사합니다."

마미도 이미 복잡한 상황을 잘 알고 있다. 그럼에도 기꺼이 결혼을 허락하고, 믿어 주는 마미에게 정호는 진심으로 감사했다.

"어머님, 내친김에 한 가지만 더 허락해 주세요."

"뭘?"

"유리와 1박 2일 어디 좀 가고 싶은데요."

"1박 2일? 둘이서?"

"네."

여선히 비장한 태도로 답하는 정호를 보고, 이번에는 유리가 기겁했다.

"너 무슨 소리를 하는 거야, 지금?"

"가만히 있어 봐. 나 지금 중요한 딜 하잖아."

"나한테 말도 안 하고, 뭐 하는……."

정호가 마미의 곁에 가까이 가더니, 손으로 입을 가리며 속삭였다. 귀에 대고 말하는 정호의 이야기를 잠깐 듣던 마미는 이내 고개를 끄덕였다.

"좋아. 2박 3일도 되니까, 데려가."

"엄마!"

"지금 떠나도 될까요?"

"물론."

마미가 손을 들어 OK 사인을 보냈다.

"뭐, 뭐야. 나 갑자기 어디 가는 건데!"

정호의 손에 이끌려 나가면서 유리는 허공에 대고 소리를 쳤다.

"아니, 왜 내 의사 따윈 상관 안 하는 거야? 어디 가는지 나한텐 말해 줘야지! 왜 둘이서만 얘기하는 건데!"

"가 보면 알아."

태연하게 대꾸하는 정호의 입가엔 미소가 흘렀다.

유리를 조수석에 밀어 넣은 정호가 문을 탁 닫았다. 유리는 갑자기 몰아친 폭풍우에 어안이 벙벙했다. 보닛을 돌아 운전석을 향해 오는 정호를 황당한 얼굴로 바라보았다.

"이건 아니지. 갑자기 1박 2일에, 2박 3일이 뭐야아. 예고도 없이, 갑자기 데려가는 게 어디 있어. 난 아무 준비도 안 되어 있는데. 아, 진짜. 속옷도 안 예쁘고. 아니, 이게 뭔 상관. 그게 아니라, 할 일도 많은데, 갑자기 어딜 가겠다는……."

탁. 운전석 문이 열렸다.

"뭘 그렇게 중얼거려, 비 맞았어?"

차에 올라탄 정호가 묻자, 유리는 고개를 절레절레 저었다.

"벨트 안 매? 매 줄까?"

"내가 할 거야!"

다가오는 정호를 피해 유리는 얼른 안전벨트를 당겼다. 숨이 탁탁 막혀왔다. 바깥에서는 마미가 활짝 웃는 얼굴로 손을 흔들고 있었다.

대체 무슨 일이 일어나려는 것인지 알 수가 없었다.

밤의 도로.

열심히 내달리는 차 안에서 유리는 아무런 말이 없었다. 신호에 걸려 잠시 정차한 사이, 정호는 조수석에 앉은 유리를 바라보았다. 꾹 다문 그녀의 입술에 왠지 모를 비장함까지 흐르는 듯했다. 적잖이 긴장한 모습을 보며 정호가 피식, 웃고 말았다.

"너 지금 무슨 생각 해?"

"어?"

화들짝 놀란 유리가 돌아보았다. 그녀의 입가가 어색하게 굳어 있었다.

"새, 생각은 무슨! 나 아무 생각도 안 해!"

"아닌데? 뭔가 기대하는 얼굴인데?"

"기, 기대는 무슨! 나 아무 기대도 안 해!"

"아닌데……."

"아, 아닌데는 무슨! 나 아무것도 아닌데!"

횡설수설하는 유리를 보던 정호는 다시 차를 출빌시켰다. 목직지를 얘기해 주려 했는데, 눈만 데굴데굴 굴리고 있는 유리를 보니 자꾸만 장난기가 동했다. 귀여워도 너무 귀여워서 정호는 입을 꾹 다물고 말았다.

서로 사랑을 하게 된 후, 새롭게 보는 유리의 모습들이었다. 어떤 상황이

든 그토록 당당하기만 하던 유리지만, 스킨십과 키스에 약했다. 야릇한 분위기가 조성되면 당황하고 뚝딱거리는 면도 있었다.

가만히 있어도 예쁜데, 어느 순간 보이는 의외의 면이 자꾸만 자신을 흔들었다. 지금도 1박 2일이라고 하니 아마 엉뚱한 생각을 하고 있을 것이다. 얼마 전에 최선을 다해 마음의 준비를 하겠다고 하더니. 그런 생각인가.

정호는 잠시 고민이 되었다. 계획을 바꿔야 하나. 오늘은 일단 유리의 기대에 부응해 줘야 하나. 아니지, 우선은…… 해야 할 일이 남았지. 먼저 가야 할 곳이 있기에, 그는 마음을 고쳐먹었다. 정호의 오른손이 중앙의 콘솔 박스를 넘어가 유리의 손을 찾아내 잡았다.

"앗."

유리가 놀라서 움찔 손을 빼려고 했다. 공기마저 푹푹 찌는 바깥과 달리 차 안은 에어컨을 켜 두어 쾌적하고 시원했다. 하지만 유리의 손안은 땀으로 젖어 있었다. 정호가 빠져나가려는 유리의 손을 꽉 붙들었다.

"어디 가는지 이제 안 물어봐?"

그러고 보니 유리는 긴장만 하고 있을 뿐이다. 막상 차에 올라타 출발을 한 후로 목적지조차 묻지 않고 있었다.

"안 궁금해?"

정호가 이어 물었다. 차는 어느덧 톨게이트를 지나 서울을 벗어나고 있었다.

"생각해 보니까, 별로 궁금하지 않아."

떨림이 잦아든 유리의 목소리가 차분했다. 그새 흥미가 떨어졌나 싶어 정호의 얼굴에 의아한 빛이 스쳤다. 잡은 손이 점차 느슨하게 풀어지더니, 손가락 사이가 얽혀 들었다.

유리가 깍지를 끼어 왔다. 예민한 살갗이 부딪쳤다. 떨리는 건 정호 쪽이었다. 두근, 두근. 진한 스킨십이 아니라도 충분히 설레고 가슴 뛰는 순간이었다. 깍지를 낀 채 유리가 입을 열었다.

"네가 데려가는 곳이 어디든, 나는 상관없어."

믿음이 깃든 목소리로 유리가 미소 지으며 말했다.

"그러니까 걱정하지 말고 데려가. 언제든, 어디든, 무엇 때문이든."

청혼에 대한 간결한 화답. 가슴이 뻐근할 정도로 밀려드는 기쁨.

"난 너만 있으면 돼."

아무리 오랜 사랑의 보답이라 해도 이건 분에 넘친다는 생각밖에 안 든다. 이러니 내가 이렇게 미치지, 이러니 내가 이렇게 목숨을 걸지.

정호는 숨을 가쁘게 몰아쉬고는, 유리의 손을 더욱 정성껏 잡았다. 예뻐하고, 사랑하고, 귀하게 여기며 살겠다는 그 다짐, 기필코 지킬 것이다. 이제는 그것이 제 삶의 전부였다.

"어서 와. 기다리고 있었어."

상냥한 인사를 건네는 중년 여인은, 정호의 어머니였다. 다 늦은 밤인데도 불구하고 집 곳곳에 환히 불을 밝히고 기다리던 이 여사는 차에서 내린 유리를 다정하게 맞이했다.

"안녕하세요. 오랜만에 뵙습니다, ……어머님."

도착한 곳은 정호의 부모님이 살고 계신 시골집이었다. 집 밖에 서 있다가 주차하는 정호의 차를 보고 얼른 달려온 이 여사는 유리의 손을 잡았다.

"그래, 정말 오랜만이구나. 어쩜 이렇게 더 예뻐졌니? 유리 너는 해가 갈수록 더 활짝 피는구나."

이 여사는 정호의 연락을 미리 받은 듯 전혀 놀라는 기색 없이 반갑게 맞이했다.

"일단 들어가죠."

정호는 집 안을 향해 성큼성큼 걸어갔다. 도착할 때까지 차 안에서 느꼈던 말랑말랑한 기운은 금세 날아가 버렸다. 다소 경직된 분위기였다.

"유리야, 들어가자."

이 여사가 어색하게 웃으며 유리의 손을 잡아끌었다. 심상치 않은 기운이 느껴졌다. 정호가 부모님과 사이가 좋지 않은 건 알고 있었다. 유리는 나중에서야, 아무래도 제 일이 엮여 있던 탓에 정호가 부모님께 크게 실망했었고, 그런 이유로 지금껏 부모님과도 거리를 두고 지냈을 것이라 짐작했다.

그동안 태경병원이라면 치를 떨던 자신이 아니던가. 그런데 정호는 그런 태경병원과 핏줄로 이어진 데다 당시 의료 사고로 인한 소송에서 영향을 준 아버지의 일까지 있었으니, 왜 그리 제게서 도망가려고 했었는지 알 수 있었다. 오늘 어떻게든 매듭을 지을 생각인 모양이었다.

그렇다고 이렇게까지 서두를 필요가 있을까? 유리는 쇠뿔도 단김에 빼려는 정호가 의아했다. 가만히 잘 있다가, 갑자기 마미 앞에서 무릎 꿇고 허락을 받질 않나, 이 밤에 먼 길을 달려 여기까지 오지를 않나.

"어머님, 잠시만요."

유리는 이 여사의 손을 놓았다.

"정호야, 나 좀 봐."

갑작스럽게 자신을 붙잡는 말에 정호가 돌아보았다.

"잠깐만 나랑 얘기 좀 하고 들어가자."

아무런 준비도 없이 이 집에 들어갈 순 없다. 단순히 결혼 허락받자는 자리가 아닐 것이 분명하니까.

"그럴래? 그럼 얘기하고 들어와. 엄마 먼저 들어가서 있을게."

이 여사가 눈치를 보고는 얼른 정호의 등을 유리에게로 밀었다. 아들이 한 발짝 밀려 유리 앞으로 나서자, 이 여사는 몸을 돌려 집 안으로 들어갔다. 탁 닫힌 문 앞에 두 사람이 남겨졌다. 유리는 정호의 손을 잡고 단층으로 된 집에서 조금 떨어져 나왔다.

"너 왜 그래? 왜 너답지 않게 성급하게 그래? 우리 결혼이 지금 그렇게 급한 거 아니잖아."

우선 송화의 소송이 어떻게든 마무리가 된 다음에 생각할 문제였다. 다른 일도 아니고, 태경병원과 얽힌 소송인데. 이런 상황에서 결혼을 감행할 수는 없지 않은가. 결혼은 어차피 포기했던 일이기도 했다. 정호가 단 몇 시간 사이에 이렇게 훅 치고 들어올 줄은 정말 몰랐다.

"나는 급해."

"응?"

"난 너와 최대한 빨리 결혼하고 싶어. ……네가 생각을 전혀 안 하고 있었다니, 나라도 서둘러야겠어."

"아니, 그래도…… 일단 소송이라도 어떻게 마무리한 다음에."

"마무리? 1년이 될지, 2년이 될지, 그 이상일지 어떻게 알고 그걸 기다려. 이유를 델 걸 대. 그건 안 돼."

"그게 아니고, 아…… 복잡하잖아. 우리. 지금 상황이."

불도저처럼 밀어붙이는 정호를 난감한 얼굴로 바라보았다. 유리는 갑작스러운 상황에 적응이 되지 않았다.

"이 소송이 보통 소송노 아니고. 이런 상황에 우리 마음만 서로 통했다고 결혼이 가능한 건 아니잖아. 냉정하게 생각해."

"그러니까 내가 깔끔하게 해결하겠다는 거야."

"해결……?"

"그 소송, 내가 같이할 거야. 너 혼자 고생하게 안 둬. 태경병원 이사장이 내 외삼촌? 넌 그런 거 신경 쓰지 마. 그리고 그럴 필요 없다는 것 보여 주려고 여기 데려온 거고."

"……."

"하나씩 해 보자. 달걀로 바위 치기라도, 내가 같이할 테니까. 깨져도 겁먹지 마. 깨지면 어때. 달걀 껍데기는 원래 얇아. 모르고 덤비는 거 아니잖아. 바위에 대고 치는 행동 자체가 의미 있는 거 아니야?"

유리의 두 어깨를 잡고 정호가 이어 말했다.

"나랑 결혼해. 같이 일하고, 같이 부딪치고, 같이……. 뭐든 같이하자, 우리."

정호가 허리를 숙이며 그녀의 얼굴을 바라보았다. 그의 침착한 눈빛. 세상을 향해 무엇도 내줄 수 없다는 결연한 태도가 배어 있었다. 외조모에게 유리를 권력의 제물로 주지도 않을 것이며, 또 유리를 지키는 대가로 엉뚱한 여자와의 결혼을 수락하지도 않을 것이다.

지금껏 욕심이라곤 모르고 늘 한 발짝 물러나서 살았으니까. 이 정도 욕심쯤은 봐주지 않을까. 신이 있다면, 그만한 아량은 베풀어 주지 않으실까.

"그러니까, 나 믿어, 김유리."

잠시 정호의 얼굴을 바라보던 유리는 이내 고개를 끄덕였다. 그리고 그에게 이끌려 들어간 집 안에서 생각지도 못했던 일을 맞이했다.

김승운 전 검사장이 유리의 앞에 무릎을 꿇었다. 유리가 집에 들어서자마자 바로 일어난 일이었다.

"아, 아버님."

쉽게 터져 나온 '아버님'이란 호칭에 스스로 놀랄 사이도 없었다. 유리는 얼른 달려가 정호의 아버지를 붙들었다.

"미안하구나."

김 전 검사장이 착 가라앉은 목소리로 사과했다. 함께 무릎을 꿇고 마주 앉은 유리가 난감한 얼굴로 옆에 선 정호를 올려다보았다.

난감하긴 정호도 마찬가지였다. 그토록 자존심 강한 아버지가, 이렇게 인사도 생략하고 대뜸 무릎부터 꿇을 줄이야. 누군가를 위해 무언가를 한다는 건 생각할 수도 없을 정도로 뻣뻣한 분, 본인이 만든 확고한 틀 안에 스스로 갇혀 사는 분이었다.

아무리 유리 앞에 사과하겠다고 했던 아버지였고, 또 그 사과를 반드시 해 달라고 한 자신이었지만, 막상 현실로 닥치자 가슴이 쓰린 건 어쩔 수 없었다.

꼭 그렇게 하셔야만 했나요. 예비 며느리가 될 아이 앞에 그렇게 무릎을 꿇어야 할 정도로. 그런 잘못을 꼭 저지르셔야만 했었나요. 지독한 실망감과 지울 수 없는 원망. 그건 여전히 정호의 가슴속에 남아 있었다. 지금 아버지의 초라한 무릎을 보니 더더욱 그러했다.

"본의 아니게 너와 네 가족에게 씻을 수 없는 상처를 주고, 이후로도 힘들게 살아가게 해서, 정말 미안하다. 유리야, 미안하구나."

"아니, 저……."

정중한 사과였다. 대쪽같이 곧던 아버지의 성품처럼, 군더더기 없이 깔끔한 사과였다. 어쩌면 정호는 기대했는지도 모른다. 아버지의 부정(不正)은 죄 오해이기를, 언젠가 아버지가 풀어 주기를, 마음 놓고 아버지를 존경할 수 있도록, 그렇게 만들어 주기를.

하지만 유리에게 사과하는 것을 보자, 확인 사살을 당한 기분이 들었다.

274

아마도 평생 그 부끄러움을 안고 살아야 할지도 모르겠다.

밤바람이 열린 창문 사이로 들이쳤다. 사르륵 커튼이 날렸다. 유리의 마음속 얼어붙어 있던 감정은, 김승운 전 검사장의 '미안하구나.' 한마디로 스르르 녹아내렸다. 어딘가 개운하지 못한 정호의 마음과는 달리, 유리는 그 정도만으로도 충분히 풀어졌다.

누군가에게 사과를 받게 되리라고, 지난날에 대해 위로를 받게 되리라고는, 전혀 상상하지 못했었다. 그저 자신을 채찍질하며 달리는 것만이 제 방법이었다. 사랑받음으로써 치유될 수 있는 상처인 줄, 어린 날에는 몰랐었다.

쌓인 눈이 봄 햇살에 녹아내리듯. 소리 없는 바람이 살며시 볼에 스치듯. 밤새 맺힌 이슬이 토도독 고요하게 흩어지듯. 모든 것이 평온해졌다. 정호와 그의 부모님이 제게 새겨진 상처를 어루만지고, 녹이고, 쓰다듬어 주었다.

"용서해 주렴."

비로소 유리는 완벽하게 보상받은 기분이 들었다.

"그리고 내 아들의 아내가, ……부족한 우리의 며느리가, 되어다오."

목이 메어 유리는 대답하지 못했고, 고개를 숙여 뜻을 전했다. 이 청혼의 대답은 당연히, '네, 그럴게요.'였다.

달이 기울고, 잔이 기울었다. 주거니 받거니 오가는 잔에 맑은 술이 찰랑거렸다.

"에이, 아버님. 안주도 드셔야죠."

유리가 정호 아버지의 접시에 무쌈말이를 집어 올려놓았다. 목이 까칠하여 음식이 넘어가지 않는지 술만 한두 잔 받아넘기는 아버지를 보고 유리가 살갑게 안주를 권했다. 식사 시간이 한참 지난 늦은 밤이라, 이 여사는 가벼운 안주로 술상을 내왔던 참이고 분위기는 무르익었다.

"어머님, 이거 정말 맛있어요. 소스 뭐 넣으신 거예요? 일반 겨자 소스 아니죠?"

"아는구나. 캐슈너트 빻아서 섞었거든!"

"어쩐지. 고소한 맛이 난다 했어요. 진짜 맛있어요."

어색한 분위기는 금세 사라졌다. 정호는 여전히 말이 별로 없었지만, 유리가 열심히 대화를 주도했다. 결혼 허락을 받자마자 '아버님', '어머님' 해 가며 애교를 부리는 것이 쉬운 일은 아니었지만, 마음먹고 하자니 못할 것도 없었다.

이 여사는 그간 마음을 짓누르던 죄책감을 어느 정도 내려놓아서인지 눈에 띄게 표정이 밝아졌다. 그 해맑은 얼굴을 보며 정호는 먹먹함을 느껴야 했다.

어머니는 모르시겠구나. 외할머니가 어떤 생각을 하시고, 어떤 식으로 일을 진행하시려는지. 표면적으로는 아무 문제가 없어 보인다. 사실 부모님은 모르셔도 된다. 이제부터는 자신이 헤쳐 가야 할 일들이었다.

"이 고추 정말 어머님이 키우신 거예요? 되게 아삭아삭해요."

"토마토도 있어, 내일 올라갈 때 좀 싸 줄게."

정호는 제 부모와 유리가 웃으며 이야기를 나누는 게 꿈만 같았다. 그러니 어떤 것이든 이겨 낼 각오가 되어 있다. 이 행복을 지킬 수만 있다면, 이 여자를 지킬 수만 있다면. 앞으로 어떤 시련이든, 문제가 되지 않을 것이다.

"유리가 생각보다 술을 잘하네?"

"어머님. 제가 못 하는 게 없거든요."

생긋 웃으며 보이는 유리의 애교. 그녀를 바라보는 이 여사의 고운 눈매에 미소가 담뿍 실렸다. 예비 시부모 앞에서 주량 자랑을 하는 며느리가 과연 예쁜 모습일까 싶지만, 유리가 하니 그런 모습도 예뻐 보였다. 웃으며 농담하고는 있지만, 태도만큼은 전혀 흐트러지지 않았다. 결곡하고 단정한 아이였다.

"어머님, 혹시 라면 있어요?"

대뜸 라면을 찾는 유리를, 정호가 긴장 어린 얼굴로 보았다. 술이 좀 들어가니 국물을 찾는다.

"라면?"

"제가 평소엔 아닌데, 라면 국물 먹고 싶을 때가 있어서요."

국물 먹고 싶을 때가 바로 위험한 때다. 정호가 유리의 팔을 잡으며 말리려는데 이 여사가 무심코 말을 받았다.

"아아. 라면? 있을 거야. 저번에 사다 놓은 게 있는데……."

그리고 그때, 정호 아버지가 벌떡 일어섰다.

"내가."

모두 고개를 들어 바라보았다.

"흠. ……내가 끓여 주마."

말을 마치고 바로 부엌으로 들어가는 아버지의 등에 의아한 시선들이 가득 꽂혔다. 전혀 어울리지 않는다. 부엌에서 라면을 끓이는 김승운 전 검사장이라니. 이 여사 역시 생전 처음 보는 남편의 모습에 입술이 벌어졌다.

"아버님. 같이 끓여요!"

유리가 일어서더니 방긋 웃으며 그 뒤를 따랐다.

"아버님, 물 어디까지 채울까요?"

"잠깐."

정호의 아버지는 빈 생수병에 정수기 물을 채우기 시작했다. 그리곤 냄비에 콸콸콸 붓더니 아버지는 다시 물을 채웠다. 한 번 더 부은 후, 마지막으로는 생수병의 약 5분의 1 정도를 채웠다.

"아버님, 이거 물, 정확히 1100밀리리터죠?"

"그렇지. 라면 한 개의 적정 물양이 550밀리리터인데, 지금 끓이는 게 두 개니까."

"엄청…… 정확하게 넣으시네요."

"'못'하는 것보다 '대충' 하는 것이 더 나쁘다."

라면에 대한 심오한 철학을 드러내며 아버지가 이어 말했다.

"좀 깐깐해 보일 수 있겠지만 물의 양은 정확해야지."

"어머."

유리는 눈을 동그랗게 떴다가 이내 웃었다. 그녀에게 익숙한 철학이다.

"라면을 끓이는 데 가장 중요한 두 가지 요소가 바로, '물의 양'과 '불의 세기'잖아요."

"너도 잘 아는구나."

"그럼요!"

주방 한쪽에 선 이 여사와 정호는 벌린 입술, 멍한 시선으로 이 모습을 지켜보았다. 교육 방송에나 출연할 것 같은 포스로, 라면의 조리법에 대하여 진지하게 논하고 있는 두 사람이라니.

"라면 회사 연구원들에게 '라면을 가장 맛있게 끓이는 방법'이 무엇이냐 물어보면 그 사람들이 대부분 '포장지 뒷면의 조리법대로 끓이는 게 가장 맛있다'고 말한다지."

"그렇죠! 수백 번이나 테스트하고 가장 맛있는 상태를 표준화한 거라고 하잖아요. 와아. 아버님께서도 매뉴얼을 중요하게 생각하시다니. 이런 아버님께서 끓여 주시는 라면, 정말 영광이에요!"

"살아가는 데 정도(正道)가 제일 중요한 것 아니겠냐."

"그럼요!"

신이 난 유리는 무심코 대답을 하고는 냄비 안의 물을 들여다보았다. 막 끓어오르고 있었다.

"마저 끓여 갈 테니 넌 가서 정호랑 앉아 있어."

"어우, 아니에요. 아버님 옆에 있을게요. 저 어렸을 때도 아빠가 라면 끓여 주시면 그게 너무 행복해서 옆에 찰싹 달라붙어 있었거든요."

유리를 보는 아버지의 시선이 부드럽게 풀어졌다. 물이 끓었다. 정호 아버지는 분말수프와 건더기 수프, 면을 넣었다. 휴대폰 타이머를 맞추는 것도 잊지 않았다.

"아버님 정말 제 스타일이세요!"

"그러냐?"

유리가 비 오던 때의 기억을 떠올리며 말했다.

"네. 전에 정호가 라면을 끓여 준 적이 있는데요. 그때도 정말 맛있었거든요. 제가 딱 좋아하는 라면 맛이었어요. 정호가 아버님 보고 배운 건가 봐요."

"……정호한테는 한 번도 끓여 준 적이 없었는데."

"정말이요?"

"결혼 전에 나 혼자 끓여 먹었던 적은 많았지만, 이렇게 누굴 위해 끓이는 건 처음이구나."

"아버님, 영광입니다."

유리가 손을 모으며 활짝 웃었다. 정호 아버지는 저도 모르게 엷은 미소를 띤 채 흠, 헛기침했다. 며느리가 될 아이의 눈웃음이 사르르 흩어졌다. 그게 참 보기 좋았다.

보글보글 라면이 끓는 소리를 들으며, 아버지는 잠시 상념에 빠졌다. 아내를 위해, 아들을 위해 평생을 바쳐 살아왔다고 생각했었다. 모든 것을 다 던져 지켜 냈다고, 생각했었다. 적어도 지금까지는.

하지만 어쩌면 그게 아닐지도 모르겠구나, 하는 마음이 들었다. 겨우 라면 하나 끓이는 것조차 처음이라는 사실을 깨닫자 문득 씁쓸한 감정이 들었다. 이게 뭐라고, 그간 주방으로 한 번 들어와 본 적도 없었을까.

무엇을 위해서, 무엇을 버리고, 무엇을 바쳤다고 말할 수 있는 것인가. 무심코 고개를 돌리던 아버지는 정호에게 시선이 닿았다. 정호는 주방 입구 쪽에 선 채 유리의 뒷모습을 바라보고 있었다.

아들의 눈에 가득한 애정. 이 아이를 진심으로 좋아하고 있구나, 느껴지는 그 마음에 아버지의 마음도 뭉클해졌다. 그러다 문득 시선을 느낀 정호가 아버지를 보았고, 부자는 눈이 마주쳤다. 불편함이 실린 얼굴로 먼저 고개를 돌린 건 정호였다. 그래, 아직은…….

"아버님, 라면 다 끓었어요. 옮길까요?"

"내가 하마."

주방 장갑이 어디 있는지 몰라 두리번거리자 이 여사가 얼른 다가와 건네주었다. 정호의 아버지는 폭신한 장갑을 끼고 냄비를 잡았다. 따뜻하고도 소소한 행복이 느껴졌다. 조금 더 다가서면 될까. 그러면 이 행복을 온전히 잡을 수 있겠지. 거실에 들고 간 냄비를 상 위에 올려놓았다.

"잘 먹겠습니다, 아버님!"

살짝 취기가 오른 유리의 볼이 발그레했다. 유리는 사부작사부작 술잔을 채웠다. 그리곤 어머님, 아버님, 살갑게 불러 가며 짠, 하고 두 손으로 술잔을 부딪치곤 몸을 돌려 마셨다. 세상을 다 가진 듯 기분 좋게 웃는 일굴. 아버지는 여전히 그런 유리의 얼굴에서 시선을 떼지 못했다. 마냥 예뻤다.

때로는 답답하고, 때로는 갑갑하게 만들었던 마음의 빗장 하나가 스르

릇 풀려나간 기분이었다. 단단히 잠겨 있던 그 문을 어루만진 건, 바로 유리였다. 자신으로 인해 오랫동안 상처를 받았던 아이가, 제 아들과 결혼하겠다고 이렇게 찾아왔다. 모든 걸 내려놓고 저토록 맑고 어여쁘게 웃고 있다.

꼿꼿이 제 자리에만 머물러 있던 정호의 아버지, 김승운은 유리 앞에 꿇었던 무릎이 전혀 아깝지 않았다. 오히려 모자라게 느껴졌다.

'갚으마. 살아가며 열심히 갚아 주마. 그러니 우리 정호, 앞으로 잘…… 부탁한다, 아가.'

"아직 결혼한 건 아니니까."

이 여사가 웃으며 방을 안내했다. 정호와 따로 잠자리를 마련했다는 뜻이었다. 단층집인 데다가 면적이 그렇게 넓은 편도 아니었다. 주방 옆의 단출한 작은방에 유리가 머물 수 있게 이불을 준비해 두었다.

"감사해요, 어머님."

"좁아서 불편하진 않을까 모르겠다."

"아니에요. 엄청 훌륭해요! 이 정도면 제가 굴러다녀도 되겠는데요."

"더 필요한 건 없고?"

이 여사로부터 잠옷으로 입을 시장표 꽃무늬 원피스까지 건네받은 유리는 고개를 저었다.

"아까 오면서 편의점에 들러서, 필요한 거 사 왔어요. 괜찮아요, 어머님."

속옷과 간단한 세면도구, 스타킹을 새로 사서 왔다. 화장품은 가방에 몇 개 넣고 다니는 샘플로 해결하면 될 것 같았기에, 갑작스러운 1박도 문제없었다.

"정호가 마음대로 끌고 와서 곤란했을 텐데, 고맙구나."

"제가 더 감사해요, 어머님."

말을 마칠 때마다 어머님, 어머님 소리를 붙이는 유리가 못내 예쁜 듯 이 여사가 손을 잡았다.

"정호 아빠 그렇게 웃는 거, 참 오랜만에 봤다. 다 네 덕분이야."

"앞으로 웃으실 일 더 많을 거예요."

"그래. ……어서 씻고 쉬어, 유리야. 피곤할 텐데."

감격스러운 눈빛으로 유리를 찬찬히 보던 이 여사가 얼른 손을 놓아주었다.

"잘 때 문 잠그는 거 잊지 말고."

"현관문 말씀이세요?"

"아니. 그건 내가 살피고. 이 방문 말이야. 내 아들이래도 확실히 해야지, 무슨 일 생기면 소리 지르고. 문 꼭 잘 잠그고 자."

"아, ……네."

정호는 지금 자발적으로 설거지를 하는 중이고, 그사이 이 여사가 유리에게 방을 안내하고 있었다. 서재로 쓰는 방이 하나 남았지만, 사람이 편히 잘 수 있는 공간은 아니기에 정호는 거실에서 잔다고 하였다. 그러니 이 여사는 유리에게 문단속을 권하는 것이었다.

혼인 신고든 혼수든 뭐가 먼저든 상관없다고도 하고, 데이트하면 늦게 들어오거나 안 들어와도 된다고 하던 마미와는 영 날랐다. 오히려 이쪽이 너 엄하고 보수적인 분위기였다.

아들을 직접 단속하는 건 유리를 진심으로 아끼고 걱정하기에 할 수 있는 말과 행동들이었다. 낯선 집에서, 낯선 이들과 하루를 보내는 것이 어색하고 힘들겠지만, 무슨 일이 있더라도 네 편이 되어 줄 테니 아무 염려 말거라, 하는 의미였다. 이 여사 뜻을 이해한 유리는 웃으며 고개를 끄덕였다.

설거지를 마친 정호가 주방에서 나올 때였다. 씻었는지 뽀얀 얼굴로 욕실에서 나오던 유리와 마주쳤다.

"김유리."

"응! 너도 잘 자!"

유리가 손을 흔들며 방으로 쏙 들어갔다. 다짜고짜 인사를 당한 정호는 멍하니 서 있었다. 부모님은 더없이 좋은 기분으로 잠자리에 드신 후였다. 저만 거실에 덩그러니 홀로 남겨졌다. 정호는 유리가 닫고 들어간 문 쪽으로 다가서려다가, 다 부질없다는 생각에 고개를 저으며 돌아섰다.

굿나잇 인사만 길어져 봐야 뭐하나. 부모님이 계신 집에서 뭘 어쩌겠다고. 피식 웃으며 욕실로 향했다. 긴장했던 몸이 이제야 좀 풀린다. 한고비는 넘긴 셈이었다.

'부모님들은 이제 됐고…….'

내일 돌아가면 이편웅 사건에 최선을 다할 것이다. 제대로 죗값을 치를 수 있도록, 자신이 할 수 있는 모든 일을 할 예정이다. 다만, 변수는 외조모다.

외조모는 이편웅을 더 이상 감추기에 버거운 존재라 생각했는지 손에서 탁 놓아 버렸다. 하지만 득이 없는 일은 하지 않는 분이다. 버리는 대신 반드시 뭔가 얻기를 원했다.

이편웅을 버리고, 김정호를 얻겠다, 라……. 외조모의 목적은 확실히 알겠지만 수단은 미지수였다. 내세운 정략결혼이라는 것은 정호가 받아들이지 않으면 그만이다. 어떤 카드를 또 꺼내실지 조금은 불안한 마음이 들었다.

한편 방으로 들어온 유리는 후우, 후우, 얕은 숨을 몰아쉬었다. 우연히 함께 밤을 보냈던 날들이 어디 하루 이틀인가. 그런데도 오늘따라 왜 이렇게 심장이 떨리는지.

주방에서 나오던 정호를, 저도 모르게 입술까지 벌린 채 잠시 바라보았다. 뭐야, 이제는 심지어 설거지하고 돌아서는 모습까지 잘생겨 보이는 거야?

"중증이네, 중증이야. 콩깍지가 단단히 쓰였어."

말이야 바른말, 콩깍지가 아니라 사실 객관적으로도 훌륭한 모습이 아닌가. 약간 미간을 찌푸리며 고개를 기울인 정호가 앞으로 내려온 머리를 긴 손가락으로 스윽 치우는 모습을 봤다. 그런 의식하지 않은 행동들까지 상당히 멋있었다는 건 부정할 수 없다.

십 년이 넘는 세월 동안 익숙하게 보고 또 봤던 모습들이, 왜 이렇게 새삼 설레는 건지. 아무래도 자신이 예전보다 더 정호를 좋아하고 사랑하게 된 건지 모른다. 헤어지기 이전보다도 훨씬 더. 그리고 어쩌면…… 정호가 자신을 사랑하는 것보다도 더.

"내가 이제 진정한 을이 되려나."

픽 웃으며 유리는 수건으로 독독 젖은 머리카락을 두드렸다. 갑이면 어떻고 을이면 어떤가. 이렇게 사랑하면 그뿐이지. 진심으로 사과하시고 또 기쁘게 반겨 주신 정호의 부모님을 뵙게 되어 유리의 마음도 한결 가벼워졌다.

포기했던 결혼에 한 발짝 다가선 느낌이었다. 힘겹게 계단 하나를 올랐으니, 이제 멈추지 않고 전진하는 일만 남은 듯했다.

어둠이 내려앉은 병실.

"할 수만 있다면, 법이 아니라, 내가 그 사람을 벌하고 싶은 심정이에요."

괴로운 듯 은강이 미간을 좁혔고, 그 말을 들은 송화야말로 괴로운 듯 고개를 저었다.

"안 돼요."

"알아요. 그러면 안 되는 것."

하지만 좋아하는 여자가 그토록 괴로운 일을 당했다는데. 갑갑해서 어디서고 뛰어내리고 싶을 때가 한두 번이 아니었다는데. 온전한 마음으로 견딜 수 있는 남자가 몇이나 될까.

은강이 그간 어렴풋이 짐작했던 것과, 이렇게 송화의 입을 통해 실제로 확인하게 된 건 크게 다르지 않았다. 그러나 실제 느낀 충격은 천지 차이였다.

이렇게 여리고, 이렇게 작은 사람에게. 보기만 해도 아까운 이 꽃잎 같은 여자에게, 어떻게 감히. 사람의 탈을 쓴 그 짐승만도 못한 새끼가 한 짓에 격한 분노가 일었다. 하지만 흥분해서는 안 된다. 큰마음 먹고 제게 힘든 이야기를 들려준 송화를 위해서라도.

"그리고 아까 유리 언니랑 통화했는데, 김정호 변호사님도 이번 일에 같이 나서 주신다고 해요."

"정호 형이요?"

의외였다. 정호가 이 일에 나선다니. 유리와 같이 일하고는 있지만, 하루하루 적당히 보내는 것처럼 보이는 사람이었다. 이런 변화들도 사랑의 힘인가 싶어 정호가 새롭게 보였다.

"많이 고민했는데 이제 언론에도 알리려고요. 제가 할 수 있는 건 뭐든 다할 거예요. 이렇게 도와주시는 분들도 있는데, 그 사람이 계속 활개 치고 다니게 할 순 없잖아요. 제일 힘든 건, 제가 침묵하고 돌아섰을 때 얼마나 또 많은 피해자가 생겨날지 모른다는 것. ……이제는 저 같은 사람, 또 없었으면 해요."

송화는 조곤조곤 말했다. 여리고 작은 체구에서 단단하고 강인한 에너지가 느껴졌다.

"그리고 저는 은강 씨 마음을 받을 자격도 없……."

"누가 그래요?"

"네?"

"자격이 없다고 누가 그러냐고요."

조심스럽게 말하던 송화가 울음 섞인 눈을 들어 그를 보았다.

"사람이 사람을 좋아하는데, 무슨 자격이 필요해요."

또다시 상처를 받을까 사랑하기 겁이 났던 은강이었다. 잘해 주면 잘해 줄수록 쉽게 여기는 상대를 또 만나게 될까 봐, 제 안에 벽을 쌓아 올렸던 은강이었는데. 사람의 마음이 어디 뜻대로 되던가.

아이가 있는 미혼모인 데다가, 성추행으로 골치 아픈 소송을 진행 중인 여지 송화를 이렇게 사랑하게 되어 버렸다. 송화를 설명하는 말은 그게 전부가 아니니까.

웃을 때 수줍게 고개를 내리는 모습이 예뻤다. 처연하지만 어딘가 모르게 은은하게 풍기는 분위기도 눈길을 끌었다. 얼음판을 내딛는 발걸음처럼 늘 조심스러운 행동 하나하나마저 낮은 숨을 흘리게 했다.

안아 주고 싶었다. 돌아보고 싶고, 자꾸만 챙겨 주고 싶었다. 주는 사랑만큼 돌려주지 않아도 된다. 설령 전처럼 '호구'가 되어 실컷 이용당하고 버림받아도…… 괜찮을 것 같다.

그로 인해 이 여자가 조금만 더 행복해질 수 있다면. 조금만 더 넉넉한 마음으로 웃을 수 있다면. 자신은 아무래도 상관없을 것 같다. 사랑을 피하려던 그가, 더욱 깊은 늪에 완전히 빠져 버렸다.

"송화 씨도 나 싫어하는 거 아니잖아요. 아무리 미안해서라고 해도, 이렇게 몇 날 며칠을 곁에 있어 줄 순 없을 테고."

"……."

"지금 힘든 상황인 거 알고, 여유가 없다는 것도 알아요. 그러니 내 마음 받아 달라 강요하는 거 아니에요. ……내가 말주변이 없어서 어떻게 전달될지 모르겠는데. 송화 씨는 그냥 그대로 있어요. 내가 뭐든지 할 테니까. …… 그냥 나 밀어내지만 마요."

기어이 송화의 눈에서 눈물이 후두두 떨어졌다.

"은강 씨는 왜 이렇게…… 미안하게 만들어요. 나를 왜……."

한숨을 내쉬며, 은강이 송화를 당겨 품에 안았다. 조그만 어깨가 사르륵 안겨 들었다.

"다 잘될 거예요. 아무 걱정 하지 마요."

분노와 증오로 점철된 심장이 조금씩 뜨거워졌다. 짐승에 대한 복수는 다른 게 아니다. 이 여자를 행복하게 해 주면, 이 여자가 진심으로 웃게 해 주면, 이 여자가 아무런 근심 없이 제 품에서 잠들 수 있게 해 주면. 그게 진정한 의미의 복수가 된다.

그러니 이 여자를 지킬 것이다. 곁에 서서 어떻게든, 지켜 낼 것이다. 힘들었던 시간 모두 잊을 수 있도록, 깊이 사랑해 줄 것이다. 은강은 눈을 감고 송화의 머리카락을 쓸어내렸다. 자신의 마음을 받아들이는 것이 미안하다는 여자가 못내 안타까워, 은강은 가슴이 쓰라렸다.

"……내가 미쳤지."

달빛만 희미하게 밀려든 거실.

잠든 정호의 곁에, 무릎을 안고 쪼그려 앉은 유리가 그 얼굴을 가만히 지켜보고 있었다. 모기도 듣기 어려울 정도로 작게 중얼거리면서.

"물 마셨으면 곱게 들어갈 것이지, 나는 또 왜 여기 앉아 얘를 보고 있냐고."

밤늦게 즐긴 술과 안주 덕분에 갈증이 난 유리가 물을 마시러 나온 참이었다. 입술과 목이 물로 축축해졌지만 어쩐지 가슴은 홧홧하게 타오르는 느낌이었다. 곤하게 잠든 정호의 얼굴에 옅은 빛이 스쳐 마치 그림처럼 아름다웠다.

"남의 속도 모르고, 쿨쿨, 잘도 자네."

어쩐지 심술이 난다. 문 한 번 두드리지도 않고 나 몰라라 이렇게 잘도 자는 정호가 얄미웠다. 얘는 어쩜 이렇게 속이 편할까. 나는 이렇게 속이 타는데.

유리는 아랫입술을 잘근잘근 깨물었다. 밤이 되니 미친 걸까. 취기에 돌아 버린 걸까. 금방 물을 마시고 왔는데, 갑자기 다시 갈증이 일었다.

"이러다 나 성불하겠네."

어둠이 내린 밤. 이 몹쓸 분위기에 괜한 마음민 들끓는다. 김정호 이 토깽이를 방으로 끌고 들어갈까. 밖으로 나가 차에 데려갈까. 유리는 진심으로 고민하며 정호의 얼굴을 뚫을세라 보았다.

부모님과 함께한 자리 이후에 둘이서 대화할 시간은 없었다. 하고 싶은 이야기는 많지만 그야 내일 서울로 가면서 나눠도 늦지 않을 것이다. 다만, 유리의 마음은 지금 다른 곳에 있었다.

"입술은 왜 이렇게 예쁘냐."

자꾸만 불퉁해진 심장이 제멋대로 뛰어 댄다.

안방은 지척에 있고, 여기는 거실. 크게 소리를 낼 수도 없으면 아예 말을 하지 말 것이지, 유리는 발그레한 볼을 하고는 계속해서 속삭이듯 중얼거렸다.

"뽀뽀할까…… . 뽀뽀 딱 한 번만 할까…… ."

이내 결심한 유리가 무릎을 꿇고 가까이 다가갔다. 크게 숨을 들이켰다. 그동안 뽀뽀보다 더한 것도 잘만 했으면서, 시간과 공간이 주는 떨림은 어찌할 수 없었다.

"……한다. 나 한다. 진짜 한다."

마침내 입술을 꾹 눌렀다. 말캉한 입술이 맞닿으며 몸에 달콤한 전류가 살살 흘렀다. 행복한 기운이 퍼지자 유리는 가슴 깊이 만족감을 느꼈다. 이제 됐다. 입술을 떼려던 그때. 휙. 이불이 허공에 날듯이 올려졌다. 풀썩, 다시 이불이 내려와 몸을 덮을 때쯤 굳센 힘에 몸이 당겨졌다.

"흡."

비명이 새어 나오려는 입을 세게 눌러 막은 건, 닿아 있던 정호의 입술이었다. 눈 깜짝할 사이에 유리는 정호의 품에 갇혀 버렸고, 이불이 머리끝까지 덮였다. 컴컴한 동굴 속에 들어온 듯 아찔해졌다. 잠시 입술을 뗀 정호가 위험한 목소리로 나지막이 말했다.

"건드렸으면 책임을 져야지."

"야아. 미쳤어. 왜, 왜 이래."

소리를 크게 내지도 못하는 상황이었다. 유리가 당황한 목소리로 정호를 타박하듯 속삭였다. 하지만 단단한 품으로 그녀를 끌어당긴 정호는 쉽게 놓아줄 생각이 없어 보였다. 유리는 이불 속 어둠이 이토록 아찔한 줄은 처음 깨닫는 중이었다. 움찔거리는 유리를 안고 정호가 말했다.

"이러다 성불하시겠다며."

이 남자의 속살거리는 목소리마저 정말이지 심장을 쥐고 흔드는 것만 같다. 유리는 후회했다. 나는 대체 뭔 짓을 한 걸까. 왜 자는 놈한테 뽀뽀는 해서 일을 이렇게 만들었을까.

"……읍."

유리의 후회가 더 깊어질 틈도 없이 정호가 입을 맞춰 왔다. 성불을 방해하는 남자의 위험한 키스. 이불 속이어서인지 맞붙은 입술이 달싹이는 소리가 유난히 크게 들리는 것만 같았다. 이불 밖의 상황이 걱정되었다.

여긴 거실이 아닌가. 안방에는 정호의 부모님이 잠들어 계시고. 그런데도 이렇게 이불을 뒤집어쓰고 태연자약하게 키스를 해 오는 이 남자. 아니, 자꾸 이러면 정말 사람이…….

"흐으읍……."

좋아 죽지 싶다. 명대로 못 살지도 모른다. 심장이 터질 것만 같았다. 한참이나 깊어진 키스에 시간 가는 줄을 몰랐다. 짜릿하고 달콤한 숨결을 오랫동안 서로 나누었다. 잠시 입술을 뗀 유리가 작게 속삭였다.

"그, 그만. 이러다 부모님 나오시면……."

"잠귀 어두우셔서 밤에 잘 안 깨셔."

말하기가 무섭게 이불 밖 안방 쪽에 무슨 소리가 들렸다. 찰칵. 손잡이가 돌아가는 소리.

'뭐야, 안 깨신다며!'

유리기 숨을 삼켰다.

기이익. 가볍게 문이 열리는 소리. 어둠 속에서 두 사람의 눈이 크게 벌어졌고, 정호는 유리를 완전히 제 품에 당겨 안았다.

두 사람의 몸은 하나로 단단히 얽혀 버렸다.

16. 제 삶의 전부

탁. 탁. 탁. 바닥을 밟는 발소리.

정호는 유리를 더욱 꽉 끌어안았다. 숨통이 콱 막혔지만 유리는 편히 숨을 내쉴 수가 없었다. 정호의 단단한 가슴에 얼굴을 묻었다. 쿵쿵 울리는 심장 박동이 느껴졌다. 팔을 뻗어 그의 허리를 꽉 안은 상태였다. 근육의 세밀한 움직임까지 고스란히 손에 닿았다.

겉에서는 뒤집어쓴 이불의 형체가 언뜻 한 사람의 것으로 보일 정도로 완전히 하나의 몸처럼 뭉쳐진 상태였다. 발소리가 가까워졌다가 멀어졌다. 옆쪽을 지나 어디론가 가는 소리였다. 이내 냉장고를 여는 소리가 이어졌다. 주방으로 향한 모양이었다.

이어 컵에 물을 따르는 소리가 들렸다. 지금 움직이는 사람이 어머니인지 아버지인지는 알 수 없었다. 다만, 이토록 간 떨리는 상황에서도 심하게 가까이 접촉한 두 몸은 후끈 달아올랐다. 여름이라 옷이 얇았다. 드러난 피부도 찰싹 맞붙어 있었다.

하지만 조금도 움직일 수 없었다. 모든 소리가 사라질 때까지 숨죽여 기다릴 뿐. 참느라 성불하겠다고 농담을 했었지만, 설마하니 이불 뒤집어쓰고 득도하게 될 줄이야! 유리는 속으로 '내가 미쳤지!'만 연발했다. 그 와중에 정호가 다리를 얽어 더 가깝게 당겼다. 터져 나오는 숨을 가까스로 참았다.

잠시 후 다시 타박타박 걸음 소리가 들렸다. 숨 쉬면 귀신에게 들킨다는 공포 이야기 속 인물처럼 두 사람은 꼼짝도 못 하고 있었다. 걸음이 멎었다.

"더울 텐데."

이불 위에서 들려온 건 아버지의 낮은 목소리였다. 머리끝까지 완전히 뒤집어쓴 정호의 이불을 보고 걱정을 하여 걸음을 멈추신 모양이었다. 안 그래도 경직되어 있던 두 사람은 몸의 혈류가 딱 멎어 버릴 듯 당황하고 말았다.

어쩌지. 이대로 아버지가 이불을 내리시면. 그러다가 이렇게 안고 있는 두 사람을 본다면. 유리는 눈을 질끈 감았다. 욕망의 대가가 쪽팔림이라면, 어쩔 수 없지, 치르는 수밖에. 마음을 탁 먹은 그 순간, 정호가 제 머리를 끌어안은 채 폭풍 연기에 돌입했다.

"흐으음."

눈을 감고 입맛까지 다시며 뒤척이는 척하며 스스로 이불을 조금 끌어내렸다. 이불 밖으로 정호의 머리만 빠져나왔다. 유리는 더 아래, 그의 가슴에 얼굴을 묻고 있었다.

정호는 여전히 자는 척 중이었다. 달아오른 이불 속보다 한층 시원한 바깥 공기가 그의 얼굴에 닿았다. 이러면 아버지께서 굳이 이불에 손을 대실 필요가 없을 것이다. 불을 켜지 않은 이상 밤의 기운이 가라앉은 어두운 거실이었다. 정호의 몸만 있는 이불치고 좀 더 불룩하다는 것은 언뜻 보면 신경 쓰지 못할 터였다.

어서 아버지가 방에 들어가시길 기다리고 있을 때였다. 잠든 척하는 정호의 얼굴에 아버지의 손이 닿았다. 움찔하고 놀란 정호의 몸이 미약하게 흔들렸다.

"……후우."

아버지의 한숨. 아버지의 손길. 아버지의…… 떨림. 정호의 머리를 쓰다듬듯 쓸어 넘겼다. 반듯한 이마를 조심스럽게 매만지면서. 몇 번이고, 또 몇 번이고, 잠든 아기를 어루만지듯 가만히, 또 가만히. 이내 손길이 멎었다. 타박타박. 걸음 소리가 천천히 멀어졌다. 그리고 문이 닫히는 소리가 들렸다.

탈칵.

마침내 상황 종료. 거실에는 다시 둘만 남았다. 아버지의 손이 닿았던 곳이 가만히 저렸다. 정적이 흘렀다. 유리가 조심스럽게 고개를 내밀며 올라왔다. 그녀 역시 그렇게 이불 밖으로 빠져나왔다. 눈동자를 굴려 바깥을 살피며 안도의 숨을 내쉬었다.

유리는 그제야 정호의 품에서 떨어졌다. 스릴이고 뭐고 이러다 죽지 싶어 유리는 어깨를 떨며 일어서려고 했다.

"그럼, 얼른 자."

들릴 듯 말 듯 조그맣게 말한 후 방으로 돌아가야지, 하는데. 탁, 손이 잡혔다. 정호의 눈가에 맺힌 웃음이 어둠 속에서 희미하게 보였다.

"밖으로 나가자."

작은 소리로 그가 속삭였다.

"후아아아."

평상에 나란히 대자로 누웠다. 까만 밤하늘을 올려다보며 숨을 크게 내쉬었더니 이제 좀 살 것 같다.

"나 진짜 심장 떨어지는 줄 알았어!"

유리는 아찔했던 순간을 떠올리며 이어 말했다.

"맞다, 야, 뭐? 잠귀 어두우셔서 밤에 잘 안 깨신다고?"

원망하듯 정호의 가슴을 퍽, 손으로 쳤다.

"으윽! 진짜인데. 나도 그렇게 갑자기 나오실 줄 몰랐어."

타격 당한 가슴을 문지르며 정호가 미간을 좁혔다. 잠든 아들의 얼굴을 들여다보고 머리를 쓸어 넘겨 주는 아버지의 모습이 사실 정호는 무척 낯설었다. 아버지는 그다지 가깝고 애틋한 존재가 아니었다. 융통성 없이 올곧고 딱딱한 아버지에게 거리감을 느꼈고 대화조차 쉽지 않았다.

그런데 서른이 넘은 나이에, 그것도 오밤중에 아버지의 손길을 받자 정호의 기분이 묘했다. 잠귀가 어두운 건 오히려 정호 쪽이다. 어쩌면 예전에도 아들이 잠든 사이 방에 종종 다녀가셨던 건 아니었을까. 차마 소리 내어 말하지 못하는 마음을 가만히 내려놓곤 하셨던 건 아니었을까.

손길은 그리 어색하지 않았다. 마치 어젯밤도 쓰다듬었던 것처럼 이질감이 없었다. 그저 다감하고 온유한 손길이었다. 정호는 착한 아이라도 된 듯한 느낌이 들었다. 자신이 모르는, 어떤 일들이 있는 건 아닐까. 처음으로 아버지가 다물고 있는 입 속의 마음들이 궁금해졌다. 닫혀 있던 문이 조금씩 열려 가고 있었다.

시야에 가득 펼쳐진 밤하늘이 참으로 아름다웠다. 유리가 가라앉은 음성으로 말했다.

"아까 아버님이 라면 끓여 주셨을 때, 되게 뭉클했어."

"그랬어?"

"응. ……우리 아빠 생각나더라."

유리가 꺼낸 아버지 이야기에 정호의 가슴이 욱신거렸다.

"기억나? 우리 아빠가 라면 매뉴얼 신봉자라고. 무조건 표준 조리법대로 끓이신다고. 그런데 아까 아버님도 딱 그렇게 끓이시는데…….”

“아, 그랬지.”

“……아빠 생각이 너무 나는 거야.”

라면만 보면 그렇게 아빠를 떠올린다는 유리였다. 남동생 유찬은 아직도 라면을 먹지 않을 정도라고 했었다. 어린 가슴에 맺힌 아빠와의 추억이 지금껏 살아 숨 쉬고 있으니.

“아빠가 살아 계셨으면 어땠을까 생각도 많이 들고…… 보고 싶기는 한데 이제 그렇게 슬프지는 않아. 아까 아버님이랑 같이 있는데 괜히 좋더라. 그냥 옆에 계시는 것만으로도 든든하고. 산처럼 느껴지고. 뭐, 그랬어.”

“고맙다, 유리야.”

문득 진지해진 목소리로 정호가 말했다.

“뭐가 고마워?”

“쉽지 않았을 텐데. 용서…… 라는 거.”

결혼할 상대가 자신의 부모에게 살갑게 대해 주어 고마운 감정, 그 이상이다. 유리는 자신에게 스스로 세운 벽은 절대로 쉽게 무너뜨리지 않을 정도로 견고한 의지를 지닌 여자였다.

하지만 상대에게는 관대하였다. 상대를 향해 쌓아 올린 벽은 망설임 없이 깨뜨렸다. 그녀는 정호의 부모를 마음으로 완전히 받아들였다. 묵은 감정을 다 떨쳐 낸 듯 너무도 편안하게 예비 며느리 역할에 충실했던 유리가 진심으로 고맙고 사랑스러웠다.

“생각보다 쉬웠어.”

유리는 담담하게 말했다. 힘들게 살았던 지난 세월에 대한 보상을 받고 싶은 생각은 전혀 없었다.

“너와 헤어지는 것보다.”

“…….”

"그게 훨씬 쉬워, 나한테는."

서로를 잃지 않는 것만이 중요했다. 그렇게 가장 중요한 게 무엇인지를 알게 되면, 다른 건 의미가 없다. 유리에게는 지금 정호 외에는 무엇도 소용치 않았다.

살랑. 열대야를 식히는 바람 한 줄기가 불어 들었다. 평생을 약속한 두 남녀의 부드러운 입맞춤에 여름밤의 바람이 가만히 스며들었다. 이대로만 행복하면 얼마나 좋을까, 하는 작은 바람도 함께 밀려들었다.

다음 날.

"조심해서 올라가렴. 유리 어머님 편하신 시간으로 잡으면 연락 주고."

이 여사는 정호의 어깨를 두드리며 말했다. 상견례를 위한 약속이었다.

"네, 그럴게요."

정호는 아침에 유리가 씻는 사이 부모님과 따로 이야기를 나누었었다. 그녀가 이편웅을 고소한 여자의 대리인을 맡고 있다는 것, 무혐의 판결이 나지 않도록 지금부터 사력을 다해 자신도 돕겠다는 것도 자세히 설명했다.

생각지 못한 상황에 이 여사는 놀라는 듯했지만 이내 차분하게 수긍하였다. 정호는 외조모에게도 이 사실을 알렸다는 것도 말했다. 그것만으로도 집안에 불어닥칠 돌풍에 대비하는 태세를 반은 갖춘 셈이었다.

'할머니께서도 더는 안 되겠다고 생각하셨는지. 뜻대로 하라 말씀하셨어요.'

'그러셨구나. ……네가 힘든 상황이 생기지 말아야 할 텐데.'

'걱정하지 마세요.'

상황과 관계없이 가을쯤 결혼하면 좋겠다고, 어서 날짜를 잡길 원한다고 말씀드렸다. 이내 부모님도 찬성하였고, 조만간 상견례를 하기 위해 서울에 올라오겠다고 하셨다.

"유리야, 와 줘서 고맙다. 앞으로 자주 보자."

"네, 어머님. 다음에 내려오면 텃밭 일 도와드릴게요."

"어머, 아니야. 일하러 오니? 됐다, 얘. 저건 내 기쁨이야."

"기쁨치고는 수확이 너무 적지 않나요."

정호가 놀리듯 말했고, 이 여사가 곱게 눈을 흘겼다.

"두고 봐. 내가 다음에는 상추를 산더미처럼 따서 쌈밥을 한 트럭 해 줄 테니까."

투지를 불태우는 이 여사를 보며 유리는 '어머님, 파이팅!' 하고 주먹을 쥐며 응원했다.

"아버님, 그럼 쉬세요. 또 뵐게요!"

상냥하게 웃는 유리를 보며 아버지는 고개를 끄덕였다. 엷은 미소로 작별 인사를 대신했다. 정호와 유리가 차에 올랐다. 시동을 걸며 창문을 내리고 다시 한번 인사했다. 잠시 후 차가 멀어져 갔다.

"여보, 안 들어가요?"

아들의 차가 사라지는 것을 끝까지 지켜보던 이 여사가 남편을 보고 물었다. 정호의 아버지는 쉽게 시선을 거두지 못하고 있었다.

"당신 먼저 들어가. 산책 좀 하고 올 테니."

"같이 갈까요?"

"혼자 돌고 오리다."

책을 읽고 산책하고 자전거를 타는 것 외에 김승운 전 검사장이 따로 하는 일은 없었다. 산책한다는 말에 이 여사는 고개를 끄덕이며 먼저 들어갔다. 아들을 보내 놓고, 그는 천천히 집을 나섰다. 깊은 생각에 빠진 얼굴. 미간에 자잘한 주름이 잡혔다. 타박, 타박. 느리게 옮기는 발걸음 위에 근심이 내려앉았다.

"그놈의 베네치아."

유리가 중얼거렸다. 무심코 신혼여행지를 얘기하다가 나온 소리였다.

"나야말로 그놈의 베네치아다."

정호가 맞받아쳤다. 헤어져 있는 동안 눈물, 콧물 다 빼게 했던 '그놈의 베네치아'. 그곳에 함께 있었던 순간은 전혀 없었는데도 불구하고, 사실 가장 기억에 남는 여행지를 꼽으라면 아마도 '그놈의 베네치아'가 될 것이다.

"그래, 뭐. 이번엔 같이 가서, 그 기억 싹 날리고 오자. 같이 출발하고, 같이 돌아오고."

유리가 싱긋 웃었고, 이에 정호가 감격스러운 목소리로 말했다.

"아아, 결국 그 땅을, 이렇게 다시 밟아 보는구나!"

그렇게 남겨 둔 희망이 있기에 앞으로의 삶이 더 기대되는 것은 아닐까. 재회조차 하지 못한 '엇갈림'의 장소가 아닌, 진짜 신혼여행지로. 그렇게 '그놈의 베네치아'는 인생에 새로이 기록될 것이다. 함께 웃고, 함께 싣고, 많은 추억을 떠올리고, 또 만들어 나가면서.

잠시 꿈을 꾸던 유리가 분홍빛 기운을 걷어 내며 말했다.

"그런데 우리 결혼, 진짜 가을에 가능하려나? 검찰 수사가 어떻게 진행이 될지, ……섣불리 우리 날짜부터 잡기가 좀 그런데.”

“사건 담당하는 검사가 누군지 알아보고 있어.”

“안다 해도 지금 불구속 상태인 데다가 경찰 쪽 의견만 가지고는 불기소 결정할 게 분명한데.”

내심 불안함이 가득한 유리의 발언에 정호가 물었다.

“그래서, 포기할 거야?”

“아니! 이 사건, 검사가 재판 안 걸면 내가 그 검사, 다리라도 걸겠다!”

현실은 현실이다. 어쩌면 유리도 부딪혀 깨질 수 있다는 마음이 더 큰지도 모르겠다. 그럼에도 불구하고 이렇게 한 발짝씩 꿋꿋하게 나아가려는 유리가, 더 대단하게 보였다. 이런 여자를 사랑하는 자신이, 못내 자랑스러울 정도로. 이런 여자를 위해 좀 더 사람다워지려는 자신이, 스스로 뿌듯할 정도로.

그때, 정호에게 전화가 한 통 걸려 왔다. 꽤 중요한 전화인지 정호는 굳이 차를 멈추었다.

“나 잠깐, 통화 좀 할게.”

“응.”

유리는 자세히 묻지 않았다. 필요한 말이라면 해 줄 것으로 믿으니 재촉하는 법이 없었다.

“밖에 더우니까 차에 앉아 있어.”

“그래.”

갓길에 차를 세운 그가 차 밖으로 나갔다. 조수석에 앉은 유리는 그런 정호를 물끄러미 바라보았다. 보닛 앞쪽으로 나간 그는 바지 주머니에 한 손을 찌른 채 전화를 받았다. 옆모습이 제법 심각해 보였다. 무슨 일이 벌어지려는 걸까. 유리의 가슴이 세차게 뛰기 시작했다.

“나쁜 소식과 더 나쁜 소식이 있어.”

통화를 마치고 차로 돌아온 정호가 말했다.

"그게 뭐야? 좋은 소식은 없어?"

"……일단 나쁜 소식은."

한 박자 쉬고 난 정호가 입을 열었다.

"백건만 검사가 사건 배당받았다고 하네."

"뭐? 너랑 연수원 동기, 그 백건만?"

"맞아."

"백원만!"

'백건만'이라는 본명 대신, 유리는 '백원만'이라고 부르곤 했다. 세 살이 많지만 나이는 상관없었다. 워낙 임팩트가 강했던 인물이라서인지 그녀는 이름만 들어도 금방 떠올릴 수 있었다. 다만 정호의 걱정은, 백건만이 사회 정의를 위해 사명감을 가지고 일하는 검사는 아니라는 점이다.

검사가 된 이유도, 검사로 일하는 이유도, 오로지 '멋'뿐인 사람이었다. 알맹이 하나 없이 겉멋만 잔뜩 든 그가 얼마나 일을 해낼 수 있을까.

"아니, 왜 하고많은 사람 중에 백원만이래? 가뜩이나 불기소 의견으로 넘어간 사건이니 얼마나 소극적으로 임하겠어. 아니, 제대로 시도도 하지 않겠지."

"……."

"게다가 압력도 있을 테고."

"없을 거야."

"뭐?"

"검사 쪽에 가해질 압력은, 없을 거라고."

유리가 의아한 얼굴로 바라보았다. 없을 리가 있나. 이편웅의 뒤에 누가 있는데. 다만 정호의 목소리는 확신에 차 있었다. 그로 인한 신뢰감이 가슴을 묵직하게 채웠다. 막막한 벽을 앞두고도 생겨나는, 밑도 끝도 없는 그런 믿음.

"더 나쁜 소식은."

"응."

"상대 쪽 변호인단이 화려해."

유명 로펌의 변호사로 무려 7명이 선임되었다고 했다. 아직 검사가 기소한 것도 아니며, 구속 수사 중인 것도 아니다. 그렇게까지 과대 방어를 할 필요가 없음에도 불구하고 이편웅은 탄탄한 변호인단을 구성하였다. 대부분 경력이 많고 노련한 변호사들이었다.

"이쪽도, 저쪽도, 한숨만 나오네."

뭐 하나 안심되는 구석이 없다. 검사 쪽도, 변호사 쪽도. 각본은 아마도 이편웅의 손을 들어 주는 과정과 결말로 잘 짜여 있을 것이다. 증거 불충분의 이유로 불기소 처분이 되거나, 기소하여 재판하더라도 무혐의로 판결이 날테지. 그 각본을 위한 등장인물들이 제대로 자리 잡은 셈이다.

한숨을 쉬며 유리는 생각에 빠졌다. 그렇다고 손을 놓을 수는 없다. 모르고 시작한 일도 아니니 말이다. 끝까지 해내겠다고 다짐한 송화를 위해서라도, 반드시 힘이 되어 주고 싶었다.

"유리야, 나 봐."

자신의 어깨를 잡는 정호 쪽으로 고개를 돌렸다. 정호의 선명하고도 검은 눈동자가 그녀를 가만히 들여다보고 있다. 뜬금없이 또 심장이 널뛴다. 왜 이런 순간에도, 이렇게 심각한 순간에도, 이 눈을 보면 이다지도 설레는지.

사랑. 그건 지금껏 전혀 모르고 살았던, 이 남자를 향한 제 진심이다. 그가 없는 삶은 이제 상상할 수조차 없다.

"그래도 좋은 소식이, 하나쯤은 있어야지."

"그게 뭔데."

손에 쥐면 빠져나가는 모래처럼 스르르 흩어지던 정호는 이제 여기 없다.

"나."

"……."

"이쪽엔 내가 있잖아."

그는 도망가지도, 놓아 버리지도, 포기하지도 않았다. 제 눈을 똑바로 바라보며 굳건한 의지를 보여 주고 있었다. 한숨이 나올 만큼 답답한 상황 속에서도 오로지 정호만이 시원한 청량음료처럼 웃고 있다.

유리는 미소 지으며 고개를 끄덕였다. 좋은 소식, 맞다. 언제나 그는 자신에게 좋은 소식이 되어 줄 사람이었다.

형사 3부 백건만 검사실.

두 시간째 피의자 조사 중인 백건만은 다소 피곤한 음색으로 내뱉었다.

"식칼이 정말 식탁 위에 있었어요?"

"네."

중년의 남자가 백건만의 책상 앞에 앉아 고개를 푹 숙인 채 대답했다.

"아까는 싱크대 위에 있었다고 하지 않았습니까?"

"……식탁인 것 같습니다."

"후우. 갑자기 그걸 보고 집어서 홧김에 찔렀다는 건데."

"……."

"찌르고 돌린 거 기억납니까?"

"기억 안 납니다."

"찌른 건?"

"기억이…… 안 납니다."

"기억을 잘 해 보세요."

정호는 비어 있는 수사관의 자리로 가서 의자에 몸을 기대고 앉아 이 모습을 지켜보고 있다. 백건만의 조사가 오래 길어질 것 같아 잠깐 나가서 통화하고 들어왔는데도, 아직 진척이 없어 보였다. 회전의자에 앉은 정호는 지루한 듯 천장을 보며 빙그르르 몸을 돌렸다.

"야, 거기. 가만히 좀 있어, 너."

잔뜩 날카로워진 백건만의 음성이 공기를 갈랐다. 정호는 배시시 웃으며 고개를 끄덕였다. 그를 한 번 노려본 백건만은 다시 피의자를 매섭게 응시했다. 시종일관 모르쇠로 일관하는 피의자의 태도 때문에 조사는 시원스럽지 못했다.

한참 이어진 조사가 끝나고 피의자가 돌아간 후에야 잠깐 짬이 났다. 백건만은 자신을 찾아온 정호를 달갑지 않게 마주했다.

"무슨 일로 왔어?"

"자상의 방향과 깊이부터 파악해야 하지 않을까."

"뭐?"

"아까 그 피의자 살인 사건 말이야. 우발적이라기엔 영 찝찝한데."

이번에는 소파에 다리를 꼬고 느른하게 앉아 툭툭 뱉어 내는 정호가 못마땅한 듯 백건만은 미간을 좁혔다.

"뭐라는 거야, 이 새끼가."

"아니, 형은 우발적이라 단정하고 조사하는 것 같아서 보태는 말이야."

"갑자기 찾아와서 웬 오지랖이야."

"찔린 상처나 방향, 칼의 방향을 좀 봐. 보통 홧김이라 하면 푹! 복부 쪽을 찌르지 않겠어? 아까 어디랬더라. 늑골 위라고 했나? 만약 위에서 아래로 찌른 거라면 얘기가 또 달라지지."

"……닥쳐. 그걸 누가 몰라?"

정호는 멈칫했던 백건만을 바라보며 여유롭게 웃었다.

"알면 됐고."

"왜 왔는지나 얘기해. 바쁜 거 안 보이냐?"

"형, 태경병원 이편웅 이사장 성추행 건 배당받았지?"

"그건 왜. ……네가 변호냐?"

"아니."

간단한 고소 건부터 살인 사건까지 경찰에서 수사를 끝내고 검찰청으로 송치해 온 것이 매일 평균 오백여 건에 달했다. 부서로 배당받은 사건은 다시 부장 검사가 검사들에게 나누어 주었다.

그렇게 오전, 오후 하루에 두 번씩 사건을 배당받게 되면, 수십 건의 사건을 검찰 수사관의 도움을 받으며 처리해 간다. 피의자 신문 조서 작성이나 대질 신문 등 상당수의 업무를 수사관 이하 직원들이 담당했다.

검사는 이를 확인하는 일뿐 아니라 중요 사건 관련자들을 직접 신문하고, 사건을 처리하느라 늘 시간에 쫓겼다. 해결해야 할 큰 사건들이 수두룩한데, 이런 작은 일까지 신경 쓸 여력까지는 없었다.

"그거 별거 아니야. 조사는 대충 끝나 가고 곧 마무리할 거야."

홍 계장이 고소인과 피고소인을 불러들여 한차례 조사를 마쳤고, 고소인 추가 조사 후 이를 토대로 불기소 처분으로 마무리하려고 했었다.

딱 봐도 이편웅 이사장이 된통 당했구나 싶은 사건이었다. 피해자 여성의 말에 크게 귀 기울일 필요도 없었다. 그나마 한 번 더 조사를 진행하는 건, 아무래도 사기의 가능성 때문이었다.

"형."

유독 살갑게 부르는 정호의 목소리에 백건만이 진저리를 쳤다.

"이 자식이 왜 이래."

"정의롭고 멋있는 검사 역할 어때?"

"무슨 헛소리야."

"시간 있으면 그거 형, 해라."

진담인 듯 농담인 듯 한없이 가벼운 말투. 태연하게 웃으며 정호가 '정의'를 말했다. 백건만은 그 모습을 물끄러미 쳐다보았다. 그저 싱글싱글 웃는 얼굴 뒤에 어떤 속내를 감추고 있는지 통 알 수가 없었다.

'아아, 저 새끼, 저런 게 싫었는데⋯⋯.'

하지만 정호의 미소가 만들어 내는 큰 소용돌이 속으로 빨려 들어가고 있음을 직감할 수 있었다. 아무래도 귀찮은 일에 휘말리게 될 것이 분명하였다.

"치마 속으로 손을 넣고 허벅지를 쓰다듬었다⋯⋯. 음, 이날 입은 치마는 어떤 모양이었죠?"

무료한 얼굴로 홍 계장이 물었다. 경찰서에서부터 수차례 걸쳐 경험한 조사였지만 익숙해질 리 없었다. 송화의 얼굴은 새빨갛게 달아올랐다. 추행을 당하는 순간 못지않은 수치심이 그녀를 괴롭게 했다. 유리는 아랫입술을 질끈 물며 송화의 손을 잡아 주었다.

"A라인 스커트였어요. 무릎까지 오는 길이구요."

"들추기 좋은 스타일이구만. 바지를 입은 적은 없었어요?"

"바지를 입은 날은 엉덩이 쪽을⋯⋯."

유리가 송화의 말을 막았다.

"수사관님?"

"왜요. 다 필요해서 물어보는 건데."

"누가 아니랍니까? 정확한 진술이야 당연히 중요한 거죠."

"흠."

홍 계장이 헛기침했다. 고소인의 옆에 앉은 미모의 변호사는 싸늘하고 날카로운 시선으로 내내 자신을 쳐다보고 있었다. 수없이 많은 범죄자를 대하는 홍 계장임에도 불구하고, 눈빛만으로 조폭 대여섯은 때려잡을 듯한 유리의 기운은 감당하기 어려웠다.

"그런데 수사관님, 경찰에서 이쪽으로 넘어온 후 이미 반복 진술했던 내용 아닙니까? 굳이 또 물어보실 필요 없으시잖아요. 지난번 조사 녹화한 건국 끊여 드셨어요? 왜 똑같은 걸 계속 물어보세요?"

"흠. 흠."

"성폭력 특별법의 최우선 목표가 뭡니까? 피해자 보호 아닌가요? 그래서 진술도 다 녹화하는데, 필요하신 부분은 거기서 찾아보시면 되지 않습니까? 이런 사건은 목격자가 없으니, 꼭 지켜 주셔야 할 피해자 우선주의 모르세요?"

여자치고는 제법 낮게 깔리는 음색이었다. 송화는 늘 자신에게 부드럽게 말하던 유리의 날 선 음성에 흠칫 놀랐다. 낯설기는 하지만 든든하게 느껴졌다.

"이, 일관성을 보려고 하는 거 아닙니까. 진술이 달라지는지가 중요하니까."

"네, 좋습니다. 일관성 좋네요. 백 번 물어보세요. 백 번 대답해 드릴 테니까."

다소 강한 어투로 나서는 유리를 보고 결국 홍 계장도 언짢은 기색을 감추지 못했다.

"내가 성폭력 피해자들을 정말 많이 봤는데, 반응이 보통 두 가지거든. 화를 내는 경우나, 수치스러워 피하는 경우. 그런데 채송화 씨는 한 달씩이나 그걸 참았네요."

추행이 시작된 후로도 한 달씩이나 별 변화 없이 근무를 지속했다는 데

대한 문제 제기였다.

"만약 피고소인이 추행했다는 게 사실이라면, 왜 신고를 하거나 바로 사직을 하지 않고 그걸 한 달이나 참았나? 혹시 뭔가 얻어 낼 것이 있어서는……."

"수사관님!"

참을 수 없어 유리가 벌떡 일어섰다. 이미 이편웅 쪽의 무혐의 의견에 힘을 싣고 하는 말들이었다. 송화의 진술이 거짓이라고 생각하거나, 혹은 이를 토대로 합의금을 뜯어내려는 목적이라고 생각하는 것이 분명했다.

"고소인에게 정확한 연유를 물어보는 거 아닙니까? 변호사님은 좀 앉으세요."

"어, 얻어 낼 것이라니요. 그런 것 아니에요. 이사장님이 말하지 말라고 했고, 저는 당장 사직하면…… 아이와 살아가야 할 일이 막막해서. ……조금만 버티면 상황이 나아지겠지, 했는데, 아무리 버텨도 그게 아니라서……."

송화는 더듬더듬 제 사정을 말했다. 조사 때마다 반복해서 하는 말들, 혹은 새롭게 밝히는 일들이 모두 그녀에겐 힘들기만 했다. 마음 한구석이 쿡 쑤셔 왔다. 유리가 항의했다.

"이건 조사가 아니고 추궁이잖아요."

"추궁이라뇨. 변호사님 말씀이 지나치십니다. 저는 사실 관계를 밝히기 위해 최선을 다하는 것뿐인데요."

"사실 관계요?"

"아니, 그렇잖습니까. 피고소인 측에서는 강하게 부인하고 있고, 진술도 일관적이구요. 그러니 다른 상황에 대한 가능성도 열어 놓고 보자는 겁니다."

"하, 참! 만진 걸 안 만졌다고 계속 우기는 게, 부인이라면 부인이고, 일관적이라면 일관적이겠네요!"

언뜻 봐도 홍 계장은 피고소인 입장에 치우쳐 있었다. 이미 성추행 피해자를 무고 피의자로 몰아가듯 하는 조사에 유리는 반발했다.

"조사를 이따위로 하니 누가 나서서 피해 사실을 알리려고 합니까? 그러니 실제로 성폭력 신고율이 10년 전이나 지금이나 별 차이도 없다고 하잖아요!"

"아, 아니, 변호사님. 여기서 성폭력 신고율 얘기가 왜……."

"제가 말을 안 하게 생겼어요? 우리나라에 30분마다 1건씩 성범죄가 발생한다는데! 성폭력 특별법이 생긴 지 얼마나 오래되었는데, 왜 아직도 피해자들 싸움은 가시밭길이냐구요!"

유리의 말이 끝나기가 무섭게 홍 계장은 기록을 들추며 말했다.

"아니, 보십시오. 채송화 씨의 출퇴근 기록. 아이가 아프거나 학교에 일이 있을 때마다 늦게 출근하거나 일찍 퇴근한 기록들이오. 만약 피고소인의 추행 사실이 진짜라고 칩시다. 회사에서 유독 채송화 씨의 편의를 봐준 것은 어떻게 설명할 겁니까?"

"그, 그게…… 추행과 무슨 관계가……."

송화가 당황하여 물었다. 일이 생겨 회사에 연락하면 곧잘 너그럽게 이해해 주곤 하였다. 덕분에 혼자서 아이 키우는 몸으로서 맞이한 급한 상황들은 잘 넘겨 낼 수가 있었다.

"그렇게 내내 배려받은 것이 추행, 아니 그런 행위와 아무런 관련이 없다는 말입니까?"

"……네, 상관없었어요."

"뭔가 요구하거나 얻어 내는 것이 있었던 것은 아닙니까?"

검찰사건사무규칙 제70조에 의거해 수사 기관은 성폭력 사건의 피해자가 신고했는데 수사 결과 무혐의가 내려진 경우, 반드시 신고자의 무고 혐의 유무에 대해서도 판단해야 했다. 따리서 성폭력 사건을 수사할 때 이미 고소인의 '무고'에 대한 수사도 동시에 이루어지는 셈이었다.

"아니에요. 그런 거 없었어요."

송화는 답답하지만 아니라는 말밖에 할 수 있는 것이 없었다.

"하다못해 강간도 아니고. 뭐, 정액 묻은 옷이라도 증거로 제출해야 제대로 조사를 하든가 말든……."

"이보세요!"

유리가 다시 한번 빽 소리를 내지르며 일어섰다. 성폭력 사건에 있어서, 진술의 일관성과 신빙성을 판단할 수 있는 것은 수사관과 검사의 주관적 판단뿐이었다. 지금은 분명 이쪽에 한없이 불리한 상황이었다. 송화가 미혼모라는 점을 처음부터 마뜩잖게 여겼던 수사관이었다.

"변호사님 목청이 아주 좋으십니다? 제가 틀린 말 했습니까? 이만한 일로 툭하면 고소를 해 대니, 저희가 정작 중요한 일에 할애할 시간이 줄어들지 않습니까. 설령 사실이라 해도 이 정도라면 별로 심한 것도 아닌데……."

"야! 이 김장철에 확 담가 버릴 배추 같은 새끼야!"

결국 봉인했던 욕이 유리의 입에서 시원스럽게 터져 나왔다.

"네 딸이 당했어도 별것 아니라고 할 거냐? 뭐, 하다못해 강간도 아니고? 어디 그런 말을 터진 입이라고 함부로 떠들어, 이런 썩은 동태눈깔 같은 자식아! '실제 성폭력 사건의 피해자도, 무고와 명예 훼손의 가해자의 지위에 서게 되어 피해자로서 보호를 받지 못하게 된다'! 이런 말 어디서 못 봤어? 그러고도 수사관이야? 그렇게 만드는 게 대체 누구냐고!"

그때 딸깍, 조사실 문이 열렸다. 백건만 검사가 들어섰다.

"검사님."

폭풍우처럼 쏟아붓는 유리에게 일방적으로 당하고 있던 홍 계장이 벌떡 일어섰다.

"애먼 사람을 잡으니 이렇게 꼭지가 돌지."

"네?"

"아니에요. 이 사건, 제가 마저 조사하겠습니다."

일을 찾아서 하는 스타일이 아닌 백 검사가 직접 나서자 홍 계장은 고개를 갸웃거렸다. 유리 역시 의아한 얼굴로 그를 보았다. 백건만은 어딘가 믿는 구석이 있는 듯, 자신만만하게 웃어 보였다.

조사를 마치고 나와 택시에 오른 후 유리는 송화의 손을 잡았다.

"오늘도 많이 힘들었지?"

조사받는 일은 아무리 해도 익숙해지지 않는 힘든 경험일 것이다.

"아니요. 그래도 검사님 들어오신 다음부터는 괜찮았어요."

송화의 대답에 유리는 고개를 끄덕였다. 검찰청을 나서던 송화의 표정은 전보다 훨씬 가벼워 보이긴 했다. 다행이었다. 사실 백건만 검사가 조사실에 들어설 때만 해도 몰랐다. 백 검사가 그렇게 진지하게 고소인 조사에 임할 줄이야.

홍 계장을 내보낸 백 검사는 예의 그 껄렁껄렁한 태도를 걷어 낸 모습으로 송화의 이야기를 차분하게 들어 주었다. 최초 진술 때부터 밝혀 왔던 송화의 입장이 이제야 제대로 수용되는 느낌이 들기도 했다.

사실상 기소 여부를 판가름하기 전 마지막으로 이루어진 추가 조사였다. 피고소인과의 진술이 상반되기에 형식적으로 불러들인 듯했다. 이대로라면 불기소 처분이 내려지겠구나, 할 정도로 갑갑한 상황이었다.

하지만 백 검사의 등장 이후, 판도는 확실히 달라졌다. 백 검사는 지금까지 만난 이들과는 다른 시각으로 사건을 보았다. 최소한 이편웅에 대한 편파적인 신뢰는 없는 듯했다.

의외였다. 홍 계장에게 한차례 욕을 퍼부었던 유리의 눈에는 더더욱 그가 다르게 보였다. 애초에 이 일을 직접 조사하지 않고 홍 계장에게 대충 맡겨 놓은 상황부터 마음에 들지 않았는데 말이다. 희망이 보였다.

"잘될 거야."

송화의 손을 꽉 잡고 유리가 밝은 목소리로 말했다.

"언니, 정말 고마워요. 이렇게 도와주시는데 저는 아무것도 해 드릴 게 없어서…… 죄송해요."

"무슨 소리야, 죄송하긴. 송화 씨가 미안해할 필요 하나도 없어. 그저 마음 굳게 먹고, 일이 다 끝날 때까지 지치지 않기만 하면 돼."

"네."

어느덧 정말 언니가 된 것처럼 든든하게 말해 주는 유리에게 송화는 진심으로 고마움을 느꼈다. 직장 내 성추행을 당한 피해자 중엔 오히려 마녀사냥을 당하는 일도 있다. 가해자보다 피해자에게 쏟아지는 힐난으로 고통을 겪기도 했다.

그런 현실 때문에 용기를 낸다는 것은 어려운 결정이었다. 아마 유리가 없었다면 송화 역시 괴로운 마음으로 살아가야 했을 것이다.

"은강이는 많이 좋아졌지? 요 며칠 못 가 봐서."

"네……."

유리는 얼굴을 붉히는 송화를 보며 빙긋 웃었다.

"은강이 옆에 송화 씨가 있어서 다행이야."

"……다 저 때문인데요."

"그렇지. 채송화가 너무 예뻐서, 로봇처럼 딱딱한 서은강까지 이제 흐물흐물해졌으니까."

"흐물흐물이요? 아, 아니에요."

"왜 아니야. 송화 씨 얼굴만 보면 은강이 눈빛이 아주……."

놀리듯 말하는 유리에게서 고개를 돌린 송화가 작게 헛기침을 했다. 부끄러워하는 그녀가 귀여워 유리는 연신 미소를 지었다. 은강이 병원에 입원한 후 찾아오는 가족이 없어 걱정했다. 부모님은 5년 전 사고로 함께 돌아가셨고, 하나 있는 형은 가족과 함께 미국에 거주한다는 것을 이번 기회에 알게 되었다.

오랫동안 사귄 전 여자 친구는 묵묵히 헌신하던 은강을 배신했고, 심지어 그가 부모의 상을 치르는 중에도 태연히 바람을 피웠다고 하였다. 자신의 이야기를 좀처럼 하지 않는 은강이었기에 그간 유리도 전혀 몰랐던 사실들이었다.

이후 세상에 뚝 떨어져, 홀로 서 있던 은강. 그에게 송화의 존재는 빛처럼 반짝거리며 다가온 모양이었다. 은강은 이제 더 이상 송화에 대한 마음을 감추지 않았다. 그리고 송화 역시, 은강의 곁을 지켜 내기로 했다. 그렇게 서로에게, 서로뿐인 삶을 만들어 나가고 있었다.

그런 두 사람이 힘든 시간을 이겨 내고 아무런 걱정 없이 사랑만 할 수 있기를, 유리는 진심으로 바랐다.

"기소라니? 내가 재판을 받는다는 말이야?"

분노에 찬 이편웅의 음성이 공기를 갈랐다. 박 실장의 속이 울렁거렸다. 일이 이렇게 된 것이 자신의 탓도 아니건만, 왜 잘못은 스스로 해 놓고 화풀이는 이쪽에 하는 건지 알 수가 없었다.

"아니, 불기손지 뭔지, 그렇게 된다고 하지 않았나!"

"일단 경찰 수사로는 이사장님 죄가 없다고 불기소 의견으로 검찰에 넘겼습니다만, 검찰에서는 기소하기로 결정을……."

"젠장!"

이편웅은 검찰로부터 불구속 기소 통지를 받았다. 즉, 구속하지 않은 상태에서 형사 재판에 회부된 것이다. 피고소인에서 이제 피의자 신분이 된 이편웅은 예상과 다르게 돌아가는 상황에 크게 동요했다.

"대체 어떻게 된 거야! 조사받고 올 때까지만 해도 분위기가 이렇지 않았잖아!"

박 실장은 대꾸할 말이 없어 입을 다물었다.

"이런 씨발!"

이편웅은 욕을 내뱉으며 책상 위의 서류들을 손으로 쓸어 버렸다. 격렬하게 내던져진 서류와 물건들이 바닥으로 흩어졌다. 수행 비서까지 밖으로 내보낸 이편웅은 오직 박 실장 앞에서만 편하게 분노를 표출하고 있었다.

사실 비서도 아닌 박 실장이 이편웅의 곁을 지킬 필요는 없었지만, 몇 가지 진실을 알고 있는 까닭에 부득이하게 감내해야 할 상황들이었다. 지금까지는 이편웅의 젠틀한 이미지를 구축하는 것도 병원 홍보에 해당할 테니, 업무의 일환이라고 생각했었다. 하지만 이제는 점점 도가 지나쳐 감당하기가 어려웠다.

젊은 여비서를 성추행한 이사장이다. 인간의 탈을 쓴 금수를 과연 어디까지 감싸 줘야 하는지 신물이 다 올라올 지경이었다.

"성북동엔 연락해 봤어?"

이편웅이 씩씩대며 물었다.

"네. 하지만 왕사모님께서는……."

'잘못했으면 벌을 받아야겠지.'

성북동의 고(故) 이 회장 부인, 구 여사의 싸늘한 음성이 떠올랐다. 박 실장은 숨이 탁 막혔다. 지금까지 박 실장을 통해 이편웅의 움직임을 보고받아 왔던 구 여사였다.

세상이 시끄러워지는 것을 원하지 않은 구 여사는 이편웅에게 생기는 어떤 일이든 먼저 막아 냈었다. 하지만 이번 일에는 손을 쓸 생각이 없는 모양이었다.

"왜! 뭐라시는데!"

"그게…… 연락이……."

구 여사는 원래 혼외자인 이편웅과는 말 한마디 섞으려 하지 않았고, 연결책이라고는 박 실장뿐이었다. 그런데 지금 박 실장과도 연락이 닿지 않는다는 말에 이편웅은 그만 의자에 털썩 주저앉았다.

애정으로 만들어진 울타리는 아니지만, 지금까지 어떤 식으로든 보호막은 되어 주었던 산이 흔들리고 있다. 믿기지 않았다.

"아니, 아니지……."

이편웅은 고개를 흔들었다.

"기소됐다고 해서 꼭 유죄 판결을 받으란 법은 없지."

다만 쉽게 갈 거라고 생각했던 길을 좀 돌아가는 것뿐이다.

"싸움은 해 봐야 아는 것 아니겠나?"

"……그렇죠."

"피라미가 얼마나 겁도 없이 덤비는지, 한번 봐야겠군."

이편웅은 차갑게 웃었다. 이미 무죄를 확신하는, 승리자의 미소였다.

푸우우웁.

빨대로 아이스커피를 빨아들이는 소리가 요란했다. 정호는 컵에 손도 대지 않고 테이블 아래로 팔을 축 늘어뜨린 채 무료한 표정으로 눈을 껌뻑거렸다. 빨대를 문 입술에만 힘이 들어가 있었다. 유리의 옆에 앉아 커피를 마시는 중이었다.

"아, 쫌."

시끄러운 소리에 유리가 이를 악물었다.

후우우우우우. 푸르르르르.

정호가 힘없이 빨대로 숨을 내뱉자 아이스커피가 부르르 끓었다.

"그만해. 차라리 마시지 마."

유리는 커피가 든 컵을 치웠다. 수혈 중인 피라도 빼앗긴 듯 정호가 애타게 손을 뻗었다.

"줘어, 줘."

"더럽고 시끄러워서 안 되겠어. 커피 그만 마셔."

"나 더워서, 더워서 그래. 힘이 없어서."

"에어컨 빵빵하게 돌아가는데 뭐가 더워."

"기분 탓인가, 여름이잖아."

한여름에 피서도 제대로 못 가고 일하는 것이 못내 억울한 모양이었다. 정호는 잠깐씩 쉴 때마다 이렇게 물에 넣었다 뺀 손수건처럼 축 처진 자세로 빨대를 입에 물었다. 올여름, 아이스커피는 정호의 생명수였다.

"너 더위 먹었어?"

"그런가?"

"이렇게 기골이 장대한 몸으로 더위를 다 타고. 너도 참 골고루 한다."

그렇게 말하면서도 유리는 사실 정호가 안쓰러웠다.

정호는 변호사로서의 상담은 물론 사무실의 기타 잡무를 도맡아 하면서도 입원 중인 은강을 대신해 카페 일까지 돕고 있었다. 지난겨울까지만 해도 뒹굴뒹굴하며 만화책이나 뒤적였던 팔자 좋은 건물주가, 하루아침에 전천후 일꾼으로 거듭나고 있었다.

"……자, 시끄러운 소리 내지 말고 마셔."

"응."

유리는 포기했다는 듯 다시 빨대를 정호의 입에 물려 주었다. 그러고는 고개를 돌려 맞은편의 백 검사에게 말을 건네며, 나누고 있던 이야기를 이어 나갔다.

"그러니까 백 검사님 말씀은, 다른 피해자들을 얼마나 확보할 수 있냐, 이거겠네요."

백건만 검사가 유리와 정호를 만나기 위해 로(Law) 카페에 찾아왔다. 이편웅 사건의 공판 기일이 내달 초로 잡혀 있었다.

"그렇죠. 아무래도 채송화 씨 피해 사실만 가지고는 약한 감이 있어요. 구형을 해 봐야 징역 1년도 안 될 거고, 그나마 집행 유예가 될 수도 있으니까."

얼마나 잘못했는가를 따지는 것이 아니다. 그 잘못을 얼마나 밝힐 수 있는가를 따지는 것이다. 칼로 잰 듯 정확한 법. 증거보다 더 중요한 것은 증명력. 법정 싸움은 현실보다 냉혹하고 치열하기만 하다.

제대로 밝혀내지 못한다면, 속으로만 곪아 버린 상처는 법정에선 아무짝에도 쓸모없다. 내재한 아픔도 실체를 가지고 드러냈을 때 비로소 의미가 생기는 세계였다.

"이편웅의 비서실에서 근무하다가 퇴사한 여직원들 위주로 혹시 피해 사실이 있는지 알아보고 있는데요."

"있던가요?"

"아니요."

유리는 고개를 저었다.

"선뜻 나서는 사람이 없네요."

진짜 피해 사실이 없는 것인지, 아니면 복잡한 일에 휘말릴까 우려하여 발뺌하는 것인지 알 수 없었다. 그 사람들을 무턱대고 전부 불러들여 참고인 조사할 수도 없고, 백 검사는 다소 난감한 마음이 들었다.

그는 유리 옆에 앉아 있는 정호를 바라보았다.

자신을 이렇게 움직이게 한 장본인, 김정호는 고개를 컵 위로 쭉 빼고 그저 아이스커피만 폭풍 드링킹하는 중이다. 흡사 엄마에게 끌려와 지루한 시간을 보내는 어린 아들의 모습과도 같았다.

백 검사는 정호에게서 시선을 거두고 말했다.

"이럴 때 차라리 언론에서 터져 주면 좀 더 쉽게 갈 수도 있는데 말입니다."

아쉽다는 듯한 말에 유리가 맞장구쳤다.

"그러게요. 송화도 인터뷰한다고 마음까지 굳게 먹었구만, 통 달려드는 곳이 없어요."

"태경병원 쪽은 건드리지 못하게끔 학습이 잘되어 있을 겁니다. 지금까지 쭉 그래 왔던 것처럼."

휴우우.

유리가 한숨을 내쉬었다. 매 순간 거대한 벽에 부딪히는 기분이 들었다.

"지금으로서는 채송화 씨 진술 외에 별다른 증거가 없는 상태입니다. 피의자가 혐의를 완전히 부인하고 있어 최대한 다른 증거들을 모으는 게 중요해요."

"그렇죠. 공판 전까지는 일단 계속 연락을 해 봐야겠어요."

"네, 저도 한번 접촉해 보도록 하겠습니다. 보이스 레코더를 탈취한 쪽도 수사하고 있고요."

피해자의 조력인으로서 재판에 임하게 된 유리는 상담은 물론 필요한 서류 작성, 증거 수집까지 형사 재판 절차 전 과정에 참여하고 있었다.

그런 그녀가 가까이에서 지켜본 바로, 백건만 검사는 자신이 알고 있던 예전 모습과는 상당한 차이가 있어 보였다. 심경의 변화라도 있었던 것일

까. 이유야 어찌 됐든 사건에 진지하게 임해 주고 있으니 더없이 기쁜 일이
었다.

"커피 좀 더 드릴까요?"

백 검사의 빈 컵을 보며 유리가 물었다.

"네, 주시면 감사하죠."

"김유리, 나도오."

정호가 자신의 컵을 유리 쪽으로 밀었다. 유리는 컵을 들고 바 쪽으로 향
했다.

일어선 그녀의 뒷모습을 보며 백 검사가 말했다.

"예전보다 훨씬 예뻐졌어."

멍하니 앉아 있던 정호의 눈빛이 순식간에 날카로워졌다. 바 안쪽으로 들
어가 준과 가벼운 대화를 나누며 커피를 새로 준비하는 유리에게 백 검사의
시선이 떨어지지 않았다.

"여신이다, 여신이야. 누가 변호사라고 생각하겠어. 지난번 조사 때 보고
깜짝 놀랐다니까. 오랜만에 보니 더 예쁜 것 같다."

"……그래, 여신이지."

"정호야, 김 변호사 남자 친구 있냐?"

백 검사는 무심코 물었다.

유리와 정호가 워낙 친한 친구 사이라는 것은 이미 알고 있었다. 정호가
직접 자신을 찾아와 이 사건을 제대로 수사할 수 있도록 조언을 했던 것도
유리를 돕기 위해서이고.

백 검시는 여차하면 정호에게 도움을 청할 수도 있겠다는 생각이 들었다.
유리는 대단한 미인이었다. 민소매 블라우스에 H라인 스커트, 지극히 단정
한 차림이지만 물씬 풍기는 섹시한 분위기는 감춰지지 않았다. 유리 정도면
자신과 어울려도 크게 나쁘지 않다고 판단했다.

"김유리 남자 친구?"

"그래. 있어? 없으면 나 다리 좀 놔 줘라."

정호는 테이블에 한 손을 올려 턱을 받쳤다. 그 후 낮은 음성으로 경고하듯 말했다.

"이제 그만."

"어?"

"내 예비 마누라한테 신경 좀 꺼 줬으면 좋겠는데."

"……너희, 결혼하냐?"

부푼 기대가 확 식어 버린 듯 백 검사의 목소리에 실망감이 어렸다.

"그래."

"친구 아니었어?"

"지금은 애인."

"하하. 그럼 진작 말을 하지."

남의 여자 넘보는 취미는 없는 백 검사가 유리에게서 시선을 떼고 얼른 자세를 고쳐 앉았다. 여전히 서늘한 정호의 눈매를 보며 다시 멋쩍게 웃었다.

"끌게, 꺼. 끈다니까, 신경."

아까만 해도 유리에게 구박을 당하고 있던 정호였다. 그래서 두 사람이 그런 관계일 거라곤 생각지도 못했는데.

"진짜야. 네 여자라니 관심이 확 식는다. 네 똘끼로 내 목을 어떻게 조를 줄 알고. 야아, 난 사이코 치정극은 흥미 없다."

"알면 됐어."

그제야 정호는 말을 돌렸다.

"그런데 형, 이편웅 주변인들 탐문도 마친 거야?"

"별거 없어. 다들 찬양 일색이다. 이편웅이 얼마나 베풀고 살았는지, 이번 일도 믿을 수 없다는 반응이 대부분이야.”

역겨운 가식 덩어리. 정호는 치밀어 오르는 욕을 삼켰다.

“김정호, 이거 진짜 확실한 거야? 여차하면 무혐의로…….”

“형은 원래 남의 말만 듣고 확신도 없는 사건에 뛰어들어?”

“그건 아니지.”

“그래. 내가 아무리 부추긴다고, 말도 안 되는 전쟁 시작할 정도로 형이 생각 없는 건 아니잖아.”

쥐었다 놓는 정호의 태도에 백 검사는 고개를 끄덕였다.

“그렇지. 이편웅 측에 뭔가 있는 것 같은 감이 드니까. 나도 시작은 그래서 한 거지.”

“형 감을 믿어. 형은 할 수 있어.”

유리와 정호가 이 사건 재판의 주체는 아니었다. 하지만 지금 백 검사를 움직이게 하는 건 분명 정호였다.

“이 판의 주인공은 형이잖아.”

“그래. 내가 뭔가를 보여 줄 때가 되긴 했지.”

정호는 백 검사의 겉멋과 허세를 역이용했다. 멋으로 사는 사람이라면, 멋있게 만들어 주면 그뿐이다. 백건만이 제멋에 도취해 원하는 대로 움직여 주고 있으니 더 이상 바랄 것이 없었다.

또 다른 피해자의 증언들이 필요하다면, 그 피해자들 역시 찾아오게 하면 된다. 이미 정호는 머릿속에 대충의 그림을 그려 두고 있었다. 행동으로 움직이기도 했고. 게다가 이편웅의 뒤를 캐고 있으니, 곧 백 검사에게 떡밥을 던져 줄 수 있을 것이다.

이편웅이 행해 온 온갖 비리를 태한가(家)의 힘으로 덮어 왔다지만, 정호가 파고들어 가는 쪽 역시 태한이었다.

게다가 외조모가 이미 버린 카드가 아닌가. 마치 드리워진 장막 뒤에 김정호가 비스듬히 누워 있는 형국이다.

번뜩이는 눈빛에는 맹수의 본능이 스쳤다. 흑막인 그의 앞에 잘 짜 둔 판이 펼쳐져 있었다.

한편, 태한가(家) 저택.

구 여사의 서재에는 팔락팔락 서류를 넘기는 소리만이 낮게 가라앉았다.

"흐음."

확인을 끝냈다. 안경을 빼 책상 위에 얹은 구 여사는 피로해진 눈을 잠시 감았다.

"어떻게 할까요."

처분을 묻는 말에 한참 대답이 없던 구 여사가 이내 피식 웃었다.

"생각보다, 세게 나오는군. 설마설마했는데."

제법이네, 조그맣게 덧붙이기도 했다. 감탄은 진심이나, 인정은 못내 불쾌하였다.

"막을까요."

"아니."

분명 입가에는 미소가 서렸지만 지극히 싸늘한 음색. 그리고 이어지는 말. 오랜 시간 구 여사의 수족이 되어 움직여 온 임 실장마저 긴장하고 말았다.

"그냥."

"……."

"놀게 둬."

[「태경병원 이사장, 비서 성추행 혐의 불구속 기소」

OO지검 형사 3부는 비서를 성추행한 혐의(업무상 위력 등에 의한 추행)로 태경병원 재단 이사장 이편웅(49)을 불구속 기소했다.

이 씨는 지난 4월에서 5월에 걸쳐 한 달간 자신의 사무실이나 회식 자리에서 비서 A(29)의 신체 특정 부위를 만지고 성희롱 발언을 하는 등 추행한 혐의를 받고 있다. 5월 말에 사직한 비서 A씨는 피해 사실을 진술하며 고소를 진행했다.

해당 성추행 혐의 사건은 불기소 의견으로 송치된 바 있으나 검찰 관계자는 "이 씨가 상사라는 이유로 부하 직원을 위력으로 추행해 왔으며, 피해자의 일관된 피해 진술로 혐의 입증이 충분하다고 판단해 불구속 기소했다."고 밝혔다.

이어 "피해자 인권 보호에 유의하면서 공소 유지를 철저히 할 계획이다."라고 덧붙였다.]

노기등등한 이편웅이 책상을 쾅 짚으며 일어섰다.

"대체 박 실장은 뭐 하는 사람이야!"

기소 사실이야 이미 통지를 받아 알고 있었지만, 세상이 떠들썩해질 정도로 크게 다뤄질 줄은 몰랐다. 지금까지 그래 왔듯 자신과 태경병원의 일이리면 철지히 침묵을 지켜 왔던 인론이 아닌가.

앞다투어 올라오는 기사들로 인해 이편웅은 현재 포털 사이트 실시간 검색어를 점령하다시피 하고 있다. 이편웅은 부르르 떨리는 주먹으로 다시 한 번 책상을 내리쳤다.

"일이 왜 이렇게 돌아가! 시끄럽게 이게 대체 무슨 상황이냐고!"

"홍보실 직원들이 지금 최대한 수습하는 중입니다."

"수습이라니! 애초에 막았어야지!"

"죄송합니다."

"지금까지 잘하다가 갑자기 왜 이래!"

"면목이 없습니다."

박 실장은 연신 고개를 숙여 사죄했다.

"아니, 채 비서는 왜 A고, 나는 왜 이름이 떡하니 나오는 거야! 우리 병원 이름은 왜 나오고!"

"그야 이사장님께서는 워낙 유명 인사시고……."

"누가 그걸 몰라!"

이편웅은 목소리를 높였다.

"내 이것을 무고죄에 명예 훼손죄로 처넣고야 말겠어. 감히, 나를 건드려?"

박 실장은 어금니를 꽉 물었다. 갑갑증이 밀려들었다. 잘못한 사람이 누구인데 이렇게 큰소리를 치는 것인지, 이해할 수가 없었다. 변호인단 측은 이편웅에게 무혐의로 사건을 종결시킬 수 있다고 큰소리를 치고 있었다. 그 대가로 이편웅이 얼마나 많은 수임료를 약속했는지 역시 알고 있다.

하지만 그건 조용히 진행되는 사건일 때의 이야기였다. 이렇게 시끄러워진 상황에서는 어떻게 될지 모를 일이다. 국민적 관심을 끌면서 논란이 되는 사건에서는 피고인의 변호를 한다는 것 자체가 큰 부담이니 말이다.

변호 자체를 고사하는 경우도 적지 않았다. 기소 사실이 이렇게까지 대서특필되는 것을 보아하니, 태한에서는 아예 이편웅을 놓아 버린 게 아닌가 싶다. 곧 채송화가 심경 인터뷰라도 몇 개 한다면 이편웅 이사장은 여론의 뭇매를 맞게 될 것이 뻔하다.

아무리 그래도 이렇게까지 일이 커진 적은 없었는데. 고개를 숙인 박 실장의 머릿속도 복잡해졌다.

"이슬아."

"엄마!"

카페에 들어서자마자 송화는 딸의 이름을 불렀다. 그러자 책을 보던 이슬이 토도도도 달려와서 풀썩 안겼다. 아이를 품에 안으니 송화의 가슴 한구석이 뻐근해졌다. 은강의 간호에, 소송이다, 인터뷰다 해서 요즘 바쁘게 다니는 동안 이슬은 늘 카페에 맡겨 두어야 했다. 그게 참 미안했다.

"우리 이슬이, 책 보고 있었어?"

"응. 마미 아줌마가 재미있는 얘기도 많이 해 주셨어."

이슬의 표정은 언제나처럼 밝았다. 엄마에게 어떤 일이 일어나는지, 아이는 평생 몰랐으면 했다. 알아서 좋을 것이 없는, 어른들의 추악한 세상이 아닌가. 하지만 이렇게 일이 진행되는 이상 모를 수가 없었다.

자세히는 아니더라도 이제 이슬은 요즘 엄마가 왜 이렇게 바쁜지, 회사에 왜 나가지 않는지, 자신이 왜 카페에 있어야 하는지 대략 알게 되었다. 그런데 그걸 이해하는지 못하는지 몰라도 아이는 평소와 다름없이 밝아 보였고, 송화는 그것만으로도 다행스러웠다.

"오늘 피곤했지? 이슬이 데리고 어서 들어가서 쉬어."

송화의 옆에 서 있던 유리는 웃으며 어깨를 두드려 주었다. 매체의 인터뷰 두 개를 이어서 하고 들어온 참이었다. 송화는 꽤 피곤했다. 한 번 하기도 힘든 이야기를 몇 번이나 반복해야 했다. 경찰서와 검찰청에서, 그리고 이 제는 기자 앞에서까지.

떠들썩한 상황에서 '비서 A씨의 심경'이 드러난 인터뷰 기사를 연이어 터뜨리겠다는 생각이었다. 추잡한 언론 플레이는 아니었다. 사실을 밝히는 것뿐.

지금까지 싸워 오는 동안 약자의 소리에 귀를 기울여 주는 곳이 없어 갑 갑했는데, 다행히도 기소 기사가 터지고 먼저 연락이 왔다. 누군가 들어 주 는 이가 있다는 것만으로도 송화는 감사했다.

"저희 그럼 가 볼게요."

"그래, 어서 가서 쉬어. 이슬이 오늘 숙제는 내가 다 봤어."

"……정말 감사해요."

마미와 유리가 카페 앞까지 나와 배웅했다.

"아줌마, 내일 또 올게요!"

"아이구. 이쁜 우리 이슬이! 아줌마가 내일은 색칠 공부 책 갖다 놓을게."

"우와!"

이슬은 마치 자신의 할머니라도 되는 듯 마미에게 안겨 살갑게 인사했다. 정이 그리운 아이에게 이렇게 좋은 분들이 함께 있어 주니 얼마나 감사한 지. 송화의 코끝이 찡해졌다.

카페에서 나와 집으로 돌아가는 길. 송화의 손을 잡은 이슬이 오늘 학교 에서 무슨 일이 있었는지, 카페에서는 무얼 하고 지냈는지 쉴 새 없이 떠들 었다.

길었던 해가 짧아지고 있다. 그렇게 정신없이 여름이 가고, 이제 가을바 람이 불어들 때가 되었나 보다. 송화는 곧 일자리를 구해야 할 텐데, 하고 걱 정했다. 은강도 이제 곧 퇴원할 테고, 더 이상 병원에 있지 않아도 되니 급한 대로 아르바이트라도 해야지…… 이런저런 생각을 할 때였다.

"엄마. 엄마."

이슬이 잡은 손을 살랑살랑 흔들었다. 정신이 든 송화가 돌아보니 집 앞 놀이터 근처였다. 잠깐 놀다 가자는 것인가 싶었다.

"어, 그래. 그네 타고 들어갈래?"

"아니."

이슬이 손에 힘을 주어 송화를 끌어 내렸다. 송화가 아이의 손에 이끌려 저도 모르게 쪼그리고 앉았다. 자신을 빤히 쳐다보는 아이의 뒤로는 붉게 물든 하늘이 펼쳐져 있다. 어쩐지 눈물이 날 것처럼 아련해지는 풍경이었다.

입을 꾹 다물고 있던 이슬이 송화의 가슴에 손을 얹었다. 그리고 자세를 낮추더니 그 위로 '호오오. 호오오.' 하고 둥글게 모은 입술 사이로 바람을 흘렸다. 송화의 몸이 굳었다.

제 가슴을 호, 하고 불어 주는 이슬의 조그만 얼굴을 가만히 바라볼 뿐이었다. 열심히 호오오, 하고 불던 이슬은 다시 작은 손을 들어 송화의 가슴을 어루만졌다.

"이제 안 아프지?"

목이 메어 뭐라 대꾸할 수가 없었다. 이슬은 그런 송화를 보며 웃었다.

"엄마 마음 금방 나을 거야. 내가 치료해 줬으니까."

송화는 이슬을 당겨 품에 안았다. 한 품에 쏙 들어오는, 아직은 너무도 어리고 작은 딸. 그런 딸이 지금 제 세상의 전부고, 위안이고, 희망이었다.

"……엄마가 마음이 아픈지, 이슬이도 알고 있었어?"

"응. 마미 아줌마가, 엄마 마음이 참 아플 테니까 예쁘게 안아 주라고 했어. 엄마, 아프지 마. 엄마 아프면 나도 아파."

감정은 신경 쓰지 못했는데. 그래, ……무엇보다 아픈 건 마음이었다. 거대한 바위에 부딪혀 싸워 나가는 동안, 다친 건 제 가슴이었다.

그걸 일깨워 준 게 이슬이다. 어루만지고 호, 입김을 불어 주고 따뜻한 말을 건네주고. 자신이 해 주던 것을 딸이 고스란히 배워, 이번에는 제게 그대로 돌려주고 있었다. 어린 딸의 서툰 위로에 송화의 가슴이 뭉클해졌다.

"이슬이 덕분에 엄마 이제는 하나도 안 아파."

싸워야 할 이유가 여기 있다. 그녀의 간절한 바람은 단순히 이편웅을 단죄하는 것이 아니다.

침묵의 대가로 또 다른 피해자가 생겨나는 일이 부디 없기를. 자신이 내디딘 이 힘든 걸음에 의미가 있기를. 법으로 금한 일을, 법으로 막아 낼 수 있기를.

그리하여 내 아이가 살아갈 이곳이, 부끄럽지 않은 세상이기를. 바라고 또 바랄 뿐이었다.

"엄마, 엄마. 마음 다 나으면 우리 또 놀이공원 갈까?"

해맑은 얼굴로 묻는 이슬을 보며 송화가 엷게 웃었다.

"그래, 또 가자."

"은강이 오빠도 몸 다 나아야겠다. 엄마, 이번에도 셋이 같이 가자."

"……이슬아, 은강이 오빠가 좋아?"

"응."

이슬은 힘껏 고개를 끄덕였다.

"왜 그렇게 좋아?"

"어, 어. 현지네 아빠보다 키도 크고! 주영이네 아빠보다 얼굴도 잘생기고! 또…… 주스도 맛있게 만들고! 음…… 목소리도 멋있고! 웃을 때도 멋있고! 또, 목말도 잘 태워 주고! 또, 또……"

이슬은 은강이 좋은 이유를 늘어놓았다. 송화는 웃으며 일어섰다. 그리고 다시 이슬의 손을 잡고 집으로 향했다. 집으로 돌아가는 내내 은강에 대한 이야기는 끝이 없었다.

"모처럼 신나 보인다, 너."

자신의 책상 위에 걸터앉은 정호가 유리를 바라보며 말했다. 유리는 쌓아 둔 자료 안에 굴이라도 파고들어 갈 기세였다. 그만큼 몰입해 있었다.

"응. 말 좀 시키지 마."

상황 자체는 이쪽에 유리하게 돌아가고 있다. 시시각각 올라오는 기사들은 이편웅의 추행 여부에 촉각을 곤두세웠고, 그를 성토하는 목소리가 점점 높아졌다. 하지만 이편웅 측에서 가만히 있을 리가 없다. 아마 곧 반박 기사를 내기 시작할 테고, 송화를 천하의 꽃뱀으로 몰아가겠지.

자기 명예를 위해서라면 어떤 짓도 서슴지 않고 할 위인이었다. 그에 대비해야 한다는 중압감으로 유리의 신경은 상당히 날카로워져 있었다.

이편웅은 추행 사실을 부인하고 있으며 이 과정에서 그동안 태경병원과 자신이 쌓은 좋은 이미지를 적극 활용할 것이다. 그러니 그 허상을 깨 주는 것이 우선이었다. 그가 얼마나 많은 비리를 저질렀는지, 얼마나 부도덕한 인물인지, 그것부터 밝힌다면 오히려 이 싸움은 쉬워질 수밖에 없다.

"백 검사한테 좀 맡기지 그래. 사실 송화 씨 입장만 대변해 주면 됐지, 네가 그렇게까지 나설 필요 있냐."

더없이 느긋한 목소리로 정호가 말했다. 아무것도 하지 않는 듯 그저 편해 보이는 얼굴로. 하지만 사실 유리에게 그렇게 말할 자격이 없는 정호였다. 하나부터 열까지 정호가 직접 손대지 않는 것들이 없으니 말이다.

백 검사를 움직이게 한 것부터, 태한가에서 손을 놓은 이편웅을 언론에서 건드리게 한 것까지 전부 정호가 만들어 나가는 상황이었다. 그리고 송화의 심경 인터뷰가 나가기 시작하면 아마도 몇몇 피해자들이 제 발로 찾아올 것이다. 정호는 그것까지 모두 계산에 넣어 놓고 움직이는 중이었다.

"그렇다고 어떻게 손을 놓고 있어. 할 게 얼마나 많은데."

그러니까 할 필요 없다고. 차마 하지 못한 말을 삼키며 정호는 바닥에 탁 내려섰다. 제대로 잠도 못 자고 일만 파고드는 유리가 안쓰러워 견딜 수가 없다. 혹시나 저러다가 유리의 몸이 상하는 것은 아닐까, 힘들어 지치는 것은 아닐까. 옆에서 지켜보는 것만으로도 가슴이 쓰리고 또 쓰리다.

"김유리, 밥 먹자. 나 배고파."

정호는 유리의 책상에 가까이 다가섰다. 유리는 고개도 들지 않고 건성으로 대답했다.

"어, 시켜. 나는 김치볶음밥."

"김치볶음밥?"

"응. 싫으면 중국집. 나는 짜장면."

"흐음."

마음에 들지 않았다. 밥 한 끼 제대로 먹지도 못하고 이렇게 일만 하는 게 무슨 의미가 있다고. 정호는 손을 뻗어 유리가 아무렇게나 올린 머리를 고정해 둔 볼펜을 스윽 빼었다.

"아앗."

스르륵 흘러내린 머리카락이 그녀의 어깨를 덮었다. 짝꿍을 괴롭히는 초등학생도 아니고, 왜 훼방이냐는 듯 유리가 인상을 찌푸렸다.

"이리 내. 뭐 하는 거야, 너."

"밥 먹자니까."

유리는 정호를 보며 툭 하고 한숨을 내쉬었다.

"그래, 먹자, 밥."

"나가자."

"그래, 나가, 나가."

까짓것 밥 먹어 준다는 듯 유리가 일어섰다. 식당에 가서도 자료를 볼 셈인지 부산한 움직임으로 자료를 챙겼다. 차마 그것까지는 말리지 못하고 정호가 씨익 웃으며 볼펜을 통에 꽂았다.

"가자."

유리는 어디로 가는지 알지 못한 채 정신없이 자료를 품에 안았다. 그리곤 카페 밖으로 나와 정호가 운전하는 차에 올랐다. 유리는 실내등을 켜 놓고 부지런히 자료를 살피고, 스마트폰으로 검색했다. 정호는 희미한 미소를 띤 얼굴로 차 내에 음악을 틀었다.

드라이브가 별건가. 아무리 일에 빠진 애인이지만, 옆에 태우고 이렇게 한강 야경을 바라보며 달릴 수 있다면 이게 드라이브지. 정호의 마음을 아는지 모르는지 유리는 그저 일 삼매경이었다.

어느새 건물 앞에 도착했다. 발렛 직원에게 차를 맡기고 내린 정호는 유리의 손을 잡았다.

"일마나 영악한지, 문사고 뭐고 남겨 둔 것이 없어. 이사상 말이야."

최상층에 있는 레스토랑으로 올라가기 위해 엘리베이터 앞에 섰다. 그동안에도 유리는 쉴 새 없이 말했다.

"그때 레코더만 빼앗기지 않으면 한결 수월했을 텐데. 그 이후로 눈치채서 이 사람이 송화 앞에서 말조심했잖아. 뭐 하나 녹취라도 있었으면 정말……."

"다 지나간 것 얘기해 봐야 뭐해."

"하긴. 그건 그래."

엘리베이터에 올랐고, 투명한 창 너머 반짝이는 야경이 가득 펼쳐졌다. 물론 유리는 그런 풍경에 별 감흥은 없는 모양이었다.

"백원만이 태경병원 의료 사고 건들도 재수사해서 엮어 버리려는 것 같던데. 근데 너 정말 그래도 괜찮은 거야?"

유리가 조심스럽게 물었고, 정호는 가볍게 어깨를 들썩거렸다.

"상관없으니까 시작한 거야. 신경 쓰지 말라니까."

외조모가 이 일을 놓아준 대가로 다른 것을 요구하고 있다는 사실은 굳이 말할 필요가 없다. 엘리베이터 문이 열렸고, 정호는 다시 유리의 손을 잡았다. 안내받은 테이블에는 작은 촛불이 놓여 있고, 서울 시내 야경이 한눈에 들어오는 전망도 무척 좋았다. 여전히 유리의 관심 밖이었지만.

"아무거나 시켜."

동네 중국집에 온 듯 감흥 없는 유리의 반응에 오히려 웨이터가 당황한 눈치였다. 하지만 정호는 싱글싱글 웃으며 주문을 마쳤다.

저녁 한 끼 먹자고 온 것치고는 지나치게 로맨틱하고 아름다운 레스토랑. 자리에 앉자마자 두꺼운 책과 자료를 꺼내 놓고 뒤적거리는 여자. 그 앞에 앉아 여자를 바라보며 뭐가 그리 좋은지 연신 웃고 있는 남자. 참 아이러니한 조합이었다.

곧 주문한 음식이 나왔다. 유리는 음식이 코에 들어가는지 입에 들어가는지도 모르게 포크질을 해 댔다. 정호가 스테이크를 썰어 주지 않았더라면, 아마 덩어리째 포크로 찔러 한 입씩 베어 먹었을지도 모르겠다.

정호는 옆으로 비스듬히 앉아 다리를 꼬았다. 느른하게 턱을 괴고 앉아 그저 유리를 가만히 바라보았다. 유리는 여전히 자료만 붙들고 있었다. 흘러내린 머리카락을 귀 뒤로 넘기는 저 길고 하얀 손을 물끄러미 쳐다보았다. 한껏 집중해 동그랗게 모은 입술을 이내 지그시 깨무는 유리에게서 시선을 떼지 못했다.

얼마 되지 않아 달콤한 아이스크림이 마지막으로 서빙되었다. 이내 마시듯 한입에 털어 넣은 유리가 자료를 챙겼다.

"다 먹었지? 이제 가자."

레스토랑 테이블 위에 자료를 펼쳐 놓고 일하던 것이 영 불편했던 모양이었다. 유리는 식사를 마치고 기다렸다는 듯 일어섰다. 정호는 고개를 끄덕이며 의자를 물리고 일어났다. 계산하고 나와 엘리베이터 앞에 다시 서기까지 약 40분. 음식 서빙 시간을 제외하고는 정말 벼락같이 짧은 식사 시간이었다.

때앵. 엘리베이터 문이 열렸다. 유리가 얼른 들어가 1층 버튼을 눌렀다. 천천히 따라 들어간 정호는 문이 닫히자마자 몸을 돌렸다.

"흐엇!"

별안간 엘리베이터 벽에 몸이 가볍게 밀쳐진 유리가 당황해 눈을 들었다.

"뭐, 뭐야, 너."

엘리베이터가 하강하기 시작했다. 정호의 어깨 너머로 불빛들이 어지럽게 섞여 들었다. 방금 먹은 아이스크림의 달콤한 내음이 훅 끼쳐 올 만큼, 정호는 가깝게 다가왔다.

갑자기 쿵쾅거리며 심장이 날뛰어 댔다. 이 자식이 갑자기 누굴 죽이려고 작정을 했나. 하지만 유리는 눈을 깜빡거리며 징호를 올려다볼 뿐, 밀어내지 못했다. 정호가 태연히 미소 지으며 말했다.

"내려가는 동안은 어차피 일 못 하잖아, 니."

"으, 으응?"

"그러니까, 잠깐, 시간 있지?"

벽과 정호의 몸 사이에 갇혀 유리는 숨을 들이켰다.

"시, 시간은 무슨……. 흐읍."

항의할 겨를도 없었다. 잠깐의 틈을 놓치지 않으려는 남자의 입술이 그녀를 뒤덮었다. 막간을 이용한 갈급한 키스. 이조차도 더없이 달았다. 정호는 탐하면서도 모자란 듯 유리의 등을 바짝 당겨 안았다. 입술에 닿은 보드라운 느낌 하나하나 전부 제 몸에 새기고 싶었다.

유리가 천천히 손을 들어 정호의 허리를 안았다. 밀착된 몸에서 열기가 피어올랐다. 우리가 사랑하고 있구나. 문득 찾아오는 그 깨달음에 가슴이 미치도록 두근거렸다. 드라이브를 하고, 제대로 된 밥을 먹이고, 바람을 쐬고, ……키스하고. 이 정도면 완벽한 데이트가 아닐까 싶었다. 입술은 하염없이 달고 뜨거웠다.

"이쪽도 공판 전에 아주 발악하는구나."

인터넷을 뒤덮은 기사 헤드라인을 훑어보며 마미가 걱정스러운 얼굴로 말했다. 유리는 크게 신경 쓰지 않는다는 듯 여유롭게 대답했다.

"이럴 줄 알았는데, 뭐."

이편웅 측에서 내놓은 인터뷰 기사들은 하나같이 송화, 아니 비서 A씨를 겨냥하고 있었다. 인정도 많고 점잖은 이편웅이 얼마나 많은 봉사와 기부를 하고 있는지, 환우들과 주변 사람들에게 얼마나 탄탄한 신뢰를 얻고 있는지를 강조하기도 했다.

그에 비해 비서 A씨의 근태가 상당히 불량했다는 직원들의 인터뷰도 덧붙여졌다. 혼자 아이를 키우는 상황을 배려하여 이편웅이 많은 편의를 제공했다고도 했다.

그럼에도 불구하고 비서 A씨는 단순히 부하 직원에게 베푼 호의를 확대해석 하여 피해를 주장하는 것이라 했다. 물론 성추행한 사실이 전혀 없다는 주장을 내세우는 중이었다. 이런 부분들을 참작하여 이미 불기소 의견으로 송치된 사건이라는 점도 피력했다.

단숨에 여론은 이편웅 쪽으로 기울었다. A씨가 불우한 환경에서 합의금을 노리고 사건을 일으킨 것이라는 의견도 팽배하였다.

"이렇게 되면 너희한테 불리한 것 아니야?"

마미가 물었고, 유리는 테이블 위에 턱을 받친 채 볼펜으로 딸각딸각 소리를 내며 두드렸다.

"불리한가?"

"불리하겠지. 별다른 증거도 없다면서. 그쪽에서 계속 이렇게 잡아떼면 어떻게 한다니."

소송의 어려움이야 마미가 모르는 바가 아니었다. 그래서 더욱 걱정이었다. 차라리 유리가 로펌에서 근무할 때는 이런 근심이 든 적이 없었다. 이번 일로 은강이 병원 신세까지 지고 이제 막 퇴원한 참이다. 그런 위험한 일이 또 생기지 말라는 법이 없다.

마미는 녹록지 않은 싸움에 뛰어든 딸이 안타까웠다. 조금 편하게 살면 좋으련만. 다리 쭉 펴고 느긋하게 살아도 누가 뭐라 할 사람 없는데. 제 발로 불구덩이 속으로 들어가는 딸이 그저 걱정스럽기만 했다.

"이것저것 깔아 둔 떡밥이 있으니까, 걱정하지 마."

"그 떡밥 언제 회수하는데?"

"글쎄. 판결 전에는 되겠지, 뭐."

"속도 편하다, 너는."

"그러엄, 내가 믿는 구석이 있는데."

"믿는 구석?"

유리가 턱짓으로 가리키는 쪽을 바라보았다. 마미의 시야에 들어온 건 바 안쪽에 옹기종기 모여 있는 세 남자. 정호와 준, 은강이었다. 물론 유리가 가리킨 건 정호일 것이다.

퇴원 직후에 출근한 은강을 움직이지 못하게 앉혀 놓고, 오늘도 정호는 카페 일을 돕는 중이었다. 은강은 오랫동안 자리를 비운 것이 미안해서 나왔다고 했지만, 정호는 일찍 나온 그를 타박하지 못해 안달이었다.

"그렇지. 내 사윗감이 좀 듬직하긴 하지."

"무슨 말이야. 좀 듬직하다니."

"응?"

"많이 듬직하지. 많이, 아주아주 많이."

유리가 배시시 웃었다. 퍼지는 그 미소에는 행복한 기운이 서려 있었다. 마미 역시 비로소 웃었다. 딸은 혼자가 아니다. 정호가 함께 있으니 불안함도 남의 일처럼 느껴졌다.

유리의 씩씩한 모습이 전에는 괜히 먹먹하고 안쓰러웠지만, 지금은 그렇지 않았다. 아무리 강해 보이는 유리지만, 속내는 그렇지 않다는 걸 알아주고 지켜 주는 정호 덕분이었다.

"그래, 정호네 부모님께서는 서울에 언제 올라오신다고?"

상견례를 겸하여 인사 나누는 자리를 마련하자고 했고, 결혼은 가을이 좋겠다고도 했었다. 하지만 유리는 아무리 생각해 봐도 이렇게 번갯불에 콩 볶아 먹듯 빨리 해치우는 결혼은 마음에 들지 않아 내년 봄에 식을 올리길 원했다. 그래 봐야 반년도 안 남았으니 사실 이것도 늦은 건 아니었다.

"아니. 너무 급하게 올라오지는 않으셔도 될 것 같아. 날짜는 좀 나중으로 잡자고 정호랑 얘기했어. 일단 1심 판결까지는 보고 나서 상견례든 뭐든 하는 게 좋을 것 같고. 공판 진행되는 거 봐서 자리 마련할게."

"정호 마음고생 많이 시키지 마."

"어머, 내가 뭘?"

"결혼 질질 끌어서 정호 애태우지 말라고."

안 그래도 정호는 얼른 결혼하고 싶어 했다. 카페에서, 사무실에서, 온종일 붙어 있는데도 불구하고 밤이면 헤어져야 하는 사실을 견디기 힘들어했다.

'오늘 밤만 같이 있을까.'

정호가 그 말을 벌써 몇 번이나 했는지 모른다. 그럴 정신이 어디 있냐며 매몰차게 돌아섰지만 유리도 아쉬운 건 사실이었다. 모른 척 그 품에 안겨 함께 아침을 맞이한다면……

지금껏 있었던 수많은 기회를 덧없이 날려 놓고, 이제 와 아쉬워하는 자신이 우습기도 했지만. 이왕 이렇게 된 거 좀 더 참지 뭐, 하는 마음이 들었다. 애초에 귀한 줄 모르고 덥석 집어 먹은 곶감이면 모르겠는데, 혹시나 해서 아끼고 아껴 둔 곶감이기에 단숨에 먹어 버리기 아쉬웠다.

모든 일이 해결되고 나면. 온전히 정호에게만 집중할 수 있는 그때. 사력을 다해 안기리라. 투지를 불태우며 유리는 참고, 또 참는 중이었다.

"너 무슨 생각 해? 표정이 무서워."

"어?"

마미의 말에 유리는 얼른 표정을 풀었다. 로맨틱하고 근사한 첫날 밤을 꿈꾸는 여자의 표정이 무서웠다니. 전투에 임하는 장수쯤으로 보이려나? 대체 자신은 무엇을 잘못하고 있는 것일까? 설레고 수줍은 척은 대체 어떻게 해야 하는 걸까?

그때 이런 유리의 고뇌를 아는지 모르는지, 정호는 이슬에게 아빠 미소를 흠뻑 지으며 쿠키를 건네주었다.

"자, 먹으면서 해."

바 앞에 있는 테이블에 스케치북을 놓고 그림을 그리고 있던 이슬은 정호를 올려다보며 깜찍한 얼굴로 인사했다.

"고맙습니다. 잘 먹을게요."

그 모습이 예쁜지 정호는 이슬의 볼을 아프지 않게 꼬집어 주며 웃어 보였다. 학생들이 썰물처럼 빠져나가고 조금 한가해진 틈을 타서 유리도 카페에 나와 앉아 있던 참이었다.

아이를 예뻐하는 정호의 모습이 마냥 새롭게 보였다. 그러고 보니 준원과 새연 부부의 첫아기 출산일도 곧 다가오고 있고, 그 와중에 정호가 매일매일 전화를 걸어 상태를 확인하는 모습도 볼 수 있었다.

이제나저제나 아기를 기다리는 모습이 마치 본인이 아빠처럼 보일 정도였다. 며칠 전에는 길에서 지나가는 아기를 보고 시선을 떼지 못하기도 했었다. 정호가 저렇게 아이를 예뻐했었나. 원래 그러진 않았던 것 같은데.

유리가 이런저런 생각에 빠져 있을 때, 마미가 이슬에게 다가가 물었다.

"이슬아. 저어기 오빠들 중에 이슬이는 누가 제일 좋아?"

채이슬 배(杯) 인기남 선발대회를 개최하려는 마미에게 세 남자의 시선이 꽂혔다.

"에, 에이. 뭐, 애한테 곤란하게 그런 걸 물어보고 그러세요."

준이 손을 내저었다. 그러면서도 가장 자신 있는 생글생글 미소를 짓는 것이, 분명 이슬을 한껏 의식한 모습이었다.

"그러게, 우리 장모님 심심하신가 보다."

정호가 유들유들 웃으며 슬쩍 이슬에게로 다가갔다. 그러고는 쿠키를 가리키고 자신을 가리켰다. 이거, 내가 준 거다. 이슬에게 쿠키의 출처를 확인시켜 주는 모습을 보며 유리는 픽 웃어 버렸다. 애한테 그렇게까지 선택받고 싶을까.

한편 은강은 의자에 앉은 채 쥐고 있던 책을 가만히 내려다보았다. 이 일에는 전혀 관심 없다는 듯 굴고 있었다. 그러는 가운데 마미가 이슬에게 대답을 재촉했다.

"응? 이슬아, 어느 오빠가 제일 좋아?"

이슬이 고르기 어렵다는 듯 세 남자를 번갈아 쳐다보았다. 이내 준이 먼저 입을 열었다.

"오빠가 제일 어리다. 제일 파릇파릇해. 이슬아, 잘 봐 봐. 피부부터 차이 나잖아?"

"이슬아, 이슬아. 미모는 오빠가 제일이다. 이 콧대와 턱선의 각도가 이렇게 잘빠지기가 쉽지 않거든. 원래 자연의 위대함이란, 현대 의학도 함부로 범접할 수 없는 영역 아니겠냐."

정호가 자신의 날렵한 얼굴선을 뽐내며 한껏 어필하는 가운데, 이슬이 은강을 쳐다보았다. 이쪽으로는 시선도 두지 않는 은강의 옆얼굴을 보던 이슬이 이내 결정했는지 입술을 열었다.

"저는요."

뭘 물어보나, 당연히 은강이겠지. 이슬이가 송화와 함께 은강에게 쌓은 정이 얼마나 깊은지 미루어 짐작하고 있던 유리는 싱거운 배틀이라 생각했다. 하지만.

"정호 아저씨요."

이슬의 입에서 나온 건 정호의 이름이었다. 이게 뭐 그리 대단한 선발전이라고, 정호가 이화둥둥 이슬을 들이 올리며 즐거워했디.

"역시, 똑똑한 줄은 알았지만, 이렇게 보는 눈까지 정확했다니! 크흐!"

정호가 예뻐 죽겠다는 듯 이슬을 꽉 껴안았다가 놓아주었다.

"정말이야? 이슬아? 진짜 정호가 제일 좋아? 왜?"

"그러게, 왜 형이야?"

호기심 어린 표정의 마미와 은근히 한 표를 기대하고 있다가 실망한 듯한 준도 이슬의 대답을 기다렸다. 이슬이 야무진 입술을 열어 말했다.

"이 중에서 정호 아저씨가 제일 잘생겼어요. 마미 아줌마가 잘생긴 게 최고라고 그러셨는데."

마미가 웃음을 터뜨렸고, 유리가 타박하듯 어깨를 툭 치며 말했다.

"엄마, 애한테 참 좋은 거 가르쳐 주셨네. 송화한테 일러야겠다. 이래서 애들은 교육 환경이 중요하다니까."

"아유, 귀엽잖아. 얘 말하는 거 왜 이렇게 깜찍하니!"

준이 입술을 불퉁하게 내밀며 항의했다.

"이슬아, 다시 생각해 봐. 정호 저 아저씨는 나이도 너무 많고, 얼굴도 다한때야."

"우리 준배, 자꾸 말해 봤자 너만 비참해진다. 그만해라."

정호가 승리자답게 여유로운 몸짓으로 준에게 어깨동무를 했다.

"아니, 사실 난 괜찮아요. 그런데 은강 형 마음이 어떻겠어요!"

가만히 있던 은강에게 화살이 돌아갔다.

"이슬이한테 지극정성인 은강 형은 어떻겠……."

"그만하자. 이건 은강이를 두 번 죽이는 거야."

이미 이슬에게 선택받지 못했을 때 한 번, 준의 입으로 언급해서 또 한 번. 사실 정호의 입으로 '두 번 죽인다.'는 말이 나왔을 때 이미 한 번 더, 도합 세 번 죽은 셈이었다. 은강의 머리 위로 먹구름이 드리워진 느낌마저 들었다.

"저는 정호 아저씨처럼 잘생기고 똑똑한 사람이랑 결혼하고 싶어요. 이 다음에요."

아랑곳하지 않고 제 의사를 암팡지게 밝히는 이슬에게 다시 시선이 모여들었다. 영 미련을 버리지 못한 준이 말을 보탰다.

"이슬아, 결혼은 자고로 나처럼 친절하고, 잘 웃고, 자상하고 그런 남자랑 해야 하는 거야."

"준배 오빠는 진짜 오빠 했으면 좋겠어요."

"진짜 오빠?"

"네, 우리 준배 오빠."

"……고, 고맙긴 한데. 내가 본명이 준배는 아니고…….”

명랑한 목소리로 '준배'를 외치는 이슬을 보며 마미와 유리가 웃어 버렸다. 그러다 문득 생각났다는 듯, 책을 보고 있던 은강을 한 번 쳐다보고 마미가 물었다.

"그런데 은강이는?"

사실 꼽자면 제일 먼저 은강이었어야 했을 텐데. 그가 송화와 예전보다 특별한 사이가 되었다는 것을 이슬도 알고 있을 터였다.

이 선발전에 참여한 적도 없는 듯 멀찌감치 떨어져 있던 은강도, 어쩌면 처음부터 귀를 기울이고 있었을지 모른다. 이슬의 마음이 어떤지 그 역시 궁금했을 테지. 그리고 장난삼아 마미는 그런 이슬의 생각을 떠보려던 것이었고.

"이슬아, 은강이 오빠는 어때?"

"은강이 오빠요……."

이슬이 말을 흐렸다. 괜히 더 뒷말이 궁금해졌다. 바짝 다가든 어른들을 한 번 쭉 둘러본 이슬이 입을 열었다.

"은강이 오빠는…… 따로 생각해 둔 게 있어요."

"따로?"

"네, 제일 좋은 거. ……그런 게 있어요."

아끼고 아껴, 쉽게 내뱉지 못하는 말이 있는 듯했다. 정호는 남편감. 준은 오빠감이라면, 은강은……. 다들 이슬이 아끼는 말임을 깨닫고 더 이상 캐묻지 않았다. 조만간 좋은 소식이 들려오겠구나, 짐작할 뿐이었다.

은강이 책을 놓고 일어서서 냉장고로 향했다. 재료들을 훑어본 그가 고개를 내밀고 이슬에게 물었다.

"어린이. 사과 주스 마실래?"

"네!"

은강은 사과를 꺼내 씻기 시작했다. 키위도 꺼냈다. 정식으로 올려 둔 메뉴가 아니라서 미리 손질해 놓지도 않은 재료였다. 채이슬 배 인기남 선발전의 우승자는 처음부터 정해져 있었을지도 모르겠다. 이슬만을 위한 주스를 만들기 시작한 은강을 보니, 인정할 수밖에 없었다.

준도 투정 부리는 것을 그만두고 이슬의 머리를 가볍게 쓰다듬어 주었다. 그때, 카페 문을 열고 한 여자가 들어섰다.

"여기, 혹시 김유리 변호사님……."

"네, 제가 김유리예요."

"아, 어제저녁에 연락드렸던……."

유리가 놀란 얼굴로 정호를 돌아보았다. 그가 고개를 끄덕여 보였다.

"이쪽으로 오세요."

유리가 여자를 사무실로 안내했다.

그들이 안으로 들어가 문이 닫히고, 정호는 휴우, 작은 한숨을 내쉬었다. 기다리던 사람이 왔다. 낮은 계단 하나를 겨우 오른 느낌이었다.

유리를 찾아온 여자는 2년 전, 태경병원 이사장 비서실에서 근무한 적이 있었던 직원이었다. 정호에게 받은 명단으로 연락했을 때, 한사코 피해당한 적이 없다고 부인했던 사람 중 한 명이었다.

또 다른 피해자가 있을 것으로 예상은 했지만, 그동안 나서는 사람이 전혀 없었다. 하긴, 쉽게 나설 만한 일이 아니긴 했다. 그때 당시에도 어떠한 대응조차 하지 못했기에, 시간이 지난 후 용기를 내기란 더욱 어려웠을 것이다.

'사실은 저도……'

연일 언론을 장식하고 있는 화제가 이편웅의 비서 성추행 사건인지라, 이를 지켜보다가 결국 유리에게로 찾아온 참이었다. 힘들게 꺼낸 말들을 듣고 있자니, 유리는 울컥 가슴이 메어 왔다.

'제가 나서도 세상은 변하지 않을 게 분명하니까요.'

그녀가 용기를 내지 못했던 이유였다. 자신의 작은 움직임이 얼마나 세상을 바꿀 수 있을지, 확신이 들지 않았다. 그에 비해 잃는 것은 너무나 많아진다.

신상이 알려질까 두려웠고, 언론과의 접촉 역시 저어되는 부분이 있었다. 그녀는 속앓이했던 시간을 이제야 겨우 떨쳐 냈다고 했다. 여자가 돌아간 후, 사무실로 들어간 정호는 유리에게 대화 나눈 내용을 전해 들었다.

"아무래도 증인 출석까지는 어려울 것 같아."

"그럼 여기까진 왜 온 거야? 피해 사실 다 얘기했잖아."

"일종의 양심 고백인 거지. 보고만 있기 괴로웠나 봐. 돌아가는 상황이 우리 A씨한테 영 불리해 보이니까."

후우우. 정호는 한숨을 내쉬었다. 언론에서 팡팡 터뜨리고 화제가 되면 이렇게 제 발로 찾아올 피해자들이 있을 거라고 생각했다. 하지만 나서기 어려워한다니 조금 딥딥해졌다. 딩연히 이해할 수 있는 부분이긴 해도.

유리는 서두르지 않았다. 정호가 짜 놓은 판에서 여유 있게 놀아 보겠다는 마음으로 그녀는 산뜻하게 미소를 지으며 말했다.

"그래도 포기 안 해. 참고인 조사, 좀 설득해 보려고. 그래도 어느 정도는 마음이 있는 것 같으니까."

풀릴 듯 말 듯, 아슬아슬한 줄 한 가닥을 붙잡고 있는 느낌이었다. 정호는 천천히 고개를 끄덕였다. 그러다 문득 머리를 틀어 올려 볼펜으로 툭 고정한 채 책상 앞에 앉아 일을 시작한 유리를 가만히 바라보았다.

물끄러미 유리를 보고 있자니, 또 긴 숨이 새어 나왔다. 이런 복잡한 상황에서도 문득문득 남자로서의 열망이 치민다는 것이 곤혹스럽기만 했다. 아직 일이 다 해결된 것도 아닌데.

며칠 전 레스토랑 엘리베이터에서 진하게 키스를 나눈 후, 제대로 된 스킨십을 한 적이 없었다. 지금까지 참은 세월이 얼마인데, 이번 사건을 잘 마무리하고 제대로 결혼을 하게 되는 날까지 설마 그 짧은 시간을 못 참을까.

참고, 기다리는 것이야 이력이 날 만큼 익숙하다. 그러니 괜찮지만……. 저 한숨이 날 정도로 매끈하고 곧게 뻗은 목선, 흘러내린 머리카락, 도톰하니 빠알간 입술. 이건 좀 아니지 않나. 저렇게 예쁘면, 덮치고 싶어지는 걸 어쩌란 말인지.

"일해라. 나, 나간다."

발을 탁 구르며 정호가 일어섰다. 아무래도 야릇해질 만한 상황을 벗어나, 둘만의 시간을 최소화하는 것이 좋겠다는 결론이었다. 이제는 일부러라도 좀 피해야 하나 싶었다.

"어허, 어딜 그냥 가. 이리 와, 이리 와."

유리가 모니터에서 시선도 떼지 않은 채, 손만 까딱까딱하여 정호를 불렀다. 심드렁한 표정으로 턱을 괴고는 무뚝뚝하게 부르는 유리는 사태의 심각성을 전혀 파악하지 못하는 모습이었다.

"뽀뽀는 해 주고 나가야지."

여전히 모니터에 시선을 고정하고, 키보드에 손을 올린 채 입술만 내밀고 있는 유리는 그저 가벼운 제안을 하는 중이었다. 그 모습을 바라보고 있자니, 공연히 정호의 심장이 쿵쾅거렸다. 정호는 유리가 일하고 있는 책상 곁으로 다가갔다.

나가려면 뽀뽀나 해 주고 빨리 나가라는 듯, 유리는 그저 입술만 쭉 내민 채 아예 정호 쪽으로 얼굴조차 돌리지 않고 있었다. 너한테는 뽀뽀가 그렇게 쉽냐. 정호는 괜히 울컥, 억울해졌다.

나는 잠깐 닿은 입술에도 심장이 미쳐 날뛰는데. 넌 엄마가 아이에게 뽀뽀해 달라는 것처럼 이렇게 담백할 수가 있냐. 해도, 해도, 정말 너무하네, 이 여자. 이제 몇 개월 지났다고 벌써 익숙해진 건가.

정호는 책상에 몸을 기대고 섰다. 입술을 내민 유리를 가만히 내려다보았다. 한 손이 그녀의 볼을 감쌌다. 엄지로 차분히 아랫입술을 쓸었다.

잠시간 움직임이 멎었다. 유리가 미간을 찡그리며 천천히 시선을 올렸다. 뒤바뀐 공기야 모르진 않을 테고. 눈을 맞추고 있던 정호가 허리를 굽혔다. 유리의 턱을 잡고 올려 살며시 입을 맞추었다.

"흐음……."

뜨겁고 낮은 신음이 흘러나왔다. 숨 막히게 힘들다는 것을 김유리, 너는 알까. 입술을 떼지 않은 채 유리가 의자에서 일어섰다. 드르륵. 바퀴 달린 의자가 제멋대로 뒤로 물러났다. 유리는 책상에 몸을 대고 선 정호에게 안기며 깊게 키스했다.

한 방울 꿀이 없어도, 달콤함이 담뿍 끼쳐 들었다. 한마디 말이 없어도, 속삭임이 안으로 그득히 퍼졌다. 제법 오랫동안, 서로를 나누었다. 스치는 손길이 아릿하였다.

유리가 먼저 간신히 입술을 떼었더니, 눈을 감은 정호가 사석처럼 따라붙었다. 키스하다가 이대로 날이 저물겠다 싶어 유리는 그를 피해 얼굴을 돌렸다.

"흐억."

길게 뻗은 목에 뜨거운 기운이 닿았다. 유리의 몸이 흠칫 떨렸다.

"야, 야아……. 김정……."

당황한 유리가 달싹였지만 단단하게 가둔 정호의 팔 안에서는 어림도 없었다. 혹시 이 자식이 뱀파이어가 된 것은 아닌지 의심해 봐야 했다. 아니, 목을 대체 왜 이렇게 물어뜯…… 는 게 문제가 아니라 기분이 묘해졌다.

자잘하게 흩뿌려지는 입맞춤이 내려앉았다. 간지럽기도, 뜨겁기도 했다. 한입에 전부 먹어 버릴 것처럼 거칠었다가 또 한없이 다정하고 부드러웠다. 원래대로라면 유리의 한 손으로도 정호를 툭 밀쳐 내고 냅다 등짝을 두드려 팼을 텐데. 그게 쉽지 않았다. 통 밀려날 기미가 보이지 않으니까.

그는 단단했고, 힘이 셌으며, 봐줄 생각이 전혀 없어 보였다. 이 없으면 잇몸인 것도 아니고, 입술을 피했다고 목을 공략해 올 줄은 정말 몰랐다. 결국 화끈하게 타오르는 불길을 어쩌지 못한 채 유리는 정호의 등을 끌어안았다.

정호의 입술이 그녀의 목을 타고 좀 더 내려가 얇은 옷깃을 젖히며 쇄골 부근에 닿았을 때였다. 정신을 차린 유리가 손을 올려 그의 얼굴을 붙잡았다. 흐트러진 숨소리, 간절함이 잔뜩 서린 눈빛, 몽연한 기운이 그를 뒤덮었다. 위험하다…….

"아, 아니. 브, 브레이크가 고장이 났나……. 얘가 오늘 왜, 왜 이래."

저답지 않게 말을 더듬으며 유리가 멋쩍게 웃었다.

"너, 진짜……."

정호가 한숨을 툭 내쉬었다. 탁해진 음성이 못내 아쉬움을 품고 있었다. 그렇다고 여기서 뭘, 어쩌지도 못할 걸 알면서도.

"뽀뽀만 하랬지, 누가. 이렇게까지……."

"의자 팽개치고 벌떡 일어선 건 넌데?"

저 멀리 밀려난 의자가 외로이 벽을 보고 있다.

"아, 아니. 그래도. 적당히 해야지, 적당히."

유리가 손으로 목을 가볍게 긁적였다. 정호가 그 모습을 보고 풋, 웃어 버렸다. 그는 흠, 흠, 헛기침하여 목을 가다듬고는 말했다.

"김유리. 솔직히 우리 나이가 적은 것도 아니고, 이러지 말자."

"뭘 이러지 마?"

오랜 짝사랑이 새삼 뿌듯하게만 느껴졌다. 사랑도 타이밍, 인생도 타이밍이라고, 어린 시절에 사귀었다면, 지금쯤 헤어지고 남이 되었을지도 모른다. 지금. 그래, 지금이 정말 딱 좋다. 대뜸 결혼부터 말할 수 있는 바로 지금이.

"아니, 꼭 결혼할 때까지 참으란 법 있냐? 요즘이 어떤 세상인데."

"얘가 또 왜 이럴까."

"남들은 공부하면서도 놀 거 다 놀고, 할 거 다 하고 사는데. 도대체 우리는 무엇 때문에! 무엇을 위해! 아, 정말 억울하지 않냐?"

"억울?"

"그런 의미에서 오늘 저녁에 라면 끓여 줄게. 먹고 갈래?"

"이 엉큼한 자식아!"

유리가 책상 위에서 손에 잡히는 것을 집어 들었다. 철제 파일이었다.

"어, 야!"

정호가 놀라서 물러났다. 파일을 잡은 손만 봐도 유리의 파이터 기질이 본능적으로 느껴졌다.

"김유리, 와, 그 딱딱한 걸 들고 세로로 찍으려고. 너무해, 너무해. 내 머리가 쫙 갈라져 봐야 속이 후련하겠냐?"

"그래, 한번 열어 보자. 이리 와. 그 머릿속에 뭐가 들었는지, 오늘 한번 꺼내 보자."

파일의 날을 세워 다가오는 유리를 피해 정호가 뒷걸음질 쳤다.

"아니, 라면 싫으면 뭐, 뭐, 딴 거 해 줄까? 오늘 밤에 시간 없으면 내일 밤도 좋고."

"저게, 계속!"

"내일 밤 안 되면 주말도 좋고. 나 시간 많아."

"왜? 아예 대놓고 그냥 자자고 하지 그래?"

"그냥…… 잘래?"

"야!"

버럭 소리를 내지르는 유리를 피해, 정호가 웃음을 터뜨리며 사무실 문을 열고 재빨리 나갔다. 닫힌 문에 철제 파일이 날아와 쾅, 부딪혔다.

아무래도 친구 사이였던 기간이 길었기에, 분위기 잡는 것보다는 이렇게 능글능글 장난치듯 대하는 게 더 편하긴 했다. 그래도 신성한 첫날 밤 이야기를 어쩜 저렇게 가볍게 할까 싶어 유리는 그가 얄미웠다.

자신이 원하는 곳, 원하는 때가 아니면 안 하겠다고 무게 잡고 얘기할 땐 언제고. 그렇게 각 잡고 멋있게 구는 것도 정말 잠깐이다. 이제 편해졌다고, 시도 때도 없이 들이대려는 정호가 괜히 미웠다.

이러다 혹시 가볍게 선을 한번 넘고 나면 지금보다도 훨씬 편하게 굴려는 건 아닐까. 그럴 정호가 아니라는 걸 알면서도, 사랑받고 싶은 마음은 한이 없었다. 피식, 웃음이 났다. 정호가 제게 흥미를 잃게 되진 않을까 전전긍긍하는 모습이라니. 정말 빠져도 단단히 빠졌구나.

유리는 이렇게 바보처럼 사랑하게 된 것도 나쁘지 않네, 하고 미소 지었다. 그때, 사무실 문이 조금 열리며 잘생긴 정호의 얼굴이 빼꼼 튀어나왔다.

"김유리."

"또, 뭐, 왜!"

마음과는 다르게 불퉁한 소리가 터졌다.

"왜 혼자 실실 웃고 있어? 생각만 해도 너무 좋아?"

놀리듯 정호가 물었다.

"야!"

또 던질 것이 없나 유리가 고개를 돌리는데 정호가 재빨리 말했다.

"너 이따 나올 거면 거울 봐라. 꼭 봐라. 두 번 봐라."

그리고 쿵, 문이 또 닫혔다. 유리는 정호가 사라진 문을 가만히 노려보다가, 서둘러 손거울을 꺼냈다. 혹시……. 아니나 다를까. 하얀 목에 불그스름한 자국이 남아 있었다. 내 이 잡것을.

유리는 아랫입술을 꽉 물며 두리번거렸다. 옷깃으로는 쉬이 가려지지 않을 위치였다. 날씨가 크게 쌀쌀해지기 전이라 스카프 같은 것도 없다. 이걸 어쩌나. 그때 똑똑, 노크 소리가 들렸다.

"어! 어!"

놀란 유리는 걸어 둔 하얀 타월을 집어 들었다. 손을 씻거나 세수하고 나면 쓰려고 가져다 둔 수건이었다.

"누나, 저 준인데요."

문이 열렸고, 유리는 얼른 수건을 목에 둘렀다.

"커피 드세……."

준이 사무실에 들어섰을 때, 유리는 약수터 나온 아주머니에 빙의해 팔을 위로 쭉 펴고 있었다. 유리는 어색한 미소를 지으며 헛, 헛, 몸을 쭉쭉 늘렸다.

"뭐 하세요?"

"우, 운동하지. 앉아만 있었더니 뻐근해서."

준이 고개를 갸웃거렸다. 질 차려입은 펜슬 스커드에 블라우스, 거기에 안 어울리는 수건이라니. 유리는 여전히 웃으며 뒷걸음질 쳤다. 벽을 나무 삼아 쿵쿵 등을 부딪치며, 팔을 앞으로 뻗어 흔들었다. 열성적으로 스트레칭하는 모습에 준이 고개를 끄덕이며 돌아섰다.

"근데 뜬금없이 왜 커피 가져왔어?"

책상 위에 내려놓은 아이스라테를 바라보고는 물었다. 문을 열던 준이 돌아보며 대답했다.

"누나가 드시고 싶다고 한 거 아니에요?"

"내가?"

"네. 정호 형님이 얼른 갖다주라고……."

저 당황하라고 준을 들여보낸 정호의 속셈을 이제야 알아차렸다. 정호답기는 하지만, 장난에 놀아나는 상대가 자신일 경우는 그게 전혀 귀엽지 않다.

"그럼 계속 운동하세요. 파이팅!"

분위기를 감지한 준이 서둘러 나가고 문이 닫혔다. 유리는 목에 둘러맨 수건을 확 풀어냈다. 주먹에 수건을 둘둘 말며 이를 악물었다. 내 이 잡토깽이를 진짜! 확 마!

할 수 없이 다시 수건을 둘러매고 사무실 밖으로 나갔을 때, 정호는 카페에 없었다. 유리의 세련된 오피스 룩에 믹스 앤 매치한 흰 수건은 모두의 시선을 잡아끌었다.

그녀는 한숨을 쉬며 다시 사무실로 들어왔다. 제아무리 바락바락 사납게 굴어도, 얄미운 토깽이에게는 평생 못 당해 낼 운명인 듯했다.

17. 오직 사랑뿐

1차 공판 기일이 이틀 앞으로 다가왔다. 피고인인 이편웅이 자백을 한 사건이 아니므로, 공판은 1차로 종결되지 않는다. 첫 공판에서는 공소 사실에 대한 인부와 증거 조사가 있을 것이고, 다음 기일에 증인 신문 절차가 진행될 것이었다. 불구속 상태라 이편웅은 자택에서 칩거 중이었다.

성추행한 적이 없다고 밝힌 이편웅. 그리고 수치심을 느낄 정도로 지속적인 추행을 당했다고 주장한 비서 A씨. 어느 쪽 말이 진실인지 밝혀지지 않은 시점에서, 공판에 대한 관심은 높아졌다. 일이 커지기는 했지만, 일부러 유도했던 것이라 당황스럽지는 않았다.

다만, 피해자의 변호인인 김유리 변호사가 미스코리아 출신에 초고스펙을 지녔다는 점에 몇몇 기자들이 관심을 두고 접촉하는 게 성가실 뿐이었다. 더욱이 로펌을 때려치우고 나와 직접 차렸다는 로(Law) 카페에 대한 흥미까지.

기사를 유리하게 써 줄 테니 피해자 측 변호사를 전면에 내세워 크게 인터뷰 따서 가자는 제안이 심심치 않게 들어왔다. 그러나 유리는 거절했다.

이 사건에 대해 명확히 밝힘으로써 영향을 줄 수 있다면 당연히 좋은 일이겠지만, 저들이 원하는 건 그런 게 아니었다.

유리는 이 일로 스타 변호사가 되고 싶은 생각이 조금도 없었다. 반면 백건만 검사에게는 스타 검사의 뜻이 있는 모양이었다.

"정의는 바로 세워야죠. 이런 갑을 관계에서 위력을 행사하는 일은 우리 사회에서 이제 없어져야만 합니다."

유리는 커피가 든 종이컵을 손에 쥔 채 머뭇거리며 뒤를 돌아보았다. 여기 나 말고 또 누구 있나. 이 사람 왜 이리 오버하실까. 정의감에 불타오르는 백 검사가 주먹으로 테이블을 쾅 쳤다.

"제가 하마터면 이 사건을 불기소로 끝냈을 걸 생각하니, 자다가도 벌떡벌떡 일어나곤 합니다."

"네에. 그러시겠죠."

이번 일에 대해 백 검사의 의욕도 불타오르는 모양이었다.

"저쪽 변호인단이 만만치는 않지만, 아예 무죄를 주장하고 있으니 그것도 무리가 있죠. 사실관계를 밝혀낼 준비는 어느 정도 됐고, 피해자 추가 진술도 확보했으니 너무 걱정하지 마십시오."

백 검사는 다행스러울 정도로 자신만만했다. 절벽까지 밀려났다가 줄 하나를 잡은 느낌이었다. 법원에 왔다가, 잠시 백 검사를 만나기 위해 검찰청에 들른 유리는 다시 한번 한시름 놓았을 수 있었다.

스타가 되고 싶어 설치는 것이든, 진짜 사회 정의를 위해 힘쓰는 것이든, 아무튼 백 검사가 이렇게 나와 주니 고마울 따름이었다.

"그런데 미스코리아니까, 그 왜…… 미코 출신 모임도 있고 그렇지 않아요?"

"있죠."

"유리 씨 성격이 좋으니 친하게 지내시는 분들이 많이 계시겠네요."

뜬금없는 질문에 유리가 어깨를 들썩여 보였다.

"그건 왜요?"

"하하, 곧 찬 바람도 불 테고. 일이 바쁘기는 하지만, 저도 이제 나이가 있다 보니……."

"선 자리 많이 들어오실 것 같은데."

"들어오기야 하죠. 그런데 이렇게 유리 씨처럼 예쁘신 분을 만나기가 어디 쉬운가요."

"제가 뭘요. 그런데 백원, 아니 백 검사님 얼굴 보시는구나?"

그럴 줄 알았다는 듯 유리가 조금 찡그린 얼굴로 고개를 끄덕이며 말했다. 백 검사가 손을 내저었다.

"어휴, 아닙니다. 여자는 마음씨죠, 마음씨. 저는 내면의 아름다움을 봅니다."

"네, 많이 보세요."

"좋은 분 있으면 꼭 좀 소개해 주세요."

"네에. 그럴게요."

유리는 건성으로 대답했다. 백 검사는 진심 어린 목소리로 말했다. 이번 사건을 진행하며 옆에서 가까이 본 정호에게서 느끼는 점이 많은 모양이었다.

"정말 정호 자식 부럽네요."

"……."

"그 자식, 예전에 볼 때와 전혀 다르더라고요. 눈빛부터, 말하는 것 하나하나까지. 왜 이렇게 녀석이 달라졌나 했더니, 그게 다 유리 씨 덕분이던데요."

대체로 유리 앞에서는 풀어진 모습만 보여 주는 정호라서, 그녀는 백 검사의 진지한 태도에 위화감을 느꼈다. 지금 말씀하시는 게 우리 도깽이 정호가 맞는지요.

"힘들게 유리 씨 지켜 내려고 하는 마음이 이해가 갑니다."

"힘들게요?"

"네. 정호네 외가에서 뭐, 가만히 있었겠습니까. 어떻게든 다 자기가 막아낸 거겠죠. 사실, 이 사건 제대로 수사도 못 할 정도였어요. 묻자면 그냥 묻어 버릴 수도 있는 정도. 아시죠?"

"알죠……."

더한 일들이 많이 벌어진다. 사력을 다해 매달려야 하는 사건들은 부지기수였다. 하지만 목숨을 잃었다고 해서 중요하고, 수치심을 느꼈다고 해서 덜 중요할 수 있나.

아니, 사건의 경중을 따져 수사의 정도는 당연히 달라져야 옳겠지만, 가볍게 벌어진 일이라고, 약자의 일이라고 해서 무시를 하라는 법은 없다. 없던 일처럼 묻어 버린다니, 그게 말이나 되는가. 당사자에게는 평생을 좌우할 만큼 심한 트라우마로 남을 수도 있는 일들인데.

누구에게나 평등한 법이듯, 그 법의 보호를 받을 자격도 평등해야 했다. 법에 따라 지켜져야 할 사회의 질서도 마찬가지다. 원하는 건 그저 최소한의 상식. 그게 무너진 사회가 안타까울 뿐이었다. 그 아래 쓰린 피눈물을 삼켜야 하는 이들이 아직도 많다는 걸, 왜 모를까. 아니, 왜, 알려고도 하지 않을까.

"이렇게 제대로 진행할 수 있는 건, 아무래도 정호 덕이 크죠."

유리는 백 검사의 말에 고개를 끄덕였다. 이 사건은 제발 맡지 말라며 절규하던 그가 지금은 든든한 버팀목이 되어 주고 있다는 것을 그녀도 잘 알고 있다. 하지만 자세한 정황까지는 파악하지 못했다.

'중요한 건 사실 여부가 아니야. 사람들이 궁금한 것도 그런 게 아니고. 걷잡을 수 없는 불이 날 거야. 불구경하는 사람들로 온 나라가 들썩일 거고, 유리야. 그 불을…… 네가 내면 안 돼. 그 중심에 네가 있어서는 안 돼.'

'사람 하나 콩밥 먹이는 걸로 끝나지 않아. 가십은 물론이고, 경제적 손해까지 우리가 상상하는 그 이상이야. 그러니까 그렇게 만들지 않을 거야. ……보고만 있지 않을 거라고. 외가에서.'

보고만 있지 않을 거라던 그의 외가는 이상할 정도로 조용했다. 착착 진행되어 가는 일들을 처리하느라 미처 생각하지 못했는데, 돌아보니 그랬다. 예상보다 압박이 크지 않다고만 인식하고 있었다.

돌연 불안감이 밀려들었다. 정호가 외가의 압박을 어떻게 막아 내고 있는 것인지, 돌아가면 천천히 물어봐야겠다고 생각했다.

"아. 전 그만 들어가 봐야겠네요. 아무튼, 모레 봅시다."

"네, 그날 뵐게요."

"소개팅, 잊지 마세요."

"네."

유리는 검찰청에서 나왔다. 이제껏 그쪽을 제대로 신경 쓰지 못하고 있던 자신을 자책했다. 정호 혼자서 어떤 큰 짐을 지고 있는지, 왜 지금껏 생각을 못 했을까. 아무리 정신이 없었다고는 하지만.

또각또각. 걸어 나온 유리는 택시를 잡기 위해 멈추어 섰다. 그때 반질반질 윤이 나는 검은색 세단이 유리의 앞으로 와서 정차하였다. 운전석에서 내린 남자가 물었다.

"김유리 씨, 되십니까? ……김정호 씨 여자 친구분 맞으시죠?"

태한가(家).

서늘한 공기가 내려앉은 응접실.

"김유리 씨 도착했습니다."

느긋한 움직임으로 차를 한 모금 마신 구 여사는 고개를 끄덕였다. 곧 유리가 나타났다. 그녀는 허리를 크게 숙이며 인사했다. 구 여사는 미동도 없이 눈만 움직여 그녀의 머리끝부터 발끝까지 단번에 훑었다.

입고 있는 옷은 더없이 차분하고 정숙한 정장이었다. 눈에 띄는 명품은 아니지만 재질이 적당히 고급스러웠다. 옷을 딱 맞게 입은 덕에 몸의 굴곡이 고스란히 드러나 있다. 그럼에도 어쩐지 부담스럽거나 야해 보이지는 않았다.

바른 자세에서 오는 느낌일까. 유리는 어깨를 쫙 펴고 허리는 곧게 세우고 있었다. 달라붙은 치마 아래 쭉 뻗은 다리까지 시원했다. 볼품없이 깡마른 게 아니라, 살을 누르면 금방 튀어 오를 듯 그저 탄력이 넘쳐 보였다.

뜯어보자면 예쁜 이목구비도 아니건만, 합쳐 두니 볼만했다. 오밀조밀 인형 같은 생김새가 아니어서인지, 첫눈에 몸매가 먼저 눈에 들어올 정도였다. 그렇게 구 여사가 겉모습을 훑는 동안, 유리는 조금도 흐트러지지 않은 자세로 서 있었다.

하지만 구 여사를 사로잡은 것은 이 상황에서도 조금도 주눅 들지 않는 저 눈빛이다. 마치 싸움을 기다리는 전사의 기세가 느껴졌다. 전사와 다른 것이 있다면 기운인데, 유리의 눈에서는 살기(殺氣)가 아닌 총기(聰氣)가 빛나고 있다.

"서로 소개는 생략하도록 하지. 와서 앉거라."

드디어 떨어진 구 여사의 입술. 유리가 걸어와 소파 위에 다리를 모으며 앉았을 때 가사 도우미가 다가왔다.

"마실 것은 무엇으로 준비해 드릴까요?"

"냉수요."

웃으며 말하던 유리가 금세 말을 바꿨다.

"아니. 냉수 말고 저도 뜨거운 차. 아주 뜨거운 차로 주세요."

가사 도우미가 고개를 숙이고 물러갔다. 구 여사가 입을 열었다.

"왜, 냉수 마시고 속 차리지 그러니."

"아닙니다."

당황하라고 건넨 말에 유리가 태연히 고개를 저었다.

"오늘 제 화장이 워터프루프(waterproof)가 아니라서요."

"워터프루프?"

"자칫 추잡한 검은 국물을 보여 드릴 수도 있으니 조심하려고 합니다."

구 여사의 음성이 더욱더 차갑게 가라앉았다.

"……냉수를 가져오면, 내가 그 물을 네 얼굴에 뿌릴 거라고 생각했니?"

"합리적 의심은 아니지만, 어느 정도 추측은 가능한 부분이겠지요. 구실이 될 만한 물품은 사전에 제거해 두는 편이 좋지 않을까요?"

"마치 살인범 옆에 칼을 두지 않겠다는 말 같은데."

"지금 하신 비유는 상당히 극단적이지만, 뜻은 꽤 비슷합니다."

"내가 네 얼굴에 냉수를 뿌린다, 라……."

그사이 유리의 앞에 녹차가 놓였다. 김이 모락모락 나는 녹차를 얼굴에 뿌렸다가는 화상을 입기에 십상이다. 설마 그렇게까지 하진 않을 것이다.

"잘 마시겠습니다."

유리가 만족스러운 듯 조심스럽게 녹차를 들어 호오 불어 한 모금 마셨다.

"드라마를 많이 본 모양이구나."

"딱히 드라마를 보는 취미도, 시간도 없습……."

"따박. 따박."

찬 음성이 말을 갈랐다.

"너, 말, 참 잘하는구나."

"감사합니다. 제가 말로 벌어먹는 직업이라서요. 해 주신 말씀은 칭찬으로 듣겠습니다."

어린 시절부터 하인을 수도 없이 거느린 부잣집에서 자란 구 여사였다.

제 앞에서 한마디도 지지 않겠다고 바로바로 대꾸하는 사람은 없었다. 유리 같은 아이는 평생을 걸쳐 처음 보았다.

평소의 구 여사라면 기분이 나빠 썩 물리고 뒷일은 내키는 대로 해 버렸을 것이다. 그런데 묘하게 화가 끓지 않는다. 속을 뒤집는 정도도 아니었다. 틀린 말도 아닐뿐더러 딱히 버릇이 없는 것도 아니었으니까.

"너는 내가 무섭지 않니?"

"무섭습니다."

그녀의 대답은 자꾸만 허를 찔렀다. 당돌하게 '네, 무섭지 않습니다.'라고 말할 것 같았는데.

"……무섭다면서, 겉으로는 전혀 무서워하지 않는 모습이구나."

"호랑이 굴에 잡혀가도 정신만 바짝 차리면 산다고 했으니까요. 제가 여기서 정신을 놓으면 안 됩니다, 할머님."

생긋, 웃기까지 한다. 구 여사는 말문이 막혔지만, 평정심을 잃지 않았다. 팽팽한 기운이 맞섰다. 구 여사는 이내 다시 입을 열었다.

"여길 호랑이 굴이라 말하다니. 내 앞에서 그런 소릴 잘도 하는구나. 내 심기를 불편하게 한다는 생각은 들지 않니?"

"너구리 굴도, 두더지 굴도 아닌 호랑이 굴에 왜 기분이 상하시겠습니까? 왕 중의 왕, 백수(百獸)의 제왕, 호랑이인데요."

대놓고 상대의 기부터 꺾어 놓는 구 여사의 화법은 영 통하지 않았다. 유리는 조금도 주눅 들지 않고 의연하게 대꾸하고 있었다.

"그래, 그 무서운 호랑이 굴에는 왜 왔니. 내가 부른다는 이유만으로 순순히 오지는 않았을 텐데."

먼저 사람을 보내 그녀를 데려오라고 한 건 구 여사였다. 직접 불러 놓고 이젠 유리에게 여기 왜 왔냐고 역으로 물었다. 이런 식의 질문에는 분명 당황할 것이다. 어디 이번에는 무슨 대답을 하나 구경이나 하자는 마음으로 구 여사는 유리를 빤히 쳐다보았다. 차분히 구 여사를 마주 바라보던 유리가 천천히 입을 열었다.

"불입호혈부득호자(不入虎穴不得虎子)."

흘러나온 말에 구 여사가 굳어 버렸다. 유리는 말을 이었다.

"호랑이 굴에 들어가지 않고는, 호랑이 새끼를 잡을 수 없다."

"……."

"제겐 이 집 안에 들어서는 것 자체가 모험이고 도전이었습니다. 하지만 피하기만 한다면 얻을 수 있는 건 없겠지요."

대답이 없는 구 여사를 보며 유리는 자분자분 이야기를 계속했다.

"할머님께서 바쁘신 시간 내서서 친히 저를 불러 주신 이유를 짐작은 하고 있었습니다. 와야지요. 당연히 와야 했습니다. 제가 말이 많다고 생각하시겠지만, 꿀 먹은 벙어리처럼 앉아만 있는 모습을 원하진 않으실 것 같았습니다. 제가 어떤 생각을 하는지, 어떤 말들을 하는지, 하나라도 파악하길 바라시는 마음에 부르셨을 테니, 제 생각을 가감 없이 말씀드리고 있어요. 무례한 부분이 있다면 용서하세요."

"……그러니까, 두려움에도 불구하고 피하지 않고 여기에 온 것은, 즉 나에게 너를 보이기 위함이다? 내가 그걸 원할 테니까?"

"네."

보길 원한 것이 맞다. 그러니 유리의 답은 옳다. 똑 떨어지는 그녀의 말에 흠집을 곳이 없었다. 하지만 보고 나서 마음에 든다 하여 허락 같은 걸 할 생각 역시 전혀 없다.

이득이 없으면 조금도 움직이지 않는 구 여사였다. 사람 지체가 마음에 든다고 하여 다가 아니다. 그게 무슨 소용이랴. 구 여사가 생각하는 건 따로 있다. 얻을 수 있는 것이 있는가. 울타리에 넣고 뜻대로 움직임으로써 제게 이득을 가져다줄 수 있는가. 그것이 오직 구 여사의 판단 기준이었다.

그러니 보자……. 보자. 다소 독하나 총기 어린 이 아이가, 무엇을 할 수 있으려나. 사람을 꿰뚫어 보듯 강렬한 시선이 유리에게로 향했다. 그녀의 자세는 조금도 풀어지지 않았다.

"하, 하, 하."

뚝뚝 끊어지는 음성은 분명 웃음소리였다. 구 여사는 웃음을 터뜨렸다.

"너, 참, 재미있구나."

"……."

"재미있어. 재미있다."

뚝. 거짓말처럼 웃음소리가 단번에 멎었다. 여전히 응접실의 분위기는 차가웠다. 소름이 투두둑 돋아날 만큼 서늘한 공기를 가르며, 구 여사가 다시 입을 열었다.

"지금 세상 시끄러운 그 성 추문이 내겐 막대한 손해를 가져다주고 있어."

"……."

"그 일을 시작한 네 잘못이라 말하는 게 아니다. 우리 가문의 부끄러운 일 중 하나, 그래, 고작 하나일 뿐이야. 나는 그걸 용납할 수 없었고. 들춰지지 않길 바랐지."

"……."

"그래서 내가 그동안 얼마나 노력을 했는지, 너도 알고 있을 게다. 내 손자에게 들었다면 말이야."

"들었습니다."

적요한 응접실에 구 여사의 음성이 차분히 흘렀다.

"그런데 이번에는 놓아주었어. 곧 공판이 있지? 해 보는 데까지 해 보렴. 우리 가문의 살을 깎아 먹어도 그것이 네가 추구하는 정의라면, 그래, 너희 한번 계속해 보려무나. 내가 전혀 손을 대지 않고 있으니, 똑똑한 너희는 결국 원하는 것을 얻게 되겠지."

"······."

"하지만 말이다, 세상에 공짜는 없어."

"······."

"정호가 네 뜻을 이루게 해 주는 대가로 나에게 포기시킨 것들이 많단다. 정호는 그걸 다시 채워 주러 와야 할 거야."

"할머님."

유리의 어깨가 잠깐 들썩였다. 숨을 들이켜더니 말을 이었다.

"이 일에 어째서 할머님의 이익을 우선으로 논해야 하는지 잘 모르겠습니다."

"그것이 제일 중요하니까."

"이해가 되지 않습니다."

"내가 널 이해를 시킬 필요는 없지. 다만 정호는 이해를 아주 잘 하고 있단다. 왜냐면."

"······."

"그 아이는, 여전히, 내 이익으로 만들어진 세상 속에서, 살아가고 있으니까."

"······."

툭, 툭, 끊어지는 말은 사위(四圍)를 긴장시켰다.

"태어나는 순간부터 말이야. 그 아이가 먹는 것, 입는 것, 살아가는 데 필요한 그 모든 것들이 다 어디서 나왔을까. 정호의 인생에서 어떻게 나를 뺄 수 있겠니."

"할머님 손에서 자란 것도 아니고, 정호에게는 엄연히 부모님이 계신······."

"그 부모도, 내가 만들었지."

단호한 음성에 유리가 입을 다물었다. 울타리 안에는 구 여사의 손이 닿지 않은 곳이 없다는 말을 알아들었다.

"귀여운 하룻강아지. 만나서 반가웠다."

하룻강아지 범 무서운 줄 모른다더니. 겁을 상실하고 제 앞에서 멍멍 짖는 모습이 꽤 귀엽기는 했다는 듯, 구 여사가 여유롭게 웃었다.

"제법 똑똑한 강아지라는 사실도 알게 되었으니, 우리가 만난 시간이 딱히 아깝지는 않구나."

일을 번잡스럽게 만들고 싶지는 않으니, 적당히 겁을 줄 셈이었다. 영 말이 통하지 않는 아이도 아닌 듯했다.

"그럼 이제 돌아가서 차분히 생각해 보거라. 너도 네 뜻대로 일하고 있으니, 그 대가는 치러야 하지 않겠니. 그 대가가 무엇인지는 알고 있을 게다."

정호의 곁에서 알아서 물러나라는 말이다. 그런데 유리의 입술 양 끝이 말려 올라갔다. 웃어……? 지금 이 상황에, 웃고 있어? 순간 구 여사의 눈빛이 흔들렸다.

"강아지라니요."

"……."

"귀엽게 봐 주셔서 감사합니다만, 사실 제가 귀여운 스타일은 아닌데, 잘못 보신 겁니다, 할머님."

여세를 몰아 유리가 말을 이었다.

"정호가 저를 부르는 이름은……."

"……."

"개유리거든요."

정호는 개업 축하 화환에 겁도 없이 '김 변 조심. 건드리면 뭅니다.'라고 썼던 위인이었다.

"그리고 할머님, 이런 속담도 있지요."

오늘의 속담 전쟁에 개유리가 마침표를 찍었다.

"범도 개에게 물릴 때가 있다."

구 여사의 미간이 일그러졌다.

"범이 제아무리 왕 중의 왕이라 해도, 방심했다가는 한낱 개한테 당할 수도 있다니. 동물의 세계, 참 재미있죠?"

끼이익. 쾅.

유리가 육중한 철문을 닫고 나왔다. 계단 두 개를 내려오자 땅 위에 발이 닿았다. 차에 타지 않고 걷는 사람이라곤 하나도 없는 길이었다.

올 때는 이 집에서 보낸 차를 타고 왔지만, 갈 때는 혼자였다. 큰길까지는 꼼짝없이 걸어 내려가야 했다. 조금씩 가다 보면 운 좋게 빈 택시를 만날 수도 있을 것이다. 유리는 가방을 꽉 쥐고 걸음을 옮겼다.

그때, 휘청. 다리에 힘이 빠지는 것을 느꼈다. 유리는 가까스로 담장을 손으로 짚고 크게 숨을 내쉬었다.

다리가 덜덜 떨렸다. 어깨가 파르르 떨렸다. 손끝이 경련하듯 세차게 떨려 왔다. 긴장은 삽시간에 풀어졌다. 온몸을 꽉 조이고 있던 힘이 단번에 빠져나갔다.

"하아……."

구 여사 앞에서 당돌할 정도로 의연하기만 했던 모습은 사라졌고, 그녀는 한껏 약해졌다. 어찌 떨리지 않을 수가 있었을까. 정호의 외가에서 보낸 사람이라는 것을 알고 그 차에 올라타 여기 올 때까지, 사실 유리는 내내 긴장하고 있었다.

어떻게 처신해야 할까. 수없이 고민하고 걱정했었다. 그러다 결국 그녀답게 마지막 한마디까지 씩씩하게 하고 나왔다. 정호와 헤어지라는 의중(義衆)을 파악했지만, 어차피 그것을 받아들일 생각은 없었다.

어떻게 사랑하게 된 사람인데. 어떻게 다시 만난 사람인데. 헤어질 수 없다. 절대로 헤어질 수는 없었다. 정호가 빈털터리로 집에서 쫓겨난다고 해도 상관없었다. 어차피 정호가 가진 돈에 반해 사랑하게 된 것도 아니었다.

자신 때문에 이미 모든 것을 버렸던 남자다. 그 자신을 스스로 놓아 버리기까지 했던 남자였다. 그러니 그에게는 자신이 전부라는 걸 알고 있다. 그런 사람에게서 어떻게 떠날 수 있을까. 이래도 죽고, 저래도 죽는다면, 호랑이 꼬리라도 한번 물어보고 죽지, 뭐. 개의 오기가 발동했다.

담에 기대선 유리가 휴대폰을 꺼내 앨범을 눌렀다. 그리곤 카페에서 서툰 솜씨로 커피를 내리던 정호의 모습을 찍어 둔 사진을 찾았다. 유리는 액정에 꽉 차게 띄운 정호의 사진을 한참 내려다보았다.

한없이 약해졌다. 감출 수 없는 두려움은 이렇게 혼자 있을 때 비로소 터져 나왔다. 그녀의 이런 모습을 유일하게 아는, 단 한 명의 남자 앞에서. 세상에 공짜가 없다는 말이 옳다. 자신을 지키는 대신 그는 많은 상처를 받아야 했을 테고, 큰 두려움을 겪어야 했을 것이다.

가슴이 먹먹해졌다. 이러면 자신이 할 수 있는 일이라고는 사랑하고, 또 사랑하는 것. 마음을 다해 숨 쉬는 시간 내내 계속 사랑하는 것. 그것뿐이다. 그게 전부다.

지이이잉. 유리의 손안에서 진동이 울려 전화를 받았다.

"……응."

-너 어디야? 왜 안 와? 아직 법원이야?

정호였다. 왠지 목이 메어 대답하기 어려웠다.

흠, 흠. 유리는 헛기침해 목을 틔우고서 겨우 말했다. 마음을 감추려 일부러 불퉁하게 내뱉었다.

"왜 이렇게 보채. 때 되면 어련히 들어갈까."

그런 유리의 심장을 간질이며 정호가 말했다.

-보고 싶다. 빨리 들어와.

두근. 두근. 호랑이 굴에서 나와, 토깽이 품으로 돌아갈 때다. 절대로 헤어질 수 없는, 내 남자의 품으로. 사랑하는, 김정호의 품으로.

"지금 가는 길. 금방 들어가. 5시에 상담 있었던 건 잘 끝냈지?"

유리가 통화하며 걸어 내려가는 언덕에 고운 노을이 내려앉았다.

정호의 외가에서 나와 카페로 돌아가는 길. 유리는 버스 안이었다. 카페에 거의 도착했을 무렵, 다시 전화를 받았다.

정호였다. 아니, 금방 간다고 했는데 그새를 못 참고 왜 또 전화했을까. 통화한 지 얼마나 되었다고.

"어, 왜?"

-유리야.

"응. 나 카페 거의 다 왔어. 이제 두 정거장이면 도착해."

-지금 바로 택시 타고 병원으로 와.

심장이 쿵, 떨어졌다.

"……왜, 무슨 일이야?"

병원이라는 말에 유리는 잔뜩 긴장하며 의자에서 일어섰다. 그리고 황급히 벨을 눌렀다. 일단 버스에서 얼른 내려야 할 것 같았다.

힘이 바짝 실린 몸으로 그의 외조모를 만나고 오는 길이다. 제 품에 정호를 가득 안아 주며, 어떤 상황이 와도 절대 놓을 수 없는 마음을 전해 주려고 했다.

′ 그런데 카페가 아닌, 병원으로 오라는 말에 온몸의 핏줄이 다 막힌 기분이 들었다. 갑자기, 왜.

"무슨 일이냐고, 빨리 얘기해."

-새연이가…….

유리는 급히 버스에서 내렸다. 달려오는 택시를 향해 손을 흔들며 소리를 높였다.

"뭐야! 왜! 새연이가 뭐!"

-하아, 새연이가…….

"아니, 저 자식, 그 말도 제대로 못 하고 얼마나 뜸을 들이던지. 아우. 진짜, 무슨 큰일이라도 난 줄 알고, 몸이 다 싸하게 식더라니까?"

유리는 아까의 상황을 떠올리며 고개를 절레절레 저었다. 새연이 쿡쿡 웃으며 말했다.

"하여튼, 김정호 호들갑은 정말 국보급이야."

"아까는 정말 말이 안 나오는 걸 어떻게 하냐."

뻔뻔한 얼굴로 어깨를 으쓱하는 정호를 보며 유리가 분통을 터뜨렸다.

"택시 타고 병원 오라는 말은 잘만 했으면서! 아니, 왜 아기 낳았다는 말을 못 해! 너 바보야? 한새연이 아기를 낳았으면 낳았다! 왜 말을 못 해!"

"내가 어떻게 말을 해. 한새연이 이 꼴로 누워 있는데, 내가 감히 어떻게 말을……."

"야, 너희들, 시끄러우니까 나가서 싸워."

준원이 말했다. 장난삼아 예전 드라마의 한 장면을 주거니 받거니 장단 맞추고 있던 두 사람은 고개를 끄덕였다.

"응. 조용히 할게."

새연이 첫아들 튼튼이를 출산한 날이었다. 먼저 연락을 받은 정호가 급히 병원으로 향하면서 유리에게 전화했었다. 그런데 막상 소식을 전하려고 하니 왠지 감격스러워 목이 메어 왔다.

정호는 결국 튼튼이를 낳았다는 말을 제대로 하지도 못했다. '새연이가……'와 '병원에 빨리……'만 연신 내뱉었을 뿐이었다. 새연의 출산이 임박한 시점이었으니 순산 소식을 당연히 예상했을 거라 생각했단다.

하지만 유리는 정호의 다급한 목소리 때문에 가볍게 생각하지 못했다. 큰일이 난 건 아닌지 걱정을 했다.

멀쩡해 보이는 새연을 보고는, 놀랐던 마음이 억울하게 느껴져 정호의 등짝부터 퍽퍽 쳤다. 유리는 당시 얼마나 아찔한 기분이 들었는지 토로했다. 그러고도 화가 안 풀려 여태 씩씩대는 중이었다. 물론 새연이 순산했으니 진심으로 축하하는 마음은 사실이었다.

가을을 머금은 어느 하루. 오총사 중 준원과 새연이 제일 먼저 아빠, 그리고 엄마가 되었다.

"와, 진짜……. 어떻게 그렇게 조그만 게 꼬물꼬물."

정호는 허공을 보며 중얼거렸고, 유리는 팔짱을 낀 채 그의 모습을 물끄러미 쳐다보았다. 그는 아무래도 병원에 넋을 두고 온 게 분명했다. 카페 사무실로 돌아와서는 내내 아기 얘기만 하고 있었다.

"아기가 그렇게 예뻐?"

"응. 진짜 예쁘더라."

정호는 일에 집중하지 못하고 있었다. 눈앞에 생생히 그려지는 아기의 모습은 쉽게 지울 수 없는 모양이었다. 신생아가 예쁘면 얼마나 예쁘다고. 조그맣고 쭈글쭈글한 아기에게 완전히 반해 버린 정호를 못 말리겠다는 듯 유리가 한숨을 쉬었다. 정호가 궁금한 얼굴로 물었다.

"새연이 산후조리원 갔댔지? 거기 놀러 가면, 아기는 못 보나?"

그는 벌써 조리원 면회 걱정이었다.

"왜 못 봐. 유리창 너머로 볼 수 있지."

"아아. 다행이다."

"왜, 조리원에 출근 도장 찍게?"

"당연하지."

안 그래도 바쁜 일정에 잠도 부족한 현실이었다. 그런데 정호가 친구 아기까지 보러 다니겠다는 포부를 야무지게 선보이자 유리는 당황스러웠다.

"휴우. 김정호, 너 지금 백수 아니거든?"

이편웅의 첫 공판이 이틀 남았고, 그 외의 일들도 쏟아지는 요즘. 제 본분을 망각한 정호는 아무래도 백수 기질을 타고난 모양이었다.

"너 알지? 한새연이 내 노래로 태교했던 거?"

정호가 의기양양한 목소리로 이어 말했다.

"게다가 내 얼굴이 안구까지 정화해 주니 태교에 좀 좋았겠냐. 자고로 태교에도 좋은 건, 아기 성장에도 좋은 거야. 그러니 내가 튼튼이한테 얼굴도 좀 비치고 그래야 애가 쑥쑥 잘 자라지. 다 튼튼이 잘되라고 내가 바쁜 시간 쪼개서 친히……."

"도대체 네 뻔뻔은 타고난 거니, 노력해서 기른 거니."

"재능과 노력 둘 다 중요하다고 본다."

"말이나 못 하면."

정호는 실실 웃으며 컴퓨터 앞에 앉았다. 정신 차리고 일 좀 하려나 싶었더니, 이번에는 아기 장난감을 검색하고 있다. 유리는 포기하고 돌아섰다. 아까 병원에서 유리창 너머로 간호사가 보여 주는 튼튼이를 보고 정말 몸서리치며 좋아하던 정호의 모습이 생생했다.

그는 준원을 붙잡고 네 아들 튼튼이가 정말 귀엽다며 노래를 불렀다. 처음에는 뿌듯한 표정이던 준원도 나중에는 지쳐서, 유리에게 이제 제발 애 좀 데려가라고 말할 정도였다.

병원에서 나오기 전, 새연이 유리에게 살짝 말했다.

'정호가 결혼할 때가 됐긴 한가 보다. 아기라면 사족을 못 쓸 정도까진 아니었잖아? 근데 쟤 지금 아기 예뻐 죽으려고 하네.'

정말 그런 건가. 그렇게 생각하니 정호의 모습이 달리 보였다. 오늘 준원과 새연 부부를 내내 부러운 눈길로 바라보고, 그들의 갓 태어난 아들을 보며 귀여워 어쩔 줄 몰랐다.

아마 친구 부부의 행복한 모습을 보면서 정호는 자신과의 미래를 꿈꾸었을 것이다. 그의 마음을 헤아리자, 가슴이 조금 뭉클하기도 하고 저리기도 했다.

'세상에 공짜는 없어.'

'⋯⋯.'

'정호가 네 뜻을 이루게 해 주는 대가로 나에게 포기시킨 것들이 많단다. 정호는 그걸 나시 채워 주러 와야 할 거야.'

정호의 외조모가 했던 말을 떠올렸다. 개가 범을 물 수도 있다고 호기롭게 외치고 나왔건만, 아직 마음속 두려움은 묵직하게 남아 있었다. 스스로 헤쳐 가야 할 날이 두려운 건 아니다.

많은 것을 바란 적이 없던 남자. 오직 자신과 함께하는 것만이 인생의 전부라는 저 남자. 그 남자에게서 전부를 앗아 버릴까 봐, 그게 겁이 날 뿐이다. 자신이 이 일에 욕심내지 않았더라면, 어쩌면 그의 방식대로 편하게 사랑했을지 모른다.

지금쯤 결혼을 준비하며 티격태격 싸우고 있을지도 모르고. 아기를 하나 낳자, 둘 낳자, 가족계획을 세우고 있을지도 모르고. 그렇게 결혼으로 향하는 길을 부지런히 걷고 있었을지도 모르겠다. 알고 지낸 기간이 워낙 길어서, 연애는 오래 할 필요 없다는 마미의 말에 동의했으니까.

하지만 지금은 결혼하자는 약속을 해 놓고 정작 실행에 옮기는 일은 아무것도 없다. 할 시간도, 여유도 없었다. 이편웅 사건에 많은 사람이 관심을 두고 있는 만큼, 그들이 피해자 변호인으로서 신경 써야 할 부분도 많기 때문이다.

게다가 유리는 오늘, 외조모의 압력이 다른 방식으로 목줄을 죄어 온다는 것을 직접 확인했다. 그 말은 자신에게만 했을 리 없다. 분명 정호에게도 했을 것이다. 그는 혼자 어떻게든 해결하려고 안간힘을 쓰고 있었겠지. 그런 정호가 참 안쓰럽고 가엾다. 또…… 고마웠다.

유리는 스스로 다짐했다. 그를 절대 혼자 두지 않을 거라고. 시련은 허들 넘듯 가뿐하게 넘으면 그만이라고. 걸려서 넘어지면 다시 일어서면 된다. 허들에 닿거나 넘어져도 페널티는 없는 장애물 달리기처럼, 시련에 부딪혔다고 해서 인생도, 사랑도 끝나 버리는 것은 아니다.

다만 속도가 줄어들 뿐. 인생에서는 꼭 최대 속도를 유지할 필요는 없지 않은가. 때로는 조금 느려도 된다. 길만 잃지 않는다면. 결승점을 향해 달리고 있는 것이 맞는다면 아무런 문제가 없었다. 시선을 전방에 두고 달려 허들 앞에서 힘차게 도약한다.

시련 까짓것, 그래, 넘어 준다, 내가. 피하지 않을 것이다. 절대 내 남자를,

포기하는 일은 없을 것이다.

　일이 많은 정호와 유리를 남겨 두고 카페 식구들은 먼저 퇴근했다. 중간에 준원과 새연의 병원에 다녀오는 바람에 아직 처리하지 못한 인터넷 상담 건과 몇 가지 서류가 있었다. 두 사람은 일을 나눠서 빠르게 처리해 나갔다.
　"커피 좀 더 가져올까?"
　"내가 갖다줄게."
　"아니야. 답변 마저 작성하고 있어. 내가 가져올게."
　유리가 일어섰다. 그리고 빈 컵을 들고 사무실 밖으로 나갔다. 정호는 모니터 화면을 가만히 바라보았다. 그러다가 다시 탁탁탁, 키보드를 두드리기 시작했다. 이렇게 모두를 보내고 단둘이 같이 있는 시간이 좋아서, 일부러 더디게 일하고 있었다는 건 유리가 모를 터였다.
　조금이라도 더 같이 있고 싶은 마음과, 쉽게 하고 싶은 마음 사이에서 정호는 끊임없이 갈등했다. 답변을 빠르게 작성하다가도 다시 속도를 늦추었다.
　같이 있어도 한없이 아쉽고, 또 애틋하고, 참 많이도 그립다. 그녀를 밤새 품에 안고 있으면 조금은 해갈(解渴)될까. 흘러가는 시간을 아까워하지 않는 날이 오기를, 간절히 열망했다.
　잠시 후, 정호는 사무실에서 나왔다. 카페로 커피를 가지러 간 유리가 돌아오지 않아서였다.

"유리야."

그녀를 찾기 위해 고개를 두리번거리는데 모습이 보이질 않았다.

"김유리."

불을 대부분 끄고 어둑해진 카페 실내를 돌아다니며 찾자, 카페 바 앞에 기대어 앉은 유리의 옆모습이 보였다.

"아아. 놀랐잖아."

편안한 의자를 다 두고 바닥에 앉아 있는 것이 의아했다. 가까이 다가가 보니 유리는 눈을 감은 채 귀에 이어폰을 꽂고 있었다. 자신을 찾고 부르는 소리도 듣지 못한 듯했다. 정호가 그 앞에 서자, 인기척을 느낀 유리가 눈을 뜨더니 이어폰을 빼내었다. 웃으며 자신의 옆을 손으로 탁탁 쳤다.

자기만의 하루를 정리하는 고요한 시간. 그 속으로 정호를 불러들였다. 그녀가 정호의 귀에 이어폰 한쪽을 꽂아 주었다. 언젠가 교복을 입고 버스 뒷자리에 나란히 앉아 이어폰을 나눠 끼고 음악을 듣던 때가 떠올랐다. 그 때는 로맨틱한 분위기가 아니었는데도 불구하고, 정호의 가슴은 쿵쿵 뛰어 견딜 수 없을 정도였다.

아련한 추억을 떠올리게 했다. 어쿠스틱한 선율과 달콤한 목소리가 이어폰을 통해 흘러들어 왔다. 간지럽게 귓가를 파고든 곡은 제이슨 므라즈의 'I Won't Give Up'이었다. 이 가을밤, 감성을 건드리는 그 음악.

'우리'를 포기하지 않을 거라고 다짐하고. 당신에게 내 모든 사랑을 줄 거라고 속삭이고. 나는 여기서 당신을 기다린다고. 계속. 또 계속 기다린다고 약속하고. 내내 조용히 속삭이다가 한 번에 터뜨리는 후렴구에서는 정호의 심장도 함께 터져 버릴 것만 같았다.

밤공기가 차분히 내려앉은 카페 한구석. 울음처럼 사랑이 터져 나온다. 정호는 숨을 들이마셨다. 다리를 끌어모아 앉은 유리가 눈을 한 번 깜빡였다. 공기가 한없이 달고, 미치게 감성적이다. 정호는 손을 살며시 뻗어 유리의 턱을 잡았다. 귀에는 여전히 제이슨 므라즈의 노래가 흘러들어 오고 있었다.

그녀의 턱을 부드럽게 잡은 정호는 한 치의 망설임 없이 그대로 다가가 입술을 겹쳤다. 턱을 잡았던 손은 이내 유리의 양쪽 볼을 부드럽게 감싸 안았다. 입술을 머금었다. 살며시 어루만지고 쓰다듬었다. 꽃잎처럼 벌어진 그녀의 틈으로 가만히 빨려 들어갔다.

입 안에서 서로를 찾아 맞대자 그 감촉이 온몸에 퍼져 들었다. 얽혀 드는 뜨거운 숨결 속에 심장이 녹아내렸다. 그 상태는 한참이나 이어졌다. 입술을 맞춰 가며 감미롭게 빨아들였다. 음악 소리는 이어폰 밖으로 희미하게 퍼져 나왔다. 현실 세계가 아닌 것만 같은 시간이 계속 이어졌다.

입술을 떨어뜨린 정호가 아쉬움을 담아, 유리의 볼에, 이마에, 코에, 다시 입술에 짧은 입맞춤을 뿌렸다. 보드라운 볼을 감싸 쥔 손을 절대로 놓고 싶지 않았다.

무엇도 포기하지 않고, 우리는 계속 함께하게 될 거라고. 너와 나를 닮은 아이가 우리 사이에서 해맑게 웃고, 그렇게 우리가 가족이라는 이름으로 엮여 평생을 보낼 수 있도록. 너는 내 손을 잡고, 나는 네 손을 잡고, 서로가 서로를 지키자. 그렇게 힘을 내자. 마음을 읽은 듯, 이내 유리가 속삭였다.

"나, 놓지 마."

사랑을 바라는 입술은 뜨거웠다. 정호가 대답했다.

"응, 절대로 안 놔."

약속을 말하는 입술은 달콤했다. 외조모를 만나고 온 것을 굳이 말하지 않아도, 서로가 알았다. 말을 아껴도 사랑은 아낄 수가 없었다.

두 사람의 간격은 겨우 몇 센티미터. 닿을 듯, 스칠 듯, 간질간질. 살랑 바람이 불어 든다. 굳건한 마음 앞에는 흔들리는 촛불도 아무런 소용이 없었다. 두 사람의 시선은 서로에게만 향해 있었고, 그것은 너무도 곧기에 누구든 꺾을 수가 없었다.

웃음처럼 사랑이 흘렀고, 울음처럼 사랑이 터져 나왔다. 꽃처럼 사랑이 피었고, 노을처럼 사랑이 물들었다. 그들을 가득 채운 건 그렇게 사랑뿐이었다. 파도가 저 멀리서 밀려오고 있었지만, 함께이기에 그 무엇도 전혀 두렵지 않았다.

'이편웅 이사장 성추행 혐의' 사건 1차 공판이 열리는 날.

법원으로 출발하기 전, 유리와 정호는 송화의 집에 들렀다.

"잘 다녀올 테니, 너무 걱정하지 말고 있어."

"언니…… 정말 잘 될까요?"

"그럼."

근심 어린 얼굴로 바라보는 송화에게 유리는 따뜻한 미소를 지어 보였다. 정의는 항상 승리하지 않는다. 때로는 그 정의가 무너지기도 하고 깊숙이 숨겨지기도 한다. 가슴 아프고 팍팍하지만, 그게 현실이었다.

그 사실을 알고 있기에 송화의 표정이 밝지 않다는 것 또한 이해할 수 있었다. 하지만 이겨 낼 생각이었다. 어떻게든 부딪쳐 보여 주고 싶었다. 정의가 항상 승리하지 않아도, 때로는 승리할 수도 있다는 것을. 이런 것이 진짜 현실임을. 우리가 그 승리자가 될 수도 있음을. 꼭 보여 주고 싶었다.

정호는 그런 유리의 손을 가만히 잡아 주었다. 그녀는 가만히 눈을 들어 정호를 보았다. 곁에서 이해해 주는 사람이 있다는 것만으로도 힘이 생겼다. 그 사람이 정호라는 사실은 더욱더 든든했다.

언론을 통해 널리 알려진 이 사건을 둘러싸고, 두 가지 입장이 팽팽히 맞붙고 있었다. 질 나쁜 미혼모 꽃뱀에게 걸려들었다며 이편웅에게 동정표를 던지는 쪽과 지위를 이용한 추행으로 피해자가 고통을 겪었으므로 엄벌을 처해야 한다는 쪽으로 나누어졌다.

물론 진실은 아직 세상에 드러나지 않았다. 사건을 지켜보는 그 어떤 사람들도 단정할 수는 없었다. 사실이야 어쨌든 중요치 않다. 법정에서 밝혀내는 것이 전부였다. 증거나 증인은 그래서 필요했다. 얼마나 제대로 '증명'해 보일 수 있느냐가 관건이었다.

"이사장은…… 계속 부인(否認)을 하는 거죠? 재판에서도 그렇겠죠?"

"응."

송화의 물음에 유리는 고개를 끄덕였다. 이미 공판 준비는 다 끝났다. 피고인인 이편웅 측에서는 혐의 일체를 부인하고 있었다. 검사의 기소 내용에 대해 전혀 자백하지 않을 것이다. 이런 상황에서 송화가 불안해하는 것은 당연했다. 어쩌면 그는 무죄 판결을 받을지도 모른다.

애초에 이렇게까지 주목을 받고 크게 벌어질 재판도 아니었다. 그저 묻히기 딱 좋은 사건에 불과했다. 그러니 송화는 마음을 비워야겠다고 생각했다. 여기까지 온 것만 해도, 누군가에게 자신의 이야기를 들려주고 이해를 받고, 그로 인해 조금이라도 알아주는 이들이 생겼다는 사실만으로도 충분했다.

그만큼 막막하고 억울했었다. 세상에 혼자뿐인 것만 같은 서러움. 누군가 동굴 속에 있던 제게 손을 내밀었다는 사실만으로도, 크나큰 위안을 얻었다.

"진짜 저 오늘 안 가도 되는 거예요?"

"응. 피해자가 모든 재판에 다 참관할 필요 없어. 오히려 안 가면 더 좋지. 그 사람 보기 힘들잖아, 송화 씨도."

그렇게 제 입장을 완전히 이해해 주는 사람, 유리를 보며 송화는 고개를 끄덕였다.

"네…… 아무래도."

"저번에 얘기했듯이, 오늘 1차 공판은 간단하게 진행될 거야. 피고인 측에서 기소된 공소 사실을 모두 자백하고 동의하면, 다음 기일에 선고가 나면서 끝나는 게 보통인데, 지금은 그게 아니니까."

"네."

"다음 공판 기일에서 증인 신문(證人訊問)이 있을 테니, 그때는 송화 씨도 가야 해. 오늘은 아니고. 물론 그때도 법정에서 증언하기 부담스러운 경우에는 비디오 등 중계 장치를 이용한 신문(訊問)으로도 가능하고. 그러니 걱정하지 마."

"네, 우선…… 오늘은 잘 부탁드릴게요."

"우린 하는 일 없는데, 뭐. 백 검사가 잘 해 줘야 할 텐데."

재판을 받는 건 피고인 이편웅이었다. 송화의 변호인으로서 유리와 정호도 재판에 참여하는 것은 아니기에, 방청석에서 지켜보고 돌아올 것이었다. 오늘은 간단한 1차 공판일 뿐이지만, 어떻게 흘러갈지는 빤히 보였다.

피해자의 일관된 피해 진술. 피고인의 일관된 혐의 부인. 사회적으로 피해자 채송화는 약자이고, 피고인 이편웅은 강자였다. 그 사실은 누구나 알았다. 유리는 새삼 갑갑한 현실 앞에 나지막한 한숨을 흘렸다.

법정 안은 방청객과 기자들로 꽉 찼다. 유리는 정호와 함께 방청석에 자리를 잡고 앉았다. 어찌 되었든 태경병원은 사내 성추행 논란으로 그동안 쌓아 온 '착한 병원'의 이미지가 완전히 무너지고 있었다.

혹시나 무죄 판결이라도 받으면, 병원 측은 가만히 있지 않을 것이다. 송화를 무고죄로 고소할 뿐 아니라 민사로 손해 배상 청구까지 할 태세였다. 피고인석에 이편웅과 대동한 변호사들이 들어섰다. 유리는 싸늘한 시선으로 그들을 바라보았다.

끔찍한 기억이 떠올랐다. 법정 안에서 자신의 엄마를 가소로운 눈빛으로 바라보던 병원 사람들. 그들에게 양심은 중요치 않았다. 가진 것을 잃지 않으려고 추악하게 발악할 뿐이었다. 그리고 결국 그들은 그 싸움에서 승리했었다. 몇 번씩이나.

"괜찮아?"

정호가 낮고도 조용한 목소리로 물어 왔다. 아니, 괜찮지 않아. 하지만 유리는 애써 대답을 삼켰다. 말하지 않았는데도 알았다는 듯, 정호가 고개를 끄덕였다. 자신에게 언제나 빚을 지고 있는 듯한 얼굴, 미안하고도 안쓰러운 눈빛이었다.

아닌데. 너 때문이 아닌데, 그런 표정 짓지 마. 내게 상처를 준 건 네가 아니야. 유리는 가만히 정호의 손을 잡았다. 오늘 몇 번이나 그렇게 서로의 손을 잡았다. 따뜻한 기운이 흘러넘치고, 더할 수 없이 굳건한 애정이 차올랐다. 차가운 법정 안에 앉은 두 사람. 서로의 마음을 채운 건 사랑이었다.

재판장이 피고인의 성명, 연령, 직업, 등록 기준지, 주소 등을 물었다. 출석한 사람이 피고인이 틀림없는지를 확인하는 인정 신문(人定訊問)이었다.

이편웅은 내내 억울하다는 듯 미간을 찌푸린 채 이에 임했다. 이어 백 검사가 모두 진술(冒頭陳述)을 하기 위해 일어섰다. 그는 기자들이 빽빽하게 들어선 방청석을 한 번 돌아보더니, 그 어느 때보다도 명확하고 자신감 넘치는 목소리로 공소 사실을 읊었다.

공소장(公訴狀)에 의해 기소 요지(起訴要旨)를 설명했다. 그것은 이편웅이 채송화에게 어떠한 잘못을 했는지를 낱낱이 밝히는 일이었다. 결코 아름답지 못한 이야기.

"피해자의 가슴이나 둔부 등의 부위를 만지고, 치마 속으로 손을 넣기도 하여……."

방청석에 앉은 유리는 아랫입술을 깨물었다. 법정 안에 차오르는 백 검사의 낮은 목소리에 눈물이 울컥 치밀어 올랐다. 왜 이런 일이 생겨야만 하는지 제 상식으로는 전혀 이해할 수 없었다. 마치 송화가 느낄 수치심이 자신의 것인 듯 괴롭고 그저 참담하기만 하였다.

정호는 그녀의 손을 꼭 잡은 채 고개를 숙이고 있었다. 타는 듯한 괴로움이 불쏘시개가 되어 가슴속을 헤집었다.

"……한 혐의로 업무상 위력 등에 의한 추행죄로 기소되었습니다."

백 검사가 모두 진술을 마치고 자리에 앉았다.

"변호인, 공소 사실을 인정합니까?"

판사의 말에 변호사는 여유로운 표정으로 일어섰다. 그리고 당연하다는 듯 혐의 사실을 부인하였다. 모든 공소 내용이 사실이 아니며, 직장 상사로서 베푼 호의에 대해 피해자가 일부 오해를 하였거나 허위로 진술한 것이라 말하였다.

그리고 변호사는 피해자 채송화의 고소장과 진술서, 진술조서에 일체 '부동의'한다며 발언을 마쳤다. 매우 깔끔한 태도였다. 예상은 했지만, 이렇게 눈으로 보니 더욱 기가 막혔다.

"이편웅 피고인, 한 가지 묻겠습니다."

판사가 물었다.

"이사장 사무실이나 회식 자리 이외의 공간에서 피해자와 동석한 사실이 있습니까?"

"아니요, 없습니다."

"따로 불러낸 적은 전혀 없었다는 말입니까?"

"네, 따로 만난 적은 없었습니다. 그럴 이유가 없었으니까요."

이편웅이 자신만만하게 대답하였다. 잠시 숨을 고르고 난 판사는 이내 다음 공판 기일 일정을 공지했다.

1차 공판이 끝났다.

"이게 누구야. 조카님 아니신가."

화장실에 들어선 이편웅은 손을 씻고 있던 정호를 보고 냉기 어린 목소리로 인사를 건넸다. 정호는 이편웅에게 고개를 숙이지 않았다.

"개념이 없으니 겁도 없구나. 내가 네 삼촌인데, 어디 눈을 똑바로 뜨고."

정식으로 인사를 한 사이도 아니었다. 모른 척 지나가도 무방한 그런 관계였다. 정호는 종이 타월을 뽑아 손가락의 물기를 닦으며, 무표정한 얼굴로 이편웅을 바라보았다. 그러다가 입을 열었다.

"상처가 있다고 해서 누구나 그렇게 막살지는 않습니다."

"……뭐?"

뉘우칠 인격이 아니니, 충고도 할 필요가 없었다. 붙잡고 양심을 논해 봤자 제 입만 아플 뿐이다. 저지른 일에 대해 그저 합당한 대가를 치르게 하면 된다. 정호는 기필코 그에게 콩밥을 먹이고야 말겠다고 생각했다.

"정말 내게 잘못이 있다고 생각해서 채 비서 입장에 선 것이냐? 그래도 우리가 혈연으로 맺어진 사이인데, 다른 사람은 몰라도 네 어머니는 네가 지금 이러는 걸 분명 안 좋게⋯⋯."

"하!"

실소를 터뜨렸다.

"잘못하신 게 없다고요?"

"없지, 그럼! ⋯⋯법정에서 한 얘기, 너도 다 들었을 것 아니냐."

"아아, 무조건 안 했다고 잡아떼신 얘기요?"

"뭐? 잡아떼다니. 나는 사실만 말했⋯⋯."

"보이스 레코더 트라우마가 생기신 모양이네요. 언제 어디서든 하시는 말씀마다 녹음이 될 수도 있다고 여기시나 봅니다. 이렇게 화장실에서조차 말조심하시는 것을 보면."

비꼬듯 하는 말에 이편웅의 얼굴이 굳어졌다.

"진짜 떳떳하시다면, 지금 이럴 이유가 없을 텐데 말입니다."

"⋯⋯."

"조카인 저마저 등 돌려 피해자 측에 서 있는 상황에 대해 기자들이 꽤 관심을 보이던데요. 제가 취재에 제대로 응한 적은 없어서 더욱 안달이 나 있더라고요."

"⋯⋯."

"아, 증거도 없고 증인도 없다고 생각하지 마세요. 캐 보면, 다 나오거든요."

정호는 이편웅의 옆에 서 있는 박 실장을 잠시 바라보았다. 박 실장은 눈을 피하며 고개를 돌렸다.

"빠져나갈 수 있다고 생각하면 오산일 겁니다."

여유로운 음성으로 말을 마친 정호가 화장실에서 나왔다. 그리고 기자들을 피해 먼저 차에 가 있을 유리에게로 갔다. 2차 공판 전에 해야 할 일들을 머릿속에 그려 나갔다.

외조모가 어떤 이유로 이렇게 자신의 목줄을 놓아준 것인지는 잘 알고 있다. 가장 손쉬운 방법으로는, 집안에 이득이 되는 결혼을 시키려고 하겠지. 외조모는 어떻게든 강행하여 그 뜻을 이루고야 말 분이었다.

결혼. 그 상대로 유리 외 다른 여자는 누구도 생각해 본 적이 없었다. 그러니 어서 이편웅 사건을 끝내 놓고, 외조모와의 일도 담판을 지어야겠다고 생각했다.

"김정호!"

차창을 내린 유리가 손을 흔들었다. 가만히 있어도 내가 갈 텐데. 오라고. 어서 오라고. 손을 흔드는 너. 가을바람이 살랑, 스쳐 지나갔다. 정호는 걸음을 멈춘 채 유리를 바라보았다.

조수석에 앉아 있던 유리는 멈추어 선 그를 보고 고개를 갸웃했다. 그러고는 이내 손가락을 까딱까딱했다.

"토깽이, 빨리 튀어 와라."

지극히 김유리다운 방식으로 자신을 또 불렀다.

"어허, 안 움직이지?"

정호는 이내 걸음을 옮겼다. 유리에게로. 자신을 부르는 그녀에게로.

"느리다, 느려. 빨리 못 뛰…… 흐읍."

조수석 차창 앞으로 다가간 정호는 허리를 숙였다. 그리고 턱을 올린 채 시선을 내리깔며 자신을 부르고 있던 그녀에게 입을 맞췄다.

서늘한 법정 안에 앉아서 주먹을 바르르 떨던 너. 울컥 치미는 눈물을 어찌지 못하고 몰래 닦아 내던 너. 제 잘못을 모르는 금수 앞에서 억울함에 가슴을 지던 너. 그런 너. 그리고 ……그런 나. 이제는 나도 너와 같은 것을 느껴. 너처럼 화가 나고, 너처럼 억울하고, 너처럼 가슴이 아파.

손을 올려 유리의 볼을 조심스레 감싸 쥐었다. 입술을 살며시 머금고 숨을 나누었다. 마음을 나누고, 그 모든 것을 나누었다. 전혀 다른 세상에 살고 있다고 생각했던 두 사람은, 이제 같은 곳을 바라보고 있었다.

"음."

마미는 테이블 위에 놓인 봉투를 물끄러미 쳐다보았다.

"필요하실 거라 생각했는데."

구 여사는 말을 딱 끊고는 마미의 얼굴을 잠시 응시하더니 다시 입을 열었다.

"어서 열어 보시죠. 섭섭하지는 않으실 겁니다."

로(Law) 카페까지 직접 찾아온 구 여사를 빈 사무실 안으로 들였다. 구 여사는 회색 트위드 치마 정장을 입고 있었다. 여든이 넘은 노인이라 하기 어려울 정도로 정정했다. 게다가 눈빛에서 뿜어지는 기운이 웬만한 젊은이 네댓은 이겨 먹고도 남겠다 싶었다.

하지만 자신이 누구인가. 이날까지 악으로 깡으로 살아온 송옥자가 아니던가. 마미는 입술에 가볍게 미소를 걸었다.

"우리 사위가 부잣집 손자가 맞긴 하나 봐요."

들려온 말에 구 여사가 숨을 한 번 삼켰다. 마미가 이어 말했다.

"봉투 보니까 확 실감이 나네요. 이 아이디어는 누가 생각했는지 여쭤봐도 될까요?"

"……."

"음, 발상이 아주 진부하고 좋네요. 요즘 이런 설정은 잘 안 쓰는데. 오히려 신선한데요."

마미가 아까보다 더 밝게 웃었다.

"유리 양 모친이라면 말이 좀 통할 줄 알았는데."

구 여사는 고저 없는 음성으로 싸늘하게 말했다. 이에 마미가 여전히 웃는 얼굴로 대꾸했다.

"아이고, 그럼요. 제가 말은 잘 통합니다. 잘 찾아오셨어요. 일단 뭐 좀 드신 후에 말씀하시죠. 저도 목이 타네요."

이때, 똑똑 문을 두드리는 소리가 났다.

"그래, 들어와."

사무실 문이 열리고, 준이 눈치를 살피며 원목 트레이를 들고 왔다. 트레이 위에는 오렌지 주스 두 잔이 놓여 있었다. 이를 본 마미가 살짝 눈을 찡그렸다.

"왜 주스야?"

"아니…… 커피보다는 주스가 나을 것 같아서요."

백발의 노부인을 보며 준이 쭈뼛쭈뼛 말했다. 어느 어른들에게나 넉살 좋게 애교를 부리던 준도 구 여사의 카리스마에는 당해 낼 재간이 없는 모양이었다.

"준아."

"네, 네?"

주스를 내려놓으려다 말고 준이 멈추었다.

"이거 말고, 뜨거운 차로 가져와."

"뜨거운 차요? 녹차? 홍차?"

"뭐든, 뜨거우면 돼."

"아, 네……."

"밖이 춥잖니."

호호, 마미가 웃었다. 준이 다시 주스를 들고 나갈 때, 마미는 오늘 입은 흰색 블라우스를 안심한 표정으로 내려다보았다.

"……설마, 내가 그 주스를 뿌릴 거라고 생각했나요?"

구 여사가 다소 황당한 얼굴로 물었다. 어디서 많이 본 상황이었다. 모전여전(母傳女傳)인가. 집으로 불러들였던 유리도 비슷한 이유로 냉수 대신 뜨거운 녹차를 주문했었다. 아, 그때는 이유가 '마스카라가 번질까 봐'였던가.

어떤 일이 일어나도 낯빛을 쉬이 바꿀 것 같지 않은 구 여사였기에, 다소 혼란스러워하는 표정을 보며 마미는 오히려 흥미로운 듯 웃었다. 준에게 주스를 물리고 뜨거운 차로 바꿔 오라고 한 이유는 구 여사가 말한 것이 맞았다. 봉투도 준비해 온 분이, 뭐든 못 뿌리실까.

"이거 제가 아끼는 블라우스라서요. 주스 물이 들면 안 지워질 것 같습니다. 바람도 부니 그냥 따뜻한 차로 드시죠, 정호 할머님."

마미는 태연하게 대답했다. 구 여사가 하, 숨을 뱉었다.

"아, 참고로 제가 예전부터 드라마를 아주 많이 봤거든요. 웬만한 설정은 다 꿰고 있으니, 대처도 빠릿빠릿합니다. 현실로는 안 해 본 일이 없어서 깡도 세고요. 그러니 저 일부러 곤란하게 하실 생각은 하지 마셔요. 괜히 기운만 빠지실 거예요. 연세도 있으신데, 살살 하셔야죠."

"……."

"그럼, 그냥 본론으로 들어갈까요."

팽팽히 맞서는 기운. 찾아온 건 구 여사였지만, 어느덧 마미의 페이스에 말려들고 있었다. 구 여사는 마미의 짙은 동공을 바라보았다. 마미가 곱게 주름진 눈으로 생긋 웃었다.

"저는 애들 결혼 꼭 시키고 싶습니다. 이 봉투 굳이 주시겠다면 감사히 받아서, 애들 결혼 자금으로 쓰고 싶은데. 어떠세요, 정호 할머님?"

개는 개에게서 태어난 것이 당연한 이치. 구 여사는 깡으로 뭉친 어미 개

앞에서 황당한 표정을 지었다.

카페에 도착해 주차하고 난 정호는 유리에게 잠시 어디 다녀올 테니 먼저 들어가라고 말했다.

"너는 어딜 가려고?"

"누구 좀 만나러."

"누군데? 나도 같이 가."

정호는 잠시 멈칫하더니, 팔짱을 턱 끼고 유리를 내려다보았다. 그리고는 나지막하게 감탄하는 소리를 내뱉었다.

"와아."

"뭐가 와아, 야."

"김유리 나한테 너무 집착하는데?"

흡족하게 웃는 정호의 얼굴을 바라보며 유리는 기가 찬 듯 코웃음을 쳤다.

"헛소리 집어치우고, 어디 가는 거냐고."

"어휴, 나랑 잠깐이라도 떨어져 있으면 못 견디겠고 막 그래? 하여튼 김유리 나 없으면 못 산다니까. 얌전히 기다리고 있으면 빨리 다녀올게. 올 때 꽃 사다 줄까?"

"닥쳐."

"아악!"

유리는 시종일관 싱글싱글 웃으며 농담만 하는 정호의 귀를 세게 잡아당겼다. 그리고 덧붙였다.

"그래, 나 너한테 집착하는 거 맞으니까, 빨리 갔다 와."

"오케이."

벌게진 귀를 손으로 문지르며 정호는 웃었다. 유리가 자신에게 집착한다고 순순히 인정하는 모습이 귀엽기까지 했다. 나누는 말들이 모두 장난이고 농담이지만, 그 기반은 사랑이다. 그것이 친구 사이일 때와는 다른 점이었다.

정호는 순간마다 유리와 이렇게 지내는 것이 꿈처럼 느껴지기도 했다. 혼자서 마음을 끓일 때는 상상도 할 수 없던 시간이었다. 유리가 그저 고맙고 사랑스러웠다. 어서 빨리 생을 온전히 함께 나눌 수 있게 되기를 바랐다. 그러기 위해서는 지금 하는 일들이 중요했다. 유리와 같이 걸어가는 길, 그 중간에 서 있었다.

유리는 정호를 보내고 카페 안으로 들어왔다. 이제 어느 정도 몸이 회복된 은강이 바 안쪽에서 커피를 만들고 있었다. 그 모습이 왠지 짠해 보였다. 잠시 후 송화에게 카페에 나오라고 해야겠다. 공판에 다녀온 이야기를 해 주고, 송화와 은강에게 밥을 사 줘야겠다고 생각했다.

이 일을 견디느라 가장 힘든 건 두 사람일 터였다. 부디 흔들리지 않고 서로에게 힘이 되어 주길. 유리는 간절히 바랐다.

"누나. 누나."

그때 준이 굳어진 표정으로 살며시 다가왔다.

"어, 왜?"

"누나. 지금 저기, 안에요……."

"뭔데, 빨리 말해. 현기증 나니까."

사무실 문이 열렸다. 유리도 본 적 있는 노부인이 걸어 나왔다. 정호의 외조모, 구 여사였다. 구 여사의 온몸에서 퍼져 나오는 기운이 예사롭지 않았다. 유리는 허리를 깊게 숙여 인사했다. 어디서든 어른을 보면 그렇게 하라 배웠다.

"안녕하세요. 여기까지는 어쩐 일이세요."

구 여사는 유리를 보고 멈추어 섰고, 이내 입을 열기도 전에 뒤따라 나오던 마미가 여유롭게 말했다.

"응. 너희들 결혼 문제 상의하러 오셨어. 지금 가시는 길이야."

기가 막힌 듯 돌아보는 구 여사에게 아랑곳하지 않으며 마미는 그저 밝은 목소리로 말했다. 그때 카페 한쪽에 앉아 있던 남자가 일어섰다. 구 여사를 보좌하여 따라온 사람이었다.

"어서 모시고 가세요. 더 늦으면 길 막힙니다. 곧 퇴근 시간 겹치니까요. 정호 할머님? 어서어서 서두르세요."

제 영역에서 귀찮은 것을 몰아내듯 마미가 구 여사를 재촉하였다. 마미는 내내 미소와 여유를 잃지 않고 있었다. 유리의 뒤쪽으로 비켜선 준은 입을 딱 벌린 채 그런 마미를 바라보았다.

마미가 보통 분이 아닌 줄은 알고 있었지만, 저 정도까지는 생각 못 했는데. 재벌가 노부인을 대하는 마미의 태도는 그저 당당하기만 했다. 더불어 그 앞에 버티고 선 유리까지. 앞뒤로 짱짱한 모녀의 포스에 오히려 노부인의 기운이 눌리는 것만 같았다.

쏘아보듯 날카로운 구 여사의 시선을 받아 내며 마미가 부드러운 목소리로 말했다.

"조심해서 가셔요. 오늘 누추한 곳까지 찾아 주셔서 감사하고, 다음에는 제가 찾아뵙도록 할게요, 정호 할머님."

"말이 통하지 않으니 더는 볼일이 없겠군요."

"어머나. 왜 볼일이 없어요. 아유, 할머님 말씀도 참 서운하게 하시네요. 그래도 애들 결혼식 때는 오셔야죠. 외손자 장가가는 모습은 보셔야 하지 않겠어요?"

"……."

"정호가 또 좀 잘생겼습니까. 저 인물에 딱 턱시도 입고 식장에 서 있는 것 생각해 보세요. 어유. 뉘 집 손자인지 참 잘생겼네, 소리 나오죠. 그 모습 놓치면 평생 후회하십니다. 그런 모습은 꼭! 직접 눈으로 보셔야 해요. 안구 정화 차원에서라도. 어머, 그러고 보니 정호 눈매랑 할머님 눈매가 닮은 것 같기도 하네요. 총기가 반짝반짝한 눈빛도요."

쉴 새 없이 쏟아 내는 마미의 말에 구 여사는 헛웃음을 지었다.

"아이고, 웃으시니 그 입술은 더 고우십니다."

들었다 놓았다, 마음껏 쥐고 흔드는 마미의 겁 없는 화술. 이내 구 여사는 표정을 굳히고는 인사도 없이 카페에서 나가 버렸다. 비우고 떠난 자리에 노기 어린 바람이 휘이잉 불어 들었다. 후아아, 준이 참았던 숨을 내뱉었다.

"이, 이러셔도 돼요?"

마미는 어깨를 한 번 들썩였다. 뭐, 내가 뭐. 유리는 마미의 손을 잡아 사무실 안으로 끌고 들어갔다. 문을 탁 닫고는 마미를 바라보았다.

"엄마."

"왜, 할 말 있으면 빨리 해. 너무 오래 들어와 있어서 나도 얼른 나가 밀린 일 해야 해."

마미를 가만히 보고 있던 유리가 손을 뻗었다. 마미를 꼭 끌어안았다. 갑자기 사무실에서 나오던 구 여사를 마주했을 때의 당혹감이 이제야 좀 가라앉는 것 같았다.

"엄마……."

"이년이 왜 또 촉촉한 목소리를 내고 지랄이야."

거친 말투와는 다르게, 마미의 손길은 따뜻했다. 자신을 안은 딸의 등을 가만히 쓸어내렸다. 유리는 자신보다 키가 컸다. 딸의 품에 안긴 자신이 갑자기 한없이 작게만 느껴졌다.

내 딸, 어느새 이렇게 많이 컸을까. 그 조그맣던 것이. 이유식을 받아먹으려 힘껏 입술을 벌리던 것이. 꼬물꼬물 작은 손으로 습자지를 구겨 카네이션을 만들어 오던 것이. 어느새, 이렇게 어른이 되었을까.

"엄마, 그분 정말 무서운 분이야……."

"이것아, 난 네가 더 무섭다."

내 자식 아프게 하는 사람 앞에서, 이 엄마는 무서운 게 없단다, 유리야.

"내가 다 알아서 할 건데……. 괜히 엄마, ……엄마 힘들게 할까 봐. 그렇게 맞서려고 했다가 괜히……."

"뭐, 나를 새우잡이 배에 팔겠어, 외국으로 내쫓겠어. 너는 쓸데없는 걱정하지 마."

너희가 서로 좋아 같이 살겠다는데, 방해받을 이유가 대체 무엇이 있겠니. 내 딸, 내 사랑하는 딸. 남에게 해를 끼치는 일도 아닌데, 네가 행복해지지 못할 이유가 어디 있겠어. 없어, 그런 것 절대 없다. 있다면, 그 이유 엄마가 없애 줄게.

"어떻게 걱정을 안 해."

걱정하지 말고, 내 딸아, 너는 그냥 사랑만 해. 행복해지기만 해. 아프지만 마. 그저, 웃기만 하렴. 어린 유리가 자라는 동안 제대로 돌봐주지 못해 미안했던 마미의 마음이 품 안에 절절히 배어들었다. 딸의 울먹임 섞인 숨소리를 듣는 마미에게 세상 두려울 것은 아무것도 없었다.

사람이 꽉 찬 포장마차 안.

"아유, 다들 얼마 전에 들어오셔서 자리가 금방 안 날 것 같은데. 어째요, 다음에……."

"아니에요, 아주머니. 저기 일행이 있어요."

정호는 웃으며 포장마차 구석을 향해 걸어갔다. 홀로 등을 구부정하게 굽힌 채 소주를 마시던 남자가 고개를 들었다.

"저 앉아도 될까요? 우리 초면도 아닌데. 아, 보시다시피 자리가 없어서요."

정호는 그저 싱글싱글 웃었다. 남자는 난감한 표정을 지었다. 하지만 굳이 정호의 제안을 거절할 수는 없었다. 다른 것도 아니고 자리에 앉아 술이나 한잔 마시겠다는 건데.

"네, 뭐……."

"아, 감사합니다."

넉살 좋게 인사하며 자리에 앉은 정호는 주문했다.

"아주머니! 여기 잔 하나 더 주시고요, 오돌뼈도 주세요."

그러고는 남자를 보며 태연히 웃었다.

"술은 박 실장님 드시던 그 소주 같이 마시고, 비운 다음에 또 시키죠."

박 실장이 밤마다 찾는 동네 포장마차였다. 가장 사람이 많을 때를 골라 정호는 자연스럽게 접근했다. 권력에 대항해 승리할 수 있는 무기가 사랑 말고 하나 더 있다면, 그건 바로 지략이었다.

승리는 입 벌려 기다린다고 뚝 떨어지는 감이 아니다. 스스로 만들어 가야만 했다. 정호는 소주병을 들고 박 실장의 잔으로 기울였다.

"자, 한 잔 받으세요."

잔에 채워진 투명한 술이 넘실넘실. 그 위로 정호의 날카로운 시선이 내려앉았다.

2차 공판.

변호인 측의 증인이 등장했다. 비서실장 박연희. 송화가 병원을 그만두기 직전에 함께 일했던 상사였다. 증인대에 선 그녀는 선서하였다.

"저는 양심에 따라 숨김과 보탬이 없이 사실 그대로를 말하고 만일 거짓말이 있으면 위증의 벌을 받기로 맹세합니다."

서약서에 서명을 날인한 후 자리에 앉자 변호사의 증인 신문(證人訊問)이 시작되었다.

"박연희 씨, 증인은 태경병원에서 근무한 지 얼마나 됩니까?"

"올해로 13년이 되었습니다."

"비서실에서만 13년 동안 근무했습니까?"

"아니요. 원무과에서 근무하다가 작년에 비서실로 왔습니다."

"그러면 증인은 최근 피고인 이편웅과 채송화의 가장 가까운 곳에서 근무하고 있던 셈이군요."

"네, 그렇습니다."

"증인은 이사장의 평소 모습에 대해서도 잘 알고 있겠군요?"

"네, 아무래도 가까이 있다 보니까요."

"박연희 씨가 생각하는 이사장은 어떻습니까? 어떤 사람으로 알고 있습니까?"

침을 꿀꺽 삼킨 박연희가 대답했다.

"병원에서 마주하는 환우들에게 언제나 따뜻하게 대하시고, 직원들에게도 많은 관심을 가지며 배려해 주시는 분입니다. 알려져 있듯 봉사나 기부도 많이 하시고요."

백건만 검사가 일어섰다.

"존경하는 재판장님, 변호인은 지금 사건과는 관계없는 질문을 하고 있습니다."

검사의 이의 제기에 판사가 수긍하고 변호사에게 주의를 주었다.

"인정합니다. 변호인은 사건에 대해서 질문을 하세요."

알면서도 일부러 한 질문이었다. 선입견이란 무서운 것이라서 초반에 뜻하지 않게 생겨 버린 이미지에 휩쓸리고 마는 게 사람이었다. 일단 이편웅의 이미지는 자상하고 배려심 많은 사람으로 구축하고 넘어갈 심산이었다.

2차 공판에는 유리, 정호와 함께 피해자인 송화도 참석하였다. 은강은 걱정을 떨치지 못하고 법원에 같이 왔으나, 법정 안으로는 들어서지 않았다. 공판이 진행되는 동안 송화가 당한 피해 사실이 적나라하게 밝혀질 수밖에 없으니, 그녀를 배려한 은강은 혼자 밖에서 공판이 끝나기를 기다리기로 했다.

유리는 묵묵히 밖을 지키는 은강 대신 송화의 손을 꼭 잡았다. 피고인석에 앉은 이편웅과 눈이 마주친 후로 송화의 손은 내내 차갑게 식어 있었다. 그 손을 잡고 어루만지며 유리는 '괜찮아, 잘될 거야.'라고 속삭였다.

"증인은 이사장이 채송화를 추행하는 모습을 본 적이 있습니까?"

"아니요. 없습니다."

"그렇다면 일과 중에 이사장이 채송화와 단둘이 시간을 보내는 것을 본 적은 있습니까?"

"채 비서가 업무 때문에 이사장실에 드나든 것 이외에는, 같이 있는 모습은 별로 보지 못했습니다."

"업무라는 것은요?"

"이사장님의 스케줄 관리나 병원 업무와 운영 사항에 대한 전달 등은 수행 비서와 제가 담당했고, 채 비서는 다과를 준비하거나 사무실 정돈, 손님 방문 시 접대하는 일을 주로 했습니다."

"그럼 업무로 인해 채송화가 따로 이사장실에 머무는 시간은 어느 정도였습니까?"

"길지 않았습니다."

"별다른 일이 있을 만한 시간은 아니라는 얘기군요."

"그렇다고 볼 수 있죠."

모호한 대답임에도 변호사는 흡족한 듯 입꼬리를 올렸다. 그러고는 덧붙여 말했다.

"어떻습니까, 만일 보통의 여자가 직장 상사에게 추행을 당했다면, 그 방에서 나올 때의 반응은 대부분 어떨까요?"

"저라면 너무 당황스럽고 수치스러워서, 태연하게 지내진 못할 것 같아요."

"채송화가 이사장실에 들어갔다가 나올 때의 모습은 어땠습니까? 그때마다 평소와 다른 점이 보였습니까?"

"아니요. 딱히 다르다 싶은 건 못 느꼈어요. 늘…… 평소와 같았습니다."

"그동안 가장 가까운 주변인이자 동료로서 보기에, 채송화가 이편웅에게 추행을 당한다고 짐작할 만한 일은 전혀 없었던 거군요?"

"네."

박연희의 증인 신문이 지속되는 동안 송화의 손은 점점 더 차가워졌다. 유리는 숨을 몰아쉬며 더욱더 손을 꽉 잡아 주었다. 변호인 측 증인이니, 송화에게 유리할 리 없는 것은 당연하였다. 하지만, 너무도 '수치스러워서' 감내하고 참아야만 했던 상황조차 불리하게 다가오니, 송화는 기가 막혀 견딜수가 없었다.

"괜찮아, 송화 씨. 당연한 거야. 저쪽에서는 어떻게든 구멍을 찾아내려고 하는 거니까. 우리는 그 구멍을 메울 거고."

유리가 작게 말했고, 송화는 고개를 끄덕였다. 물론 예상했더라도 직접 눈앞에서 보니 더없는 괴로움이 느껴졌다. 어째서 피해당하지도 않은 일을 이렇게 크게 벌였다고 생각하는 것인지. 송화는 함께 일한 박연희에 대한 서운한 감정이 물밀듯 밀려들었다.

옆에 앉은 정호는 눈을 질끈 감았다가 뜨며 자꾸만 뒤쪽을 돌아보았다. 닫힌 문은 열릴 기미가 보이지 않았다. 중간중간 백 검사와 정호의 시선이 마주쳤고, 두 사람의 눈빛은 더없이 형형하였다. 변호인 측 증인 신문이 끝나고 검사의 신문이 이어졌다. 박연희는 한결같이 이 일에 대해 아는 바가 없다고 답하였다.

이건 또 다른 의미로 채송화의 무고(誣告)를 입증하는 증언이 되기도 했다. 이편웅은 추행을 한 적이 없으며, 채송화가 이를 거짓으로 꾸며 고소를 했다는 의견으로 비칠 수도 있었다.

"변호인, 다시 반대 신문 하시겠습니까?"

"아니요. 마치겠습니다."

"그럼 좋습니다. 증인은 나가 보셔도 됩니다. 다음 증인 모시죠."

이어 이편웅의 수행 비서인 김민수의 증언이 이어졌고, 이는 박연희와 다를 것이 없었다. 아마 병원에서 함께 근무했던 사람 백 명을 데려와도 마찬가지일 것이다. 송화는 아무리 괴롭고 수치스러워도 절대 티를 낸 적이 없었다. 누구는 참은 것이 독이라고 생각하겠지만, 유리의 생각은 달랐다.

사실 옆에서 눈치를 채고 알았다고 하더라도 법정에 나와 제대로 증언할 사람은 없을 것이었다. 아예 나오지 않는다면 모를까. 그만큼 어려운 일이었다. 누구든 쉽게 나설 수 없는 그런 문제였다. 보통 사람들에게 법정이란 가까이 가기 두렵고 먼 곳이었으니까.

김민수가 앵무새처럼 박연희의 증언과 같은 이야기를 실컷 하고 일어섰을 때였다. 법정 뒤쪽의 문이 열렸다. 안으로 들어온 사람은 박 실장이었다. 백 검사의 얼굴에 화색이 돌았고, 정호가 이내 고개를 끄덕였다.

피고인석에 앉은 이편웅과 변호사는 별다른 표정을 짓지 않았다. 박 실장이 공판 방청을 하러 오는 것이야 특별하지 않은 일이었다. 하지만 박 실장이 방청석을 지나 앞으로 더 나섰을 때는 이야기가 달라진다. 이편웅의 얼굴이 조금 굳어졌고, 백 검사가 일어서서 말했다.

"재판장님, 이 자리에서 태경병원 홍보실장인 박영후 씨를 증인으로 신청합니다."

증거와 증인은 보통 공판 전에 미리 신청하였다. 검사가 증거로 신청할 서류와 증인으로 신청할 사람의 성명, 사건과의 관계 등을 기재한 서면 또는 그 사람이 공판 기일 전에 행한 진술을 기재한 서류 등을 피고인과 변호사 측에서는 열람할 수 있었다.

이 말인즉슨, 검사 측 증인으로 박 실장이 나온다면 그건 이편웅과 변호인도 당연히 알고 있어야 했다는 것이다. 하지만 누구도 알지 못했다. 공판 도중 행해신 뜻밖의 증인 신청에 번호인 측은 크게 딩횡하고 말았디.

박 실장이라면 누구보다 이편웅에 대해 많이 알고 있는 사람이다. 속속들이 알고 있어 이편웅의 수족이 되어 움직였던 사람인데. 증인으로 나선다면 차라리 이쪽에서 이편웅의 편이 되어 나와야 할 사람이었다. 그런데 어째서 저 사람이 검사 측에…….

이편웅은 잔뜩 미간을 찌푸린 얼굴로 자신이 비싼 수임료를 내고 고용한 변호사를 바라보았다. 엄습해 온 불길한 기운을 느낀 표정이었다. 즉석에서 신청한 증인의 경우에는 검사 측과 변호인 측 양측 모두 동의해야 가능하였다.

변호사는 갑자기 등장한 이 증인이 증인석에 앉는 것을 동의해야 할지 말아야 할지 머릿속이 복잡해졌다. 동의하자니 찝찝하고, 안 하자니 이상하게 비칠 것이었다.

그 와중에 놀란 유리와 송화가 정호를 바라보았다. 지금 법정 안에서 가장 여유로운 미소를 띠고 있는 사람이, 바로 김정호였다.

예고 없이 법정에 들이닥친 박 실장은 이편웅을 향해 슬쩍 미소를 지어 보였다. 안심하라는 듯. 나는 언제나처럼 당신의 편이라는 듯. 아무도 눈치채지 못할 정도로 눈을 찡긋하기까지 했다. 박 실장과 눈이 마주친 이편웅의 표정이 이내 편안하게 풀어졌다. 아까 느낀 그 불길한 기운들은 어느새 사라져 버렸다.

"그냥 동의하세요."

이편웅이 변호사에게 낮게 말했다. 변호사는 놀란 얼굴로 이편웅을 돌아보았다. 갑작스럽게 검사 측 증인으로 나서려는 박 실장을 보고 이편웅은 당연히 반대할 줄 알았는데, 동의하라니.

"네? 아무래도 저쪽에 꿍꿍이가 있는 것 같은……."

"박 실장은 제 사람입니다."

"아……."

"꿍꿍이가 있다면, 그건 날 위한 것이겠죠."

자신감이 가득 실린 음성에 변호사의 표정도 밝아졌다. 아, 그걸 생각 못했구나. 뒤늦은 깨달음에 고개를 끄덕였다. 박 실장이 검사 측 증인으로 나서는 이유는 아무래도 이편웅을 위한 일인 듯했다.

검사 측에서는 이편웅의 최측근인 박 실장에게 사건에 대한 증언을 요청했을 것이다. 박 실장은 검사 측에 협조하는 척하면서, 결정적인 순간에 법정에서는 이편웅에게 아무런 잘못이 없다고 증언을 하려는 것일 테고. 이편웅을 위해 적진에 침투했을 것이다.

박 실장은 스스로 일종의 프락치가 된 것이 아닐까. 이편웅의 머릿속에는 그런 그림이 그려졌다. 박 실장의 의미심장한 미소와 찡긋하는 눈만 봐도 알 수 있었다.

"역시……."

마음이 한결 가벼워졌다. 이편웅은 입술이 씰룩거리는 걸 간신히 참아야만 했다. 아무리 흡족해도 법정에서 시원하게 웃을 수는 없는 노릇이었다. 박 실장은 누구보다 이편웅에 대해 잘 알고 있었다. 그리고 이편웅도 박 실장을 잘 알았다.

홍보실에서 근무하는 동안 이편웅과 태경병원의 선한 이미지를 만들기 위해 무던히 노력해 온 사람이다. 일일이 지시하지 않아도 골치 아픈 일들은 제 선에서 다 알아서 처리했던 사람이었고.

또한 쉽게 태경병원을 버릴 수 없는 사람이었다. 이편웅을, 그리고 오랜 기긴 일해 온 직장을, 하루아침에 버릴 수 없는 사람. 성품이 우지하여 엉뚱한 마음은 절대 품지 않는 사람.

이편웅은 그가 명청하다고까지 생각했었다. 그렇기에 그 누구보다도 박 실장을 믿었다. 죽어도 제 곁에서 일할 사람이라고 생각했기 때문에, 그 믿음에 의심이 깃든 적은 단 한 번도 없었다. 어차피 이 사건은 이렇게 법정까지 올 일도 아니었다. 더욱이 명확한 증거가 없는 싸움, 누가 절 이길 수 있을까.

발로 깔아뭉개도 찍소리 못 할 만큼 상대는 약하기 그지없다. 강자인 이편웅이 99퍼센트 이기는 싸움이었다. 이렇게 귀찮은 날들이 몇 달 동안 이어진 것만 해도 많이 봐줬다. 비로소 이 지리멸렬한 싸움에 끝이 보이는구나, 생각했다. 역시나 박 실장은 이편웅의 결백을 증명하기 위해 바로 이곳에 온 것이다.

"박영후 씨가 증인대에 서는 것에 동의합니다."

변호사가 검사 측 증인 신청에 동의하는 발언을 하였고, 이편웅은 고개를 끄덕였다. 비서를 성추행한 파렴치한 인물로 언론에 오르내리게 하고, 피고인으로 법정까지 서게 한 죄, 이제 그 벌을 어떻게 줄까. 그간 받아 온 스트레스. 자, 어떻게 갚아 줄까.

방청석에 앉아 있는 송화와 자신의 조카인 정호를 보며, 이편웅은 음험한 미소를 지었다. 그 결정이 스스로 무덤을 파는 일이라는 것을 그때는 미처 알지 못하였다.

판사가 물었다.

"증인의 이름은 무엇이죠?"

"박영후입니다."

이어 생년월일과 직업, 주소를 물어 확인하였다.

"선서, 저는 양심에 따라 숨김과 보탬이 없이 사실 그대로를 말하고 만일 거짓이 있으면 위증의 벌을 받기로 맹세합니다."

박 실장은 선서하고 선서서에 서명하였다.

"증인석에서 위증할 경우 중한 처벌을 받게 됩니다. 이 점 반드시 유의하여 증언하세요. 검사는 신문(訊問)을 시작하세요."

백 검사는 박 실장의 앞으로 나섰다.

"증인은 현재 피고인의 병원에서 일하고 있죠?"

"그렇습니다."

언제부터, 어떤 일을 했냐는 질문에 박 실장은 태경병원 홍보실에서 근무한 이력에 대해 말하였다. 병원의 홍보 업무뿐 아니라 이사장의 대외 활동 등에도 관여하고 있다고 했다.

"그렇다면 증인은 피고인을 가까이에서 지켜봤겠군요?"

"오히려 제가 수행 비서보다도 더 많은 대화를 했었고, 이사장님의 여러 면면을 가까이에서 지켜봐 잘 알고 있습니다."

이편웅은 연신 고개를 끄덕였다. 그렇지, 박 실장, 당신이 나에 대해 가장 잘 알고 있지. 이편웅의 추악한 면면을 모두 아는 상태에서, 대외적으로는 이를 덮어 주기 위한 노력을 했던 사람이었다. 그 역시 병원 홍보 업무의 일환이라고 생각했기에, 박 실장에겐 피할 수 없는 선택이었다.

이편웅은 느긋한 표정으로 이를 지켜보았다. 박 실장이 증인대에 있는 이상 걱정할 건 하나도 없다고 생각했다.

"그렇군요. 피고인에 대해서 가장 잘 알고 있는 사람이라고 봐도 무방하겠군요. ……그럼 증인."

강조하듯 그 사실을 짚어 낸 백 검사는 마치 연극 무대에 선 배우처럼 화려한 몸짓으로 돌아보며 박 실장을 불렀다.

"네."

백 검사는 박 실장의 등장 이후 이 무대의 주인공이라도 되는 것처럼 의기양양한 태도로 일관했다.

"아니, 백원만 저 사람 왜 또 저렇게 오버해?"

유리가 옆에서 속삭이듯 물었다. 정호는 고개를 절레절레 저으며 눈살을 찌푸렸다. 백 검사가 허세를 떨수록 부끄러움이 밀려든다. 예상은 했지만 저런 형에게 일을 맡겼다니, 하는 생각에 얼굴이 화끈거렸다.

하지만 참아야지. 피해 갈 수 없는 막다른 골목으로 먹잇감을 몰아넣는 중이다. 앞으로 벌어질 일들의 기대감으로 온몸의 세포가 바르르 들끓었다. 백 검사와 표현의 방법은 다르나 정호 역시 짜릿한 감정을 느끼고 있었다. 그래, 지금부터 진정한…….

"증인은 피고인 이편웅이 피해자 채송화를 추행해 온 사실에 대해 알고 있었나요?"

……쇼 타임.

"네, 알고 있었습니다."

바로 떨어진 박 실장의 대답에 이편웅과 변호사가 일제히 입을 딱 벌렸다. 방청객은 술렁였다. 카메라 없이 방청석에 들어와 있던 기자들의 손도 바빠지기 시작했다. 지금까지의 증인들은 이편웅의 무혐의를 입증할 만한 증언을 해 왔다.

또한 더없이 점잖은 신사의 얼굴을 한 이편웅 역시, 법정에 서 있는 것 자체가 선량한 시민인 자신에게 얼마나 가혹한지를 피력하였다.

'아기 혼자 키우는 미혼모라더니, 혹시 정말 돈 뜯자고 달려들었다가 일이 이렇게까지 되어 버린 거 아니야?'

'누구 말을 믿어야 할지 모르겠네, 정말.'

'그러니까 말이야. 저 이사장 잘못했다는 사람은 하나도 없는데. 평소 살아온 것만 봐도 답이 나오는 것 아닌가?'

'쯧쯧. 잘못 걸렸구만. 꽃뱀한테 잘못 걸렸어.'

휴정 시 사람들의 수군대는 말만 들어 봐도 송화를 지지하는 쪽은 거의 없었다. 결정적인 증거가 없는 까닭이었다. 중간에 있었던 피해자 송화의 증언 순서 때에도 변호인 측은 불신이 깃든 목소리로 빈정거렸다.

피해자 보호 차원에서 비공개 신문을 할 수도 있었지만, 송화가 괜찮다며 직접 법정에 섰다. 좀 더 자신의 억울함을 잘 전달할 수 있을까 해서였다.

하지만 마주 대한 현실은 여전히 차갑고 벽이 높았다. 몇 번이고 유리는 솟구치는 화를 억누르며 묵묵히 참았다.

그래도 재판은 아직 진행 중이니, 선고가 내려질 때까지는 얼마든지 뒤집을 수 있다고 믿었다. 그리고 그때가 바로 지금이었다.

"박영후 씨가 피고인과 나눈 대화 녹음 파일과 녹취 기록을 증거로 제출합니다."

증거 채택에 대한 백 검사의 발언에 어리둥절한 이편웅이 변호사를 바라보았다. 변호사 역시 예상치 못한 상황에 미간이 찌푸려졌다.

이미 아까 전 박 실장이 '네, 알고 있었습니다.'라고 대답한 순간 변호사의 얼굴이 난감한 표정으로 굳어져 있긴 했지만. 정식으로 발언 기회를 얻은 것은 아니나, 급한 나머지 이편웅이 소리치듯 말했다.

"대, 대화 녹음이라니! 아니, 그런 게 있을 리가……. 아, 아니, 그보다 나, 나도 모르게 녹음한 걸 어떻게 증거로!"

"피고인 진정하세요."

판사가 낮지만 부드러운 어조로 말했다. 그리고 백 검사에게 물었다.

"그 녹음 파일이 증인과 피고인의 대화라는 거죠?"

"네, 그렇습니다."

이를 확인한 판사는 다시 이편웅을 향해 말했다. 잠시 웅성거리던 방청객들 역시 판사의 목소리에 귀를 기울였다. 판사는 일반인들도 다 이해할 수 있을 만큼 쉽고 친절하게 설명해 주었다.

"자, 만약에 피고인과 다른 사람이 대화하거나 전화 통화하는 것을 증인이 몰래 녹음했다면 불법입니다. 하지만 증인이 직접 피고인과 대화하거나 전화 통화한 것을 녹음한 경우, 이건 합법이에요. 그러니까 대화의 주체가 되는 당사자라면 녹음에 법적인 문제는 없습니다."

이편웅의 낯빛이 하얗게 질려 갔다.

"그러니까 피고인이 증거를 부정하더라도, 녹음의 당사자, 즉 대화자가 이렇게 공판 기일에 출석하여 본인의 대화 녹음이라 인정하는 경우에는 증거로 사용이 가능한 거예요."

자신이 모르는 사이에 대화가 녹음되었고, 그것이 증거로 사용될 상황이다. 박 실장과 그간 나누었던 대화들이 이편웅의 머릿속에 어지럽게 얽혀 들었다. 이내 이편웅은 배신감 어린 얼굴로 박 실장을 노려보았다.

아까까지만 해도 제 편인 것처럼 굴어 증인대에 섰던 그가, 지금은 목뒤를 긁적이며 시선을 피하고 있었다. 지금 내게 엿이라도 먹일 셈인 건가. 이편웅은 꽉 쥔 주먹을 부르르 떨었다.

"자, 다시 검사, 그 녹음 파일이 무엇에 관련된 대화입니까?"

뭔가 잘못되어도 단단히 잘못되었다. 아니고는 박 실장이 내게 이럴 수는 없어!

"박영후 씨가 피고인과 나눈 대화로, 피고인이 직접 피해자 채송화를 성추행한 사실에 대해 말하는 내용입니다."

유리는 정호의 옆얼굴을 바라보았다. 진지해지는 법이 없는 정호가 지금만큼은 입을 굳게 다물고 공판이 진행되는 모습을 지켜보고 있었다. 지금껏 움직여 온 모습으로 보나, 아까의 미소로 보나, 이건 모두 정호가 해낸 것이다. 제 집안을 흠집 내고 외조모의 뜻에 반(反)하더라도, 그가 결국 해내고야 만 일이었다.

"해당 녹음 파일을 증거로 채택하겠습니다."

정호가 더없이 믿음직스러웠다. 유리는 목이 메어 와 침이 제대로 삼켜지지 않았다. 고개를 돌린 정호와 눈이 마주쳤다.

"하여튼 김유리, 집중 못 하고 또 내 얼굴 쳐다보고 있지. 도대체 나는 또 왜 이렇게 쓸데없이 잘생겨서는 이렇게 재판 중인데도 애 정신을 못 차리게 만드냐. 내가 죄인이지, 암, 죄인이야."

유리의 마음을 다 알면서도 농담이나 건넸다.

"그러게, 여기서 보니 더 잘생겼네. 누구 애인인지 탐나는구만."

유리 역시, 정호의 마음을 다 알면서도 농담이나 건넸다. 두 사람은 그랬다. 울컥하고 밀려오고, 뜨겁게 저며 와도, 그저 웃으며 농담이나 하면 그만이었다. 그래도 알았다. 굳이 구구절절 이 감정을 다 풀어놓지 않아도. 서로가 어떤 생각을 하는지, 어떤 마음으로 무엇을 했는지. 그래도 알고 있었다.

어린 날의 트라우마 때문일까. 유리는 로펌 변호사로 근무하는 동안에도 이 차가운 법정에는 한 번도 익숙해진 적이 없었다. 하지만 오늘은 달랐다. 정호의 손을 잡고 방청석에 앉아 있는 지금은 전혀 다른 공기가 흐르는 것 같았다.

이곳에서도 이런 기분을 느낄 수가 있었구나. 곁에서 느껴지는 정호의 숨소리만으로도 유리는 치유받는 기분이 들었다. 상처받았던 마음을 어루만지듯, 그가 짓는 미소에 마음이 허물어졌다.

잘될 거야, 모두. 정호가 건네는 무언의 메시지에 유리는 고개를 끄덕였다. 믿고 싶고, 믿어지고, 믿을 수밖에 없기에. 정호의 곁에 있는 것만으로도 법정 안은 더 이상 차갑게 느껴지지 않았다.

"녹음 파일을 재생하도록 하겠습니다."

듣기도 전에 이편웅이 머리를 쥐고 고개를 숙였다. 법정 안에는 박 실장과 이편웅의 목소리가 울려 퍼졌다.

-그깟 엉덩이 몇 번 만졌다고 회사를 그만둔다고? 채 비서 그렇게 안 봤는데 끈기가 없는 모양이군.

-……그러게 말입니다.

-그래, 뭐, 엉덩이만 만진 것도 아니긴 하지만. 하하, 채 비서 허벅지 살결이 어찌나 야들야들한지, 만지면 몸이 딱 굳어져서는 바르르 떠는데 그게

또 그렇게 귀엽지 뭔가.

　-하, 한 잔 더 받으십시오.

　-허리며 가슴은 어떻고. 하여튼 말랑말랑 탱탱한 게, 얌전한 얼굴이랑은 딴판이야. 아주 얼굴에 '나 좀 만져 주세요.' 하고 쓰여 있다니까.

　-…….

　-애까지 낳아 키우는 여자가 무슨 수줍음이 그렇게 많은지, 한 번도 안 따 먹힌 어린 처녀 같다니까. 남편 잃고 대 준 곳이 없어 그런가. 하하. 내가 한 번 맛을 보여 주면 금세 느낌이 되살아날 텐데 말이야. 그러게 내 세컨드로 오면 내가 좀 편하게 해 주겠나. 올해가 가기 전에 채 비서한테 아파트 하나 해 주고 꼭 들어앉혀 놔야지, 안달 나서 더는 못 참겠어.

　-…….

　-지난번에 사무실에서는 말이야, 채 비서가 들어오는데 내가…….

　성폭력 피해자는 상대방의 죄를 입증하기 위해서 다시 한번 발가벗겨지는 듯한 기분을 감내해야만 했다. '2차 피해'라고까지 할 수 있는 상황이 늘 필연적으로 이어졌다. 법정 안에서 사적인 부분들에 대해 거론이 되고, 이름과 추행 과정이 반복적으로 말해지는 동안 피해자들은 절망 어린 기분까지 느끼고는 하였다.

　성폭력 피해자로 법정에 섰다가 노래방 도우미라는 이유로 판사에게 모욕을 당한 여성이 자살한 사건까지 있었다. 안갯속에서 헤매던 때 결정적인 증거가 나와 준 것은 고맙고 다행이지만, 유리는 같은 여자로서 송화가 느낄 기분을 헤아리고는 참담해졌다.

　법정 안에 울려 퍼지는 이편웅의 음성은 온몸에 뱀이 기어가는 듯 끔찍하기만 했다. 사실 피해자들이 쉽게 나서지 못하는 이유도 바로 이런 것 때문인데.

　"언니, 저 괜찮아요."

그런 유리에게 송화가 먼저 웃으며 말했다. 여린 얼굴이지만 가만히 짓고 있는 미소가 누구보다도 강해 보였다. 이런 일이 생길 수도 있다고 정호에게 미리 언질을 받았었다.

그때는 무슨 말인지 제대로 이해하지 못했지만, 송화는 박 실장이 나타난 순간 깨달았다. 그래서 박 실장의 증언이 진행되는 동안 미리 마음을 준비할 수 있었다.

다른 건 상관없다. 낱낱이 까발려져도 좋다. 수치심 따위, 다 내려놓을 수 있었다. 자신은 억울하게 피해당했을 뿐, 잘못한 것은 없으니까. 수치심을 느껴야 한다면 저치일 것이다. 죄를 저질러 놓고도 뻔뻔한 가면을 뒤집어쓰고 있던 자가, 그 가면이 벗겨졌으니 치욕스러워 죽고 싶은 건 저쪽이어야 했다.

이런 순간 피고인의 혐의를 입증해 줄 만한 결정적 증거와 증인의 등장이 송화는 그저 반갑기만 했다. 진실에 한 발짝, 다가서고 있다. 정의에 조금 더 가까이, 다가서고 있었다.

증거로 채택된 녹음 파일에 관련한 신문(訊問)이 이어졌다.

"증인과 피고인이 나눈 대화가 맞습니까?"

"네, 맞습니다."

"언제 나눈 대화입니까?"

"채 비서가 퇴직한 직후, 저와 이사장님이 함께 저녁을 먹으며 술을 한잔 곁들였고, 그때 나눈 대화였습니다."

"평소 피고인은 채송화 씨 이야기를 자주 했나요?"

"네, 자주 했습니다."

백 검사는 여전히 진실을 파헤치는 정의의 사도 역할에 심취해 있었다. 박 실장을 보며 눈을 번뜩이는 백 검사는 마치 연극 무대에 오른 배우 같았다. 배우의 의욕이 하늘을 찌르는구나 싶어 정호는 여전히 미간을 살짝 찌푸렸다.

하지만 점차 이에 빠져드는 듯, 유리는 몸을 앞으로 당겨 증인대 쪽을 집중하여 바라보았다.

"자, 어떤 얘기를 했습니까?"

"녹음된 내용으로 알다시피 채 비서를 추행한 일에 대해 말하거나, 혹은 채 비서를 상대로 하여 성적인 발언을 종종 하곤 했습니다."

"아, 그럼 피고인이 피해자 채송화를 추행했다는 사실이 백 퍼센트 맞는다는 거군요?"

백 검사는 일부러 단정하는 듯한 말투를 사용하였다.

"그렇습니다."

이쯤 되면 변호인 측에서는 지나친 몰아가기라고 이의를 제기할 법도 했지만, 상대는 조용하였다. 이편웅의 변호인은 그저 눈을 껌뻑이며 무력하게 앉아 있을 뿐이었다.

그럴 줄이야 알았지만 이제 제대로 확인한 셈이다. 너무도 확실한 증인의 등장이었다. 녹음된 목소리가 법정 안에 생생하게 울려 퍼졌고, 이에 대해 반박의 여지는 전혀 없었다.

미리 신청한 증인이 아니기에 박 실장의 증언 내용에 대해 변호인 측에서는 예상치도 못했다. 그러니 대응조차 할 수 없었고. 그저 앉아서 당하는 것 외에는 할 수 있는 것이 전혀 없었다. 백 검사는 박 실장에게 자세한 경황에 대해 계속해서 질문했고, 박 실장은 막힘없이 대답하였다.

증언은 이어졌고 점차 이편웅의 굳은 얼굴에는 그늘이 드리워졌다. 박 실장은 이편웅의 유죄를 입증하는 첫 번째 증인이자, 가장 강력한 증인인 셈이었다. 2차 공판에서 증인으로 나타난 인물로 인해 판세(-勢)가 뒤바뀌었다. 기자들은 법원을 나서는 이편웅과 변호인에게로 우르르 몰려갔다.

이편웅이 난감한 얼굴로 그들에게 둘러싸인 모습을 멀찍이 바라보며, 정호가 여유 있는 목소리로 말했다.

"이 정도면 다음 선고 공판, 기대해 볼 만하겠네."

"어디 기대만 해? 이제 게임 끝이구만."

옆에 선 유리 역시 미소 띤 얼굴로 고개를 끄덕였다. 섣부른 판단이 아니었다. 이편웅의 명백한 유죄란 것이 이제야 겨우 밝혀졌을 뿐, 당연한 결과였다.

아까 법정에서는 박 실장에 이어 두 명의 피해 여성이 추가로 증인대에 올랐다. 마음을 굳게 먹고 나선 그녀들은 차례로 자신이 근무 당시 겪었던 일들에 대해 증언하였다.

이편웅이 빠져나갈 구멍이란 법정 어디에도 존재하지 않았다. 2차 공판은 이편웅의 유죄를 밝히는 데 소요된, 매우 바람직하고도 뜻깊은 시간이었다.

18. 널 위해 살게

"오늘은 좀 발 뻗고 편하게 자. 이제 힘든 일…… 다 끝났으니까."

유리는 송화의 어깨를 다독이며 말했고, 그녀는 희미하게나마 미소 지으며 고개를 끄덕였다. 아무리 자신감이 넘치는 유리지만 송화 앞에서는 늘 먹먹한 마음이 되어 버리곤 했다. 지금은 이런 희망찬 이야기할 수 있게 되어 정말 다행이었다.

"두 분, 정말 고마워요."

송화는 말 한마디로 끝낼 수 없는 고마움임을 알았다. 정호와 유리를 향해서 마음을 다해 고맙다고 말하는 일밖에는 할 수 있는 게 없지만.

그때.

"송화 씨."

들려오는 남자의 목소리에 송화가 고개를 돌렸다. 조금 떨어진 곳에 은강이 서 있었다.

공판이 끝날 때까지 법정 밖에서 내내 기다리고 있던 남자. 송화의 아픔과 어려움을 모두 헤아리며 차분하게 배려하던 남자. 큰 표현은 없지만 마주하는 눈빛 하나만 봐도, 가진 전부를 내어 줄 것 같은 진심이 보이는 남자.

서은강, 그가 서 있다. 힘든 법정 안에서도 굳세게 버티고 있던 송화는 그를 보자마자 이내 눈을 질끈 감아 버렸다. 은강에게 어서 가 보라고 말하려던 유리조차 딱 굳어 버렸다. 송화는 떨고 있었다.

울음 가득한 입술이 한스럽게 경련하고, 설움 가득한 어깨가 여린 잎사귀 바람에 나부끼듯 그저 힘없이 떨렸다. 몇 발짝 떨어진 곳에 은강이 서 있었다.

송화는 눈을 들어 다시 그를 바라보았다.

이제는 자신이 다가갈 때. 가까이. 더 가까이. 그의 손을 잡으러 갈 시간.

타다다다닥.

은강에게로 향했다.

"어……!"

송화는 그의 앞으로 달려가 와락 끌어안았다. 갑작스러운 포옹을 예상하지 못했던 듯 은강이 어정쩡하게 팔을 벌리고 섰다. 그러다가 이내 팔을 내린 그는 송화를 감싸 안았다. 보드라운 머릿결에 볼을 대었다. 품에 안겨 든 아기 새가 숨을 고르듯 가벼이 들썩였다.

은강은 그녀의 등을 가만히 어루만졌다. 풍파(風波)와 다름없는 세상에서 힘이 들었을 그녀에게 유일한 안식처가 되어 주고 싶었다. 그의 허리를 바짝 끌어안고, 가슴에 얼굴을 묻은 송화는 이제야 한(恨) 서린 떨림을 멈출 수 있었다.

대신 시작되었다.

쿵. 쿵. 쿵.

사랑의 떨림이. 절대로 밀어낼 수 없는 이 설렘 가득한 떨림이. 제 곁을 지키고 기다려 준 그를 향한 고마움이, 이제는 지울 수 없는 사랑으로 가슴에 깊이 각인되었다.

정호와 유리가 진행하고 있는 일은 송화의 소송만이 아니었기에, 2차 공판이 끝난 직후에도 바로 사무실로 돌아와야 했다. 급한 일들을 어느 정도 해결해 놓고 나서야 늦은 저녁으로 허름한 갈빗집에서 돼지갈비를 구워 먹었다. 주거니 받거니 소주도 한잔 곁들인 식사는 그저 꿀맛이었다.

"어떻게 박 실장을 구워삶아서 법정까지 불러들였어?"

이제껏 궁금했던 것을 물어본 유리가 크게 싼 쌈을 제 입 안으로 밀어 넣었다. 그리곤 우물우물 씹으며 정호의 이야기에 귀를 기울였다.

"박 실장, 이사장 옆에 있을 때 보니 왠지 얼굴에 그늘이 져 있더라. 그래서 주시했지. 보니까 매일 밤 동네 포장마차에서 혼자 술을 마시더라고."

박 실장이 이사장의 비밀을 알고 있지만 밝힐 수 없어 홀로 괴로워하고 있다는 사실을 간파하였다. 정호는 그런 박 실장에게 우연인 듯 접근하였다.

그는 오래 근무한 직장을 등질 수 없을 정도로 우직하니 한길만 파는 사람이었고, 주어진 업무에만 최선을 다하면 되는 것이라 믿는 사람이었다. 하지만 양심에 반(反)하는 일이 자꾸만 생기니 스스로 버거운 상태였으리라.

"기러기 아빠였어. 아내와 아이 둘이 해외에 있고. 당장에 양심선언 하고 퇴직할 순 없는 형편이었겠지."

"아, 기러기 아빠……."

유리가 고개를 끄덕였다. 그러다 문득 그녀는 깊은 한숨을 내쉬며 젓가락을 내려놓았다. 그리곤 정호가 뒤집고 있는 고기를 바라보며 갑자기 허탈한 웃음을 지었다.

"왜 그래? 어서 먹어."

정호는 유리의 접시에 잘 구운 고기를 얹어 주었다. 유리는 헛헛한 목소리로 말했다.

"사실 말이야."

"응."

"박 실장이 나서지 않았더라면."

"……."

"결과가 어떻게 되었을지 눈에 보인다."

말로 하지 않아도 알 것이다. 막다른 골목에 다다른 것만 같은 상황이었다. 박 실장의 증언과 확실한 증거가 없었더라면 추가 피해자들의 증언 역시 신뢰성을 이만큼 인정받기는 어려웠을 것이다. 그러니 박 실장의 갑작스러운 등장이 아니었다면, 결국 재판은 이편웅이 원하는 방향대로 흘러갔을 테지.

"나는 괜히 송화 씨를 부추겨 힘든 싸움만 하게 만든 꼴이 되었을 거야."

"부추기다니. 너 그런 적 없어."

모든 것은 송화의 선택이었다. 그건 유리 자신도 알았다. 아무리 옆에서 부추기고 끌고 간다 한들 피해자 본인의 의지가 없으면 할 수 없는 소송이었다. 그런데도 왠지 모를 패배감이 느껴졌다.

"난 송화 씨를 지켜 줄 힘이 없었어. 그냥 얘기를 들어 주고…… 다는 아니어도 아픔을 어느 정도 이해해 주는 것 외에는……. 실세로 뭔가를 할 힘은 없었던 거야."

"……."

"불기소로 끝날 수도 있었던 것도 결국 네가 나섰으니 공판까지 온 거고.

이사장 무죄로 끝날 수 있던 재판도 결국 네 덕분에⋯⋯."

"⋯⋯."

"나는 한 게 없어. 입만 살았지, 아무런 힘도 없었어. 힘없는 사람이 힘없는 사람을 지키겠다고 나댔으니, 어쩌면 나는 그냥 해만 끼쳤을지도 모르겠어."

소주를 한 잔 입에 털어 넣은 유리가 씁쓸하게 웃었다.

"사실 내 힘으로 한 건 아무것도 없잖아. 그래서 무력하게 느껴져."

"⋯⋯."

"나는 아무것도 한 게 없어."

지금껏 부르짖던 정의마저도 결국 힘이 있어야 세울 수 있나, 회의감이 밀려들었다. 유리는 정호가 듬직하고 고마운 만큼, 스스로 느끼는 자괴감에 가슴이 갑갑해졌다. 현실이 이런데, 너무 이상만 보고 달렸구나. 깨달음은 가슴을 후벼 팠다.

불판 위에 익어 가는 고기를 한쪽으로 밀어낸 정호가 입술을 굳히고 유리를 가만히 바라보았다. 복잡함이 잔뜩 실린 눈빛이었다.

"그래서, 박 실장을 어떻게 설득한 거야? 혹시 너희 외숙부님께서 힘써 주신 거야?"

이 일에 나선다면 박 실장은 태경병원이라는 직장을 잃게 될 것이다. 그것을 예상했으니 정호는 분명 다른 쪽으로 보상을 제시했을 것이다. 김 정호 역시 대단한 집안의 자제다. 외숙부는 태한그룹의 총수고, 마음만 먹으면 박 실장에게 새로운 일자리를 주는 것쯤이야 어려운 것도 아니겠지.

권력을 누를 수 있는 건 결국 더 큰 권력뿐인가. 그러니 씁쓸했다. 이런 현실 속에 살고 있으면서 대체 어떤 세상을 바랐고, 어떤 결과를 꿈꿨던 것일까. 정의고 양심이고, 한낱 부질없는 것이던가.

"권력이냐고?"

정호가 되물었고, 유리는 타는 가슴으로 고개를 끄덕였다. 믿고 싶지 않지만 다른 방법은 딱히 떠오르는 것이 없었다.

"아니."

그러나 그가 단호하게 답했다.

"아니야. 이 싸움에서 이기고 싶어 내가 쓴 방법은 ……네가 나에게 가르쳐 주고, 내가 너에게 배운 것."

"……"

"양심."

"……"

"그리고 사랑. 그게 전부야. ……권력이 아니야."

유리는 뭐라 형언할 수 없는 눈빛으로 정호를 바라보았다. 목이 메어 왔다. 그는 외숙부의 힘을 이용하지도, 박 실장에게 새로운 일자리를 제시하지도 않았다. 다만 이편웅의 죄로 인해 어떤 사람들이 어떻게 괴로움을 겪고 있는지 전했을 뿐이었다.

박 실장은 자신의 가족을 지키기 위해 그 자리에서 벗어나지 못하고 있었겠지만, 과연 그런 식으로 한 일이 사랑하는 가족에게 떳떳할 수 있겠는가에 대해 정호는 조곤조곤 짚어 나갔다. 그리고 태경병원이 아니더라도 할 수 있는 일들에 대해서 언급하였다.

유리의 말대로 외숙부에게 도움을 청한다면 일이 더 쉬웠을지 모른다. 외숙부 역시 이편웅에게 안 좋은 감정을 가졌으니 기꺼이 정호의 편에 서 주었을 것이다. 하지만 그런 방법은 결코 유리가 원하는 게 아닐 것이라 생각했다. 그래서 쉽게 갈 길을 어렵게 가기로 했다.

당장 박 실장에게 낳은 보상을 악속하고 협조에 대한 확답을 빏아 낼 수도 있었겠지만, 정호는 그러지 않았다.

'기다릴게요. 마음이 바뀌면 꼭 와 주세요.'

이야기를 나눈 후, 박 실장에게 2차 공판이 열리는 날짜와 장소를 전했다.

그리고 기다렸다. 공판 중에 내내 뒤쪽의 문을 돌아보면서. 그가 나타나기를. 마음이 통했기를.

박 실장이 나타난다는 가정하에 모든 일, 즉 백 검사의 신문(訊問)이나 증거 채택에 관련한 것들을 다 준비하고서 그렇게 내내 기다렸다.

물론 강요할 수는 없다. 양심 하나 때문에 생계를 포기하라는 요구 역시 할 수는 없었다. 개개인의 가치가 저마다 다른데, 다르다고 하여 비난할 수도 없었다. 나타나지 않더라도 실망하지 말아야지, 자신을 다잡았다.

그리고. 문이 열리고. 마침내 박 실장이 들어섰을 때. 정호의 온몸에 전율이 흘렀다. 김유리가 틀리지 않았음을 깨달았다. 자신이 사랑하는 이 여자의 가치가 틀린 것이 아님을 보여 줄 수 있어서 다행이라고 생각했다.

김유리, 네가 맞았다고. 그렇게 얘기해 줄 수 있어서 기뻤다. 박 실장의 성격으로 보아, 자신의 앞날이 어떻게 될지에 대한 그림까지 모두 그렸기에 법정에 온 것일 터. 이편웅을 안심시키면서까지 스스로 증인대에 오른 것은, 그만큼 박 실장도 더 이상은 참기 힘들었다는 이야기였다.

양심, 그리고 사랑. 어렵게 돌아온 길은 그만큼 가치가 있었다.

"그러니까 김유리."

"……."

"너 계속 네 식대로 살아. 지금처럼 그렇게, 굴하지 말고, 당당하게, 맞는 소리만 하면서. 앞만 보고 가. 그렇게 살아. 네 식대로."

"정호야……."

"나는 널 위해 살게."

김유리, 네가 앞을 보고 가면, 유리야, 나는 네 뒤에서 갈게. 네가 넘어지지 않게 내가 잡아 주고, 네가 쓰러지지 않게 내가 받쳐 줄게. 팍팍한 세상에 너 같은 애 하나쯤 마음대로 설쳐도 되지 않겠냐.

어차피 내가 반한 것도 그런 너였으니까. 그러니까 너는 마음껏 살아. 내가 있으니까. 나를 믿고. 너는 그저 네 멋대로 살아.

"김정호, 너 진짜……."

유리는 솟구치는 눈물을 참으며 그저 정호를 바라볼 뿐, 더 이상 말을 잇지 못했다.

[태경병원 이사장 선고 공판 결과, 비서 성추행 혐의 유죄 확정.

여비서 A(29)를 성추행한 혐의(업무상 위력 등에 의한 추행)로 기소된 태경병원 재단 이편웅 이사장(49)에 대한 유죄가 확정됐다. 그동안 범행을 부인해 온 것과는 달리 재판이 진행되는 중 추가 피해자가 속출하고 관련된 증거가 다수 제시되었다.

OO법원 형사부(재판장 박성수)는 5일 선고 공판에서 이 씨에 대해 징역 1년 6개월을 선고했다.

재판부는 "업무상 지도, 감독하에 있던 피해자들을 반복적으로 추행하고, 범행을 부인하며 오히려 피해자들을 비난하는 등 죄질이 나쁘다."며 양형 사유를 밝혔다. "피해자들의 성적 수치심을 유발한 것으로 보여 유죄가 인정된다."고 판시했다.]

이편웅은 항소하려 했지만 그를 맡겠다고 나서는 변호인과 로펌은 전혀 없었다. 이미 국민의 비난을 한 몸에 받는 이편웅을 변호하기에는 위험 부담이 너무도 크기 때문이었다. 그만큼 이편웅은 벼랑 끝까지 밀려났지만 그를 떨어뜨릴 결정적인 한 방은 따로 있었다.

"가지가지 하고 있었구만."

기가 찬다는 듯 유리가 내뱉었다. 이편웅의 횡령죄에 대해서도 곧 조사가 시작될 거라는 백 검사의 말을 듣고 왔기 때문이었다. 강제 추행 실형 선고를 받고, 이어서 횡령죄에 대한 검찰 조사까지.

"아주 탈탈 털었구나."

유리는 웃으며 제 옆에 앉은 정호를 돌아보았다. 정호는 태연한 얼굴로 제 앞에 놓인 캐러멜마키아토나 홀짝홀짝 마시고 앉아 있다. 처음에는 이 일을 말렸던 정호도 결국 마음을 먹고 나서는 앞뒤 가리지 않고 달려들어 끝장을 보고 있었다. 그리고 그건 자신으로 인한 것임을 유리도 알았다.

사고방식의 변화도, 삶에 임하는 자세도, 전부. 정호는 반년 사이 참 많이도 변해 있었다. 자신이 변하게 만든 적도, 변하라고 강요한 적도 없었는데 말이다.

그는 입만 살아 떠드는 남자가 아니었다. 사랑한다는 말 한마디보다 더 강력한 건, 자신과 함께 손을 잡고 길을 걸어 나가는 모습 자체라는 것을 정호가 보여 주었다. 그러니 믿을 수밖에. 그러니, 이젠 유리가 더 사랑할 수밖에. 정호는 카페에 흘러나오는 음악에 맞춰 고개를 까딱거리며 나른한 어조로 말했다.

"잘못했으면 벌을 받아야지."

유리는 고개를 끄덕였다.

"그렇지."

"벌을 받기 싫으면 잘못을 하지 말든가."

"맞네."

"그 간단한 걸 못 해서 저렇게 몸도 마음도 고생하니, 쯧쯧."

정호가 하는 당연한 말들이 어쩐지 뭉클하게 느껴졌다. 유리가 바란 것도 겨우 그거였는데 어째서 지금껏 그렇게 힘이 들었을까. 새삼스레 울컥하게 된다. 돈과 힘만 있다면, 잘못하고도 벌을 받지 않는 것이 어쩌면 당연해진 세상. 그 속에서 정의(正義)를 세우기란 분명 쉽지 않은 일이었다.

그래도 한 발짝씩 나아간다면 조금은 달라지겠지. 바로 지금처럼. 그리고 그 소중한 한 걸음을 정호와 함께할 수 있다니, 문득 가슴이 뿌듯하게 꽉 차올랐다.

　이편웅이 피해 갈 방법은 이제 없다. 박 실장의 추가 증언으로 추행 외에도 밝혀진 많은 죄목(罪目). 정호가 짠 판 위에서 백 검사가 성심성의껏 놀고 있으니 걱정할 것이 없었다. 이편웅은 지금껏 자신이 잘못 산 인생에 대해 대가를 치를 시간이었다.

　물론 병원 이미지가 안 좋아졌고, 그로 인해 입은 손해는 막대하였다. 그가 태한그룹 전(前) 회장의 사생아였다는 사실까지 드러나며 입방아 찧기 좋아하는 사람들의 안줏감이 되었다.

　모두 예상했던 일이기에 태한그룹은 이에 적절히 대응했고, 온갖 비리를 저지른 이편웅을 철저히 등지고 돌아서는 모습으로써 국민의 비난에서 비껴갈 수 있었다.

　재생할 수 없는 건 버린다. 간단하나 확실한 그 신조 아래 정호의 외가는 이편웅을 제대로 버렸다. 세상이 그토록 무섭다는 건, 이편웅이 오십 평생 살아오면서 처음으로 깨달은 사실이었다.

　단순히 검진을 위한 입원이었다. 며칠에 걸쳐 VVIP 병동에 머물며 세세한 검진을 받는 건 구 여사가 분기마다 정기적으로 하는 일이었다. 병실에 찾아온 정호는 환자복을 입고노 꼿꼿하게 앉아 책을 보던 구 여사를 향해 말했다.

　"그간 내버려 두신 것, 감사합니다."

　이편웅 사건에 개입하지 않은 것만으로도 구 여사에게 감사하다고 말할 이유는 충분하였다.

"고마운 줄 알면……."

"뭘 원하시는지 알지만, 들어드릴 생각은 없어요."

가문에 득이 되는 결혼을 하라는 구 여사의 뜻은 한결같았다. 제게 요구할 게 그것뿐이라는 건 정호도 알고 있었다. 하지만 태한가(家)의 상품이 되어 팔려 나가고 싶은 생각은 전혀 없다. 결혼 역시 유리가 아니라면 의미 없었다.

"건방진 놈."

구 여사가 불쾌한 듯 중얼거렸다.

"진실한 사랑이 어디 있을 것 같더냐? 살아 보면 다 똑같다. 결국 그 마음도 변하고 삶에 찌들어, 결혼한 걸 후회하는 날들이 분명 있을 게다."

"……."

"하지만 그로 인해 취한 이익이 있다면 얘기가 다르지. 참아야 할 이유가 생기는 거다. 그러니 얻는 것이 없는 일은 애당초 하지 않는 것이 좋아."

이전이라면 발끈했을 정호도 이제는 구 여사의 말에 차분히 대응했다. 그는 여유롭게 웃으며 말했다.

"외람되지만, 할머님께서 딱 하나 실수하신 게 있으신데요……."

"실수라니."

"왜 유리를 직접 만나셨습니까."

"……."

느긋한 목소리로 타박하듯 하는 말에 구 여사가 미간을 살짝 찌푸렸다. 이에 굴하지 않고 정호가 말했다.

"유리도 만나고, 유리 어머님도 보셨다면서요. 얼마나 강단 있고 바르고 괜찮은 여자인지, 사람 보는 눈이 확실한 할머니께서 직접 보셨으니 더 잘 아셨겠죠. 그러니 저를 다른 사람과 결혼시키려고 하셨으면 애초에 유리를 보지 않는 편이 나으셨을 텐데. ……괜히 보신 거예요."

구 여사의 분명하던 눈빛이 살짝 흔들리는 것을 마주 바라보며 정호가 웃었다.

"그러게 왜 불러들이고, 왜 찾아가셔서, 직접 눈으로 확인하시고 그러셨어요. 할머님 입장만 불리하실 게 뻔한데. 솔직히 대놓고 인정을 못 하실 뿐이지, 이미 마음속에서는 딱히 반대할 이유 같은 거 못 찾고 계시지 않습니까."

사실 구 여사가 제대로 마음먹었다면 일이 틀어졌어도 벌써 틀어졌을 거란 생각이었다. 하지만 정호는 자신 있었다. 김유리라는 여자를 직접 본다면, 구 여사도 절대 반대하지 않으리라는 것을. 오히려 시간을 두고 보게 되면 흡족해할 만한 여자라는 걸.

그러니 정호는 이편웅 공판이 진행되는 중에도 별다른 움직임이 없는 걸 보면서 제 생각이 맞아 들어가고 있음을 확인할 수 있었다.

"그렇지 않으면, 지금껏 제 마음대로 하게 두셨어도 이 시점에선 큰 거 한 방이 나왔어야 했는데. 할머님 한번 생각해 보세요. 왜 아직 가만히 계시는 걸까요?"

구 여사는 기가 찬 얼굴로 정호를 바라보았다. 그 질문에 뭐라고 답을 할까. 내 안 그래도 지금 액션을 취하려던 참이었다고 말할 수도 없는 노릇이었다. 토깽이 같은 놈이 속에는 능구렁이를 백 마리쯤 품고 있는 듯하다. 살살 웃으며 쥐었다 풀었다 능란하게 말하는 솜씨가 보통이 아니었다.

구 여사는 제가 미처 파악하지 못했던 외손자 정호를 물끄러미 바라보았다. 저 아이가 남다를 거라고 생각은 했지만, 지금 보니 기대 이상이었다.

"그리고 할머님, 김유리와의 결혼에 취할 이익이 왜 없다고 생각하세요."

"……."

"많아요, 많습니다."

정호가 이어 말했다.

"제가 언제부터 할 말 다 하고 살았는지 궁금하시죠?"

"……."

"그게 다 김유리로부터 취한 이익입니다."

"……."

"제가 사람답게 살게 된 것. 김유리를 만나고 사랑하게 되면서부터니까요. 굳이 따지자면 김유리 자체가 제 인생의 큰 득템이라는 얘깁니다."

"뭔…… 템?"

"얻을 득, 아이템 템을 써서 득템입니다."

쓸데없는 소리에 돌연 진지해지는 정호를 보며 구 여사가 피식 웃고 말았다. 그 웃음까지 감출 생각은 없었다.

"그리고 할머님, 일선에서 물러나 오래 쉬셨더니 감이 조금 떨어지신 것 같아요."

"……건방진 놈, 조금 받아 줬더니 갈수록."

이내 느껴지는 위압감에 굴하지 않고 정호가 말했다.

"제가 원하는 대로 그 사람을 쳐 내는 대신에, 할머님께서 원하시는 대로 뭔가 대가를 치러야 한다고 하셨죠."

"그래."

"거래하고 싶으시면, 제게 뭔가 주시기 전에 미리 담보라도 잡아 두셨어야죠."

다소 뻔뻔한 얼굴로 정호가 말했다.

"저는 이제 손해 볼 게 없는데요, 할머님."

일은 끝났다. 닭은 이미 잡았고 이제 오리발만 내밀면 그만 아닌가.

"넌 내가 얼마나 무서운 사람인지 모르는구나."

"무섭습니다. 알고 있어요."

"그런데 그래?"

"얼마나 무서운 분이신지, 셈이 너무 정확하셔서 손해 보는 행동은 절대 안 하신다는 것쯤 잘 알고 있습니다. 이제 연세도 있으시고 건강도 챙기셔야 하는데, 괜한 일에 스트레스받지 않으실 것도요. 이런 가벼운 일에 투지를 불태우실 분이 아니라는 것도, 그리고 그게 오히려 손해라는 걸 알고 계신다는 것도요."

"……."

"그러니 저는 할머님께서 제가 사랑하는 사람들을 해할까 두려운 것이 아닙니다. 할머님은 스스로 괴롭게 만드실 분은 아니니까요."

구 여사가 원하는 대로 하지 않겠다는 제 의지를 제법 유하게 밝혔다. 꼭 싸워야만 이기는 법은 아니다. 싸우지 않고도 이길 수 있다면 그게 진정한 승리일 것이다. 정호는 마지막 한마디를 전하기 전, 강인하고도 부드러운 눈매에 웃음을 가득 실었다.

"갑자기 찾아와 버릇없는 소리 한 점 용서해 주세요, 할머님. 귀여운 막내 손주의 애교와 투정쯤으로 여겨 주셨으면 합니다."

목소리와 말투는 제법 유들유들했지만 결단코 가볍지는 않았다. 전과는 확연히 달라진 듯한 정호의 모습을 바라보며, 구 여사는 낮은 숨을 천천히 내뱉었다.

정호는 구 여사의 병원에서 나와 카페로 오는 동안, 앞으로 해야 할 일들에 대해 생각했다. 제 뜻을 분명히 전했지만, 구 여사에게 어떻게 받아들여질지는 사실 모르는 일이다. 지금까지는 구 여사가 손을 대지 않았을 뿐, 이제라도 나선다면 유리가 상처받는 일이 생길 수도 있을 것이다.

부모님도 허락하신 결혼이다. 외조모의 뜻대로 휘둘리는 건 말이 되지 않는다. 정호는 그렇게 되도록 가만두지 않겠다고 굳게 마음먹었다.

어떻게 여기까지 왔는데. 어떻게 유리를 얻게 되었는데. 절대로 그녀를 놓을 수는 없었다. 이제 이편웅과 관련된 일도 제 손을 떠났으니, 부모님과 제대로 상의를 해야겠다고 생각했다. 외조모에게 대응할 방법도 강구하고, 결혼 일정도 얘기하고.

"아, 결혼……."

문득, 결혼에 대해 생각하니 정호의 가슴이 두근거렸다. 이제는 더 이상 뜬구름 잡는 얘기가 아니다. 함께하는 미래에 한 발짝 가깝게 다가선 기분이었다. 유리와 함께 잠이 들고, 아침에 눈을 뜨고, 밥을 먹고, 매일매일 함께……. 그 모든 건 상상만으로도 그를 들뜨게 했다.

이제야말로 한고비를 넘었다는 사실을 실감했다. 심장이 터질 것만 같았다.

"은강아, 김유리 어디 갔어?"

정호는 카페에 도착하자마자 유리부터 찾았다. 마미와 준은 식사를 하러 나갔다고 하고, 은강 혼자 컵을 정리하고 있었다.

"유리도 밥 먹으러 갔어?"

애타게 유리를 찾는 모습을 보며 은강이 무심한 눈을 들어 천천히 대답했다.

"옥탑에 샤워한다고 올라갔는데요."

그 말에 정호의 심장이 쿵 떨어졌다.

"샤, 샤워는 왜?"

"좀 아까 저 도와주신다고 여기 같이 정리하다가, 우유를 쏟았어요. 한쪽 팔이랑 다리에 다 쏟아서 아무래도 씻어야겠다며 올라갔어요."

"아……."

정호는 고개를 끄덕이다가 어색하게 웃는 얼굴로 말했다.

"아아, 내가 휴대폰 배터리를 어디 뒀더라. 오 프로밖에 안 남았는데……."

태연하게 하는 말이었지만 목소리에는 떨림이 느껴졌다. 대답을 바라고 한 말도 아니었건만 은강이 마른 수건으로 컵을 닦으면서 태연하게 받아쳤다.

"배터리, 옥탑에 있겠죠."

"……그, 그치?"

"네."

"아, 배터리 바꿔야 하니까 오, 올라가 봐야겠다."

"너무 늦으면 전화기 꺼져요. 빨리 배터리 가지러 가세요."

감격스러울 정도로 빠른 은강의 눈치에 정호는 경의를 표했다.

"서은강 너 오늘따라 진짜 잘생겼다."

은강이 대답 없이 피식 웃었다. 정호는 '아이고, 내 배터리.' 노래를 부르며 카페에서 빠져나왔다. 그리고 옥탑까지 무슨 정신으로 뛰어 올라갔는지 모른다.

현관문을 조심스럽게 열고 안으로 들어갔다. 유리는 진짜 샤워 중인 모양이었다. 욕실 안에서 솨아아아, 쏟아지는 물소리가 어쩌면 이렇게도 생생하게 들려오는지.

옥탑 피트니스에서 수없이 운동하고 이곳 욕실을 이용해 샤워했던 유리지만, 그때마다 정호는 괴롭기만 했었다. 하지만 인내의 시간은 지나갔다. 이제는 좀 이야기가 다르지 않은가.

인간은 발전하며 살아야 하는 법이고, 어제보다는 더 나은 오늘이어야 한다. 그런 의미에서, 같은 샤워 상황이라고 해도 지금은 뭔가 다른 일이 일어날 수도, 또 일어나도 된다는 얘기이다.

정호의 가슴이 물 밖으로 나온 생선처럼 미친 듯 펄떡거렸다. 천천히 소파로 가서 앉았다. 제집인 듯 제집 아닌 제집 같은 낯선 공간. 모든 것이 새로워 보였다. 샤워가 끝나면 유리가 나오겠지. 우유를 쏟았다고 하니 블라우스며 스커트도 다 못 입게 되었을 것이다.

두근두근. 무엇으로 갈아입고 나올까. 혹시 자신의 셔츠를 가지고 들어갔을까. 제 셔츠 하나만 걸치고 나오는 애인의 아찔한 모습을 보게 되려나!

물소리가 멎었다. 입 안의 침이 바짝 말랐다. 그러다 언젠가, 같은 상황이었던 어느 날이 번뜩 떠올랐다. 그땐 자신이 샤워하고 있었던 날이었다. 유리가 이 소파에 앉아 있는 것을 모르고, 혼자만 있는 줄 알고 완전히 벗은 몸으로 욕실에서 나왔던 그 날.

실오라기 하나 걸치지 않은 몸으로 유리를 보면서, 자신이 얼마나 놀랐었는지. 그때의 당황스러움은 말로 다 할 수 없었다. 하지만 지금 자신은 바깥에, 유리는 욕실 안에 있다. 지금 자신이 여기 앉아 있는 건 생각도 못 하고 있을 것이다.

그렇다면……. 두근두근. 어쩌면……. 두근두근. 혹시……. 두근두근.

"아아, 김유리, 진짜, 너, 기대에 어긋나지 말자. 그러지 말자, 너."

정호는 마치 올림픽 개최지 확정 발표를 기다리는 심정으로 두 손을 깍지 끼어 잡았다. 무릎에 팔꿈치를 대고 고개를 숙인 채 욕실 문이 열리기를 고대하는 그 마음은 진정 터지기 일보 직전이었다.

딸깍.

드디어 욕실 문이 열렸다. 뜨거운 한숨을 내쉬며 정호가 고개를 들었다. 그리고 쾅! 말 그대로 찰나에 불과했다. 빛의 속도로 문이 닫혀 버렸다.

"허……."

대신 정호의 입술이 열렸다. 닫힌 문을 바라보는 그의 눈에 황망한 빛이 번져 나갔다. 욕실 문이 열리는 소리를 듣자마자 고개를 들었는데, 본 것이라고는 겨우…… 이미 닫혀 버린 문짝이다.

과장해 보자면 지구 탈출 속도인 11.2km/sec에 맞먹는 빠르기였다. 그녀의 문 닫는 속도는 가히 지구의 중력을 따돌리고 하늘로 올라가는 인공위성과도 같았다. 그만큼 빨랐다. 열린 건 분명했는데. 고개를 1초, 아니 0.1초만 빨리 들었어도 뭔가 보긴 봤을 텐데. 아쉬움이 파도처럼 막 밀려드는 순간.

"으아아아악!"

욕실 안에서 뒤늦게 울려 퍼지는 사자후. 닫힌 문틈으로 너무도 확실하게 들려오는 개유리의 울부짖는 음성. 귀여움과는 한참 동떨어진 목소리로 혼신의 힘을 다해 소리를 지르는 걸 보아하니, 곧이어 욕이 터져 나올 것만 같았다. 아니나 다를까.

"야, 이 변태 미친 또라이 나쁜 새끼야! 너 언제부터 거기에 있었어! 야, 이! 씨! 너, 이 토깽이 새키, 딱 기다려!"

전혀 로맨틱하지 않은 대사가 난무했다. 그녀의 노여움으로 욕실 안이 쾅쾅 울리는 듯했다. 결국 정호는 인상을 쓰며 자리에서 일어섰다. 차라리 보기나 했으면 억울하지 않을 텐데. 등짝 백 대를 맞아도 웃을 수 있을 것 같은데.

마음 졸이며 애태우던 시간이 무색하게도 정호는 진짜 본 게 없었다. 유리의 머리카락 한 올조차 제대로 보지 못한 상황. 그럼에도 불구하고 세상의 온갖 욕을 다 들어야만 했다. 정호는 욕실 문을 가볍게 두 번 두드리고는 말했다.

"야, 심유리, 신성해라. 나 아무것노 못 봤다."

"시끄러워, 이 자식아!"

문을 사이에 두고 유리의 불퉁한 목소리가 터져 나왔다. 솔직히 대놓고 뭘 훔쳐보려고 했던 것도 아니다. 기대했던 게 죄라면 죄일까. 그런데 어째서 결론은 늘 기승전변태인 건지.

지난번에는 자신이 샤워 후 알몸으로 나왔다고 변태, 이번에는 소파에 앉아 있었다고 변태. 이래도 변태, 저래도 변태면 무슨 짓이라도 해 보고 그 소리 듣는 게 낫지.

"김유리 너 진짜 이러는 거 아니다. 사람이 놀랐으면 딱 굳어서 아무것도 못 하는 게 상식이잖아? 넌 어떻게 된 애가 바로 문을 쾅 닫아 버릴 수가 있어? 순발력이 쓸데없이 좋은 거 아니냐?"

그러니 이렇게 미친 소리라도 한번 해 보는 중이다. 집에 들어온 기척도 없이 소파에 앉아 있었던 의도야 간파당한 게 분명하고, 억울함이라도 풀어 보자는 생각이었다.

더군다나 결정적으로 이곳은, 자신의 집이 아닌가. 여자 혼자 사는 집에 침입해 샤워하는 모습을 일부러 엿본 것도 아닌데 말이다. 엄연히 여긴 자신의 집이고, 딱히 허락도 필요 없이 욕실을 자연스럽게 이용하고 있을 정도로 저 여자와 자신은 가까운 사이가 아니던가. 그래, 무려…… 연인이었다.

"얼어 죽을 상식 같은 소리 하고 있네."

"하여튼 요즘 사람들은 뭐든 빨리빨리 하려고 해서 문제야. 이런 시대일수록 느리게 걷고, 느리게 사고하고, 느리게 행동하는 법을 배워야 한다고. 너, 진짜 각박해도 너무 각박해. 세상을 그렇게 팍팍하게 살면 안 되는……."

"이 변태 또라이가 입 터졌냐, 나오는 대로 아무 말이나 막 하게. 김정호! 너, 나가면 죽을 줄 알아!"

때때로 실상은 그 관계의 진실에서 꽤 멀어져 있는 것 같지만, 저러다가도 품에 가두어 안고 입을 맞추면 유리는 아이스크림처럼 사르르 녹아 버리긴 할 것이다. 평소의 사나운 모습과 달리 제 품에서 여리게 변하는 그 모습이야말로 정호를 미치게 했고.

그럴 때는 연인임을 완연히 느끼고는 했었다. 적어도…… 지금은 전혀 아닌 듯하지만.

"아아. 그래, 마음대로 해라. 나와서 날 죽이든, 때려눕히든, 상관없……."

말하던 정호는 잠시 멈추었다. 욕실 안은 조용했다.

"근데 김유리."

문 앞에서 나지막이 그녀를 불렀다. 대답은 없었다. 이제야 상황을 직시한 유리의 얼굴이 보지 않아도 그려졌다.

"너 진짜 다 벗고 있냐?"

"……."

낭패감이 어렸을 그녀의 얼굴이 생생하다.

"갈아입을 옷 안 가지고 들어갔어?"

짜증이 가득한 얼굴은 눈앞에 있는 듯 잘 그려져도 사실 그 아래로는 무리였다. 사전 지식이 있어야 유추를 하지, 태초의 모습은 아무래도 상상이 되지 않는다. 물론 가슴은 터질 것만 같았다. 문 하나 사이에 두고 그 너머에는 유리가 있다니. 그것도 다 벗…….

"가, 가지고 들어왔어!"

"그럼 입고 나와."

축축한 욕실에서 옷을 다 챙겨 입고 나오는 게 싫었던 모양이다. 적어도 문은 열어 놓고 물기를 닦으려고 했다가 자신을 보고 놀랐을 테고.

"대충 네 면바지랑 셔츠라도 입으려고 가지고 들어왔는데……. 바지가 너무 길어. 욕실 바닥 젖었는데 다 끌릴 것 같아서…… 나가서 입으려던 참이었어."

유리의 목소리는 한층 누그러졌다.

"……그럼 나 내려갈 테니까 그냥 편하게 나와라."

기회야 이미 날아간 것이고, 욕실 문 앞에 버티고 선 채 이대로 그냥 나오라고 할 수도 없는 노릇. 정호는 이제 기대를 버리고 자리를 피해 줘야겠다 생각했다.

아무리 유리를 욕심낸다고 한들, 이런 상황은 그냥 장난에 불과하다. 진심이라고는 눈곱만치도 보이지 않는 이런 상황으로 유리를 위협하고 싶은 마음은 없었다. 그러니 적당히 그만두고 빠져야지.

정호가 욕실 문에서 멀어져 현관 쪽으로 가려던 때였다.

딸깍.

욕실 문고리가 돌아가는 소리가 비현실적으로 매우 천천히 들려왔다. 정호가 고개를 돌렸다. 문이 열리고 있었다. 흡, 숨을 들이켰다. 뽀얀 수증기 속에서 모습을 드러낸 유리는 젖은 머리를 타월로 감싼 채 정호의 흰색 셔츠를 걸치고 있었다.

"샤워하는 김에 그냥 머리까지 감아 버렸어."

쏟은 우유에 젖은 건 몸의 일부였지만 온몸을 너무나도 개운하게 씻고 나온 것이 다소 민망했던지 유리는 묻지도 않은 말을 덧붙였다.

"어……"

사실 유리의 말이 귀에 잘 들어오지 않았다. 정호는 침이 바짝 말랐고 목이 타들어 가는 것만 같았다. 단추를 대충 잠근 셔츠가 헐렁하게 떨어지는 핏이 누가 봐도 얻어 입은 옷처럼 보였다. 하지만 이렇게 남자 셔츠를 입은 모습이 매력적인 이유, 바로 그게 포인트다.

여자 본인의 옷이 아니니까. 남자의 옷을 입었으니, 당사자인 남자는 야릇한 기분이 휩싸일 수밖에. 유리는 굉장히 섹시했다. 셔츠 아래로 길게 쭉 뻗은 하얀 다리가 유난히 빛났다.

젖을까 봐 입지 못했다는 바지는 손에 들고 있었다. 여자치고 키가 제법 큰 유리지만, 그래도 그녀보다 훨씬 큰 정호의 바지 길이가 딱 맞을 정도는 아니었다. 아무렴 그의 품에 쏙 안겨 들어갈 정도이니 말이다.

흰색 셔츠는 완벽한 몸의 굴곡을 감추지 못했다. 풍만하게 올라온 가슴이 고급스러운 셔츠 면에 닿아 봉긋하니 그대로 드러나 있었다. 벌어진 단추 사이로 보이는 살결이 무척 자극적이었다. 이런 모습으로 바로 나올 줄이야. 방심한 틈을 타고 이렇게 치고 들어오면…… 고맙지, 정말.

정호가 뜨거운 시선을 거두며 닫혀 있는 욕실 문에 유리를 세게 밀어붙였다. 키스가 시작되었다. 기다릴 것 없이 먼저 거칠게 입을 열고 들어가 애타게 그녀를 찾았다. 마찬가지로, 바로 받아들이며 그를 빨아들이는 그녀의 움직임 역시 덴 듯 뜨거웠다.

정호가 입을 맞추며 유리의 머리를 감싼 수건을 걷어 내 바닥에 던지자, 그녀의 젖은 머리가 흘러내려 귓가를 간지럽게 했다. 그 머릿결을 쓸어 넘겨 주었다. 모든 동작은 갈급하나 또 하염없이 정성스러웠다.

셔츠 위 허리를 안았던 손을 조금 아래로 내리자, 맨살이 손에 잡혔다. 다리에서 엉덩이로 올라오는 그 둥근 곡선이 손안에 가득 잡히자 서로의 입에서 낮고도 뜨거운 신음이 새어 나왔다. 아, 미치겠다.

서로에게 닿은 살이 아쉽고 또 아쉽기만 했다. 그 이상을 바라는 가슴속 무언가가 그저 뜨겁게 타오르기만 했다. 키스를 이어 가며, 정호가 오른손으로 욕실 문을 돌려 열었다. 뒤로 열리는 문에 기대어 있다가 휘청거리는 그녀의 몸을 강하게 끌어안으면서도 정호는 키스는 멈출 생각을 하지 않았다.

그 상태로 천천히 유리를 밀면서 안으로 들어갔다. 유리는 뒷걸음질 치면서도 정호의 팔과 허리를 잡은 손에 힘을 주며 그에게서 키스를 받아 냈다. 어느덧 샤워기 아래까지 오자 정호가 물을 틀었다.

쏟아지는 물이 머리를 타고 흘러, 입고 있던 옷을 그대로 흠뻑 젖게 만드는 깃도 아랑곳하지 않고, 유리의 입술을 부드럽게 물었다 놓으며 그 손은 여전히 그녀의 몸 위를 주무르고 있었다.

"뭐 해…… 너…….”

"뭐 하긴. 지금 샤워하잖아.”

"나는…… 했어.”

흠뻑 쏟아지는 물 아래에서 그녀의 목덜미에 입을 맞췄다. 샤워기의 물과 타액이 섞이고, 물소리와 낮은 신음이 섞여 들었다. 뜨거운 입김이 흐르는 물과 함께 견디기 힘들 만큼 자극적인 느낌을 줄 뿐이었다. 목덜미에 깊게 입을 맞추며 축축하게 젖은 셔츠 위로 유리의 가슴을 움켜쥔 채 여전히 말을 이어 나갔다.

"난 안 했어.”

유리를 밖에 앉혀 두고 혼자 들어와 샤워할 수도 있다. 하지만 그녀가 멀리 가 버릴 것 같았다. 잠시도 기다려 주지 않을 것 같아서 손에서 놓고 싶지 않았다. 그래서 결국 이렇게 흠뻑 젖은 채로 마주하게 되었다.

"옷이 다 젖었잖아.”

"그래서, 불편하지? 벗겨 줄까?”

정호가 몸을 살짝 떼어 냈다. 단지 화이트 셔츠 한 장을 걸쳤을 뿐이지만, 몸이 물에 젖어 버린 모습을 보니 오히려 벗기기 아까울 정도였다. 이런 섹시한 비주얼은 이제 죽을 때까지 자신만 볼 것이라고 다짐했다.

감히 손대기도 아까웠던 이 여자를 내 것으로 만들고 싶다는 강한 소유욕이 젖은 몸 위로 피어올랐다. 정호의 셔츠와 바지 역시 흠뻑 젖었고, 아침부터 부지런하게 만져 놓은 헤어 역시 여전히 쏟아져 내리는 샤워기의 물에 그대로 젖어 버렸다.

제게로 손을 뻗는 유리를 마주 바라보자 이대로 온몸이 타오를 것 같았다. 침조차 삼킬 수 없을 것만 같은 긴장감이 흘렀고 정염(情炎)이 들끓었다. 정호는, 흠뻑 젖어 가슴 근육을 그대로 드러낸 자신의 셔츠 위로 손을 대어 보는 유리의 허리를 다시 끌어안았다.

망설임 없이 자신에게로 손을 뻗는 그녀가 좋았다. 이번에는 엉덩이를 앞으로 밀며 아래가 닿도록 가깝게 안아 버리자, 바지를 입고 있어도 맨살의 그녀가 느껴지는 듯해서 당장에라도 미쳐 버릴 것만 같았다. 이제 참을 수 없었다. 닿았으면 좋겠다. 정호는 손을 뻗어 샤워기의 물을 잠갔다.

갑자기 소름 끼치게 고요해진 욕실. 거친 숨을 몰아쉬던 정호가 유리의 셔츠 앞자락을 잡았다. 도저히 못 참겠어. 셔츠를 잡은 손에 힘을 주어 그것을 양옆으로 확 잡아 뜯어 버리자 단추가 후두두 떨어져 나갔다. 단 한 번의 움직임만으로 그녀의 완벽한 나신을 드러나게 했다.

일찍이 여신의 자태로 유명했던 유리였다. 하지만 지금 아무것도 입지 않은 상태가 가장 여신다웠다. 무엇으로도 숨길 수 없는 아득한 아름다움. 그것을 범하고 가질 생각에 정호의 심장이 터질 듯 뛰었다.

유리가 마른침을 간신히 삼키며 정호의 셔츠 단추에 손을 대었다. 떨리는 손끝이 느껴졌다. 젖은 옷은 몸에 들러붙어 쉽게 벗겨지지 않았다. 그렇기에 옷을 벗겨 내기 위하여 정호의 몸에 점점 손을 더욱 밀착시킬 수밖에 없었다.

굉장히 탄탄한 몸이었다. 길쭉하게 뻗은 팔다리에 꽉 짜인 근육은 감탄이 나올 정도였다. 유리가 늘, '운동 엄청 한 보람 있네.' 하고 웃으며 쓱 손으로 찔러 보던 바로 그 몸이었다. 일전에 눈으로만 봤던 몸을 원 없이 만지고 있다는 생각에 유리의 심장 역시 주체할 수 없이 두근거렸다.

결국 서로의 나신이 아무런 장애물 없이 꽉 닿아 버렸다. 정신을 차릴 수 없을 만큼 아찔한 키스가 이어졌다. 바디워시 거품이 서로의 손에서 몸으로, 하염없이 피어올랐다. 같은 향을 머금은 채 그렇게 서로를 탐하여 놓을 줄을 몰랐다.

이내 정호는 유리를 안아서 들어 올렸다. 그녀는 팔을 뻗어 정호의 목을 감싸며 그 품에 안겼고, 바닥에 물을 뚝뚝 흘리면서 욕실을 나섰다. 침대에 그녀를 눕힌 채, 유리의 위에 올라가 입을 맞추었다. 젖은 피부가 그대로 닿아 짜릿한 감각에 몸이 떨렸다.

한참 동안 그녀의 몸 위에 그의 입술이 나비가 노닐듯 움직였다. 몸을 스치는 입술의 움직임이 이전의 단순한 키스보다 훨씬 더 농염함을 느끼며 유리가 자기도 모르게 가느다란 신음을 내뱉었다.

"지금 네 표정, 진짜 야한 거 알아?"

한껏 달아오르게 해 놓은 사람이 누군데, 태연하게 말하는 정호를 올려보며 유리는 숨을 몰아쉬었다.

"시끄럽고, 그냥 ……빨리해."

못 참겠으니까. 어서 그를 맞이하고 싶은 마음 외에는 아무런 잡념도 들지 않았다. 정호가 그대로 몸을 기울여 겹쳐 오더니 다시 입술을 부드럽게 머금었다.

살과 살이 그대로 맞닿자 온몸이 뜨겁게 달아올라 소멸할 것만 같은 기분에 정신을 차리기 힘들었다. 낯선 감각이 맞닿는 부분마다 피어났다. 이내 그녀의 안으로 그가 밀고 들어왔다.

아픔을 동반한 소리가 터져 나왔다. 생경한 느낌을 견딜 수가 없었다. 유리는 자신도 모르게 끝없는 여린 소리를 내뱉으며 정호의 등을 힘껏 끌어안았다.

정호는 잠시 멈춘 채로 유리의 아픔이 가라앉기를 기다려 주었다. 뻣뻣하게 굳어졌던 다리와 그녀의 안쪽에서 경직된 힘이 빠져나가는 것을 느끼고 정호는 다시 조금 더 들어갔다. 자신의 팔에 매달리듯 움켜잡은 그녀의 손마디가 사랑스러워, 한껏 몸을 숙여 그 입술에 입을 맞추었다.

"괜찮아?"

"……괜찮아."

유리의 입술에 입을 맞추고 있다. 유리를 마주 바라보고 있다. 유리의 숨을…… 마실 수 있게 되었다. 이 사실 모두 어느 하나 믿기 어려운, 그에게는 너무도 과한 기쁨이었다.

정호는 천천히 움직이기 시작했다. 본능은 무섭도록 쾌락을 향해 정확히 움직였다. 찢어질 듯한 고통이 수반되는 행위에 유리가 소리를 지르기 시작했다. 날카로운 못이 파고드는 것만 같은 아픔에 정신을 차릴 수 없을 때 다시 움직임이 느려지면서, 부드러운 키스가 내려앉았다.

그 애틋하고도 조심스러운 몸짓에 점차 통증이 가라앉으면서 유리가 내뱉는 소리도 어느덧 고통에 찬 음성이 아닌, 저절로 허스키한 저음의 신음성으로 변하고 있었다. 깊고 뜨거운 늪에서부터 끌어당기는 듯한 그 매력적인 소리가 정호를 휘어 감았다.

더 이상 중요한 건 아무것도 없었다. 오직 서로만이 전부인 시간이었다. 마침내 머금는 순간마다, 더듬는 순간마다, 서로가 서로를 찾아드는 그 순간마다 흩어지는 숨, 그윽이 짙어지는 향. 들어 본 적 없는 낯선 음성. 마주한 적 없는 낯선 눈빛, 느껴 본 적 없는 낯선 감각. 온몸에 휘몰아치는 건 온통 낯선 것들뿐.

그렇게 타는 듯한 열기 속 하염없이 흐르는 시간. 그저 오롯하니 둘만 존재하는 시간. 속절없이 무너지는 경계, 정처 없이 헤매는 손길, 더없이 뜨거운 숨결, 남김없이 몰아붙여 마침내 치닫는 절정.

“저, 정호야…….”

움직임은 점차 빨라졌다. 격렬하고, 강렬한 불꽃이 피어올랐다. 이 충족감. 어떻게 다 말로 할 수 있을까. 넓은 우주 안에 몸을 맡긴 유리는 소리를 내지르며 단단한 팔에 매달렸다. 넘치는 호흡 아래 격하게 떨리는 몸이 끝을 모르고 휘몰아쳐 달렸다. 거침없었고, 한도도 없는 것만 같았다.

한참이나 그 안에서 서로를 안고 끝없이 탐했다. 절정의 고지를 향해 내

달리다가 이내 그 쾌락의 끝에서 멈추어 버렸다. 거칠게 부르르 떨린 몸이 숨 막히는 비명을 내지르며 무너졌다. 유리의 몸 위로 쓰러지듯 포개어진 정호의 귓가에, 끝난 후에도 정리가 되지 않은 그녀의 여린 숨소리가 여전히 뜨겁게 밀려들었다.

몸이 채워지고, 마음이 채워졌다. 빈틈이라고는 하나도 느껴지지 않았다. 완전히 하나가 되어 버린 채 여전히 서로의 안에 있었다. 뜻하지 않은 때 매우 갑자기 일어난 일이었지만, 분명한 건 서로가 서로를 원하는 완벽한 순간이었다는 사실.

한낮의 옥탑방. 가을 햇살이 가득 밀려들었다. 두 사람의 처음은 매우 서툴고, 그렇게 몹시 완벽하였다.

유리가 잠에서 깬 건 해가 질 무렵이었다. 저도 모르게 깊은 잠에 빠져들었던 모양이었다. 유리는 화들짝 놀라 침대 위에 일어나 앉았다. 이 공간에서 이렇게 아무것도 입지 않은 채 잠이 들었다니. 낯설다, 정말 낯설어.

유리는 얇은 이불을 끌어 가슴을 가리며 둘러보았다. 한눈에 들어오는 옥탑방 내부에는 아무도 없었다. 욕실 문이 조금 열려 있는 걸로 봐서는 거기에도 정호는 없는 듯했다.

"아…… 일해야 하는데."

속옷부터 찾아야겠다고 생각했다. 아까 낮에 카페에서 은강을 도와주다가 우유를 쏟은 후 어쩌다 보니 일이 이렇게까지 되어 버렸다. 샤워했을 뿐인데 왜…… 여기서 정호와…… 그런 짓을. 정말 정신없이 타오른 순간이었다. 꿈이었나 싶을 정도로, 자신답지 않은 모습만 잔뜩 보여 준 것 같다. 아니, 정호도 마찬가지다.

안 그래도 멋있는 놈이, 침대에서는…… 엄청 섹시해서 헉 소리가 나왔으니까. 그 찡그린 미간, 살짝 감은 눈, 낮은 숨소리, 그리고 허리의 유연한 움직임 모두 부드럽고도 세게 몰아붙이던 그를 생각하니 가슴이 또 쿵쾅거렸다.

눈앞에 정호가 없으니 마치 없었던 일 같으면서도, 욱신거리는 몸을 보니 그건 아닌가 보다. 그런데 못 보던 쇼핑백이 눈에 보였다. 거기엔 포스트잇이 하나 붙어 있었다.

〈옷이 젖어 못 입을 것 같아서 급한 대로 하나 사 왔어. 깨면 입고 내려와. 나는 카페에 내려가 있을게. 김유리, 사랑한다.

─세상 그 누구보다도 잘생기고 똑똑한 김정호.〉

정체만 안 밝혔으면 참 좋았을 쪽지를 보며 유리는 웃고 말았다. 그래, 세상에서 제일 잘생기고 똑똑한 우리 토깽이. 그녀는 웃으며 쇼핑백을 열어 보았다. 펼쳐 보니 새 원피스였다. 가장 가까운 옷집, 학교 정문 쪽에 있는 가게에서 사 온 듯했다. 그런데…….

"하아…… 말아 먹은 센스 좀 보소. 지금 내 나이에 핑크 리본이 뭐야, 핑크 리본이."

타박하면서도 유리의 입가에는 여전히 미소가 남아 있었다. 자신의 취향과는 한참 거리가 먼 디자인이었다. 이 옷을 사기 위해 정문 앞까지 뛰어갔다 왔을 정호의 모습이 그려지니 웃지 않을 수 없었다.

여자 옷을 처음 사는 거겠지. 헷갈리면 무채색의 무난한 디자인으로 사 올 것이지, 나름 신경 써서 핑크를 고른 모양이었다. 사랑스러운 내 토깽이. 달콤한 내 토깽이.

유리는 왠지 뭉클해졌다. 유치하기 그지없는 핑크 리본 원피스를 품에 안고 세상에서 가장 비싸고 좋은 선물을 받은 여자처럼 배시시 웃고 말았다.

"와아. 옷 진짜……."

"진짜 뭐."

"안 어울려요."

카페에 내려오자 준이 고개를 절레절레 저었다.

"진짜 어후, 아무리 온갖 옷을 다 소화하셔도 십 년 어린 패션은 진짜 무리시다. 설마 머리까지 양 갈래로 묶으실 건 아니겠죠?"

"그렇게 이상해?"

"진짜 대박 이상해요. 완전 안 어울리고, 누나 더 나이 들어 보여요, 오히려. 옷을 어리게 입는다고 어려 보이는 게 아니죠. 게다가 그 가슴에 달린 큰 핫핑크 리본은 진짜 죄악입니다."

유리는 제 앞가슴에 달린 분홍색 리본을 내려다보고는 준의 귀를 잡았다.

"배준배, 뭐라고? 다시 말해 봐."

"죄, 죄악……."

"이게 어때서, 예쁘구만! 예쁘기만 하구만, 왜, 뭐!"

"아아악! 네, 네! 그러네요! 예뻐요. 예쁩니다. 암요, 예쁘죠! 그럼요!"

금세 굴복한 준이 벌게진 귀를 문지르며 물러섰다. 워낙 패션에 관심이 많고 옷을 잘 입기로 유명한 유리인지라 오피스 룩도 여배우처럼 근사하고 아름답게 소화하곤 하였다. 변호사가 아니라 길에서 보면 모델인지 배우인지 모를 만큼 미모가 뛰어나기도 했고.

하지만 신입생이나 입어야 귀여울 것 같은 원피스는 진짜 좀 아니지 않은가. 무력에 의해 예쁘다고 인정은 했지만, 준은 영 찝찝한 얼굴로 돌아섰다.

"어, 입었어? 잘 어울리네."

고개를 돌리니, 사무실에서 나온 정호가 활짝 웃는 얼굴로 유리에게 다가가고 있었다. 준은 제 눈을 의심했다. 콩깍지가 아무리 심하다 해도 저럴 수가 있나. 방금 밥 먹고 온 게 막 올라올 것만 같았다.

"그러엄. 누가 사 준 건데, 안 예쁘겠어."

누가 유리 누나에게 저런 걸 입혔나 했더니, 역시 범인은 오랜 전통을 자랑하는 패션계의 테러리스트, 거장 김정호였다. 전후 사정이야 어쨌든 핫핑크 리본 룩을 제 서른한 살 애인에게 선물한 정호가 갑 중의 갑이리라.

유리는 청록색 추리닝에 버금갈 정도의 시각 공해를 선사하며 당당한 워킹으로 사무실에 들어갔다. 계절이 바뀌고 날은 추워졌는데도, 아직 이 동네에는 정상으로 돌아온 사람이 없구나 싶었다. 준은 일반인과 또라이의 경계에 대해 고찰하며 고개를 절레절레 흔들었다.

태한가(家)와 태경병원, 그리고 이편웅, 김승운 전(前) 지검장의 관계에 얽힌 이야기는 끊임없이 양산되어 퍼져 나갔다. 예측하지 못했던 바가 아니기에 놀랄 것도 없고 신경을 쓸 일도 없었다.

이편웅은 치러야 할 죗값을 더는 피해 갈 수 없었다. 이쪽은 그에 대한 추가 조사를 구경이나 하고 있으면 될 뿐이었다. 선한 권력자의 탈을 쓴 채 뒤로는 온갖 악행을 일삼은 이로 낙인찍힌 이편웅은 국민의 분노를 온몸으로 받아 내야만 했다.

심지어 그가 어느 식당에서 직원 하나에게 행패를 부렸던 것까지 누군가 인터넷에 영상을 올려 논란이 가중되었다. 이미 분위기가 조성된 마당이라 그런 영상 하나의 영향력마저도 대단하였다. 끝이 없는 화수분 같았다.

결국 송화의 보이스 레코더를 탈취하고 은강에게 상해를 입혔던 남자까지 자수하였고, 이편웅이 이를 사주한 것으로 밝혀져 그의 죄목은 점점 더 늘어나고 있었다.

다만 정호는 아직 아버지가 어떤 마음으로 지난날 불명예스러운 퇴직을 견뎠는지는 알지 못했다. 아버지가 그런 비리 무마의 선봉(先鋒)에 있었다는 것을 인정하고 싶지 않았고, 그 마음은 여전히 아버지를 곧은 눈으로 바라보지 못하게 했다.

그저 유리에게 사과했고, 이 결혼에 대해 별다른 방해가 없다는 것만으로도 충분했다. 외면하고, 또 외면하는 것만이 길이라 생각했다. 굳이 더 깊은 곳으로 들어가 추악한 바닥까지 보고 싶지는 않았다. 이 정도면 되었다. 이 정도면 행복해질 수 있다. 정호는 그렇게 생각했다.

한편, 성북동 태한가(家) 저택.
정호의 부친, 김승운에게는 몇 년 만인지 모를 처가 방문이었다.
"검진은 잘 받으셨습니까."

"잘 받았네."

누구보다 건강 관리에 힘을 쓰는 구 여사이기에 딱히 걱정할 건 없었다. 그러니 형식적으로 건넨 인사였다. 직접 장모를 찾아뵌 건 오랜만이었지만 사실 소식은 계속 듣고 있었기에 근황을 묻는 건 어려움이 없었다.

다만, 구 여사의 냉소는 여전히 익숙해지기 어려운 것이었다. 김승운은 다부진 눈빛을 꺾지 않고 말했다.

"어느 정도 일도 마무리된 것 같은데. 정호에게 하시던 압박은 거두시고, 이제 좀 편해지시면 어떻겠습니까, ……어머님."

뻣뻣한 막냇사위의 입을 통해 듣는 '어머님' 소리는 처음이었기에, 구 여사의 희끗한 눈썹이 움찔거렸다.

"정호에게 바라시면 뭘 얼마나 바라시겠습니까. 그 애를 통해 얻으시는 것이 또 얼마나 되시겠어요. 의미 없다는 것, 누구보다 ……어머님께서 더 잘 아실 텐데 말입니다."

구 여사는 뼛속부터 군림하기 좋아하는 성미를 가진 여자였다. 누구든 자신이 무서워 발아래 엎드리는 것을 봐야 직성이 풀렸다. 제 권력을 이용하든, 상대의 약점을 이용하든, 관계의 우위를 선점하는 일에 최선을 다하였다. 그것이 그녀가 살아가는 방식이었다.

세월은 그녀의 기세를 꺾지 못했다. 나이가 들어도 여전히 부러지지 않는 대나무처럼 구 여사는 어떤 일에서든 제 뜻을 굽히지 않았다.

하지만 이미 태한의 실세는 구 여사가 아닌, 정호의 외숙부에게로 넘어간 지 오래다. 언제까지 구 여사의 눈치를 봐야 하는가. 그럴 이유는 전혀 없다. 숨을 죽인 채 살아온 지난 몇 년간의 세월을 떠올리며, 김승운은 낮은 음성으로 말했다.

"참는 건 저 하나로 끝내는 게 좋겠습니다."

"……."

"정호는 그냥 놓아주세요."

"허, 끝까지."

"……."

"자네만 옳고, 자네만 잘났군."

"사실이 그렇습니다."

한 번도 그런 식으로 대꾸한 적 없었다. 구 여사가 턱을 들어 올리며 날카로운 눈빛으로 사위를 쳐다보았다. 지키기 위해 발톱을 감춘 바 있던 김승운이다. 이제는 지키기 위해 발톱을 드러내고 있었다.

변했다. 확실히 그는 변해 있었다. 세월은 구 여사의 기세를 꺾지 못했으나, 김승운의 고집은 조금 꺾어 놓았다. 이미 며느리가 될 유리 앞에서도 기꺼이 무릎을 꿇은 적이 있는 김승운은, 진심으로 아들을 사랑하는 아비였다. 자식을 위해서라면 못 할 것이 없었다.

"아버님은 어디 가셨어요?"

정호의 시골집에 내려온 유리는 이제는 제법 익숙해진 거실에 직접 방석을 꺼내어 앉으며 물었다. 정호의 모친 이연주 여사는 녹차를 내려놓으며 대답했다.

"가끔 답답한지 어디 간다 말도 없이 나갔다가 들어오곤 하는데, 그럴 땐 나도 안 물어보고 그냥 기다려. 뭐, 안 들어오는 것도 아니고. 때 되면 들어오니까."

"어, 정호도 그래요."

"그러니?"

"네. 처음엔 좀 꼬치꼬치 캐물으려고 했는데, 어차피 돌아오고 하니까 굳이 쥐 잡듯 잡을 필요가 없겠더라고요."

그러면서 유리는 일전에 '입굴 신고서'를 만들어 준 이야기까지 했다. 이 여사는 그것참 좋은 생각이라며 웃었고, 자신도 남편에게 활용해 보겠노라 다짐했다. 그 양식이 있으면 메일로 보내 달라며 이메일 주소를 적어 주기까지 했다.

정호 없이 혼자 내려온 시골이지만, 이 여사와 마주 앉은 자리가 편하기만 했다. 유리는 시종일관 밝은 얼굴로 이런저런 이야기를 나누었다.

그리고 대화는 자연스럽게 이편웅에 대한 쪽으로 흘러갔다. 재판을 준비하게 된 계기, 자신들이 겪었던 아픔, 태한가(家)에 대해 느끼는 마음 등. 이런 상황에서도 끝까지 정호를 놓지 못하고 욕심을 부린 것 같아 한편으로는 죄송한 마음도 있다고 했다.

"그런 말 하지 마. 그럴수록 내가 더 미안해지니까. 두 사람 헤어지지 않은 게, 나는…… 고맙구나."

이 여사는 눈물을 글썽거리며 유리의 손을 잡아 주었다.

"본의 아니게, 일에 직접 관련 없으신 분들에게까지 해를 끼쳤어요."

이편웅만 벌하고 마는 것이 아니었다. 유기적으로 얽힌 많은 일과 사람들이 이 사건으로 인해 타격을 입었다. 아무리 대의(大義)를 위해 작은 것을 해하는 건 관여치 않는다지만, 사건의 당사자인 이편웅을 제외하고는 미안한 마음이 드는 사람도 많았다.

"아니야, 정말. ……잘못했으면 벌을 받는 게 맞지. 큰일 했다, 잘했어."

진심 어린 목소리로 말하는 이 여사를 보며 유리는 목이 메었다.

"박 실장 그 사람은 어떻게 한다고 하니? 병원 홍보실 사직하면, 일자리라도……."

"그거 거절했대요."

"그럼?"

"퇴직금이랑 위로금 받은 걸로, 아내와 아이들 있는 곳에 가서 작은 가게라도 하고 싶다더라고요. 지금까지 양심에 반(反)해 일했던 것도 있으니, 이 일로 인해 뭔가를 더 얻고 싶은 생각은 없으신 것 같았어요."

"그렇구나."

"후련해 보이셨어요. 그동안 많이 괴로우셨던 모양이에요."

이 여사는 고개를 끄덕였고, 유리가 이어 말했다.

"그런 박 실장을 이끌어 낸 건 정호였어요."

"아. 정호가……."

그럴 리 없다는 듯, 다소 의아한 표정으로 말을 흐리는 이 여사를 보며 유리는 웃었다.

"어머님, 아들 정말 근사하게 잘 키워 주셔서 감사합니다. 그날 정호 멋있어서 저 죽는 줄 알았어요."

생긋 웃는 유리의 얼굴이 너무도 예뻐 이 여사도 마주 웃었다. 이런 며느리라면, 제 등에 업고 이 동네 몇 바퀴를 돌아도 부족하겠구나 생각하면서. 모든 아픔 다 내려놓고 이제 자신들의 가족이 되겠다는 유리에게 진심으로 고맙다는 마음이 들었다. 이 여사는 유리의 손을 잡고 놓을 줄을 몰랐다.

"그런데 유리야, 여기까지는 혼자서 어쩐 일로……."

어둠이 내려앉은 거리.

이슬은 카페 창가에 앉아 송화를 기다리며 책을 읽고 있었다.

"이게 뭐야, <베니스의 상인>?"

사무실에서 나온 정호가 이슬을 보고 다가와 옆에 앉았다.

"네, 돈 빌려주고 안 갚는다고 가슴살 일 파운드를 베어 내기로 했대요. 흐엉. 무서워."

"그러게 사채가 그렇게 무서운 거야, 아무 계약서에나 그렇게 도장 찍고 그러면 안 돼."

"진짜 살을 막 칼로 베어 내고 그래야 해요? 여기선 피 한 방울이라도 흘리면 안 된다고 해서 계약이 없던 일로 되었대요. 근데 이런 현명한 재판관님 없으면 어떡해요? 아무리 그래도, 흐엉, 막 사람 죽고 그러면 어떡해요? 그런 계약도 꼭 지켜야 해요? 법이니까?"

이슬의 질문이 이어졌다. 책을 읽다 말고 간혹 질문하는 이슬의 리걸 마인드는 시간이 갈수록 점점 더 깊이가 생겼다. 정호는 관심을 보이는 이슬에게 쉽게 설명해 주었다.

"걱정 안 해도 돼. 이런 건 민법에서 '반사회적인 법률 행위'라고 해서 아예 계약 자체가 무효가 되거든."

"반사……?"

"반사회적 법률 행위."

리걸 마인드는 있지만, 어려운 용어에 어리둥절한 표정을 짓는 이슬은 이럴 때 영락없는 어린아이였다. 정호가 그런 이슬이 귀엽다는 듯 한 번 웃고는 이어 말했다.

"이렇게 어울려 살아가는 사회에서, '에이, 그건 좀 심하지, 그건 너무하지, 그건 그러면 안 되지.' 하는 것들이 있어. 인륜에 반하고, 정의의 관념에 반하고, 개인의 자유를 제한하고, 생존의 기초가 되는 재산을 처분하는 행위 등등등."

"네?"

"그러니까, 이슬이 너 숙제 안 하면 망태 할아버지에게 잡아가게 한다! 다리 밑에 버린다! 이런 건 이를테면 인신매매 계약 같은 거니까 뭐, 겁먹지 않아도 된다는 거지. 그런 협박은 통하지도 않고, 계약하더라도, '어, 그건 반사회적 법률 행위에 해당해서 계약 자체가 무효입니다!'라고 외치면 된다는 얘기."

"아?"

정호가 어벙한 표정을 짓고 있는 이슬의 머리를 쓰다듬으며 말했다.

"자, 따라 해 봐. 그건 반사회적 법률 행위에 해당해서."

"그건 반사회적 법률 행위에 해당해서."

"계약 자체가 무효입니다!"

"계약 자체가 무효입니다!"

"아주 잘했어!"

또박또박 따라서 말하는 이슬이 귀여운 듯 볼을 잡고 늘렸다. 그러는 사이 은강이 다가와 정호를 밀치며 이슬에게 다가섰다.

"이슬아, 자, 쿠키 먹자."

"와아. 치즈 쿠키다."

은강이 정호와의 사이를 가르며 쿠키를 놓고 돌아서는데 송화가 카페에 들어섰다. 요즘 제과·제빵을 배우기 위해 학원에 다니고 있는 송화였다.

두 사람은 내후년쯤 조그만 케이크 카페를 열자고 약속해 둔 참이었다. 그때를 위해 송화는 아르바이트를 하며 학원에 다니고 있었다. 그리고 오는 겨울에는 결혼도 하기로 하였다.

"왔어요?"

은강의 웃는 모습에 카페 중앙에 있던 학생들이 술렁였다. 몇 시간을 앉아 있어도 한 번도 볼 수 없던 미소였는데, 아이의 엄마가 나타나자마자 은강이 보인 웃음이 더없이 부드럽고 따뜻해 보였다.

"날이 꽤 추워졌네요."

송화도 웃으며 은강을 보았다. 그리고 쿠키를 먹고 있는 이슬에게 말했다.

"이슬아, 집에 가자."

"나 조금만 더 있고 싶은데."

"가서 숙제해야지."

"이따 밤에 숙제하면 되잖아."

고집이 날로 세지는 이슬을 보며 난감한 듯 송화가 말했다.

"너 요즘 그렇게 자꾸 숙제도 안 하고, 엄마 말 안 듣고 그러면 엄마가 도깨비 불러서 우리 이슬이 좀 데려가세요, 한다고 했지?"

그 말에 정호가 뒤를 돌아보았다. 어, 예상했던 상황이다. 은강도 눈을 조금 크게 뜨고 이슬을 바라보았다. 과연 이슬은……? 아니나 다를까. 이슬의 야무진 입술이 열리며 흘러나온 말.

"그건 반사회적 법률 행위에 해당해서 계약 자체가 무효입니다!"

송화와 이슬을 제외하고, 주변에 있던 사람들에게서 웃음이 터져 나왔다. 제 딸 이슬이 어디서 이런 어려운 말을 배웠는지 놀란 송화가 눈을 깜빡거렸고, 이슬은 의기양양한 얼굴로 정호를 향해 엄지를 추켜올렸다. 은강도 그런 이슬이 마냥 귀엽고 기특해 다시 한번 웃어 버렸다.

"이러다 이슬이도 미래에 법조인 되시겠다. 아이고, 예뻐라."

바(bar)에서 나온 마미는 이슬의 양 볼을 감싸며 이마에 뽀뽀를 해 주었다. 어른들의 귀여움을 한 몸에 받으며 이슬 역시 방긋방긋 웃어 보였다. 바람은 차갑고 날은 추워지지만, 로(Law) 카페 안은 너없이 따뜻하였다. 그리고 그때, 유리가 카페에 들어섰다.

"뭐가 그렇게들 재미있어?"

"아니, 이슬이가……."

마미가 웃으면서 이슬의 이야기를 들려주었다.

"진짜? 와아, 이슬이 진짜 이러다 판검사 되는 거 아니야?"

"나 언니처럼 변호사 되고 싶은데요."

"어머."

포부가 남다른 이슬을 한참 칭찬하며 카페에서의 시간이 흘러갔다. 여유롭고 기분이 좋은 저녁이었다.

유리는 이내 정호에게 손을 내밀었다.

"나가자. 같이 좀 걸을까?"

정호는 두 번 생각할 것도 없이 유리의 손을 잡았다.

"김유리, 이거 데이트야?"

"데이트지."

말할 것 없이 다정한 손길. 더할 것 없이 따뜻한 눈빛. 사람들로 복작거리는 카페에서 나선 두 사람은 오랜만에 둘만의 데이트를 하기 위해 걸음을 옮겼다. 어둠이 내려앉은 거리에 가로등 불빛이 반짝거렸다.

그 거리. 가짜 연애를 시작했다가 끝냈던 거리. 10년이 흘러 다시 새롭게 마주 보게 되었던 거리. 사랑을 시작하고 서로의 마음을 알게 된, 그 거리. 하루 중 가장 많은 시간을 보내는 카페와 옥탑, 바로 앞에 있는 거리라서 늘 바쁘게 지나다니기는 했지만 이렇게 손잡고 걸은 적은 별로 없었다.

정호는 유리의 손을 잡고, 유리는 정호의 손을 잡은 채 천천히 걸었다. 후문 벚꽃 거리를 지나 어둠이 가득한 교정으로 들어섰다. 학교 안을 한 바퀴

돌까 해서였다. 이런 여유로움도 참 오랜만이다. 살랑거리며 내려앉은 밤바람이 선선했다.

"안 추워?"

"추워."

유리의 대답에 정호가 다시 입을 열었다.

"그럼……."

"뛰라고 하기만 해."

"어떻게 알았지."

"너 좀 맞을까? 등짝 한판 두드리면 체온도 후끈 올라가고 좋을 텐데."

손을 잡고 걷는 모습은 여지없이 다정한 연인처럼 보이지만, 대화까지 그러진 못했다. 사람은 그렇게 쉽게 변하는 것이 아니니까. 사랑하게 되었다고 해서 친구로 살아온 세월까지 지워지는 건 아니었다.

혹여 바닷가에서 '나 잡아 봐라' 놀이라도 한다면 아마 전력 질주로 추격전을 펼칠 것이고, 어쩌면 둘 중 하나가 잡히는 순간 반죽음 상태가 될지도 모르겠다.

"아니, 체온 올리는 데에는 다른 방법이 더 좋지. 키스라든가, 키스라든가, ……키스라든가."

"그만 좀 해라, 그만. 입술 닳겠다."

유리는 정호가 내미는 입술을 손바닥으로 툭 밀면서 앞으로 걸어갔다.

"왜, 키스 싫어? 그럼 우리 이제 선택의 폭이 아주 넓어졌으니까 다른 걸로 한번 골라 볼까? 뭐가 좋은데? 너 진짜 키스 이상 하고 싶어서 그런 거였어? 어후, 김유리 엄청 밝혀."

"야, 그만하랬지."

그리고 이럴 때는 또 영락없는 연인. 걸음을 멈춘 정호는 유리의 볼을 양손으로 잡고 깊게 입을 맞추었다. 유들거리며 농담을 하다가도, 또 한없이 진지하게 키스를 하는 남자.

인적이 드문 곳. 불빛마저 약하여 형체를 드러내지 못하는 그곳에서 부드럽게 탐하는 입술에 온몸이 달아올랐다. 피어오르는 열기가 여지없이 유리를 떨게 했다. 어떻게 이렇게까지 좋을 수가 있을까.

그 입술이, 그 숨결이, 그 모든 것이. 다른 생각은 전혀 할 수 없을 정도로 이 남자에게 그저 푹 빠져든 자신이 신기하기만 했다. 10년 전에는 별생각 없이 오가던 교정에서 이렇게 정호와 키스를 하고 있다는 것도 새삼스러웠고. 그저 모든 것이 놀랍고 새롭다. 사랑하고 있구나, 자각하는 순간이었다.

그러다가 손을 잡고 다시금 익숙한 교정을 가만히 걸었다. 그리고 정문 앞으로 나와 한 카페에 들어갔다. 제 카페를 버젓이 두고 다른 카페에서 돈 주고 커피를 사기 아까운 마음도 들었지만 할 수 없었다. 데이트 삼아 나온 참이니까.

유리는 정호 취향의 캐러멜마키아토와 자신의 아메리카노가 올려진 쟁반을 잡고 돌아섰다. 정호는 창가에 앉아 손으로 턱을 괸 채 바깥을 물끄러미 바라보고 있었다.

무심한 시선, 나른한 빛이 흐르는 콧날, 날카로운 턱선. 얼굴 참 기가 막히게 잘생겼지, 다리도 길고, 팔도 길고, 탄탄한 가슴에 벌어진 어깨까지, 어디 하나 흠잡을 구석이라곤 하나도 없는 외모였다.

유리는 새삼스러운 눈빛으로 정호를 바라보았다. 얼굴이 잘생겨 좋아한 것은 아니었다. 그런 것만 따지자면 벌써 고등학생 시절부터 열렬하게 사랑했어야 할 테니까. 이렇게 좋아하고 사랑하니 외모까지 완벽해 보이기 시작한 것이다.

돌아서면 그립고, 밤이 되어 헤어지면 또 보고 싶고, 마주치는 순간마다 이렇게 새로이 반하는 지금. 사랑하고 있구나, 또 자각한다. 자꾸만. 계속 깨닫는다.

아무래도 점점 더 푹 빠져 가고 있는 것 같은데, 이러다가 정호 없으면 숨도 못 쉬겠다고 할까 봐 그런 자신이 걱정되었다. 혹시 너무 매달리거나 집착하게 될까 봐 그것도 무섭고. 하나를 바라보면 끝장을 보고야 마는 자신을 알기에, 이렇게 점점 더 정호에게 빠져드는 자신이 영 마음에 들지 않았다.

유리는 테이블 위에 쟁반을 탁 내려놓았다.

"아니, 감히 날 커피 셔틀을 시켜?"

"네가 가져온다며."

정호는 자발적으로 픽업대에 가 놓고 이제 와 딴소리하는 유리를 무시하며 커피를 한 모금 마셨다.

"내가 아무리 가지러 간다고 해도, '아니야, 유리야, 넌 앉아 있어. 내가 갖다줄게.' 하고 네가 갔어야지. 하여튼 매너가 없어, 매너가."

이렇게 말도 안 되는 소리라도 늘어놓으면 그 마음이 조금 가실까 했다. 그러니 자꾸 저답지 않게 투정을 부리고 어깃장도 놓고 하는 것이었다.

그런데 정호가 웃었다. 뭐지, 저 표정은.

"귀여워 죽겠네, 진짜."

자신을 바라보는 눈빛에 애정이 가득하였다. 유리는 몸을 뒤로 물리며 멍한 얼굴로 그를 보았다.

"왜 그래. 그 표정 뭐야."

"김유리가 이렇게 귀엽고 예뻤나 싶어서. 생떼도 부릴 줄 알고 진짜 귀엽네. 애교도 투정도 다 좋으니까 더 해 봐. 뭐든 다 받아 줄게."

그 말도 안 되는 소리가 지금 예쁘다는 건가.

"테이블 뒤집고 등짝 한번 패 드려?"

"아니, 그런 거 말고. 아까처럼 입술 삐죽거리면서 '하여튼 매너가 없어, 매너가.' 이런 거. 또 해 보라고. 그 표정 진짜 귀여웠어, 너."

유리는 쩝, 입맛을 다시며 머그잔을 잡았다. 걱정 안 해도 될 것 같다. 이쪽보다는 저쪽 콩깍지가 더 심하게 장착된 것 같으니까. 자신이 너무 집착하게 될까 봐 우려할 필요는 없을 듯했다.

그때 정호가 웃으며 손을 뻗었다. 커피를 마시려던 유리가 움찔했다. 그의 손이 제 볼을 부드럽게 쓸었다. 좀 아까 한창 뜨거운 키스를 나누고 왔는데도, 겨우 이 정도 가벼운 터치에 갑자기 또 심장이 쿵 떨어진다.

피부에 닿는 손의 느낌이 정말 좋다. 밤새 이렇게 어루만져 주면 얼마나 좋을까. 인정하면 편하다. 포기해도 편하고. 그래, 그냥 좋다. 가리고 따질 것 없이 김정호 이 자식이 좋아 죽을 것 같았다.

"사랑해."

그렇게 유리는 문득 사랑을 말했다. 누가 더 좋아하고 덜 좋아하면 어떤가. 밀당이 무슨 소용. 지나치게 좋아해 집착하면 또 어떻고. 그냥 지금이 중요하다. 이렇게 사랑을 느끼고 말하는 지금 이런 순간. 사랑한다고 말할 수 있는 것만으로도 행복했다.

"그러니까 손 치우고 커피나 마셔."

유리의 말에 그는 웃으며 고개를 끄덕였다. 두 사람을 둘러싼 공기는 그저 달고, 따뜻하고, 참으로 편안했다.

정호는 잠들기 전 옥탑 마당으로 나왔다. 찬물에 샤워했지만 열기가 가시지 않았다. 유리와 함께 있을 때는 일하는 시간이 훨씬 길다. 밥을 먹거나 커피를 마시는 것 외에 따로 데이트하려고 시간을 뺀 적은 별로 없었다. 연애를 시작하자마자 이편웅 사건으로 인해 너무 정신이 없었기 때문이었다.

그런데 이렇게 여유가 생기니, 손잡고 산책하는 것만으로도 연애 감정을 충분히 만끽할 수 있었다. 특별할 것 없는 시간이었는데도 그 짧은 만남 속에 오만 가지 감정이 다 깃들었다. 그녀와 시선을 맞추는 것만 해도 기적처럼 느껴지는데 이렇게 사랑하고 있다니.

좋아서 자꾸만 웃음이 새어 나왔다. 정호는 숨을 크게 들이켰다가 천천히 내뱉었다. 게다가 얼마 전 처음 관계를 가진 후로, 사실 유리를 보는 마음은 더욱 떨리고 설레고 있었다. 볼 때마다 눈앞에 그날의 그녀가 그려지니 견딜 수가 없었다.

오늘도, 내일도, 모레도, 그렇게 유리를 자신의 침대에 눕혀 놓고 싶은 생각뿐이었지만, 시도 때도 가리지 않고 덤벼들 수 없으니 참는 것이 무척 힘들기만 했다.

차라리 몰랐으면 더 좋았을까. 제 아래서 젖은 눈빛으로 이름을 부르는 그녀가, 끌어당기는 그 간절한 손길이, 내뱉은 여린 신음이 자꾸만 떠올랐다. 새로운 세계였다. 물론 그 신세계는 원한다고 해서 마음대로 갈 수 없는 세계였지만.

어떤 식으로든 고난은 고난이구나 싶어, 원하는 만큼 마음껏 안으려면 어서 빨리 결혼하기만을 기다리는 수밖에 없을 것 같았다.

정호는 평상 위에 벌렁 누웠다. 팔을 접어 뒷머리에 받치고 검은 하늘을 올려다보았다. 그러다가 문득 유리의 말이 떠올랐다.

'아버지…… 아식노 원방해?'

정호의 얼굴에서 불현듯 미소가 거두어졌다. 원망이라기보다는 실망이다. 한 번 했던 실망은 금이 가 버린 그릇처럼 다시 돌이킬 수 없었다. 아버지는 진심으로 사죄하였고 그로 인해 유리가 받았던 상처는 조금이나마 치유가 되었다고 하지만, 제 마음까지 편안해진 것은 아니었다.

사실상 화해다운 화해는 아직 없었다. 싸운 적이 있어야 화해를 하지, 이건 그저 일방적으로 정호가 거리를 두는 것에 불과했다. 아버지가 행한 부끄러운 일이 정호의 가슴에 깊숙이 박혀 들었다. 그건 지워 내기가 힘들었다. 그 방법을 알지도 못했다.

권력이 그렇게 좋았을까. 갖지 못한 것을 갖기 위해 사랑을 이용할 정도로. 그러다가 나락에 떨어질 정도로. 결국 인생을 한순간에 벼랑 아래로 처박아 버릴 정도로. 그게 그렇게 엄청난 것이었을까. 그게 그렇게 욕심이 났을까.

정호는 재벌가 막내딸을 아내로 삼아 높은 자리에 오르려던 아버지를 이해할 수 없었다. 아버지가 비리에 연루되어 불명예스러운 퇴직을 하기 전까지는 자신에게 그저 평범한 아버지이고 어머니였을 뿐인데, 세상이 바라보는 눈은 그렇지 않았다.

야심을 품은 비정한 권력자. 그뿐이었다. 세간에 낙인찍힌 이미지만 보면, 아버지는 악인이었다. 이편웅을 욕할 것이 아니다. 정호는 언제나 마음 한구석이 무겁게 짓눌린 듯했다.

하지만 그 어떤 해명도 듣지 못했다. 묵묵히 인정하고 돌아서는 아버지의 등을 보았을 때, 그때의 절망감은 지금도 정호의 속을 아프게 헤집고 있었다.

'별로 신경 안 써. 이제는.'

그러니 무감하게 내뱉은 말은 진심이 아니었다. 늘 신경 쓰고 있었다. 늘 괴로웠고, 늘 아팠다.

'세상에는……'

'……'

'겉으로만 봐서는 모르는 일들이 있어.'

정호가 고개를 기우뚱하자 그녀가 웃으며 이어 말했다.

'특히 남녀 관계. 그거 정말 모르는 거야. 당사자 아니고서는.'

'그게 무슨……'

'우리도 봐 봐. 누가 먼저 좋아했는지. 왜 사랑하게 되었는지. 어떻게 이렇게 같이 있게 되었는지. 일일이 말하지 않는 이상 그걸 누가 알겠어. 다 말할 필요도 없는 거고.'

속이 꽉 메어 왔다.

'겉으로 보면. 네가 내 몸매에 반해서 따라다녔다고 하지 않겠니.'

'아니지. 네가 내 잘생긴 얼굴에 반해서 목맸다고 하겠지.'

농담으로 마무리한 대화였지만 정호의 가슴은 쿡쿡 쑤셔 왔다. 짙은 한숨이 새어 나왔다. 남녀 관계는 겉으로만 봐서 모르는 일이라……. 유리가 무슨 이야기를 하는 건지 알 것도 같고, 모를 것도 같았다. 정호는 괜히 복잡해지는 마음에 모호했던 대화를 밀어내었다.

대신 유리의 얼굴을 떠올렸다. 웃는 얼굴, 성질부리는 얼굴, 삐죽거리는 얼굴, 도도한 얼굴. 그리고 얼마 전의 그 야한 얼굴. 천 가지 표정이 제 앞에 살아 숨 쉬는 듯했다.

"으아아아아."

정호는 알 수 없는 비명을 낮게 질렀다. 보고 싶다. 예쁘고. 죽겠다, 아주 그냥. 그는 벌떡 일어나 앉았다.

달려갈까? 문 열어, 집 앞이야, 한번 해 볼까?

"후우우우."

사람이 사람을 이렇게까지 좋아해도 되는 건가. 이쯤 되면 그냥 종교 이닌가. 정호는 마음을 가라앉히며 정좌했다. 그리곤 눈을 감고 다시 심호흡했다.

'사랑해.'

그녀의 한마디. ……일상 속에서 문득 터져 나온 그 한마디. 예고 없이 들이닥친 그 한마디를 떠올리는 것만으로도 정호의 심장은 다시금 날뛰는 듯했다.

사랑하고 있구나. 사랑받고 있구나. 우리가 이렇게 사랑을…… 나누고 있구나. 깨닫는 순간 결국 느끼는 건 행복이었다. 정호의 입가에 미소가 퍼져 나갔다.

"지금은요? 됐어요?"

"삐뚤어졌어, 오른쪽, 조금만 더 높여 봐."

준이 액자를 걸고 있고, 멀찍이 떨어진 유리가 수평을 확인하느라 눈을 가늘게 떴다.

"아니, 아니. 왼쪽 말고 오른쪽! 너 유치원 어디 나왔어."

"왜 또 출신을 따지고 그러세요. 헷갈릴 수도 있지."

"헷갈릴 걸 헷갈려라. 밥 먹는 손이 오른손 아니냐?"

"왼손으로 먹을 수도 있죠!"

"너 왼손잡이 아니잖아."

"그러게요."

준이 실없이 헤헤 웃었다. 그런 준이 귀여워 유리는 쿡 웃어 버렸다.

"그건 이제 됐고, 자, 이것도."

액자는 총 3개였다.

"근데 이 그림 진짜 예뻐요. 어제 사 오신 거예요?"

준이 다음 액자를 걸면서 물었다.

"응. 어제."

"어느 작가 작품이에요? 검색 좀 해 봐야지."

"검색해도 안 나올걸."

"그래요? 무명작가인가?"

"뭐, 그렇다면 그렇지."

꽤 마음에 들었던 듯 준은 즐거운 표정을 지으며 액자를 걸었다. 은은한 색감의 유화였다. 카페 내 비어 있던 한쪽 벽에 새로운 액자가 쪼르르 걸리니 분위기가 화사해졌다.

"정말 예쁘네."

마미가 웃으며 이를 바라보았다.

"어, 여기 이 그림에는 뭐 쓰여 있네요. 시인가?"

준이 액자 앞에 서서 쓰인 글귀를 읽었다.

〈비루한 강에 한없이 흐르는 마음.

이내 막을 수 없어 나를 놓습니다.

쓸쓸한 인생에 비쳐 든 빛.

이내 피할 수 없어 나를 바칩니다.

부족한 내게 전부가 되어 주신 당신.

이내 견딜 수 없어

사랑합니다.

생의 끝날.

당신 손을 잡고 웃음 짓기를.

그 바람.

이내 참을 수 없어

청혼합니다.

454

어여쁜 당신.

나와

결혼합시다.〉

유리는 팔짱을 낀 채 흐뭇한 얼굴로 웃고 있었다.

"이거 뭐예요? 누구 시예요? 그림 그리신 분이 글도 쓰신 건가? 되게 좋다."

그때 카페에 정호가 들어섰다. 못 보던 액자 앞에 모여 있는 이들을 보고 다가왔다.

"웬 그림이야?"

싱글싱글 웃으며 유리의 어깨에 손을 올렸다.

"예쁘지?"

"그래, 예쁘네."

대답하고는 사무실 쪽으로 가려던 정호가 걸음을 멈추었다. 언뜻 느껴지는 기시감 때문이었다. 저 화풍, 굉장히 익숙한데. 그때 준의 목소리가 들렸다.

"아아, 여기 작가 이름 있네요."

돌아보니 준이 오른쪽 아래 모서리를 들여다보고 있었다. 그리고 말했다.

"이연주?"

정호 어머니의 이름이 준의 입에서 흘러나왔다.

어머니의 그림이라……. 정호는 찬 바람을 쐬고 싶어 차창을 내렸다. 어두운 밤길을 달려 부모님이 살고 계신 집을 향해 가는 중이었다. 들이닥치는 바람에 머리카락이며 옷깃이 제멋대로 흩어졌다. 이마를 덮은 머리카락을 한 번 쓸어 올렸다.

도착하면 어떤 말부터 해야 하려나, 고민이 들었지만 마땅한 해답은 없었다. 아무런 생각 없이 무작정 길을 떠난 참이었다. 동네 어귀에 들어섰을 때 불을 밝히고 있는 작은 편의점이 보였다. 서서히 속도를 줄인 정호는 편의점 앞에 주차하고 안으로 들어섰다.

'어떤 걸 좋아하셨더라······.'

주류 냉장고 앞에 선 그는 한참을 고민하다가 이내 문을 열었다.

별이 참 많았다. 서울에서 멀리 떨어진 곳도 아닌데 밤하늘이 유독 맑았다.

차아악. 캔 뚜껑을 따자 맥주 거품이 올라오는 소리가 경쾌하게 들려왔다. 정호는 가볍게 숨을 들이켜며 옆으로 캔을 내밀었다. 물론 두 손으로.

이를 받아 든 사람은 그의 아버지, 김승운이다. 예고 없이 갑자기 들이 닥쳤건만 이 시간 편하게 있어야 할 집에서조차 아버지는 단정한 차림새였다.

그리고 보면 아버지가 흐트러진 모습은 단 한 번도 보지 못한 것 같다. 얇은 셔츠 위의 카디건, 주름 하나 없는 바지를 보면서 아버지도 참 아버지다, 생각했다. 다만 이전처럼 그런 모습이 마냥 숨 막히게 느껴지지는 않았다.

"너도 마셔라."

아버지가 입을 열어 권했고, 정호는 제 몫의 캔을 땄다. 묵묵히 캔을 입에 가져가려는 아버지에게 정호가 말했다.

"아버지."

"……."

"……건배."

두 손으로 맥주 캔을 쥐고 아버지를 향해 내밀었다. 잠시 멈칫했던 아버지는 캔을 내려 정호의 것에 가볍게 부딪혀 왔다. 뭉툭한 소리가 났다. 캔이 서로 부딪치며 이를 잡은 두 사람의 손도 살짝 서로 닿았다.

차가운 캔과 따뜻한 손. 두 개가 서로 맞닿으며 두 사람 사이에도 전과는 다른 미묘한 기운이 흘렀다. 아버지가 어쩐 일로 왔는지 묻는다면 뭐라 답해야 자연스러울까 고민했던 것이 아무 소용 없었다.

아버지는 아무것도 묻지 않았다. 그저 어제 왔던 아들이 오늘도 온 것처럼 그렇게, '왔구나.' 하는 눈빛으로 바라보았다.

'마당에 나가서 저랑 맥주 한잔하세요.'

정호의 그 말에도 어제 마셨던 술을 오늘도 마시는 것처럼, '그러자.' 하는 눈빛으로 나와 평상에 앉았을 뿐. 이 시간에 연락도 없이 왜 갑자기 왔느냐고 묻지 않았다. 그랬다. 아버지는 묻지 않는 분이었다. 그리고 시시콜콜 터놓아 말하지 않는 분이었다.

그래서 정호는 헤아릴 줄을 몰랐다. 그저 겉으로 드러난 것만이 전부인 줄 알았다. 자신이 본 것이 다인 줄로만 알았다. 유리와 함께 시골집에 왔던 날, 어느 정도 아버지의 다른 모습을 보기는 했지만 완전히 마음이 열린 건 아니었다. 해결되지 못한 것이 여전히 그의 가슴속에 남아 있기 때문이었다.

어쩌면 진실을 보고 싶지 않았을지도 모른다. 생각보다 훨씬 나쁠까 봐. 지금보다도 더 실망하게 될까 봐. 그냥 이 선을 유지하는 정도로 지내는 것이 나을 듯해서. 더 깊은 곳은 들여다보고 싶지 않았다. 이 정도로만 지내도 이제는 충분하다고 여겼다.

하지만 뜻밖에도 유리는 다른 방향의 이야기를 건넸다.

'나 사실 시골집 갔었어. 너희 부모님 뵈러.'

그녀의 말을 떠올렸다. 유리는 이미 정호가 보지 않으려던 곳으로 시선을 돌린 후였다. 그가 한 발짝 떨어져 있다면, 언제나처럼 그녀는 한 발짝 앞서 나가 있었다.

'할머님 뵀던 이야기도 하고, 나 너와 꼭 결혼하고 싶으니 부모님께서 도와주셨으면 좋겠다고 말씀드리려고. 그런데 아버님은 안 계시고 어머님만 계시더라고. 뭐, 덕분에 어머님과 단둘이 얘기 많이 나누고 좋았지.'

'무슨 얘기?'

'두 분 러브 스토리.'

그런 이야기는 외아들인 자신도 들어 본 적 없었다. 하긴, 정호는 부모님 사이 유일한 자식이지만 그다지 살갑고 세심한 편은 아니었다. 보통의 아들들이 그러하듯 부모님이 어떻게 처음 만나고 결혼에 이르게 되었는지, 그에 관심을 둔 적은 없었다.

그러니 몰랐다. 모르는 채 그저 세간에 떠도는 이야기가 진실이려니, 은연중에 믿어 버린 것 같다. 하지만 유리는 전혀 다른 이야기를 하기 시작했다.

19. 사월의 벚꽃, 새로운 시작

'보통은 자기가 쫓아다녀서 결혼에 성공했더라도 거꾸로 얘기하지 않나? 어머님은 당신이 사랑을 쟁취해 내신 것이 굉장히 뿌듯하신가 봐. 엄청 자랑스럽게 말씀하시더라. 이렇게 말해도 될지 모르겠지만, 정말 너무 귀여우셔.'

'쫓아다녀? 우리 어머니께서?'

'응. 결혼해 달라고 무척 따라다니셨대. 어머님께서 아버님 뒤를.'

잘 상상이 되지 않는 모습이었다. 가진 것이라고는 하나도 없던 아버지였다. 명석한 두뇌를 가진 수재라 장학금을 놓치지 않았지만 좁은 자취방과 학교를 오가며 공부하는 것이 전부인 그런 학생이었다.

어머니는 서양 미술을 전공하던 미대생인 데다가 아름다운 외모에 재벌가 막내딸이기까지 했으니, 두 사람의 환경은 천지 차이였다. 결혼은 아버지가 사법고시에 합격한 후였다. 그제야 수긍이 가는 만남이긴 했지만 그래도 아버지 쪽이 한참 처지는 결혼이었다.

태한가(家) 막내딸을 아내로 맞아 승승장구하는 것이 검사 김승운의 인생이라 했다. 누구나 그렇게 떠들었지만, 달리 반박할 말이 없을 만큼 그것이 사실이기도 했다. 어머니의 배경이 아버지에게 도움이 안 된다고는 할 수 없었으니까.

태한가(家) 관련 비리 사건의 봐주기식 수사나 청탁에 연루되어 불명예스러운 퇴직을 했을 때, 지금껏 김승운이 누린 모든 것이 바닥을 드러냈다고들 했다. 다들 보란 듯 떠들어 댔다. 일부러 재벌가 막내딸을 꼬여 내 결혼을 하고, 아내를 팔아 높은 자리까지 올라가더니 결국 곤두박질치는구나.

국민뿐 아니라 검찰청 내에서도 아버지를 우습게 여기는 목소리가 흘러나왔다. 견디기 힘들었던 정호는 눈을 감고 귀를 막았다. 부모님의 결혼은, 정호의 마음속에 한낱 새털보다 더 가벼운 것이 돼 버렸다.

목적을 위한 수단. 자신이 그러한 결혼의 산물이라는 것이 치 떨리기만 하였다. 그런데.

'아버님께서 엄청 도망 다니셔서, 어머님께서 쫓아다니느라 고생 많으셨다고. 너…… 그거 몰랐지?'

아버지가 도망을 다녔다니.

'몰랐을 줄 알았어. 하여튼 아들 키워 봐야 이런 데에는 관심도 없다더니.'

가볍게 웃으며 유리가 덧붙였다.

'어머님 부담스럽다고 계속 도망 다니셨다는데. 어쩌면 너, 너희 아버님 꼭 빼닮았는지도 모르겠다.'

도망을 다닌 아버지. 숨기 바빴던 자신. 그리고 그런 아버지를 놓지 않은 어머니. 자신을 찾아내고 잡아 끌어낸 유리. 모두의 모습이 하나로 겹쳐지며 '사랑이구나. 내가 한 것처럼, 부모님이 하신 것도 사랑이구나.' 하는 아픈 깨달음이 성호의 가슴을 세게 쳤다.

'결국 두 손 두 발 다 들고 항복하셨다는데, 아마 마음은 그보다 일찍 드셨던 모양이야. 사법고시 합격하시자마자 어머님께 교제 신청도 없이 바로 청혼부터 하셨다니까.'

'청혼?'

'아까 저 밖에 있던 그림의 시. 아버님께서 편지지에 써서 툭 내미신 거래. 그게 청혼이었고.'

> <생의 끝날.
>
> 당신 손을 잡고 웃음 짓기를.
>
> 그 바람.
>
> 이내 참을 수 없어
>
> 청혼합니다.
>
> 어여쁜 당신.
>
> 나와
>
> 결혼합시다.>

'청혼하시기 이전부터 깊이 사랑하고 계셨겠지. 그러니 합격하자마자 그렇게 깊은 마음을 담은 청혼을 하지 않으셨을까. 어쩌면 어머님 곁에 서고 싶으셔서 더 독하게 맘먹고 공부하셨을지도 모르겠다. 나야 속뜻은 다 모르지만.'

'……'

'어머님께서 그리신 그림에 아버님 청혼시를 적으셔서 간직하고 계셨더라고. 한창 나한테 얘기 들려주시다가 신이 나셔서 그림까지 보여 주셨어. 내가 너무 예쁘다고 했더니 선물로 주신다고 하시더라고.'

'아……'

'이렇게 귀한 걸 어떻게 받냐고 했더니. 어차피 아버님께서 친필로 쓰신 편지는 가지고 계시니 괜찮다고 하셨어. 이건 그냥 어머님께서 그림 위에 적으신 거라고. 가져도 된다고. 그러면서 함께 그리신 다른 그림도 선물해 주시고.'

그런 줄 몰랐다. 집에 걸어 둔 어머니의 그림은 자주 보았지만, 이런 것이 있는 줄도 몰랐다. 아마 봤더라도 큰 관심은 없었을 것이다. 어디서 본 시를 적어 둔 것이겠지, 생각했을 수도 있다.

지금 로(Law) 카페 한쪽 벽에 자리한 액자 세 개가 어머니의 그림이라는 것도, 그중 하나에는 아버지의 청혼시가 쓰여 있다는 것도, 정호에게는 가슴 깊이 묵직한 울림을 가져다줄 뿐이었다.

달리 어떤 말도 할 수가 없었다. 평생을 가도 모를 뻔했던 일을, 유리는 너무도 쉽게 전해 주었다. 벅찬 마음을 어쩌지 못해 유리에게 깊은 입맞춤을 하고 말았다.

'……사랑해.'

고맙다는 말 대신 사랑한다고 했다. 눈을 질끈 감고 메어 오는 목으로 침을 한 번 삼키며, 그렇게 고백을 하고 말았다. 수많은 감정으로 얼룩진 그에게 유리가 말했다.

'나도 사랑해.'

'……'

'그러니 다녀와.'

차 키를 집어 주며 그녀가 웃었다. 그만 아버지와 화해해도 좋지 않겠냐고, 유리는 단 한 마디도 하지 않았다.

그런데 그녀와 이야기를 나눈 지 불과 몇 시간 만에 정호는 지금 아버지와 단둘이 시골집 평상에 나란히 앉아 있게 되었다. 한 캔을 다 비울 때까지 부자지간엔 아무런 말이 없었다.

정호는 그저 유리와의 대화를 떠올릴 뿐이었고, 아버지는 간간이 숨을 고르다가 맥주를 마시는 것 외에는 하는 게 없는 부자였다.

"하나 더, 드실래요?"

정호가 캔 하나를 내밀었다. 빈 캔을 내려놓은 아버지가 그걸 또 받았다. 나란히 두 번째 캔을 비우기 시작했다. 묵묵히. 그러나 이전과는 확실히 다른 공기가 느껴졌다.

"아버지."

정호가 그제야 입을 열었다.

"그래."

아버지도 스스럼없이 대답하였다. 어쩐지 나긋해진 바람을 느끼며 정호는 말했다.

"어머니 어디가 그렇게 예쁘셨어요?"

"다 예뻤지."

두 캔을 마시도록 침묵을 지킨 것이 무색하게도, 아버지는 숨 한 번 쉬지 않고 바로 답했다. 그에 놀란 정호가 옆을 돌아보았다. 뜻밖이었다.

"보면 닳을까, 눈도 한 번 맞추지 못했다."

"……"

"너무 귀하고, 너무 예뻐서, 내가 가지면 안 될 사람 같았다."

아버지는 밤하늘을 올려다보며 찬찬히 말했다.

"그랬다가는 벌을 받을지도 모른다고 생각했지. 벌을 받아도 좋겠다고 마음을 굳힌 후에야 용기를 내었고, ……지금은 어찌 되었든, 나는 후회하지 않는다."

"……"

"그때로 다시 돌아갔어도 나는 같은 결정을 했을 거야."

하늘에서 시선을 뗀 아버지는 옆에 앉은 정호를 보았다.

"그래도 난 네 엄마와 결혼하고, 너를 낳았을 거다. 다시 태어나도, 나는 ……지금과 같은 삶을 살고 싶구나."

쿵쿵 울리는 가슴. 정호의 손끝이 떨렸다. 제 존재의 기원에 사랑이 있었다. 정호는 달리 뭐라 덧붙여야 할지 몰랐다. 그저 가슴이 먹먹해졌다. 부자는 다시 가만히 앉아 있기만 하였다.

다시금 침묵이 흘렀지만 공기는 무겁지 않았다. 아버지는 아들 앞에 처음으로 고백이라는 것을 했고, 아들은 처음으로 아버지의 속내를 들여다보았다. 그것만으로도 의미 깊은 밤이었다.

"나도 좀 끼워 주면 안 될까?"

캔 두 개를 다 비울 때쯤 어머니가 구운 쥐포를 접시에 담아 들고 나왔다. 아버지는 조금 비켜 앉으며 자리를 만들어 주었다. 자신의 곁에 어머니를 앉혔다. 세 사람이 나란히 앉았다. 정호에게 건네받은 맥주를 한 모금 마신 어머니가 유리에 대해 말했다.

"유리, 원래도 괜찮았는데 볼수록 더 괜찮더라. 그런 애가 우리 며느리가 된다니, 엄마는 정말 좋아."

싱긋 웃는 그 미소를 보자 정호의 가슴이 벅차올랐다.

"어때요, 유리? 당신도 좋죠?"

아버지가 고개를 끄덕였다. '음.' 하고 대답하는 입가에도 연한 미소가 배어 있었다. 동조를 받은 어머니는 기분이 좋아 덧붙였다.

"너 유리한테 정말 잘해야 한다. 어디 가도 그런 애 못 만나."

"알죠."

정호는 아버지를 한 번 보고는 이어 말했다.

"너무 예쁘고, 너무 귀해서, ⋯⋯평생 곁에 두고 정말 잘해 주면서 살려고요."

"어머나. 너 진짜 푹 빠지긴 빠졌구나."

애정 어린 발언은 어머니를 향한 아버지의 마음이었고, 이를 닮은 아들의 마음이었다. 이내 아버지는 쑥스러웠는지 화장실에 가야겠다며 일어섰다.

아버지가 현관문을 열고 안으로 들어가자마자, 어머니는 정호에게 조심스럽게 물었다.

"무슨 바람이 불어서 왔어?"

"그냥요. 보고 싶어서."

"어머?"

"진짜예요."

"혹시 유리에게 선물한 그림 보고 온 거야?"

"……네."

어머니는 정호의 팔짱을 끼었다. 장성한 아들의 어깨를 빌려 머리를 댄 어머니는 참 자그마한 여인이었다. 어머니는 아들이 든든한 듯 꼭 붙들고서 살며시 눈을 감았다.

"아버지 말이야. 엄마는 그냥 아버지를 믿어. 무조건 믿어."

"……."

그 일이 있었을 때도 어머니는 그렇게 말씀하셨었다. 무조건 믿는다고.

"네가 그냥 가족이라는 이유만으로 모든 죄를 덮어 줘야 하느냐고, 이해할 수 없다고 했었지."

"……."

"엄마는 ……글쎄, 모르겠다. 그런 일이 있어서는 안 되지만, 절대 그래서는 안 되지만, 혹여나 정말 안 좋은 일이 생겨도 이유를 묻지 않고 무조건 믿어 줄 마지막 한 사람이 되고 싶어. 아버지나, 너에게 말이야."

정호는 이어지는 어머니의 말에 숨을 천천히 내쉬었다. 한마디 한마디가 가슴을 찔렀지만 전처럼 그렇게 아프지는 않았다. 이미 어머니의 그 뜻을 이해하고 동의하게 되었는지도 모른다.

"그런 믿음을 가진 사람이 곁에 있어 준다면, 매 순간 조금 더 옳은 선택을 할 수 있을 테니까."

"……."

"아닐 거다. 아버지는…… 세상이 말하는 그런 사람이…… 아닐 거야. 엄마는 죽을 때까지 그렇게 믿으면서 살아갈 거야."

"……."

내내 잔잔히 웃으며 말하던 어머니는 생각났다는 듯 고개를 들었다. 정호에게 비밀 이야기라도 하는 것처럼 나직이 속삭였다.

"사실 아버지 말이다, 요즘 사람들이 계속 찾아오더라."

"네?"

"이번 대선에서 정권이 바뀔 것 같다지 않니."

"근데 그게 왜……."

얼마 남지 않은 대선에서 유력한 승자로 꼽히는 후보가 야당에서 추대한 인물이었다.

"아무래도 아버질 불러들이길 원하는 분의 전령인 것 같은데. 그래서 요즘 고민이 많으신지 잠도 잘 못 주무셔."

"……그래요?"

"아버지가 정말 잘못한 게 있으시다면 그런 움직임들이 있을 리 없잖니. 엄마의 믿음이, 아무래도 틀린 건 아닌 것 같지?"

"아버진 무슨 말씀 없으시구요?"

"물어봐도 뭐, 말씀하시는 분이니? 이 엄마의 빠른 눈치로 보건대, 그냥 그렇다는 거지."

불명예. 그것이 아버지의 마지막인 줄 알았더니, 아무래도 다른 시간이 펼쳐질 모양이었다. 명예로운 복귀(復歸), 꿈같은 이야기지만 어쩌면 꿈이 아닌지도 모른다. 현관문이 열리고 아버지가 나오는 모습이 보였다. 어머니는 검지를 들어 '쉿.' 하며 찡긋 웃었다.

이토록 사랑스러운 여자를 귀히 여긴 남자, 김승운. 지금껏 두 분의 사랑을 외면하고 몰라봤던 정호의 가슴속에 부끄러움이 밀려들었다. 눈을 맞추며 다시 나란히 앉아 가볍게 맥주 캔을 부딪치는 두 분을 보니 죄송스럽기까지 했다.

어차피 세상은 진실을 믿는 것이 아니라, 자신이 믿고 싶은 사실을 믿는다며 자조하는 아버지를 조금씩 이해할 수 있게 되었다. 어쩌면 아버지가 해명에 불친절했기 때문이 아니라, 그 역시 자신이 믿고 싶은 사실만을 믿은 것이 아니었나 가만히 돌아보았다.

자신이 알던 것이 전부가 아니었다. 한 꺼풀 또 벗겨지면서 눈앞이 맑아졌다. 유리가 자신에게 새로이 보여 준 세상이었다.

'부족한 제게 전부가 되어 주신 당신.'

청혼시 속 아버지가 어머니를 부르던 말. 그건 자신들에게도 해당하는 말이기도 했다. 그러니 두 분의 사랑이 더 가깝게 다가오고 와 닿는 것이겠지. 이제야 이해하게 된 건, 이제야 자신도 마주 사랑하고 있기 때문이리라.

부족한 자신에게 전부가 되어 준 여자, 김유리. 정호는 그녀를 만났기에 비로소 온전한 삶을 살게 된 기분이었다.

성북동 태한가(家) 저택.

한쪽엔 차디찬 공기가, 또 한쪽엔 훈훈한 공기가 흘렀고 이는 좀처럼 섞이지 않았다. 한파가 불어닥칠 듯 냉랭한 분위기 속에 홀연히 앉아 있는 사람은 구 여사였다. 상석에 앉은 구 여사를 가운데 두고 왼쪽 소파에는 막내딸 이연주, 그녀의 남편 김승운, 그리고 그 맞은편인 오른쪽 소파에는 송옥자가 앉아 있었다.

구 여사와 이들 사이에는 보이지 않는 경계가 있는 듯했다. 마주 앉은 세 사람의 입가엔 부드러운 미소가 걸려 있었고, 그 주변으로는 봄바람이 살살 불고 있었다. 구 여사 쪽과는 분위기가 전혀 달랐다. 팔짱을 낀 채 그 광경을 물끄러미 바라보던 구 여사가 마뜩잖은 듯 한쪽 눈썹을 치켜뜨며 물었다.

"지금 자네들 내 집에서 뭐 하는 겐가."

이연주가 싱긋 웃었다.

"아까 말씀드렸잖아요."

"……."

"지금은 상견례 중입니다만."

천연덕스럽게 웃으면서 하는 말에 구 여사가 불편한 감정을 감추지 않았다.

"그걸 왜 내 집에서 하느냐 말이야."

이번에는 유리의 모친, 송옥자가 입을 열었다.

"집안의 중대사를 어르신 없는 곳에서 어찌 의논할 수 있겠어요. 따로 모시기 어려우니 저희가 직접 찾아뵈었을 뿐인걸요."

예고 없이 들이닥친 세 사람은 구 여사 앞에 보란 듯이 자리를 잡고 앉더니, '잘 키우신 딸을 저희 아들에게 허락해 주셔서 감사합니다.', '아닙니다, 정호처럼 훌륭한 사위를 맞이하다니 정말 기쁩니다.' 같은 발언으로 상견례를 시작했다.

자신을 앉혀 놓고 뭘 하는 건가 싶어 구 여사는 그저 황당할 뿐이었다. 자리를 비우자니 찝찝하고, 지키고 앉아 있자니 열이 올랐다. 결혼의 주체는 정호 당사자이고, 이를 허락한 부모들이 있으니 외조모인 구 여사의 존재는 무의미하다는 것을 말해 주는 듯했다. 그것도 무척 당당하게.

"애들 원하는 날에 시키죠, 뭐. 다 큰 애들 저희가 이래라저래라 한다고 듣겠습니까."

뻣뻣하다고 생각했던 김승운마저 나긋하게 말하고 있었다. 구 여사는 기가 찬 얼굴로 그저 그 모습을 응시했다. 송옥자가 고개를 끄덕이며 김승운의 말에 대꾸했다.

"어유, 그럼요. 서른도 넘어 서, 른, 하, 나, 인데. 어련히 알아서 잘할까요."

"저희 정호는 빨리하고 싶어 하긴 하던데, 유리가 그래도 겨울은 넘겼으면 하나 봐요. 아무래도 유리 말대로 따뜻한 봄에 하는 게 낫겠죠."

"네, 저도 맘 같아서는 겨울이라도 상관없이 후딱 시키고 싶은데, 유리 얘기하는 것 들어 보니 벚꽃 있을 때 야외 결혼식을 하고 싶다나, 그렇더라고요."

송옥자의 말에 이연주가 가슴께에 두 손을 모았다.

"어머, 야외 결혼식! 4월에 잔디 푸릇푸릇하고 벚꽃 예쁠 때 하면 얼마나 보기 좋을까. 어차피 결혼 준비 기간도 필요하니 정말 그쯤이 좋겠네요!"

꿈꾸듯 황홀한 눈빛이었다. 벌써 잔디밭 위에 선 신랑 신부의 모습을 떠올리고 있는 모양이었다.

"하객을 많이 부르지 않고 간소하게, 아이들 원하는 대로 하면 좋겠어요."

"네, 저도 아이들 원하는 대로 따를게요."

그들은 정호와 유리가 정말 축하해 줄 수 있는 사람들만 불러 조촐하게 치르는 결혼식을 원한다는 것을 알고 있었다.

사실 장례식은 자식들 행사요, 결혼식은 부모 잔치라는 말도 있다. 결혼식에서의 주인공이야 신랑 신부지만 혼주들의 손님으로 온 하객들이 훨씬 많고, 이를 맞이하는 일이 중심이 되는 경우도 왕왕 있었다.

한국 사회에서의 결혼식이란 그게 당연하기도 했다. 관행의 고리를 끊지 못하니 어쩔 수 없어 대부분 포기하고는 했다. 간혹 신랑 신부가 중심이 되는 결혼식을 위해 부모가 양보한다고 하더라도, 초대받지 못한 하객들이 서운함을 표하는 경우도 더러 있었고, '뿌린 만큼' 축의금을 되받지 못하니 손해라고도 하였다.

이에 정호와 유리의 부모는 어렵게나마 마음을 먹고 이를 감당하기로 하였다. 누구든 각자의 사정이 있으니, 무엇이 옳고 그르다고 쉽게 강요할 수 있는 건 아니었다. 다만 정호와 유리의 부모는, 결혼에 이르기까지 힘들었을 두 사람에게 해 줄 수 있는 선물이라고 생각했다.

오롯이 두 사람이 주인공이 되는 결혼식을 하게 해 주고 싶었다. 또한 결혼에 이르기까지 더 이상 다른 어려움은 없었으면 하였다. 그래서 구 여사 앞에서의 상견례 전, 김승운의 제안으로 세 사람은 이미 만났었다.

그리고 세 사람은 구 여사를 설득하기보다는 알아서 포기할 수 있게끔 유도하는 전략이 필요하다고 의견을 모았다. 부모 세 사람이 마음을 맞춰 나선 마당에 구 여사의 반대가 더 이상 무슨 의미가 있을까.

더욱이 정호와 유리, 두 사람이 주인공인 결혼식을 자꾸만 강조하는 건 구 여사에게 자연스럽게 물러나라 말하는 것이기도 했다. 부모마저 당사자의 의견을 존중한다는데, 외조모가 무슨 자격으로 이 결혼에 개입한단 말인가. 세 사람은 구 여사 앞에서의 뻔뻔한 상견례를 지속하였다.

"뭐, 사실 식이나 집, 혼수, 다 애들한테 맡길 테니까, 저희가 얘기 더 할 필요는 없겠네요. 애들 언제 온다고 했지요?"

송옥자의 물음에 이연주가 언뜻 시계를 보고 말했다.

"도착할 때 다 됐어요. 일 보고 온다고 해서 일부러 저희 만나는 시간보다 한 시간 늦게 얘기했거든요."

"애들 오면 저녁 먹으러 나가지요. 어머님, 어머님도 같이 가시겠습니까?"

김승운의 태연한 제안에 구 여사가 입을 열었다.

"자네들."

싸늘한 음성이 공기를 가르며 이어졌다.

"내 앞에서 장난들이 지나치시군."

잠시 침묵이 내려앉았다. 그동안 많이 참았다는 듯 구 여사는 차갑게 이어 붙였다.

"나를 갖고 노는 게 아주 재미있는 모양이야."

이제 장난은 그만인 듯. 세 사람의 얼굴도 진지하게 굳어졌다. 그리고 뜻밖에도 이런 분위기에서 가장 먼저 입을 연 사람은 이연주였다.

"엄마."

유독 자신을 닮아 가장 아꼈던 막내딸. 중년이 되었어도 제 눈엔 여전히 여리고 어린 막내딸. 이연주가 '어머니'가 아닌 '엄마'로 자신을 부르자 구 여사의 눈빛이 잠시 흔들렸다.

"엄마, 정호는 내 아들이에요."

이연주의 입에서 흘러나오는 말은 한없이 단단하였다.

"엄마가 내 인생 어쩌지 못했듯이, 나도 정호 인생 어쩌지 못해요. 정호 하고 싶은 대로 하게 해 줄 거예요."

"연주야."

"아무리 자식이 할머니가 되어도 부모 눈에는 여전히 품 안의 자식이라는 거 알지만, 이렇게 내 아들의 결혼 문제까지 엄마가 간섭하는 건 말도 안 돼요."

김승운과 결혼하겠다고 했을 때 말고는 평생 반항이란 걸 모르고 살아왔던 딸이었다. 그러니 이번이 두 번째다. 그리고 지금껏 상견례를 한답시고 돌려서 난감하게 했던 것과는 다르게, 이연주는 정면 돌파를 택했다. 이에 기다렸다는 듯 구 여사가 말했다.

"너희가 살아가고 있는 것도 결국……."

"엄마 덕분 아니에요."

구 여사의 말을 자른 건 이연주였다. 그녀답지 않은 언행에 김승운 역시 다소 놀란 얼굴로 돌아보았다. 그가 아는 자신의 아내는 이러지 못했었는데.

"나, 엄마 덕분으로 잘산 것 아니에요. 이이가 가져다주는 월급으로 생활했어요. 친정에서 준 돈은 나한테 다 그대로 있어요. 그거 단 한 푼도 안 썼어요."

"정호 건물……."

"아니, 엄마. 정호 건물도 내가 사 준 것 아니에요. 이 사람이 모으고 모아서, 불리고 불려서, 평생 일한 돈으로 큰 건물도 아니고 작은 거 사들였고 그걸 정호한테 준 거예요. 우리 친정 돈 아니라구요."

뜻밖의 말이었다.

"정호가 검사 그만두고 마냥 논 줄 아세요? 그 작은 거 또 굴리고 굴려서, 돈 불려서 지금의 건물들 산 거예요. 그것도 별로 비싸지 않은 지역의 조그만 건물이라 몇 개 다 합쳐도 엄마 강남에 가진 수많은 빌딩 중 하나 값도 안 되겠지만. 이건 다 정호 아빠랑 정호가 만든 거예요. 그러니 건드리지 마세요."

이연주의 말에 송옥자가 놀라서 바라보았다. 정호의 모친이 재벌가 영애기 때문에 정호도 건물을 소유하고 있는 것이 당연하려니 생각했었다. 어렵게 작은 건물을 사고, 이를 불려 정호가 지금의 건물들을 산 것은 몰랐던 일이었다. 아마 유리도 모를 것이다.

게다가 올해 초 새로 사서 들어왔다는 지금의 옥탑 건물은 한국대 후문 벚꽃 거리에 있었다. 유리의 말에 의하면 두 사람의 추억이 있는 곳이라 했다. 일부러 이곳으로 와서 터를 잡고 제 딸을 추억하며 지냈던 정호를, 어찌 예뻐하지 않을 수가 있을까.

송옥자의 마음이 괜히 시큰하니 저렸다. 다만 구 여사의 말문은 막힌 모양이었다. 세 사람 어느 하나 빠짐없이 구 여사로부터 확실히 경계를 그으며 자기 아들, 딸을 지키고 있었다.

정호와 유리는 나란히 응접실에 들어섰다. 들어오면서 이연주의 말을 듣고 놀란 유리는 정호를 보며 왜 말하지 않았냐는 눈빛을 보냈고, 정호는 그저 어깨를 으쓱해 보였다.

다만 정호 역시 처음 투자의 기반이 되어 준 작은 건물이 외가에서 흘러온 돈이 아닌, 순전히 아버지의 힘으로 마련한 것이었다는 사실에 놀랐다. 아버지에게 증여받은 것을 부끄러운 재산이라 생각해 왔었는데, 그마저 오해였다니.

마음 깊이 남아 있던 찌꺼기가 이제 단 한 톨도 남지 않고 모두 사라진 기분이었다. 정호는 홀가분한 음성으로 밝게 인사했다.

"저희 왔습니다."

"어서 와라."

김승운이 맞이했다. 이연주와 송옥자도 반갑게 인사하며 어서 앉으라고 하였다. 구 여사만이 못마땅한 얼굴로 이를 바라보았다. 유리가 송옥자 곁에 앉고, 정호가 김승운과 이연주 곁에 앉았다. 제대로 된 상견례 멤버 구성과 포지션 배치도 끝났다.

이제 어쩌시겠냐는 듯 다섯 사람의 눈이 일제히 구 여사에게로 향했다. 무언의 압박에 구 여사는 지그시 눈을 감았다. 생각을 정리하는 얼굴이었다.

사실 그동안 아무런 시도도 하지 않은 건 아니었다. 금전적인 어려움을 주는 것이 제일 효과가 빠를 거라고 생각해서 정호의 건물 세입자들에게 웃돈을 얹어 주고 건물에서 나가도록 종용도 했었다.

이후 새로운 세입자가 들어오지 못하도록 막는다면 건물은 내내 공실로 있을 테니, 임대 수익에 상당한 타격을 줄 거로 생각했다. 건물은 가지고 있는데 월마다 들어오는 수입이 없어진다면 정호 역시 어려움을 느낄 거란 계산이었다.

문제는 따로 있었다. 아무리 돈을 얹어 준다고 해도, 계약 기간이 끝나지 않았으니 나가지 않겠다는 세입자들이었다. 긴밀히 따로 접촉했지만, 오히려 이렇게 하는 걸 건물주인 정호도 알고 있느냐며 그와 상의를 하겠다는 말만 돌아왔다.

구 여사로서는 당최 이해가 가지 않는 전개였다. 돈을 더 준다고, 더 좋은 곳으로 가라는데 왜 고집을 부리는 것인지 알 수가 없었다. 헉 소리 나는 돈을 넣어 봉투를 쥐어 줘도 말이 통하지 않는 어미나, 바짝 기를 세워 덤비려고 하는 딸이나, 정호가 결혼하겠다는 집안 역시 별 볼 일 없으나 만만치도 않았다.

모든 것이 제 울타리 밖이었다. 무력을 행사하지 않는 한은 정호를 꺾기 힘들겠다는 생각은 했다. 그렇다고 억지로 잡아다가 선 자리에 끌고 갈 수도 없는 노릇이었다. 게다가 이렇게 부모들까지 한마음이 되어 나선다면 더 나아갈 곳도, 더 물러설 곳도 없다. 답은 한 가지였다.

구 여사는 천천히 눈을 떴다.

"좋아."

그리고 나지막이 말했다.

"그래, 결혼해라."

비로소 구 여사의 입에서 허락이 시원하게 떨어졌건만 누구도 진지하게 기뻐하는 이는 없었다. 안 그래도 할 건데 당연한 소리를 하시는군요, 하는 얼굴들이었다. 구 여사는 흠, 하고 헛기침 후에 이어 말했다.

"내가 한 말 기억할 게다. 이편웅 그놈을 잡아넣는 일로 인해 정호 네가 그룹에 끼친 금전적 손해가 얼마나 큰지, 그걸 다 갚아야 할 거라고."

구 여사는 정호가 그룹에 득이 되는 결혼을 함으로써 갚게 할 생각이었다. 그래서 두고 보았을 뿐이었다. 그러나 이제 그것조차 하지 않겠다고 발뺌하고 있으니 다른 제안을 할 수밖에 없었다.

다섯 사람의 얼굴에 사뭇 긴장감이 어렸다. 설마 구체적인 수치를 밝혀 현금으로 갚으라는 얘기는 아니겠지. 그러고도 남을 분이라는 게 문제였다. 이제야 제 발언에 집중하는 다섯 사람을 보니 구 여사도 흥미가 도는 모양인지 입꼬리를 살며시 올렸다.

안 그래도 주치의가 이제 더 이상 건강을 과신하지 말라고 하였다. 노쇠한 몸은 예전 같지 않았고 무엇보다 정신적 건강을 지키는 데 노력해야 한다고 했다. 일선에서 물러났는데도 스트레스 지수가 너무 높다며, 이대로는 위험할 수 있으니 부디 마음을 편안하게 가지라 간곡하게 말했다.

진즉 이쪽을 생각할 것을 그랬나. 하긴 그래, 좋은 게 좋은 거지. 받아들일 수 있는 걸 요구해야겠다고 생각했다. 어차피 원하는 것은 정확한 대가일 뿐이다. 준 만큼 받으면 된다. 그것이 무엇이든 상관이 없었다. 구 여사는 입을 열었다.

"정호 네놈을 써먹어 얻을 것이라고는, 내가 원하는 집안의 아이와 결혼시켜 얻는 이익뿐이라고 생각했는데 ……아니더구나."

한결 부드러워진 목소리.

"이번 일 하는 걸 보니, 꽤 쓸 만했어."

정호에 대해 낱낱이 보고받아 전부 알고 있는 구 여사였다. 겉으로 드러난 활약은 별로 없었다지만 정호가 물밑에서 어떻게 개입하고 움직였는지 구 여사는 잘 알고 있었다. 제법 똑똑한 아이였다.

"자아, 그래서 하는 말이다. 넌 네가 끼친 손해만큼, 이익을 만들어 내야 하지. 결혼은 네가 원하는 대로 하게 두마. 대신에……."

조건을 붙이며 하는 말에 모두가 크게 뜬 눈으로 정호를 돌아보았다. 구 여사가 한 제안을 두고 잠시 생각하는가 싶던 정호는 그게 뭐 대수냐는 듯, 목을 긁적이며 답했다.

"그럼 뭐, 그럴까요?"

의외로 매우 쉽게 흘러나온 대답이었다.

"저, 저, 저 천하의 나쁜 놈."

잘 구운 곱창을 부추무침과 함께 한입 넣었을 때, 탄식 어린 사람들의 목소리들이 들려왔다. 유리와 정호는 고개를 돌렸다. 곱창집에 있는 텔레비전을 통해 뉴스를 보는 사람들이었다.

"아니, 그 녹음기 뺏는다고 비서한테 칼 든 강도까지 보냈다잖소."

"그것만 했게. 아주 비리에 뭐에, 해 처먹은 것도 많다 하고!"

"달걀 맞아도 싸지, 싸."

"달걀뿐인가. 밀가루까지 뿌려야 해, 아주."

고개를 숙인 채 이끌려 가는 이편웅에게 달걀을 던진 사람들이 있었다. 걸린 소송 건이 많아 아마 해가 바뀔 때까지 그는 구속 상태에서 재판을 받을 모양이었다.

"에이, 입맛 버렸다."

TV에서 시선을 떼며 유리가 불쾌한 듯 젓가락을 탁 내려놓았다.

"자, 아."

정호가 곱창을 집어 내밀자 유리는 반사적으로 입을 벌렸다. 입맛 버렸다면서 그가 주는 것은 맛있게 받아먹었다.

"빨리빨리 먹어. 밥 볶게."

"입맛 버렸다며."

"그러니까 볶음밥으로 정화해 줘야지."

그때 곱창집 문이 열리며 낯익은 두 사람이 들어왔다.

"어머, 얘네 의리 없이 지들끼리 벌써 다 먹어 가는 것 좀 봐."

"아주머니, 여기 곱창 3인분 더 주세요."

새연과 준원이었다. 유리가 고개를 갸웃거리며 물었다.

"뭐야? 아깐 너희 못 나온다며?"

"엄마가 약속 쥐소됐다고 아기 봐주신다고 해서 나왔지. 니오려고 너희한테 전화하니까 둘 다 안 받더라. 그래서 그냥 와 봤더니 역시나."

부산에 사는 새연의 친정어머니가 서울에 와 계셔서, 혹시 올 수 있으면 곱창을 먹으러 나오라고 했었다. 그때는 못 올 것 같다고 했는데, 이렇게 나온 친구들을 보니 무척 반가웠다.

그러고 보니 얼마 만에 밖에서 가지는 술자리인지 몰랐다. 여전히 오총사 중 한 명인 혁준의 부재가 아쉬웠지만. 다 같이 있으면 더더욱 그리운 빈자리였다. 새연이 물을 채운 소주잔을 들어 건배하고는 섭섭한 목소리로 말했다.

"아아. 혁준이 보고 싶다."

"아니, 그 자식은 뭐, 올겨울에 들어와서 결혼한다며? 참나. 무슨 연애도 없이 갑자기 결혼부터 하냐고."

유리는 기가 찬 듯 혁준의 이야기를 꺼내며 황당해했고 정호가 맞장구를 쳤다.

"그러니까 말이다. 최혁준 피도 눈물도 없는 새끼. 갠 그럴 줄 알았어. 나랑은 달라. 나 좀 봐라. 아무리 할머니께서 M&A 같은 결혼 하라고 하셨어도 꿋꿋이 김유리와의 결혼을 쟁취했잖아? 그놈은 뜨거운 가슴이 없어요, 없어."

"걔야 지금까지 진짜 영혼을 바칠 만큼 좋아하는 사람 못 만났다고 했으니까. 아마 운명 같은 사랑을 기다렸다가는 금세 마흔 되고, 쉰 될 거다. 적당히 결혼하는 것도 나쁘지 않지."

준원이 덧붙여 말했다. 고등학교 때부터 끈끈한 우정을 자랑한 오총사 일원 중 네 명이나 서로 마음이 통해 두 커플이 이뤄졌다. 여기에 남은 사람은 오로지 최혁준 하나뿐이었다.

이미 사랑하는 사람을 만난 친구들로서 그에 대한 동정심도 있고 측은한 마음도 있건만, 정작 혁준은 공부하고 일에 바빠 딱히 별생각이 없어 보였다.

그러던 중, 집안에서 정해 준 여자와 결혼하기 위해 학위 중 잠시 귀국을 할 거란 소식을 전해 왔기에 친구들은 동요하고 말았다. 혁준의 결혼 소식에 태연하게 수긍하던 준원에게 정호가 물었다.

"그렇지만 적당히, 가 아니잖냐. 너 못 들었어?"

"뭘?"

"신붓감이 고등학생이잖아."

곱창을 입에 가져가려던 준원의 움직임이 딱 멎었다. 3초간 정적이 흐른 후, 준원이 말했다.

"최혁준 이 새끼, 나쁜 놈이네."

혁준의 결혼 소식은 분명 놀랍긴 했다. 그의 할아버지가 창립하고 아버지가 키운 회사가, 형에 이르러 크게 성장하고 있는 단계라서인지 어떤 식으로든 힘을 받아야 하는 모양이었다.

그런 의미에서 정략결혼이 반드시 나쁘다고 할 순 없겠지만, 그런 결혼을 거부했던 정호였기에 혁준이 이해가 되진 않았다. 자신에게 있어 유리처럼, 그리고 준원에게 있어 새연처럼. 그렇게 사랑하는 여자를 아직 만나보지 못했기 때문이겠지.

하지만 열 살 이상 차이 나는 꼬맹이와 어떻게 결혼할 수가 있는 건지. 도둑도 급이 있지, 제 딸이라면 절대 그런 도둑 결혼만큼은 시킬 수 없다고 정호는 생각했다.

훗날 끔찍이 아끼는 막내딸을 띠동갑 나이 차이씩이나 나는 준원의 장남, 지금의 튼튼이 진우에게 시집보내고 가슴 아파할 줄은 모르기에 하는 생각이었다.

"어쨌든, 혁준이 바쁘다고 연락도 잘 안 되고, 좀 있으면 들어온다고 했으니까 그때나 얘기 제대로 듣지, 뭐."

그의 결혼에 대해서는 더 이상 늘은 것이 없어서 사세한 이야기는 나중으로 미루었다.

"그런데 정호 너."

생각났다는 듯 새연이 말했다.

"너 뭐? 네가 회사에 들어간다고?"

이 또한 놀라운 소식이었다.

"너 같은 뺀질이가 회사는 무슨 회사야?"

진심 어린 걱정이고 의구심이었다. 김정호는 절대로 회사에 다닐 체질이 아니다.

"왜, 우리 토깽이가 어디가 어때서."

그것이 구박이라도 되는 듯 유리가 정호의 머리를 잡아 제게로 당기며 새연을 향해 콧대를 세웠다. 내 토깽이는 나만이 건드릴 수 있다는 몸짓이었다.

"김정호 진짜로 회사 가는 거야? 네가 거기 들어가서 뭘 한다고?"

친구들 사이에서 정호는 여전히 헛소리 잘하고 제멋대로 구는 백수 또라이일 뿐이었다. 착실하게 일하는 스타일과는 거리가 멀었다. 하물며 출퇴근해야 하는 회사에 들어간다니, 놀라울 뿐이었다.

"태한그룹 법무팀."

"법무팀?"

"내가 거기 가서 열심히 일해야만 빚을 갚을 수가 있어서."

그날 구 여사가 정호에게 제안한 건 태한그룹 법무팀에 입사하여 일하는 것이었다. 기본적으로 맡은 업무 외에, 얼마나 실적을 내어 이익과 연계시킬 수 있는지가 관건이었다. 산정해 둔 금액에서 차감해 나간다고 하였으니 일종의 빚인 셈이었다.

"무슨 빚인데?"

"김유리랑 결혼하고 싶어서 진 빚."

준원과 새연이 모르겠다는 듯 고개를 갸웃거렸고, 유리가 정호의 손을 가만히 잡으며 웃었다. 구 여사의 제안을 듣자마자 정호는 가볍게 수락했고, 유리는 놀라긴 했어도 말리지는 않았다. 기간이 몇 년이 될지는 모르겠지만, 그게 나쁘다고 볼 순 없었다.

　로(Law) 카페 사무실에서 함께 일할 수 없는 것이 좀 아쉬울 뿐, 그가 타의로나마 규칙적으로 출퇴근하는 회사에 나가겠다고 하니 조금은 듬직하게도 느껴졌다.

　그것도 자신 때문에. 자신의 걸음에 맞추어 걷고, 자신을 얻기 위해서였다. 정호의 삶 모두가 그녀 자신을 향해 있음을 온전히 깨닫는 순간이었다. 그러니 무엇을 한다 한들 지지할 수밖에 없었다. 무얼 하든 무조건 그의 편이 되어 줄 생각이었다.

　"그래도 네가 그렇게 쉽게 그 일을 한다고 할 줄, 정말 몰랐어."

　유리가 진심으로 의외였다는 듯 말을 건넸고, 정호는 소주를 한 잔 털어 넣더니 태연하게 말했다.

　"우리 외할머님."

　"응?"

　"연세가 드시더니 총기가 약해지시나."

　"왜?"

　"……언젠가 후회하실 일을 자발적으로 하시니 말이야."

　의미를 알 수 없는 말에 유리는 그 뜻을 되물으려다가, 상견례 날 제안을 수락하며 정호가 중얼거리던 말을 상기했다.

　'그럼 뭐, 그럴까요?'

　그 직후 정호가 이어서 중얼거렸던 말.

　'흐음, 후회하실 텐데……'

　구 여사는 듣지 못했던 것 같다. 정호 역시 들으라고 한 소리도 아닌 듯했고. 이듬해, 정호가 웬만한 대형 로펌에 못지않은 규모를 자랑하는 태한그룹 법무팀에 들어가 하게 된 일들을 보고 구 여사가 후회한 것은 당연한 수순이었다.

기업 측에 유리하도록 편법을 사용하거나, 비자금이나 전방위 로비, 차명 계좌, 불법 증여와 같이 비리를 무마하는 데 법을 이용하고, 권력을 토대로 수사 방해를 하는 등, 어둠의 제왕 노릇을 하던 태한그룹 법무팀에 들어간 정호는 그야말로 '제멋대로' 휘젓고 다니기 시작했으니까 말이다.

모든 대기업의 법무팀이 그런 것은 아니지만 적어도 태한그룹의 그곳은 그랬다. 몇 번이나 수사를 받고도 요리조리 피해 간 전력이 있었으며, 태한 가(家)의 권력과 재산을 지키기 위해 견고한 성처럼 딱 버티고 있었다.

그런데 그곳에서 알아서 쉬쉬하고 빠져나갈 구멍을 찾아야 할 사건들을 두고 정호는 '아무것도 몰라요.' 가면을 쓴 채 FM식으로 처리했다. 보란 듯이 먼저 언론과 인터뷰하여 편법 없이 공정하게 잘 처리하겠노라 일부러 설레발을 치기도 했다.

이는 일이 터진 후에야 폭로하는 것보다 예방 차원에서는 훨씬 더 확실한 방법이었다. 덕분에 사건을 맡은 팀에서는 꼼짝없이 '편법 없는' 일 처리를 해야만 했고, 그간 당연했던 '편법'은 가장 어려운 일이 되어 버렸다. 정호를 피해 몰래 일을 하다가 들키기도 했다.

설렁설렁 자료를 넘겨 보며, 껄렁껄렁한 태도로 회사에 오가는 정호였다. 하지만 그에 방심했다가는 앞 다르고 뒤 다른, 즉 앞으론 뻥 뚫리고 뒤로는 매우 치밀한 업무 처리에 뒤통수를 얻어맞기 일쑤였다.

마치 법무팀과 태한그룹의 비리를 감시하러 나온 잠입 요원 같기도 했다. 구 여사의 의도는 그런 게 아니었는데. 다만 외부의 적과 싸워야 할 때는 원체 잘 돌아가는 머리를 적극 활용하여 좋은 성과를 내었기에 더는 할 말 없게 만들었다.

이럴 수도, 저럴 수도 없는 놈. 천재 반, 또라이 반. 정호의 상사들은 지끈거리는 이마를 부여잡는 게 일과였다.

'저 또라이 누가 데려왔어!'

그러다가도 구 여사의 외손자, 그룹 총수인 이 회장의 조카인 것을 깨닫고는 이내 낙담하고는 했다. 아니, 왜, 머리 좋은 감시자, 그것도 세상 분간 못 하는, 아니 안 하는 또라이가 들어와 이렇게 괴롭게 하는 것인지!

정호에게 회사에 들어가라 제안했던 구 여사도 실제로는 크게 후회했다. 그가 내는 좋은 성과도 필요 없고, 이전에 끼친 손해고 이익이고 빚이고 뭐고 다 필요 없으니 그냥 사직하라고까지 했다. 그러나 정호는 약속은 지켜야 한다며 정해 놓은 금액을 다 깔 때까지 몇 년이고 법무팀에서 나가지 않고 버텼다.

또라이 변호사. 법무팀에 근무하는 동안 정호는 '또변'으로 불리며 대활약을 했다.

'네가 끼친 손해만큼 이익을 만들어야지. 내년부터 회사 법무팀에 들어가서 일하려무나. 그 손해를 다 메꿀 때까지 말이다.'

그건 명확한 이해관계를 중요시하던 구 여사 인생의 가장 잘못된 계산이었다. 하지만 사실은 가장 잘한 제안이기도 하였다. 결국 먼 훗날. 친손자, 외손자 모두를 통틀어 구 여사가 마지막까지 제일 마음에 품고 챙기게 된 손자는 바로 정호였으니 말이다.

그해 겨울.

정호의 모친 이연주의 예상대로 야권 대선 후보가 대통령에 당선되었다. 정권이 바뀌면서 새로운 바람이 불어닥쳤다. 그리고 퇴직 후 별다른 활동 없이 시골에서 지내던 김승운 전(前) 검사장이 법무부 장관 내정자로 결정되었다.

2월에 열린 인사 청문회에서는 뜻밖의 사실들이 밝혀졌다. 그간 수많은 의혹에 휩싸여 불명예스러운 퇴직을 감행했던 김승운이 아무런 대비 없이 이에 임했을 리 없지만, 차분한 어조로 내뱉는 진실과 증거 자료들에 모두 놀라움을 금치 못했다. 그는 확실히 마음을 단단히 먹고 복귀를 위해 나온 참이었다.

청문회 전반에 걸쳐 밝혀진 것은, 검찰 내부 개혁을 시도하고자 했던 김승운이 당시 여당과 결탁한 비개혁파에 의해 퇴출당했다는 결론이었다.

비개혁파에서 그를 쳐 내기 위하여 택한 것이 태한그룹의 봐주기식 수사와 비리 무마였다. 이는 김승운을 직접 거친 일이 아니었지만, 그의 처가라는 이유로 활용하기 좋은 것이었다.

당시 정권의 비호(庇護)를 약속받으며 태한그룹도 이에 협조하였고, 증거가 될 만한 자료 등을 제출하기에 이르렀다. 그룹 차원에서는 대(大)를 위하여 소(小)를 희생하는 전략이었달까.

이 일로 인해 관련 책임자들이 줄줄이 구속되었으나 이는 모두 김승운 하나를 잡기 위함이었다. 그래야 그가 하려는 개혁을 막을 수 있었으니 말이다. 태한그룹 입장에서는 구 여사의 철칙대로, 주고받는 것이 명확한 일이었다. 사위 김승운 하나를 내어 주고 당시 정권으로부터 더 많은 이득을 얻어 낼 수 있었다.

그러한 계산 앞에서 구 여사는 김승운에게 군말 없이 이에 응하기를 요구한 것이다. 청문회에서는 밝히지 않았으나, 그 뒷배경에는 또 다른 이야기가 숨어 있었다.

'자네. 진짜 내 딸과 결혼하기를 원하나?'

오래전 이연주와 결혼하기 위해 허락을 받을 때, 구 여사가 김승운에게 원한 것이 있었다.

'그럼 내가 필요할 때. 단 한 번. 내가 하라는 대로 할 수 있겠지?'

김승운은 그게 무엇이든 다 하겠노라 다짐했었다. 이미 사랑이 너무도 깊어져 버린 그녀를 놓칠 수 없기에 했던 약속이었다. 그리고 수십 년이 지나 구 여사가 그때의 약속을 꺼내 들었다.

그런 일은 꿈에도 모를 아내에게, 당신의 어머니가 그렇게도 비정하다고 사실대로 말할 수는 없었다. 그리하여 감내하였다. 세상을 바꾸고자 했던 노력 앞에 무너져 절망하면서도, 사랑하는 이를 지키고 싶었다.

가족을 얻기 위해 했던 약속을 신념 앞에 무너뜨릴 수는 없었다. 그는 타협을 모르는 사람이었다. 한번 했던 약속은 꼭 지켜야 한다고 믿었다. 그것을 저버린 채 어찌 큰일을 할 수 있겠는가.

진퇴양난에 사로잡혔다. 중요한 가치들이 부딪혀 제 속을 헤집었으나, 그는 결국 약속을 지켜 내고 말았다. 김승운은 부정을 저지른 권력자의 누명을 쓴 채 낙향하여 아내와 함께 평범한 일상을 꾸리게 되었다.

사실상 이에 관련된 인물들은 그때 모두 처벌을 받아, 이미 다 끝난 이야기들이었다. 다만 김승운 하나가 입 다무는 것으로 평안했던 세상이 뒤집혔을 뿐이다. 아마 청문회가 끝나는 대로 곧 후폭풍이 몰아닥칠 것이다.

비리 의혹이 김승운의 잘못이 아닌 것으로 낱낱이 밝혀진 후에는, 재산이나 병역 관련, 그리고 아들 김정호의 학업 및 병역에 관한 사안들이 되짚어졌다. 더하고 말 것도 없이, 파면 팔수록 그에 관련된 모든 것이 깨끗하고 공정하기 그지없었다.

제기된 각종 의혹에 얻어맞아 자질이 없다 평가받는 장관 후보자들이 속출하는 가운데, 김승운의 경우 오히려 이미지 쇄신에 성공하는 계기가 되었다. 여러 가지 의미에서 전무후무한 인사 청문회로 기록되었다.

청문회에서 밝혀지지 않았으나 이후 정호와 유리가 알게 된 것 또 한 가지는, 태경병원의 의료 사고 비리를 무마한 것은 김승운 본인과는 직접 관련이 없었다는 것이다.

김승운이 예비 며느리 유리에게 진심으로 사죄한 것은, 다른 일들과 마찬가지로 자신의 부하 직원들이 한 일이라면 그 역시 제 잘못이라 여겼기 때문이었다. 그것은 진심이었다.

로(Law) 카페 안 사무실에서는 두 여자의 목소리가 번갈아 들렸다.

"아니, 누가 봐도 다른 색깔이구만. 판매자 눈이 어떻게 된 거 아닌가?"

짙은 갈색의 밍크 목도리를 들고 모니터 속 연갈색 목도리 사진과 비교해 본 유리는 황당하다는 듯 내뱉었다.

"그렇죠? 다른 거 맞죠?"

"이건 뭐, 색맹이 봐도 다른 거 알 정도로 다른데요?"

"그런데 판매자는 환불이 안 된다고만 하니……."

상담을 위해 찾아온 여자는 난감한 표정을 지으며 유리를 바라보기만 했다.

"아니, 환불이 안 된다는 이유가 뭐래요?"

"몇 번이나 전화해도 이미 상품 페이지에 환불이나 교환이 불가하다는 문구를 작성해 놓았다고, 그거 보고 주문한 거 아니냐고 같은 말만 되풀이해요."

"이거, 얼마라고 했죠?"

"65만 원이요."

"65만 원 훔쳐 먹은 도둑놈 새끼구만."

거침없이 내뱉은 유리는 쯧, 하고 혀를 찼다.

"환불은 포기했고 교환이라도 해 줬으면 좋겠는데, 그것도 안 해 준다네요. 이거 같은 색깔 있는데 중고시장에 팔아야 하나."

"어머? 새 걸 왜 중고시장에 헐값에 팔아요. 아깝게."

"그런데 사실 제가…… 주문할 때 환불 안 된다는 문구를 제대로 못 봤어요. 역시 안 되는 걸까요."

"어이쿠, 호갱님이 요기 있네!"

유리는 밍크 목도리를 책상 위에 탁 놓으며 안타깝다는 듯 고개를 살래살래 저었다.

"자아, 보세요. '전자 상거래 등에서의 소비자 보호에 관한 법률'에 의거, 배송받은 날로부터 7일 내에는 청약 철회가 가능하다. 여기 보이시죠? 판매자가 아무리 반품이나 교환 등이 불가하다고 공지했더라도 상관없어요. 청약 철회와 관련해 구매자에게 불리한 약정이라서 효력이 없거든요. 그러니까 재판매가 곤란할 정도로 훼손된 제품이 아니라면 반품이나 교환, 환불을 요구할 수 있어요."

"안 된다는 문구가 있어도요?"

"나 약 파는 거 아닌데 안 믿으시네. 그건 효력 없는 일방적인 주장에 불과하다니까요. 그런데 뭐, 직접 찾아가거나 전화로 얘기하면 판매자가 그렇게 요구받은 사실이 없다고 우길 수도 있으니까요. 쇼핑몰 게시판에 관련 사항 작성하고 캡처 해서 보관하세요."

여자 고객은 그래도 자신이 없는 듯 조그맣게 한숨을 쉬며 말했다.

"만약에 왕복 배송비 내라고 하면 그건 내야겠죠?"

"이런 천사 같은 분들만 있으면 나도 밍크 목도리 가짜로 팔아서 떼돈 벌겠네. 그거 부담하지 마세요. 만약에 단순 변심이나 미세한 디자인 차이로 구매한 거라면 뭐, 당연히 구매자가 부담하라고 할 수 있겠지만, 이건 색이 완전히 다르잖아요. 구매자의 과실이 아니지. 그리고 또 뭐야, 이거 진짜도 아닌데? 누가 이걸 이 가격에 팔아요? 순 과장이구만. 이런 경우에 반품비도 부담할 필요가 전혀 없어요."

"아……."

유리는 밍크 목도리를 건네며 말했다.

"합의 안 되면 소보원에서 조정해 줘요. 일단 해당 내용은 쇼핑몰 그 도둑놈한테 내용 증명 우편으로 보내시고요, 한두 푼도 아닌데 너무 물렁하게 나가지 마세요. 이건 진상 부리는 게 아니라 저쪽 정체가 도둑놈 새끼인 거니까요. 아니, 어디서 물건을 잘못 팔아 놓고 오리발이야, 오리발은. 이걸 65만 원 받고 팔았으니 사기죄로 처넣어도 되겠구만. 천하의 나쁜 새끼네."

"변호사님, 정말 감사해요. 답답해서 혹시나 하고 들러 봤는데 속이 다 시원하네요."

"진짜 속 시원하려면 실행에 옮기세요! 65만 원 버리는 셈 친다고 그냥 막 썩히지 마시고. 남 주지 마시고. 그러다 진짜 호갱님으로 평생 살겠어요."

마음이 꽤 약해 보이는 여자 고객이 뜨끔했는지 눈을 크게 떴다. 그러고는 몇 번이나 고맙다고 한 후 상담료를 지불하고 사무실에서 나갔다. 열린 문 사이로 나가는 여자 너머 누군가가 보였다.

"어, 아버님."

웃으면서 들어서는 이는 김승운, 정호의 부친이었다.

"어떻게 여기까지……."

"지나던 길에 점심때라, 혹시 괜찮으면 식사나 같이할까 하고 들렀다."

결혼을 앞둔 어느 겨울의 끝자락. 예비 시아버지가 처음으로 함께 식사하자고 사무실에 찾아오셨다. 유리는 도둑놈 새끼를 신나게 욕하던 것은 까맣게 잊고 예비 시아버지의 방문이 그저 반가워 함빡 웃었다.

골목골목을 돌아 김승운이 유리를 데려간 곳은 학교 앞 작은 순댓국집이었다.

"어엇. 아버님, 저 여기 정호랑 몇 번 왔었어요."

"그러냐."

김승운은 웃으며 한쪽에 자리를 잡고 앉았다. 허름한 순댓국집 안에 마주 앉은 예비 시아버지와 예비 며느리 사이에 딱히 어색함이 흐르진 않았다.

"기껏 찾아왔는데, 더 맛있는 걸 사 주지 못해서 미안하구나."

"왜요, 아버님. 이거 저희 동네에서 제일 맛있는 음식인데요. 이 순댓국, 진짜 맛있어요."

보기 좋게 훌훌 먹던 유리가 웃어 보였다. 그러고는 조심스럽게 물었다.

"그런데 혹시 아버님, 여기요."

"음?"

"어머님과 데이트하시던 곳인가요?"

"……어떻게 알았니."

"에이, 뻔하죠! 아버님, 어머님, 우리 학교 선배님이시고, 이 골목 이렇게 잘 알고 헤매지도 않고 막 들어오실 정도면 아버님 여기 정말 많이 오셨을 거고요."

김승운은 고개를 끄덕였다. 생긋 웃으며 유리가 덧붙였다.

"아버님 저 진짜 기뻐요. 이런 소중한 곳에 저 데려와 주시고. 정말 감사합니다."

"아니다, 같이 와 줘서 내가 고맙구나."

김승운은 법무부 장관 내정자로서 3월에 있을 임명을 앞둔 시점이었다. 이 시간, 며느리가 될 아이와 마주 앉아 국밥 한 그릇 놓고 맛있게 먹을 수 있다는 사실이 소중하게 느껴졌다.

"유리야."

"네?"

"너는 판사, 검사, 변호사 중에서 어떤 이유로 변호사가 되겠다고 마음먹었니? 어찌 보면 판결을 내리는 판사와 기소를 하는 검사보다, 변호사가 법의 힘을 이용하는 데 있어 상대적으로 약하지 않나 하는 사람들도 있는데. ……너는 좀 더 강한 힘을 얻고 싶진 않았을까, 궁금했다."

유리가 법조인이 되고 싶어 한 계기를 김승운도 알고 있기 때문이었다. 그런데 왜 하필 그중 변호사가 되었는지, 그건 참 궁금했다.

"아…… 네, 사실 변호사야 어릴 적부터 막연한 꿈이었지만 시보(試補) 생활 때 실무 교육 받으면서 얼마든지 바뀔 수도 있잖아요. 사시 합격할 때는 저도 판검사에 욕심 없었던 건 아니에요. 어쩌면 검사 쪽이, 제가 불의를 맞서 범죄와 '싸워 보겠다!'는 포부를 펼칠 수 있지 않을까 또 꿈꿔 봤구요."

"그런데 아무래도 꿈을 펼치기에 현실이 녹록지 않았겠지. 실제 검찰청의 모습이 아무래도 이상과는 멀었을 테니."

"음…… 그보다요, 아버님 저는요."

유리가 숟가락을 내려놓고 조곤조곤 말하기 시작했다.

"제가 검사 시보(試補) 생활을 할 때요. 뭐, 그땐 복잡한 사건은 배당받지 않고 그냥 경미한 사건들이나 이미 경찰에서 다 자백하고 넘어온 사건들을 맡게 되잖아요. 그래서 큰 어려움은 없었는데요."

"그래."

"제가 처음 맡은 게 편의점 절도 사건이었어요. 야간에 점원이 졸고 있는 사이에 컵라면과 인스턴트식품을 잔뜩 훔쳐서 달아나던 대학생을, 순찰하던 방범대원이 보고 체포했어요. 경찰에서 자백하고 넘어온 사건이었고, 이걸 제가 처음으로 맡게 된 거예요. 그런데 사정이 참 딱하더라고요."

"그 학생, 어머니는 안 계시고 아버지는 병원에 입원 중이신 데다가 할머니까지 모시고 살고, 여동생은 가출. 그 학생은 장학금 받으면서 학교 다니고 아르바이트도 하는데 생활이 팍팍하다 보니, 밤에 들른 편의점에서 점원이 졸고 있는 걸 보고 자신도 모르게 충동적으로 훔쳐 달아난 거예요."

"그랬구나."

"피의자 신문 조서를 꾸밀 때 자꾸만 그 학생이 처한 상황을 쓰게 됐는데, ……안 되잖아요. 범죄 사실에 대해서 구체적인 주장과 입증만을 해야 하니까. 근데 저는 자꾸만 그 학생의 정상 참작 사유에 대해서 생각하고 있었고요."

"그게 노력한다고 되는 것도, 노력한다고 안 되는 것도 아닌데. 참 힘들었겠구나."

"네. 그런 일을 반복해서 겪고 나니까, 저는 검사보다는 변호사 쪽이 더 잘 맞는구나 느끼게 되었어요. 범죄 사실과 처한 상황을 떨어뜨려 놓고 볼 수가 없으니, 기소 업무 자체가 은근히 스트레스더라고요."

김승운은 유리의 빈 컵에 물을 따라 주었다. 그러고는 말했다.

"내 아들이 널 왜 그렇게 좋아하는지 알 것 같구나."

"네?"

"범죄자들을 한 손에 열댓은 때려잡을 것 같은데, 알고 보면 속이 깊으면서도 마음이 여리니 말이다."

"어, 어머. 아버님, 오해십니다. 제가 어딜 봐서 겉으로 범죄자들을 때려잡……."

정호의 부모님 앞에서는 제 성격 전부를 내보인 적도 없는데 싶어서 오리발을 내밀던 유리는 언뜻 드는 생각에 말을 멈추었다.

"호, 혹시 아버님 아까 문이……."

"열려 있었다."

"그럼 도, 도둑……."

"들었다."

민망해진 유리의 볼이 붉어졌다. 시아버지 되실 분 앞에서 '도둑놈 새끼' 소리를 실컷 해 댄 유리는 쥐구멍을 애타게 찾아보았지만 그런 건 여기 없었다.

"하도 시원해서 나는 탄산수라도 마신 줄 알았다."

"타, 탄산수……. 과, 과찬이세요. 하하하."

탄산수 발언에 서로 웃고 난 후, 김승운은 조용히 말을 이었다.

"유리야, 나는 말이다."

"네."

"옳지 않은 것을 바로잡아야 한다고 믿으며 살았다. 그렇게 하려고 오랜 기간 준비해 왔고."

"네."

유리는 진지한 태도로 경청하였다.

"결국 내 힘으로 그 변화를 이룰 수 없게 되었을 때, 나 자신이 무력하게 느껴져 한동안 괴로웠다."

"……네."

그대로 밀어붙일 수 없는 상황 속에 갇혀 있었다. 그나마 최선이 가족을 보호하는 것이었고, 김승운은 가장 효율적인 결정을 내렸다. 그리고 후회한 적은 없다. 다만 지독한 자괴감에 빠졌을 뿐.

김승운의 권위는 실추되고 검찰청 내부의 개혁 의지는 꺾여 버렸다. 도덕성을 무너뜨렸으니 그의 개혁 동력은 소실되어 버리는 것이 당연했다.

"어떤 특임 검사가 말했었지. 간호사가 의사 처방을 따라야 하는 것은 의사가 간호사보다 의학 지식이 뛰어나기 때문인 것처럼, 검찰이 경찰 수사를 지휘하는 건 검사가 수사를 더 잘하기 때문이라고 말이다. 정말 미친 소리가 아니더냐."

"……네."

"멀찍이 물러나 이런 현실을 보고 있자니 답답해 견딜 수가 없었다. 검사도 사람이니 비리를 저지를 수도 있겠지. 하지만 그걸 제대로 수사하고 기소해야만 그런 비리와 범죄를 예방할 수 있는데, 서로서로 봐주기식으로 특권적 지위나 남용하고 있으니, 참 눈물 나게 갑갑한 세상이다."

"네, 맞습니다."

대답하는 유리의 목이 메어 왔다. 이런 대화 자체가 의미 없다고 비웃음당할 만큼, 지금 세상에서는 옳은 일도 때로 우습게 여겨졌다. 밥 먹여 주는 것도 아닌 신념과 이상이 대체 뭐가 그리 중요하다고.

"대법원도 마찬가지야. 엘리트 문화가 깊게 뿌리박혀 있으니 시민을 위한 법원이 아닌, 그들만을 위한 법원으로 전락한 것도 무리가 아니지. ……항상 개혁은 아슬아슬하게 그 고비를 넘기지 못하곤 했다."

하지만 누군가는 늘 고민해야 하는 문제였다. 김승운은 이런 것들을 말로만 떠드는 분이 아니었다. 실제로 개혁 의지를 품고 실행에 옮기려 했다. 결국 실패했었지만, 다시 일어서고자 준비하고 있었다.

유리는 존경심을 안고 김승운을 바라보았다. 시선을 마주치는 것조차 황공한 마음이 들 정도로 제겐 대단한 분이었다. 그런 김승운이 말했다.

"유리야."

"네."

"널 보면서 많은 걸 깨달았다."

"……네?"

"개혁이란 건 거창한 것이 아니더구나. 너희처럼 젊은 사람들이 의식을 갖고 세상을 하나씩 바꾸어 나가려는 노력, 그게 중요하다는 것 말이다."

유리는 뜻밖에 이어진 자신의 이야기에 고개를 숙였다.

"법이 어렵지 않다는 것, 누구나 쉽게 도움받을 수 있다는 것, 그렇게 다가설수록 많은 길이 열린다는 것, 그게 가장 어려운 것인데. 그걸 네가 참 잘해 주고 있었어."

"……."

"유리야, 나는 너를 존경하기로 했다."

"아, 아버님."

"위로부터의 개혁이 아닌, 아래로부터의 개혁. 그건 진심이 없으면 못 할 일이겠지. 어렵지만 더 효과적이고."

"……."

"우리 사는 세상이 지금껏 많은 세월 동안, 이렇게 천천히 변화해 왔듯이 말이다."

법률 상담을 해 주는 카페를 열고, 주변의 목소리에 귀를 기울이겠다는 유리의 말에 처음부터 찬성한 사람은 아무도 없었다. 노력 한 번으로 물길을 바꾸어 놓을 순 없겠지만, 흐름을 제시한다는 것만으로도 의미가 있었다.

노력에 대한 응답을 이제야 받는 기분이었다. 그것도 이토록 존경하는 분으로부터. 가슴이 벅차올랐다. 더불어 유리의 눈에 눈물이 핑그르르 돌았다.

"아버님, 감사합니다……."

"뭐든 내가 고맙다니까."

김승운은 진정한 법의 테두리 안에서 많은 사람이 살 만한 세상이 될 수 있기를 소망했다. 그리고 그 실마리를 이제야 발견하는 기분이었다. 강하며 여리고, 단단하며 부드러운 바로 이 여자, 제 아들의 아내가 될 유리에게서.

로(Law) 카페에서 수많은 사람을 만나 때로는 답이 없고, 때로는 갑갑한 실상을 가깝게 전해 들으며 최대한 쉽게 법을 전해 주는 유리.

태한그룹 법무팀에 입사해 기업 윤리와 사회 질서에 반(反)하지 않는 법을 정당하고 공정하게 실천하려는 정호.

그리고 새롭게 법무부 장관으로서의 임명을 앞두고 법질서의 확립을 위해 애쓰겠다는 포부를 밝힌 김승운.

각자의 자리에서 저마다 최선을 다하면서, 물길을 따라 흐를 것이다. 법을 공부하지 않은, 그저 평범한 사람들조차 그 물길 안에서 유유히 함께 흐를 수 있도록, 부지런히 잡아 나갈 것이다. 제방을 무너뜨리지 않고, 거꾸로 흐르지 않고, 그리하여 힘들어하는 사람들이 없도록 말이다.

그리하여 세상의 모든 이들이 법을 마음껏 믿고, 법대로 마음껏 살면서, 법대로 마음껏 사랑할 수 있도록. 그것이 이들이 원하는 단 한 가지였다.

"……아버지, 혹시 지금 유리 울리고 계셨어요?"

익숙한 목소리에 유리는 고개를 들었다. 정호의 얼굴을 보자 그렁그렁 맺혔던 눈물이 결국 투두둑 쏟아졌다.

"아, 아니. 내가 울린 것이 아니다……."

갑자기 등장한 정호를 보고는 김승운이 놀라서 손을 내저었다. 예비 며느리를 울린 시아버지로 오해받고 싶지는 않았다. 제아무리 큰 오해를 받고도 묵묵히 견뎠던 김승운도 이 순간만큼은 의자에서 엉덩이를 1센티미터씩 떼면서 안절부절못하고 있었다.

"유리…… 울잖아요."

외근 나오던 참에 유리에게 문자를 보냈더니, 학교 앞 순댓국집에서 아버지와 점심을 먹고 있다고 했다. 그래서 얼른 달려온 정호였다. 그런데 들어서자마자 아버지 앞에서 눈물을 뚝뚝 흘리는 유리를 보게 될 줄이야.

"오, 오해다."

알 만한 상황이었다. 분위기를 보아하니 왜 우냐고 더 묻지 않아도 될 것 같았다. 정호는 풋, 웃으며 자리에 앉았다. 손으로 유리의 눈물을 문질러 정성껏 닦아 주고는 태연하게 손을 들어 주문했다.

"여기 순댓국 하나요."

그러고는 김승운을 향해 말했다.

"아버지, 저도 사 주시는 거죠?"

"그래, 먹고 싶은 만큼 다 시켜 먹어라."

"에이, 여기서 다 먹어 봤자 얼마나 나온다고요."

"그럼 저녁에 서초동으로 오거라. 내 저녁도 사 줄 테니."

부자 사이의 벽은 어느새 허물어져 버렸다. 스스럼없이 하는 대화를 지켜보던 유리가 또다시 울컥하여 이내 손으로 입을 막고 일어섰다.

"나, 잠깐만."

후두두 떨어지는 눈물을 주체하지 못한 채 유리가 꾸벅 인사를 하고는 드르륵 문을 밀며 순댓국집에서 나갔다. 유리문 밖으로 가만히 선 유리의 등을 바라보던 두 남자가 멋쩍게 웃고 말았다.

"유리가 참 여리구나. ……울리지 마라."

"아버지만 안 울리시면 될 것 같은데요."

"나는 조, 좋은 소리를 해 줘서, ……유리가 감격해서 그런 거다."

"네에에."

영혼이 느껴지지 않는 대답에 김승운이 고개를 갸웃하며 정호에게 설명했다. 본인이 유리와 어떠한 대화를 나눴는지 무척이나 진지한 얼굴로 해명하는 중이었다.

정호는 입가를 비집고 새어 나오는 웃음을 참으면서, 금세 나온 순댓국을 먹기 시작했다. 따뜻한 국이었다. 한 번 먹을 때마다 온기가 속 안에 그득히 차올랐다. 어느새 눈물을 말끔히 지워 낸 유리가 엷은 미소를 띠며 다시 자리로 돌아왔다.

"유리야, 네가 말해 보렴. 내가 너에게……."

그때까지 해명하고 있던 김승운은 유독 집요한 구석이 있었다. 아들이 납득하지 못하는 것처럼 보이자 이제 며느리를 동원하여 진상을 규명하려고 했다. 유리 역시 웃음을 참기 위해 입술을 안으로 말아 물었다. 이 중 한없이 진지한 사람은 김승운 한 명뿐이었다.

오래전 김승운과 이연주가 앉았던 바로 그 자리에서, 그들은 웃으며, 또 울며, 따끈한 국밥을 한 그릇씩 먹었다. 사랑은 결코 멀리 있지 않았다. 조용하던 국밥집에 웃음소리가 흘러넘쳤다.

"정말?"

새연의 말에 유리가 고개를 끄덕였다. 매끈하게 뻗은 다리를 옆으로 꼬아 앉은 자태가 여전히 세련되고 우아한 유리였다. 그녀는 여유 있는 웃음을 지으며 새연과 준원을 마주 바라보았다.

"아니, 왜?"

"엄밀히 말하면 결혼'식'은 '식'이지."

"아, 그, 그렇지. 드레스도 입고, 사진도 찍긴 하니까. 그래도 이건……."

새연은 유리가 건넨 재생지로 만든 빈티지한 청첩장에 찍힌 장소를 보며 여전히 고개를 갸웃거렸다. 한국대학교 법과대 앞 잔디밭이라니? 유리가 다닌 대학에는, 교내에 결혼식을 할 수 있도록 마련된 곳이 세 곳이나 있었다. 야외를 포함해 식장으로 사용 가능한 멀쩡한 건물이 따로 있다는 소리다.

게다가 진행도 매끄럽고 식사도 맛있고 규모도 웅장하다고 소문나서, 예약 잡기도 치열하다는 그 멀쩡한 식장들 다 두고, 뜬금없이 웬 법과대 앞 잔디밭? 잔디밭은 그저 잔디밭이었다. 허허벌판이기도 했다. 야외식장으로 사용 가능한 곳이 아니기에 그곳을 결혼식장으로 꾸미려면 하나부터 열까지 신경 쓸 일이 아주 많았다.

학장님과 교직원들을 설득하기 위해 얼마나 노력을 했는지에 대한 유리의 설명도 곧 덧붙여졌다. 유리가 계획하고 있는 건 일반적인 것과 조금 다른 결혼식이었다.

"유리야, 아무것도 없는 야외에 대기실 꾸미려면 되게 비싸."

"대기실 안 만들 건데?"

"신부 대기실이 없다고?"

"응. 신부는 꼭 신부 대기실에 앉아 있으란 법이 어디 있어. 나 아무 데나 다 돌아다니면서 인사할 거야."

"유난도 이런 유난이 없다. 평범한 게 제일이라니까!"

이미 결혼식을 경험해 본 새연은 그게 얼마나 피곤한 일인지를 알았다. 유리의 로망이 무엇인지는 알겠지만 굳이 권하고 싶진 않았는데, 지금 유리는 꽤 신이 나 있었다.

파티하듯 자연스럽게 사람들이 오갈 수 있도록 오픈해 놓고, 신랑 신부가 대기실이나 정해진 곳에서 인사를 나누는 것이 아닌 어디라도 자유롭게 돌아다니며 축하를 받는 것을 원했다.

무엇보다 가장 다른 점, 축의금을 받는 장소는 기부금을 받는 장소로 대신한다는 것. 축의금을 국내 결식아동을 위한 구호금으로 전달하겠다는 그녀의 뜻에 정호와 양가 부모님 모두 동의를 해 주셔서 가능한 일이었다.

"근데, 역시…… 멋있다, 김유리. 이런 결정 쉽지 않은데."

"부모님 덕분이지, 뭐. 허락해 주신 덕에."

누구나 결혼에 대한 로망이 있다. 하지만 현실 앞에서 결국 무너지고 마는 것이 그 환상이었다. 연애가 두 사람만의 것이었다면, 결혼은 두 집안의 것이므로.

유리가 준비하는 결혼은 유난이고 별스러운 건 분명했지만, 그것이 사치나 허례허식과는 거리가 멀었다. 깊이 있고 개념 있는 유리의 결혼 계획에 두 집안 모두 흐뭇한 미소를 보내며 그녀를 지지해 주었다. 그렇게 모두의 격려 속에서 유리는 차근차근 결혼 준비를 해 나갔다.

사월.

벚꽃잎이 눈처럼 하얗게 쏟아지는 어느 날.

꽃과 나뭇가지, 종이꽃으로 꾸며진 전체적인 결혼식 분위기는 소박하지만 매우 자연스러웠다. 마치 소풍을 나온 것처럼 여기저기에서 사진을 찍는 하객들도 많았다.

마치 바람에 가볍게 흩날릴 듯 세련되면서도 아련한 느낌의 아이보리 드레스를 입은 유리가 잔디밭 위에 등장했다. 화려하지 않아도 여신의 자태를 빛나게 함은 분명했다.

검은 슈트를 빼입은 정호는 이대로 레드 카펫을 밟아도 손색이 없을 정도로 굉장히 멋진 모습이었다. 두 사람이 나란히 서자 탄성이 흘러나올 정도로 굉장한 오라(aura)를 풍겼다. 자유로운 분위기에서 유리와 정호가 인사를 다니며 축하를 받았다. 결혼식이라기보다 그저 가벼운 파티 같은 모습이었다.

갈비탕, 스테이크와 같은 결혼식 음식은 없었지만, 색색의 아기자기하고 맛깔나는 파티 푸드가 보기 좋게 세팅되어 있었다.

"그런데 왜 여기 밥은 없어요?"

결혼식 음식에 대해 컴플레인이 들어올라치면 준이 잽싸게 끼어들어 받아쳤다.

"여기 비빔밥도 있는데 한번 드셔 보세요!"

"그래, 하나 먹어 봅시다."

파티 푸드 중에는 어른들의 입맛에도 맞게끔 1인분씩 예쁘게 세팅된 비빔밥도 있어 열심히 권해 드렸다. 준은 오늘 알바생이 아닌 하객으로 참석했건만, 뼛속까지 친절함으로 무장하여 내내 웃으며 대응했다.

색이 고운 한복을 입은 두 모친, 이연주와 송옥자, 위엄찬 두루마기 포스를 선보이는 정호의 부친 김승운 역시 하객들에게 가깝게 다가가 인사를 나누며 생각보다 훨씬 따뜻하고 행복이 흘러넘치는 결혼식을 즐기고 있었다.

이번에 법무부 장관에 임명된 김승운의 외아들 결혼식인지라 혼잡이 예상되었지만, 사전에 식 분위기를 설명하여 최소한의 하객만 초대하였다. 그래서 다행히 별 무리 없이 식은 진행될 수 있었다.

"어머, 기부하는구나."

"이거 내면 결식아동 구호 단체에 기부하는 거네요?"

"네, 맞아요."

축의금 대신 기부금을 받는 장소에서는 신랑 신부의 친척들이 보통의 축의금보다도 더 높은 금액들을 선뜻 내밀기도 했다. 청첩장을 통해서나 직접 얘기를 들어 이미 알고 있던 하객들도 준비한 기부금을 기꺼이 내며 두 사람의 영원한 사랑을 축복했다.

가운데 이슬을 두고 앉은 송화와 은강은 어느새 한 가족의 모습을 예쁘게 보여 주고 있었다. 그리고 여기저기 돌아다니는 준도 즐거워 보였다.

정호의 외가 친척들도 일부 참석하였다. 그중엔 미색의 한복을 곱게 입고 앉은 구 여사도 있었다. 요즘 법무팀에서 천재 반, 또라이 반, 그 기운을 반씩 버무려 일하는 정호 때문에 혈압 관리를 하고 계시다 들었는데, 식장에 앉아 계신 모습을 보니 여전히 정정하기만 하였다.

정호와 유리가 다가가서 인사했다.

"면상 썩 치우거라. 오랜만에 날씨 좋은데 햇빛 가리지 말고."

구 여사는 인상을 찡그렸다. 기운도 여전하였다. 햇빛이라고 해 봤자, 어차피 비서가 펼쳐 준 양산 아래 있으면서 괜한 엄포였다. 웃으면서도 얼른 자리를 피하는데, 다시 구 여사가 불러 돌아보았다.

"네?"

"이거 가지고 물러가."

구 여사는 꽤 큰돈을 넣은 봉투를 내밀었다. 그러곤 말했다.

"물은 안 뿌릴 테니, 컵 치울 필요는 없다."

"넵, 감사합니다! 신혼여행 가서 이걸로 맛있는 것 사 먹을게요!"

유리는 봉투를 챙기며 꾸벅 인사했다. 그 모습이 신부답지 않게 참 씩씩해서 구 여사도 결국 웃고 말았다.

"김유리! 김정호! 축하해! 헐, 김유리 완전 예쁘다! 진짜 여신이네, 여신이야."

돌아보니 새연이었다. 옆에는 어느덧 8개월에 접어든 아기 진우를 안고 있는 준원이 있었다. 한쪽 팔로 아기를 받쳐 든 준원은 다른 한 손을 뻗어 정호와 주먹을 부딪치며 인사했다. 빼입은 신랑이나, 아기를 안은 아빠나 훤칠하여 둘 다 멋있는 건 매한가지였다.

"뭐야. 진우 애 뭐, 이렇게 금방 크냐. 다리 길어진 것 좀 봐."

"준원이 닮아서 팔다리가 길쭉해. 얼굴 봐. 너무 잘생겼지?"

새연은 뿌듯해하며 아들 진우를 자랑했다.

"그러게, 진짜 잘났다, 야. 코가 벌써 오뚝하네. 아우, 이뻐."

그러던 유리는 새연의 배를 가만히 어루만졌다.

"우리 퐁퐁이는 잘 계시고?"

"응, 잘 계신다."

"아니, 뭐가 그렇게 급해서 진우 낳자마자 또 둘째가 생기냐."

"그게 그렇게 되네."

새연이 배시시 웃었다. 산모 딱지를 떼자마자 연이어 또 산모가 되어 버렸다. 둘째는 연년생으로 올해 말에 태어날 예정이었다.

"너도 미루지 말고 아기 낳아. 낳아 놓으니까 너무 예쁘다, 정말."

비록 육아에 시달린 탓에 화장으로 가릴 수 없는 다크서클이 눈 아래 짙게 드리워졌으나 행복한 미소 역시 감출 수는 없었다.

"혁준이도 왔으면 좋았을걸. 그래도 내 결혼식 때는 사회도 봐주고 그랬는데."

새연이 아쉽다는 듯 말하자 유리가 대답했다.

"괜찮아. 혁준이 아까 전화 왔었어. 걔야 뭐, 결혼식만 달랑 올려 놓고는 어린 신부 한국에 혼자 두고 미국에 가 있는데. 지금 그렇게 바쁜 놈이 갑자기 올 수 오겠어? 난 어차피 기대도 안 했다. 전화 온 것도 신기하다니까."

진심으로 서운한 말투도 아니었다. 오랜 친구기에 얼마든지 이해할 수 있는 부분이었다. 하지만 안타깝게도 그녀의 관대함을 베풀 수 없는 쪽이 있었다.

"너 이 새끼. 김유찬! 오늘 같은 날 지각을 해? 어른들 다 계신데, 이 자식이, 비싼 밥 축내고! 이게 빠져 가지고."

"아아, 누나 좀!"

"누나 좀은 무슨! 야, 너 이 새끼, 이리 안 와?"

유리의 결혼식에 참석하기 위해 무리하여 귀국한 동생 유찬이었지만, 결혼식에 늦는 바람에 얻어터질 위기에 처해 버렸다. 못 본 사이 업그레이드되고도 남았을 누나의 등짝 스매싱 공격을 피하며 유찬이 뒷걸음질 쳤다.

드레스를 입고도 안면 근육을 이용해 '너 죽었어.' 메시지를 전하며 유리는 까딱까딱 손짓했고 이내 가벼운 추격전이 벌어졌다.

"처남, 부디 살아서 만나."

정호는 유찬에게 안타까운 인사를 전하며, 물을 한 잔 마시기 위해 푸드 테이블 앞으로 갔다. 그리고 소박하나 아름다운 결혼식 광경을 물끄러미 바라보았다. 축하해 주러 온 사람들과 그 사이에서 환하게 웃고 있는 유리를 한참 동안 보다가 정호는 문득 중얼거렸다.

"……꿈인가."

한참 인사를 나누다가 잠시 물러서서 이 풍경을 지켜보니 어쩐지 감회가 새로웠다. 유리를 홀로 마음에 품었던 시간부터 지금에 이르기까지 수많은 장면이 눈앞에 느리게 흘러갔다. 믿을 수 없을 정도로 꿈같은 시간이었다.

곁에 서기 위해 노력했던 것만큼, 앞으로 그녀의 곁을 지키기 위해서 더 많이 노력해야 할 것이다. 차오르는 행복에 정호는 웃음 지었다. 그리고 물 컵을 내려놓고 유리에게로 다시 걸어갔다.

이제 시작이었다.

"잠시 집중해 주시기 바랍니다. 지금부터, 신랑 김정호 군과 신부 김유리 양의 결혼식을 시작하도록 하겠습니다."

사회자는 준이었다. 그의 멘트에 따라 우아한 두 모친이 손을 잡고 사이좋게 입장하여 화촉점화를 했다. 그리고 이어서 꽃으로 장식된 길 앞에 정호와 유리가 나란히 섰다. 정호의 팔에 손을 걸어 팔짱을 끼고, 소담한 부케를 든 유리가 숨을 몰아쉬었다.

"하나도 안 떨리다가 이제 좀 떨리네."

조금 붉게 달아오른 뺨이 탐스러웠다. 그는 당장에라도 유리를 안고 마음껏 입을 맞추고 싶은 생각뿐이었다. 기다렸던 오늘, 바로 결혼식 날이었다.

정호는 싱긋 웃으며 말했다.

"나도 떨려."

물론 다른 의미로. 지금껏 적당히 자제해 왔던 모든 것을 해제시켜 버릴 좋은 날이다.

"……뭐야, 너."

유리가 표정을 굳히며 바라보았다.

"뭔가 산뜻한 척 웃고 있지만, 왠지 미소가 음흉해. 이상해, 너."

정호는 얼굴을 내려 유리의 귀에 가까이 다가갔다. 간질간질 바람을 일으키며 속삭였다.

"제대로 보셨네. 우리 결혼, 내가 얼마나 기다렸는데. 아침저녁 마음대로 안고 싶은 거 참느라 그동안 힘들었다고."

분명히 샤워하다가 맞닥뜨렸던 그 첫날 이후, 침대에서 나름대로 많은 밤을 함께 보냈다고 생각하는데, 이 남자는 지금 무슨 소리를 하는 건지.

"뭐, 뭘 참아, 할 만큼 다 해 놓고."

"몰랐어? 그게 참은 거였어."

태연한 정호와 달리, 유리의 귀가 새빨갛게 달아올랐다.

"오늘 멋지고 아름다운 두 주인공이 이제 입장하도록 하겠습니다. 신랑 신부, 입장!"

심장이 쿵쿵 울리다 못해 터질 것 같은 유리의 상황은 알지 못한 채, 준이 호기롭게 입장을 외쳤다.

"가자."

정호가 웃었다.

"이제 나랑, 끝까지 같이 가자."

꽃길 끝에 서서 또 다른 끝을 바라보며 말했다. 이내 고개를 끄덕이는 유리의 얼굴에 하얀 꽃잎처럼 어여쁜 미소가 피어났다. 정호와 유리는 발맞추어 한 발짝 내디뎠다. 두 사람의 첫걸음 위로 흩날리는 벚꽃잎이 장식처럼 어우러졌다.

사월의 벚꽃.

그들의 끝과 시작을 함께했던 아름다운 계절. 그 안에서 정호와 유리는 새로운 시작을 맞이하였다.

에필로그. 또다시 꽃은 피고

결혼 10주년을 맞는 해.

정호와 유리는 결혼기념일에 맞추어 여행을 가려고 했었지만 바빠서 좀처럼 틈이 나지 않았다. 결국 꽃이 피는지 지는지도 모르고 봄을 흘려보냈고, 여름은 여름대로 또 바빠 제대로 된 휴가도 가지 못했다.

그렇게 찾아온 가을. 겨우 두 사람의 스케줄을 맞추어 제주도라도 다녀오자며 떠난 주말이었다. 공항에서 나온 두 사람은 비로소 청량한 공기를 들이마시며 즐거운 미소를 지었다.

"와아. 우리 둘이 나온 게 진짜 얼마 만이야. 아아! 시원하다!"

유리가 차창을 내리고 푸른 바다를 바라보며 기분 좋게 외쳤다. 공항에서 인수 받아 몰고 나온 렌터카는 이내 해안도로로 접어든 참이었다. 두 사람만의 여행은 정말 오랜만이었다.

"그렇게 좋아?"

"좋지, 그럼!"

로(Law) 카페는 여전히 잘 운영하고 있었다. 많은 사람의 관심과 뜻이 이어졌다. 그사이 함께하고자 하는 몇몇 변호사의 참여로 서울 시내 조용한 지역에 로 카페 5호점까지 연이어 개업할 수 있었다. 조만간 지방에도 몇 군데 생길 예정이다.

정호는 태한그룹 법무팀에서 나와 현재는 유리와 함께 로 카페 1호점에서 일하는 중이다. 외부 강연이나 집필, 로 카페 운영 관리 등에 많은 시간을 쓰게 된 유리의 곁에서, 이제 1호점의 상담은 정호가 거의 도맡아 하고 있었다. 그들이 품은 신념을 사람들과 가장 가까운 곳에서 전했다.

정호의 아버지가 말했듯 꼭 위로부터의 개혁만이 옳은 것이 아니라, 이렇게 천천히 물길을 바꾸는 힘도 중요하다는 것을, 그들은 미약한 힘으로나마 보여 주고 있었다.

두 사람 모두 눈코 뜰 새 없이 바쁘게 지내는 가운데에서도 같은 길을 걷고 있기에 항상 대화를 많이 했고, 뜻을 나누며 행복한 결혼 생활을 하고 있었다. 물론 자잘한 다툼도, 갈등도 다 겪으면서. 그러니 가끔 맞이하는 이 해방감이 더 기쁘게만 느껴지는 것이다.

초등학교 3학년인 쌍둥이 자매 단과 진을 친가에 보내 놓고 제주도에서 보내게 된 둘만의 주말, 벌써 기대가 되었다. 하지만……

"저번에 왔을 때, 진이가 저 바다 진짜 좋아했는데. 기억나? 저 물에 물감을 짜 놓았나 봐요, 너무 예뻐요. 그랬던 거."

아이를 떠올리는 유리의 촉촉한 목소리.

"벌써…… 애들 보고 싶네."

이에 운전을 하는 정호도 고개를 끄덕였다.

"아, 그리고 단이가 그러더라. 자기들 빼고 엄마 아빠끼리만 놀러 가니 좋으시냐고."

"뭐야, 단이가 그런 말도 해?"

"내가 만만한가 봐. 단이는 맨날 나한테 시비야. 저 말을 웃지도 않고 했다니까. 되게 진지하게."

"당신이 애들 너무 예뻐하니까 그렇지."

쌍둥이 자매 단과 진이라면 아주 꼼짝을 못 하는 남편 정호였다. 반면 유리는 좀 엄한 편이었다.

"내가 예뻐해서가 아니라, 네가 무서워서겠지."

"그래, 악역은 다 나다. 애들은 다 아빠만 좋아하고."

"김유리."

"왜, 뭐."

"나한테 받는 사랑으로 부족해?"

정호가 손을 뻗어 잡았다. 따뜻하고 커다란 손은 언제 잡아도 마음이 편안해졌다. 늘 센 척하고 강인한 듯 보여도 남편의 안에서 항상 부드럽게 풀어지는 유리였다. 그녀는 살며시 웃었다.

"충분하지. 아니, 넘치지, 넘쳐."

한적한 해안도로를 달리던 차가 간이 주차장으로 들어가 멈췄다. 바로 앞에 푸른 바다가 펼쳐져 있었다. 아직 호텔로 가려면 멀었는데 갑자기 주차를 한 걸 보니 바다를 보고 싶은 모양이었다.

"내릴까?"

유리가 벨트를 풀었다. 정호는 그런 그녀를 당겨 안았다.

"엇."

갑자기 그의 품에 안긴 유리는 다소 놀란 목소리로 물었다.

"왜 그래, 갑자기."

"너무 예뻐서."

"……"

"뽀뽀 한 번 하고 가려고."

"뭐야, 여기서 왜."

"아무도 없어."

곧 해가 질 무렵이었다. 주변은 적막하였고, 어둠이 내려앉기 전 푸르게 빛나는 바다만 눈에 들어올 뿐이었다. 얼굴이 닿을 듯 말 듯 가까운 거리에서 정호가 그녀의 입술을 살며시 매만졌다. 정성스러운 움직임, 간곡히 키스를 바라는 눈빛이었다.

"한 번만. 키스 딱 한 번만 하고 가자."

같은 집, 같은 방, 같은 침대. 늘 똑같았던 일상에서 벗어나 찾아온 여행지는 설렘을 안겨 주었다.

이렇게 다시.

"흐읍……."

열렬한 키스에 빠져들 만큼.

농밀하게 겹쳐지는 입술과 입술 사이에 뜨거운 숨이 흘렀다. 차 밖에서 들려오는 파도 소리가 점점 미약해지더니 이내 멀어져 갔다. 서로가 서로에게만 충실한 지금, 마치 처음인 듯 타오르는 정염만이 가득하였다.

다음 날 아침, 그는 말했다.

"제주도 어차피 다 봤잖아. 또 나가서 구경할 필요가 있나?"

침대에 엎드려 누워 있던 그녀는 대답했다.

"없지. 몇 번을 왔는데. 풍경도 이 호텔 방에서 보이는 바다가 제일 예쁘더라, 뭐."

"그치? 나갈 필요 없겠지?"

"응, 뭐, 그렇지."

그렇게 나가지 않기로 했으니 두 사람은 다시 옷을 챙겨 입을 필요도 없었다.

그리고 점심이 되어, 그는 또 말했다.

"맛집 뭐, 꼭 가야 하나?"

넓은 욕조 안, 그의 품에 안겨서 그녀는 또 대답했다.

"맛집 뭐, 별거 있나. 그게 그거지."

"그렇지. 난 어차피 네가 해 준 요리 말고는 맛있는 것도 없더라. 여기선 집밥 아닌 다음에야 도긴개긴인데, 그냥 호텔 레스토랑 가서 대충 먹고 올까?"

"레스토랑은 뭐하러 내려가. 너 좋아하는 거 있잖아."

"그래, 룸서비스. 그럼 뭐 시킬까?"

그리고 저녁이 되어, 그는 다시 말했다.

"애들이 선물 사다 달라고 했는데, 꼭 사러 나가야 할까?"

얇은 시트로 몸을 감고 뒤에서 정호의 허리를 껴안은 채, 테라스 밖 해 지는 광경을 바라보면서 그녀가 대답했다.

"음, 제주 공항 면세점에 없는 거 없이 다 있는데 뭐, 꼭 돌아다녀야 하나."

"그치? 내일 공항 가서 사면 되겠지?"

"어, 애들 좋아하는 건 공항 숍에 다 있어."

역시 현명한 내 마누라. 정호는 돌아서서 유리의 두 볼을 감쌌다.

부창부수(夫唱婦隨). 더없이 완벽한 한 쌍이었다. 그 언젠가 베네치아로 갔던 허니문에서 그랬듯, 그저 서로만을 향한 아침이요, 낮이요, 밤이었다.

허니문 이후로는 시간을 내어 여행을 갈 때마다 쌍둥이를 건사하느라 정신이 없었던 두 사람이었다. 그렇게 10년을 보냈다. 이번처럼 여유로운 여행은 정말 오랜만이었다.

늘어지게 자고, 편안하게 보내면서, 수없이 서로를 안았다. 그러니 계획에도 없던 막내딸이 갑자기 찾아온 것도 무리는 아니었다. 제주도에서 돌아오는 길은, 셋째 딸 린이와 함께였다. 베네치아에서 쌍둥이 자매 단과 진을 만났던 것처럼.

이듬해 봄.

"이슬아, 학교 생활은 좀 어때?"

"정신없어요. 곧 시험도 있고요."

"바쁠 텐데 여기까지 오고, 괜찮아?"

"네. 여긴 당연히 와야죠."

학창시절 내내 한 번도 전교 1등을 놓친 적이 없던 이슬은 올해 한국대학교 법대에 진학했다. 유리는 그저 흐뭇한 마음으로, 제 후배가 된 이슬을 바라보았다. 그 옆의 송화와 은강 역시 못내 뿌듯한 표정이었다.

두 사람 사이에는 아이가 없고 오직 이슬뿐이었다. 일부러 갖지 않은 것도 아니고, 무슨 문제가 있어서도 아니었지만 하나뿐인 딸 이슬에게만 최선을 다하며 행복하게 지내 온 부부였다. 이슬 역시 어려서부터 은강을 잘 따른 터라 더없이 사이가 좋은 부녀지간으로 잘 지내 오고 있었다.

그래 봐야 은강은 이제 겨우 삼십 대 후반이었다. 다 커 버린 딸을 두었다고 하기엔 지나치게 젊고 매력적이기까지 했다. 다만 다른 여자들이 찔러 볼 수도 없을 정도로 그는 여전히 타인에게 차갑고 가족에게만 따뜻했다.

그뿐일까. 함께 케이크 카페를 운영하느라 아내 송화와는 24시간 붙어 있으니 누구든 치고 들어올 틈이 없었다. 게다가 송화를 바라보는 은강의 눈빛은 여전히 다정하기만 하였다.

이슬은 어린 시절부터 꾸어 온 꿈을 이루기 위해 한 발짝씩 다가가고 있었다. 이슬에게 롤모델인 동시에 멘토인 유리는 그런 노력을 참 기특하고 어여쁘게 생각해서 늘 관심을 두고 지켜보는 중이었다.

"준배야, 너 또 선봤다며? 이번에는 어떻게 됐는데?"

고기를 굽던 정호는 준을 향해 물었다. 준의 인상이 일그러졌다.

"아, 형, 말도 하지 마. 나는 왜 이렇게 여복이 없냐."

"왜, 이번에는 뭔데?"

"보자마자 무슨 술부터 먹자면서 말아서 꺾어 먹고 아주 난리도 아니었다. 안주 먹을 틈도 안 줘. 그냥 마셔, 마셔야."

"그래서?"

"그래서는 뭘 그래서야. 꽐라 될 때까지 진탕 마셨지."

졸업 후 대기업에 입사하여 근무 중인 준은 서른 중반의 나이에 아직 여자 친구가 없었다. 이제 집에서도 슬슬 결혼하라고 압박이 들어오는지 요즘 들어 선을 자주 보았다. 하지만 딱히 마음에 드는 여자가 없는 듯했는데, 이번에는 왠지 싫다고 하면서도 말하는 느낌이 다른 날과 좀 달랐다.

유리는 정호가 구운 고기를 테이블로 나르면서 물었다.

"그래서 언제 또 술 마셔?"

"내일."

준은 유도하는 질문에 바로 낚여 데이트 스케줄을 토해 내었다. 그것 보라는 듯 유리가 정호를 돌아보았다. 정호가 피식 웃으며 물었다.

"또 만나려고?"

"어, 뭐……. 술 마시느라 얘기를 제대로 못 했으니까 한 번 더 보긴 해야겠지."

보자마자 또 술을 마시겠지만.

"예뻤구만?"

"음, 뭐……."

"주량도 잘 맞고?"

"음, 뭐……."

"좋아하는 술 스타일도 잘 맞고?"

"뭐……."

"얘기도 잘 통했지?"

"하하."

여복이 없다고 앓는 소리를 하더니 다 빈말이었던 모양이었다. 준의 얼굴에 퍼지는 미소가 왠지 좋은 소식을 안겨다 줄 것만 같았다.

그때, 잔디를 사각사각 밟으며 걷는 유리를 새연이 당겨 앉혔다.

"너는 이제 좀 앉아 있어. 내가 할 테니까."

안에서 주스며 다른 음식들을 챙겨 나오던 새연은 유리를 앉혀 주고는 얼른 테이블 위를 정돈했다.

"그래, 우리 여보 좀 앉아 있어."

정호도 걱정 어린 얼굴로 제 아내를 바라보았다. 쌍둥이를 낳을 때 난산으로 고생했던 유리였다. 그게 벌써 십 년 전이니, 그때보다 나이가 든 지금은 더 힘들면 어쩌나 걱정이었다. 지금 유리의 배 속에는 늦둥이 딸이 자라고 있었다.

"엄마."

평상에 엎드려 옹기종기 책을 보던 아이들 중 단이 유리를 불렀다.

"응?"

"엄마, 산모가 많이 움직여야 아기도 잘 나온다는데?"

열한 살 여자아이의 입에서 흘러나온 소리에 유리가 멍한 표정으로 들었다.

"너 뭐 읽어?"

정호가 다가가 딸의 책을 들어 올렸다.

〈임신과 출산〉

책장 어느 구석에 꽂혀 있던 책이었다. 아마도 쌍둥이를 임신했을 때 읽느라 두었던 책인 듯했다.

"아니, 이걸 네가 왜 읽어."

"집에 있으니까 읽지."

뭐든 닥치는 대로 읽어 버리는 딸들 때문에 늘 조심하며 책장을 살피긴 했었다. 그래서 읽으면 안 되는 책은 집에 두지도 않았는데 <임신과 출산>이라니, 초등학교 4학년이 읽기엔 너무 부담스러운 책 아닌가. 아니, 무슨 뜻인지나 알고 읽는 것인지.

"너도 이거 읽었어?"

정호는 옆에 있는 진에게 물었다. 진은 부동산법 책을 읽으며 무심히 고개를 끄덕였다.

"응, 내가 읽고 재미있어서 언니 준 거야."

아무래도 그냥 말 그대로 '활자 중독'인 아이들이었다. 무슨 뜻인지도 모르고 글자를 씹어 먹듯 읽고 있었다.

"고령 임신부들이 태아의 상태에 지나치게 예민한 경우가 많다는데, 그런 건 아기한테 해가 될 뿐이래. 그냥 마음 편하게 지내래."

단이 웃지도 않고 진지한 얼굴로 그렇게 말했다. 그러고는 다시 책으로 시선을 내렸다.

"얘가 더하네."

유리가 진의 손에 들린 부동산법 책을 보곤 혀를 내둘렀다. 마미의 말씀에 의하면, 제 어린 시절은 이 정도까진 아니었다는데 아무래도 쌍둥이의 몸엔 김정호의 피가 진하게 흐르나 보다.

잔디밭 한쪽에 설치한 미니 농구대에는 준원과 새연의 아들들 진우와 성우가 공을 가지고 놀고 있었다. 아파트에 살다가 넓은 마당이 있는 집으로 오니 시원하고 좋은 모양이었다.

오늘은 집들이하는 날이다. 준원과 새연의 가족, 정호와 유리의 가족은 서울 근교의 한 전원주택 단지에 새롭게 둥지를 틀게 되었다. 나란히 옆집으로 이사를 와서 두 집 사이의 담에는 문까지 설치해 두었다. 언제든지 오갈 수 있도록 그 문은 항상 열어 두기로 했다.

파릇파릇한 잔디밭이 넓게 펼쳐져 있고, 통유리로 된 거실은 밖에서도 훤히 보였다. 이제 초등학교 6학년이 된 의젓한 진우와, 5학년이 된 귀여운 성우, 그리고 4학년이 된 씩씩한 단과 진 자매는 서로의 집을 오가며 지내게 되었다. 네 아이들은 친하긴 했으나 그렇게 살갑게 어울리는 편은 아니었다.

자식은 뜻대로 되는 게 아니라고, 어쩌면 사돈을 맺자던 꿈은 멀어질 수도 있겠다는 생각을 했다. 물론 지금 유리의 배 속에 있는 막내딸이 복병이라는 건 이때까지만 해도 꿈도 꾸지 못할 일이었다.

그리고 주말, 사람들을 초대하여 집들이하게 된 것이다. 지금은 흩어져서 지내고 있는 예전 로(Law) 카페 식구를 비롯해서 서원과 그의 아내 혜빈, 다섯 살 난 딸까지 그 가족도 함께 왔다. 모두 편하고 즐거운 분위기 속에서 서로 이야기를 나누며 음식을 먹었다.

신선한 고기는 정호가 담당하여 굽고 있고, 준원은 이전보다 훨씬 더 유명해진 국민 셰프의 이름값을 톡톡히 하며 맛있는 음식들을 연이어 내어 왔다.

"이따 혁준이는 와이프랑 같이 늦게 도착한댔지? 이거 음식 따로 좀 남겨 놔야겠다."

"어, 저녁 안 먹고 온댔어. 맞다. 근데 어머님은?"

유리가 음식을 챙기는데 정호가 물었다.

"아까 출발하셨다고 하지 않았어?"

"응. 거의 다 오셨을 텐데."

마미가 오는 중이라고 했었다. 때마침 열어 두었던 대문이 열리며 익숙한 얼굴들이 들어섰다.

"하이, 헬로."

"얘들아, 우리 왔다."

마미와 이 여사의 목소리가 들렸다. 정호의 아버지도 보였다. 준원과 새연의 양가 부모님은 각각 외국과 지방에 있어, 이사를 축하한다는 연락만 따로 전해 오셨다. 어른들까지 오셔서 다들 일어서서 인사를 건넸다. 분위기는 한층 북적거리고 좋았다. 단과 진 자매는 양가 조부모에게 안겨 애교를 펼쳐 보였다. 아무리 진지한 활자 중독 꼬맹이들이어도 할머니 할아버지 품에서 영락없는 아기들이었다. 잔디밭 위에 평화로운 웃음소리가 가득했다.

"추워? 숄이라도 갖다줄까?"

"아니, 내가 꺼내 올게."

정호의 말에 유리가 일어섰다. 그리고 거실의 유리 창문 한쪽을 열고 안으로 들어섰다. 그러나 기어이 정호가 따라왔다.

"내가 가져간다니까."

소중하고 귀하게 여기며 살아가겠다더니, 그는 정말 그랬다. 예비 장모 앞에서 스스럼없이 무릎을 꿇고 맹세했던 그 약속을 지켜 나갔다. 부서질까, 깨질까, 유리를 그저 귀히 대하였다. 억지로, 일부러가 아니었다. 제 평생 사랑한 유일한 여자인 아내를 가슴에서부터 우러난 마음으로 그렇게 아끼며 살았다. 그러니 숄 하나 가지러 들어온 걸음에도 따라붙어 문을 열어 주고, 꺼내 주고, 넘어질까 살피는 것이다.

"예쁘다."

다시 밖으로 나가기 전에 문득 유리창 앞에 멈추어 선 그녀가 중얼거리듯 말했다. 그림처럼 아름다운 풍경이었다. 너른 잔디밭 위에 언젠가처럼 흩날리는 꽃잎. 서로를 간절히 원했던 그 시기를 지나 이렇게 함께 있게 된 지금. 우리의 가족들이, 우리의 사람들이, 우리의 행복이, 이렇게 가까이에 있다는 것이 얼마나 기쁘고 감사한지 그들은 매 순간 깨닫고 있었다.

시끄럽게 웃고 떠드는 사람들을 바라보는 유리의 눈에 눈물이 그득히 차올랐다. 뒤에서 사르르 껴안는 남편의 팔이 느껴졌다. 자신을 안은 그 단단한 품에 갇혀 아름다운 광경을 지그시 바라보았다. 백허그를 한 채 두 사람은 한곳을 바라보았다. 그들이 가장 사랑하는 사람들이 있는, 가장 아름다운 곳.

"좋다, 참 좋다……. 정말 예뻐, 우리 집."

정호는 고개를 끄덕이고는 유리의 머리에 고개를 기울여 살짝 입을 맞추었다.

우리가 사랑했기에. 우리가 사랑하며 살아가고 있기에. 그렇기에 우리에게 주어진 삶, 시간, 웃음, 행복. 이 모든 것이 소중하게 느껴질 수밖에 없었다.

사랑은 오래전 그날부터, 지금까지, 그리고 앞으로도 오랫동안, 매번 다른 빛으로 바뀌며 그들의 곁에 함께 있을 것이다. 그리하여 낙화(落花)를 못내 아쉬워하지 않고 또다시 꽃이 필 봄을 가만히 기다리듯. 찬란한 그들의 삶에 너울진 사랑이 영원하리라.

-마침-

작가 후기

『법대로 사랑하라』에서 제가 다루고 싶었던 건, 법조물에서 중요하게 그려지는 강력 사건보다는 그저 보통 사람들의 소소한 이야기였어요. 나의 일이 될 수도 있고, 내 이웃의 일이 될 수도 있는, 누구에게나 친숙하고 가깝게 찾을 수 있는 카페를 배경으로 잡았기에 가능했던 그런 이야기들이었습니다. 그 안에서 거침없는 유리의 발언과 행보로 인해 저도 가슴이 시원해졌고, 그런 유리를 올곧게 사랑만 하는 순정남 정호로 인해 가슴이 뜨거워졌어요.

결국엔 사랑, 이라고 생각합니다.

사람을 변화시키는 것도, 감동을 주는 것도, 가슴 저리게 하는 것도, 그래서 이 세상에서 숨 쉬고 살아가게 만드는 그 모든 것은, 전부 사랑 때문이고 사랑 덕분이겠죠. 『법대로 사랑하라』 안에서 내내 외쳤던 '선(善)'이 승리하는 세상'도 결국엔 사랑이 기반이고, 전부였음을 꼭 전하고 싶었어요.

단지 이성 간의 사랑만이 아니라, 가족으로서, 친구로서, 동료로서, 이웃으로서, 인간 대 인간으로서 품는 가장 아름다운 감정인 '사랑'이 넘쳐 나기를. 그로 인해 우리의 날들이 조금 더 따뜻하고 행복하기를. 이런 바람이 잘 전해졌는지 모르겠어요.

앞으로도 저는 그런 글을 계속 쓰고 싶습니다.

따뜻한 사랑이 흘러넘치는 글, 책장을 덮고 나면 '애들도 참 예쁜 사랑을 했구나' 하고 기분 좋게 느낄 수 있는 글이요. 그런 글 계속 보여 드리기 위해 행복한 마음으로 부지런히 쓰겠습니다.

『법대로 사랑하라』를 위해 애써 주신 분들이 참 많았습니다.

제가 부족하나마 공부해 가며 초반 에피소드를 만드는 데 큰 도움을 주고 조언해 준, 친구 김지혜 변호사에게 감사를 전합니다. 물심양면으로 지원해 주신 와이엠북스 대표님과 담당자님들, 네이버 웹소설 관계자님들 진심으로 감사드려요. 덕분에 좋은 기회를 얻어 작품을 선보일 수 있었습니다.

또한 가족들의 배려와 지지, 희생이 없었다면 이렇게 글을 써 나갈 수 없었을 겁니다. 늘 마음을 다해 사랑하고, 감사합니다. 그리고 절대 빼놓을 수 없는 분들은, 바로 『법대로 사랑하라』를 읽어 주시고 아껴 주신 분들이 아닐까 싶어요. 전 '덕분에'라는 말을 좋아하는데요, 모든 건 언제나 독자님들의 관심과 사랑 덕분입니다. 저와 글을 통해 인연이 되어 주신 분들, 한 분 한 분 진심으로 감사하고 사랑해요.

그리고 마지막으로, 가수 김동률님께 무한한 애정을 보냅니다. 글 속 남자 주인공 정호가 부르는 김동률님의 노래들에는 제 사심이 잔뜩 들어가 있어요. 울컥하는 감정에 따스해지는 마음까지, 음악이 가진 힘에 감동하며 수없이 듣고 수없이 울면서 글을 썼던 시간들이었습니다. 좋은 음악 만들어 주시고 불러 주셔서 정말 감사합니다.

『법대로 사랑하라』는 제게 좋은 일을 많이 가져다준 작품이었습니다. 네이버 웹소설 정식연재를 통해 인사드리게 되어 새로운 독자분들을 많이 만날 수 있었고요. 기대 이상으로 많은 사랑을 받게 되어 정말 감사했습니다.

글 속에서 벚꽃 이야기를 실컷 쓸 수 있어 좋았고, 이전 버전의 표지는 물론 새로 선보이는 개정판의 표지에도 벚꽃이 아름답게 흩날리고 있어 행복한 마음입니다. 한국대 후문 벚꽃 거리에서 오늘도 정호와 유리가 따뜻한 입맞춤을 하고 있을 것 같아요.

앞으로 좋은 글로 따뜻함 전할 수 있도록 노력하겠습니다. 책날개에 적힌 주소 보시고 제 블로그로 놀러 오시면 공지와 근황 접하실 수 있답니다. 그럼 또 뵙겠습니다.

늘 반짝이는 하루 되세요.

-올해도 벚꽃이 피어나길 기다리면서.
노승아 드림.

<참고문헌>

이재상. 2012.『형사소송법』. 박영사.

이재상. 2011.『형법총론』. 박영사.

김운곤. 2012.『신 수사실무』. 한국사법연구원.

최재천. 2002.『의료사고 해결법』. 일상.

법무법인 세승. 2013.『의료와 법』. 씽크스마트.

양지열. 2014.『이야기 형법』. 마음산책.

노지영. 2004.『리틀변호사가 꼭 알아야 할 법 이야기』. 교학사.

임수빈 외 15인. 2006.『판사·검사·변호사가 말하는 법조인』. 도서출판 부키.

공익인권법재단 공감. 2013.『우리는 희망을 변론한다』. 도서출판 부키.

<참고사이트>

대법원 http:www.scourt.go.kr

대법원 종합법률정보 (판례검색) http:glaw.scourt.go.kr

서울중앙지방법원 http:seoul.scourt.go.kr

찾기 쉬운 생활법령정보 (법제처) http:oneclick.law.go.kr

어린이법제처 http:www.moleg.go.krchild

법률신문 http:lawtimes.co.kr

대한법률구조공단 http:www.klac.or.kr

리걸타임즈 http:legaltimes.co.kr

로앤비 http:www.lawnb.com